Excel 2021／2019／Microsoft 365 対応

Excel データ集計・分析

実践ビジネス入門講座

完全版

国本温子 著

今日からすぐに現場で役立つ
データ分析のワザを凝縮

Introductory Course to Excel for Practical Business.

SB Creative

サンプルのダウンロード

本書で解説しているサンプルコードは、以下のサポートページよりダウンロードできます。解説している機能の動作確認などにご活用ください。

本書サポートページ　https://isbn2.sbcr.jp/12757/

本書の対応バージョン

本書はExcel 2021/2019/Microsoft 365に対応しています。ただし、記載内容には一部、全バージョンに対応していないものもあります。また、本書では主にWindows版のExcel 2021の画面を用いて解説しています。そのため、ご利用のExcelやOSのバージョン・種類によっては項目の位置などに若干の差異がある場合があります。ご注意ください。

本書に関するお問い合わせ

この度は小社書籍をご購入いただき誠にありがとうございます。小社では本書の内容に関するご質問を受け付けております。本書を読み進めていただきます中でご不明な箇所がございましたらお問い合わせください。なお、ご質問の前に小社Webサイトで「正誤表」をご確認ください。最新の正誤情報を上記のサポートページに掲載しております。上記ページの「正誤情報」のリンクをクリックしてください。なお、正誤情報がない場合、リンクをクリックすることはできません。

ご質問送付先

ご質問については下記のいずれかの方法をご利用ください。

Webページより

上記のサポートページ内にある「この商品に関する問い合わせはこちら」をクリックすると、メールフォームが開きます。要綱に従って質問内容を記入の上、送信ボタンを押してください。

郵送

郵送の場合は下記までお願いいたします。

〒106-0032
東京都港区六本木2-4-5
SBクリエイティブ　読者サポート係

はじめに Introduction

Excelは、日々の業務の中で最もよく使用されているソフトです。その利用目的として、データの集計や分析が大半となっているのではないでしょうか？ 今や、社会人に必要とされるExcelのスキルは、単純な表作成だけでなく、データの集計と分析まで求められています。

Excelを使って集計・分析を行うには、データの収集、整形、集計、分析という順番で作業を進めていきます。本書では、主にテーブルを使ったデータの収集、関数を使ったデータの整形や作成、さらにピボットテーブルを使った集計表の作成、そして、集計結果を視覚化するグラフの作成が一通りできるように構成しています。随所で集計・分析に必要な実務的な知識や手法も紹介していますので、より実務に則した操作を覚え、使えるようになると思います。

さらに本書では、Excelに付属しているPower Queryを使った、データの収集と整形の方法に力を入れて紹介しています。Power Queryを使うと、いろいろな種類のファイルで提供されているデータを取り込み、集計に必要な形に整えることができます。またPower Queryでは、データの取り込みから整形までの一連の手順を記録し、最新データに更新できるという大きなメリットがあります。そのため、集計・分析する前段階として、Power Queryを大いに活用していただきたいと思っています。実務に合わせて、いろいろなパターンを紹介していますので、Power Queryの操作を是非とも覚えてください。

また、付録としてPower Pivotを使って、複数のファイルに分かれたテーブルを関連付け、別々のテーブルにあるフィールドを使ってピボットテーブルを作成する方法も紹介しています。

本書により、読者の皆様の集計・分析力向上のお役に立てば幸いに思います。

令和5年3月　国本　温子

本書の使い方

本書は、Excelを使ってデータの集計・分析を行うための本です。本書ではデータの取り込み方、取り込んだデータを使いやすく整える方法から、さまざまな集計・分析の手法まで、一歩ずつ丁寧に解説しています。

紙面の構成

▶ 項目タイトル

目的別に構成されているため「知りたいこと」や「実現したい処理」から探すことができます。

▶ サンプルファイル

具解説内容に対応したサンプルファイルです。実際に動かして試してみてください。

▶ 操作手順

具体的な操作内容の説明です。番号順に操作してください。

Using data with Power Query

04 不要な列や行を削除する

取り込んだデータには、表の上部にタイトルや空白行のような集計に使用しない不要な行があったり、余分な列が含まれていたりする場合があります。Power Queryエディターで不要な行や列を削除し、表を適切な形に整えられます。

不要な列を削除する

Power Queryエディターで**不要な列を削除**しましょう。**列を削除しても元データの列を削除するわけではないので**、簡単に戻せますし、集計に使用する列だけにすると表がすっきりします。ここでは、[郵便番号]列と[住所1]列を削除してみましょう。(Sample ➡04-04-01.xlsx)

❶ p.104の手順を参照し、[クエリと接続]作業ウィンドウで[集計用データ]クエリをダブルクリックしてPower Queryエディターを起動しておく
❷ [郵便番号]の列見出しをクリックして列選択
❸ Ctrl キーを押しながら[住所1]の列見出しをクリックして2つの列を選択
❹ [ホーム]タブ→[列の削除]をクリック

Memo

手順❹で Delete キーを押しても列を削除できます。

108

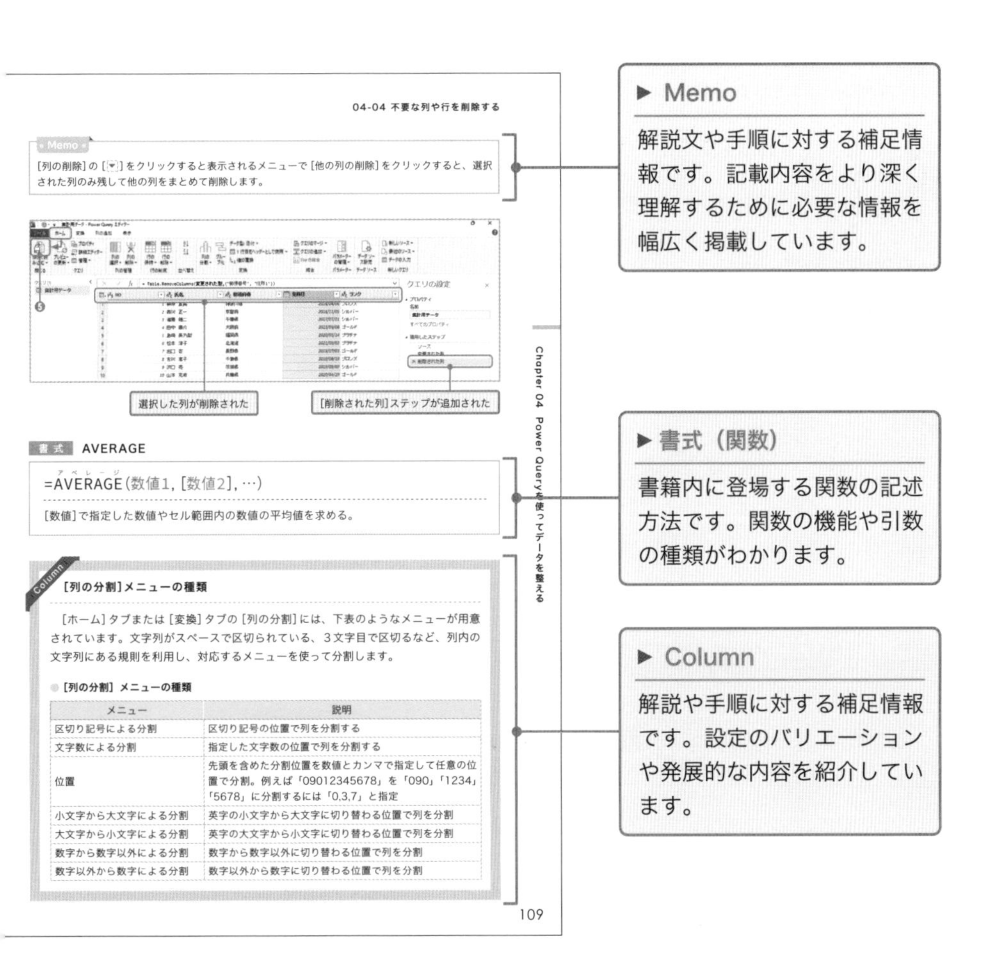
04-04 不要な列や行を削除する

Memo

[列の削除] の [▼] をクリックすると表示されるメニューで [他の列の削除] をクリックすると、選択された列のみ残して他の列をまとめて削除します。

選択した列が削除された

[削除された列] ステップが追加された

書式 AVERAGE

=AVERAGE(数値1, [数値2], …)

[数値] で指定した数値やセル範囲内の数値の平均値を求める。

Column

[列の分割] メニューの種類

[ホーム] タブまたは [変換] タブの [列の分割] には、下表のようなメニューが用意されています。文字列がスペースで区切られている、3文字目で区切るなど、列内の文字列にある規則を利用し、対応するメニューを使って分割します。

● [列の分割] メニューの種類

メニュー	説明
区切り記号による分割	区切り記号の位置で列を分割する
文字数による分割	指定した文字数の位置で列を分割する
位置	先頭を含めた分割位置を数値とカンマで指定して任意の位置で分割。例えば「09012345678」を「090」「1234」「5678」に分割するには「0,3,7」と指定
小文字から大文字による分割	英字の小文字から大文字に切り替わる位置で列を分割
大文字から小文字による分割	英字の大文字から小文字に切り替わる位置で列を分割
数字から数字以外による分割	数字から数字以外に切り替わる位置で列を分割
数字以外から数字による分割	数字以外から数字に切り替わる位置で列を分割

Chapter 04 Power Queryを使ってデータを整える

109

▶ Memo

解説文や手順に対する補足情報です。記載内容をより深く理解するために必要な情報を幅広く掲載しています。

▶ 書式（関数）

書籍内に登場する関数の記述方法です。関数の機能や引数の種類がわかります。

▶ Column

解説や手順に対する補足情報です。設定のバリエーションや発展的な内容を紹介しています。

サンプルデータのダウンロード

本書のサポートサイトより、解説内容に対応した練習用のサンプルデータをダウンロードできます。学習の際にぜひ活用してください。なお、本書はExcel2021/2019/Microsoft 365に対応しています。

https://isbn2.sbcr.jp/12757/

❶ ブラウザを開き、上記のURLを入力して、本書のサポートサイトを表示する。

❷ 画面を下方へスクロールして［サポート情報］タブをクリックし、エリアにあるサンプルデータのダウンロードリンクをクリックする。

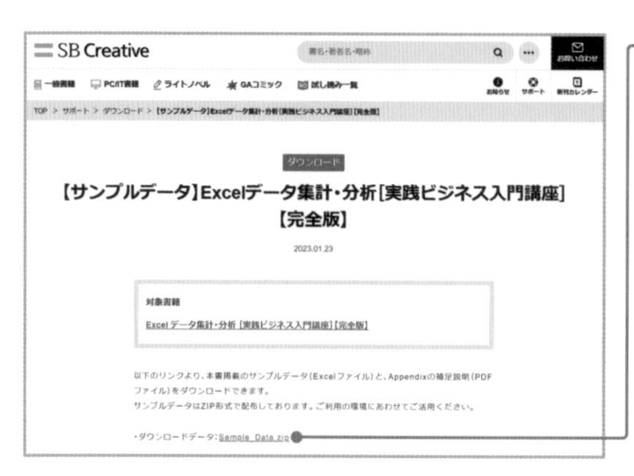

❸「使用上の注意」をよく読み、同意する場合のみ、ダウンロードデータのリンクをクリックする。すると、サンプルデータのダウンロードが開始される。

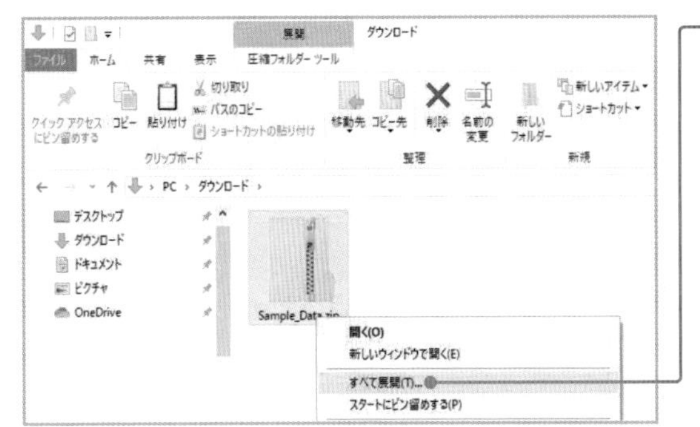

❹ 指定した場所に「Sample_Data.zip」がダウンロードされるので、右クリックして［すべて展開］をクリックする。［圧縮（ZIP形式）フォルダーの展開］画面が表示されるので、展開先の場所を確認して展開する。

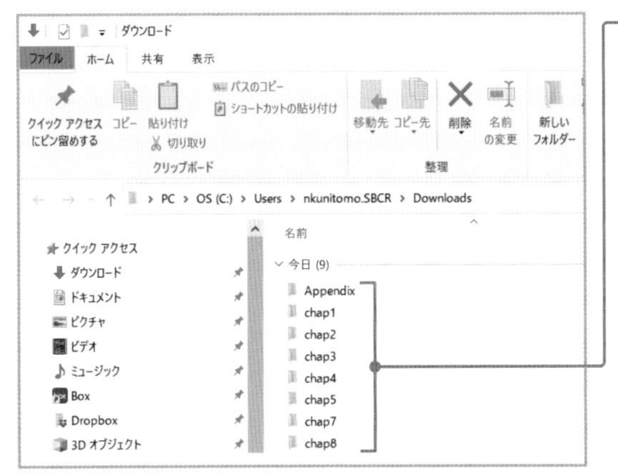

❺ 指定した場所にZIPファイルが展開される。ファイルは章ごとに分類されているので、対象の章フォルダをダブルクリックする。

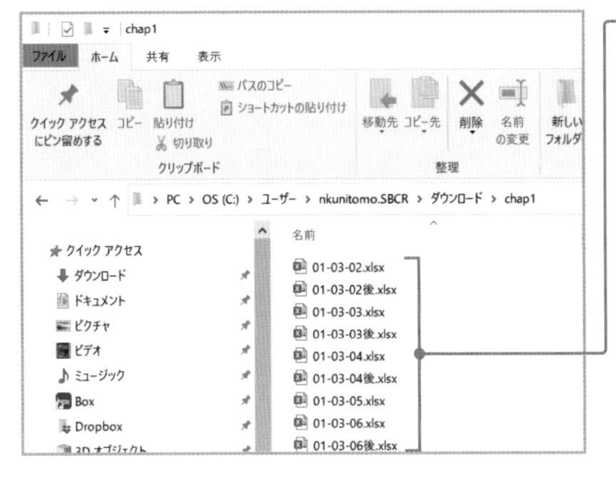

❻ 本書掲載のサンプルデータをダウンロードできたことが確認できる。

CONTENTS

Chapter

01

データの分析と集計の概要

本章では、Excelでデータの集計・分析を行う際のおおまかな流れや、必要な機能について簡単に紹介します。Excelでデータを扱う際には、並べ替えや絞り込みを簡単に行うことができる「テーブル」という形式に変換します。また、データの入力規則や関数についても見ていきましょう。

Excelのデータの収集、集計、分析機能にはどんなものがあるの？

Excelには、売上データや顧客データなどのデータを収集し、集めたデータを集計、分析するための豊富な機能が用意されています。ここでは、どのような機能があるのかを確認しておきましょう。

テーブル

テーブルとはデータを集計、分析するのにベースとなる表で、1行目が項目名、2行目以降がデータとなるように作成します。テーブルには、**データの収集、並べ替え、抽出、集計**などの機能があります。本書では、主にテーブルを使ってデータを扱います。

● 1行目が項目名、2行目以降にデータが集められている表

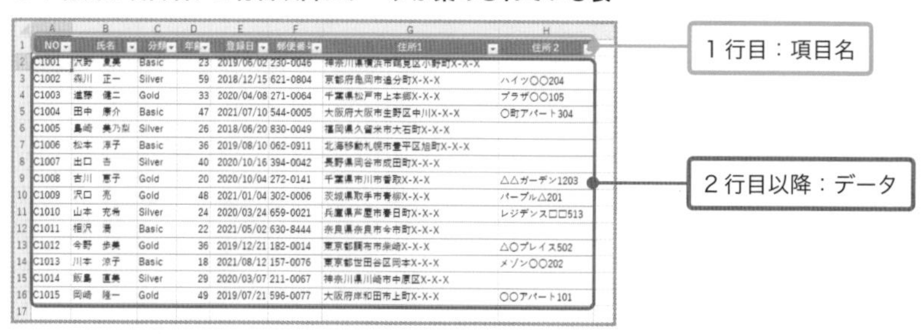

	A	B	C	D	E	F	G	H
1	NO	氏名	分類	年齢	登録日	郵便番号	住所1	住所2
2	C1001	沢野 夏美	Basic	23	2019/06/02	230-0046	神奈川県横浜市鶴見区小野町X-X-X	
3	C1002	森川 正一	Silver	59	2018/12/15	621-0804	京都府亀岡市追分町X-X-X	ハイツ○○204
4	C1003	進藤 健二	Gold	33	2020/04/08	271-0064	千葉県松戸市上本郷X-X-X	プラザ○○105
5	C1004	田中 康介	Basic	47	2021/07/10	544-0005	大阪府大阪市生野区中川X-X-X	○町アパート304
6	C1005	島崎 美乃梨	Silver	26	2018/06/20	830-0049	福岡県久留米市大石町X-X-X	
7	C1006	松本 淳子	Basic	36	2019/08/10	062-0911	北海道札幌市豊平区旭町X-X-X	
8	C1007	出口 杏	Silver	40	2020/10/16	394-0042	長野県岡谷市成田町X-X-X	
9	C1008	吉川 恵子	Gold	20	2020/10/04	272-0141	千葉県市川市香取X-X-X	△△ガーデン1203
10	C1009	沢口 亮	Gold	48	2021/01/04	302-0006	茨城県取手市青柳X-X-X	パープル△201
11	C1010	山本 充希	Silver	24	2020/03/24	659-0021	兵庫県芦屋市春日町X-X-X	レジデンス□□513
12	C1011	相沢 潤	Basic	22	2021/05/02	630-8444	奈良県奈良市今市町X-X-X	
13	C1012	今野 歩美	Gold	36	2019/12/21	182-0014	東京都調布市柴崎X-X-X	△○プレイス502
14	C1013	川本 涼子	Basic	18	2021/08/12	157-0076	東京都世田谷区岡本X-X-X	メゾン○○202
15	C1014	飯島 直美	Silver	29	2020/03/07	211-0067	神奈川県川崎市中原区X-X-X	
16	C1015	岡崎 隆一	Gold	49	2019/07/21	596-0077	大阪府岸和田市上町X-X-X	○○アパート101
17								

● テーブルの並べ替え・抽出・集計機能

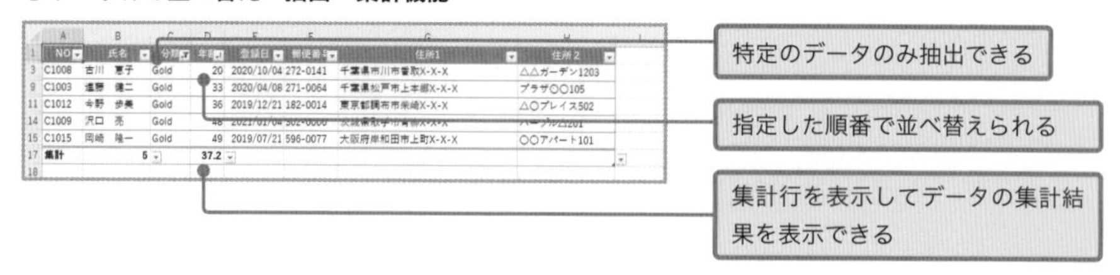

	A	B	C	D	E	F	G	H
1	NO	氏名	分類	年齢	登録日	郵便番号	住所1	住所2
3	C1008	吉川 恵子	Gold	20	2020/10/04	272-0141	千葉県市川市香取X-X-X	△△ガーデン1203
9	C1003	進藤 健二	Gold	33	2020/04/08	271-0064	千葉県松戸市上本郷X-X-X	プラザ○○105
11	C1012	今野 歩美	Gold	36	2019/12/21	182-0014	東京都調布市柴崎X-X-X	△○プレイス502
14	C1009	沢口 亮	Gold	48	2021/01/04	302-0006	茨城県取手市青柳X-X-X	パープル△201
15	C1015	岡崎 隆一	Gold	49	2019/07/21	596-0077	大阪府岸和田市上町X-X-X	○○アパート101
17	集計	5		37.2				
18								

関数

Excelには、データを整形、計算、集計するための関数が多数用意されています。例えば、余分な空白を削除する関数（TRIM関数）や分類ごとの合計を求める関数（SUMIF関数）などがあります。

● TRIM関数

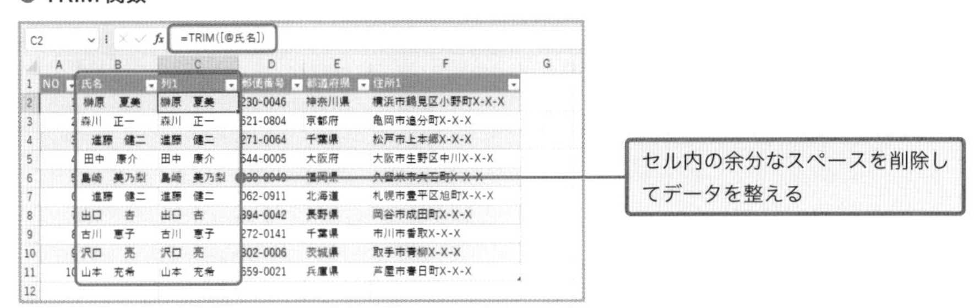

● SUMIF関数

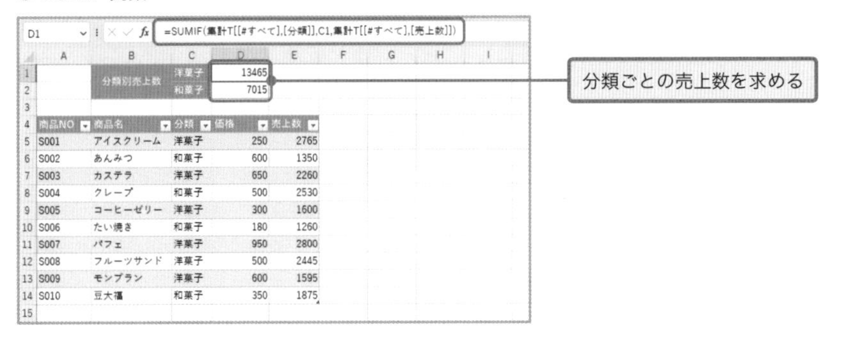

ピボットテーブル

データベース形式の表をもとに作成する集計表です。列の組み合わせや集計方法を自由に変更でき、いろいろな角度からデータ分析が行えます。

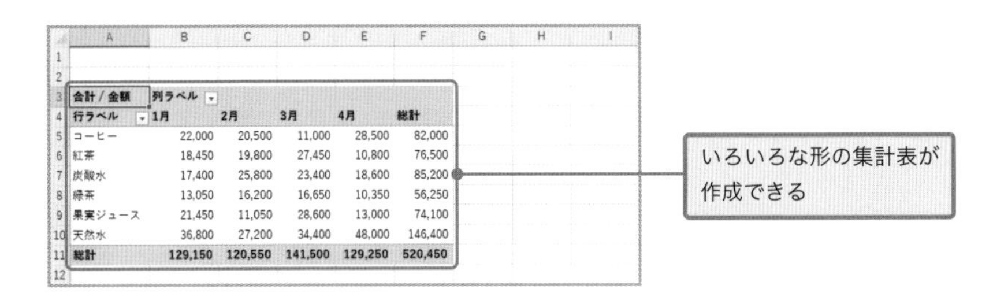

グラフ

集計表をグラフにすると、数値の大小や割合、時系列による数値の変化などデータの傾向を視覚化し、データの分析に有効です。

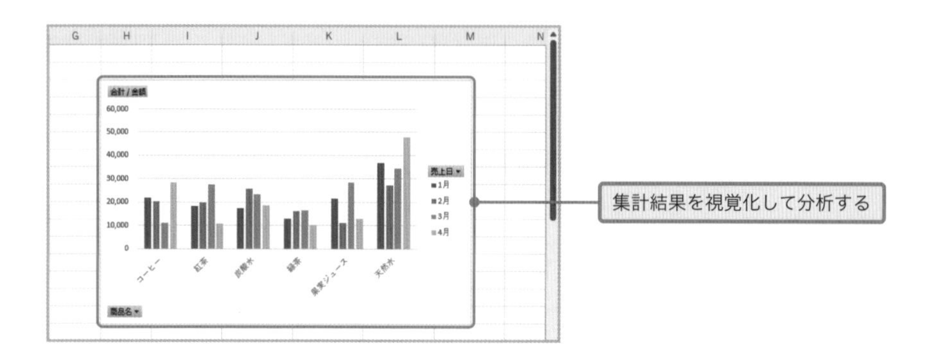

分析ツール

分析ツールを使うと、**基本統計量**、**相関**、**回帰分析**などの統計学的、工学的分析を行うことができます。**[分析ツール]アドイン**を追加することで使用することができます。

● [データ分析] ダイアログ

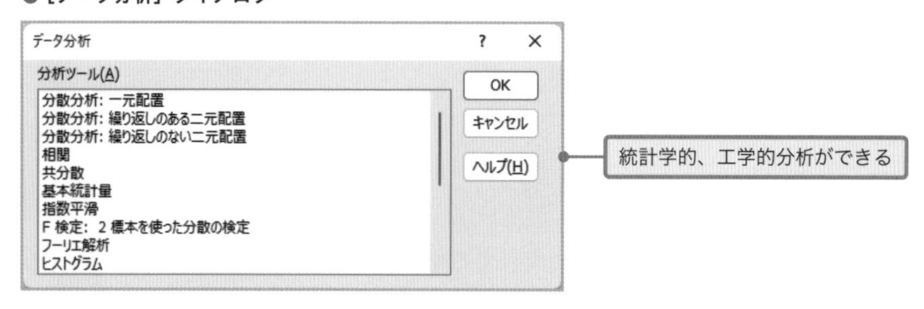

● 分析ツールによるデータ分析の結果（基本統計量）

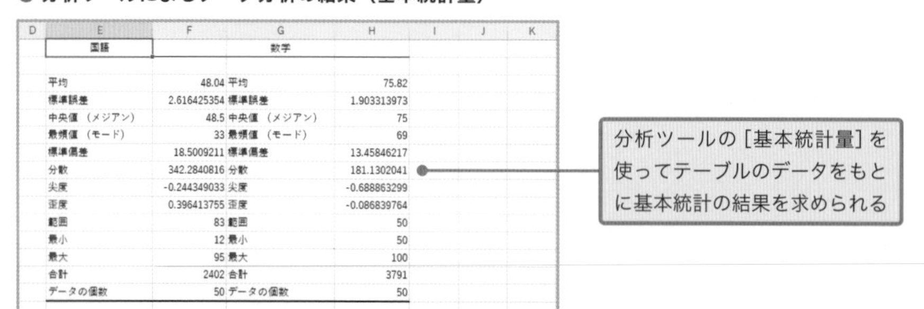

国語		数学	
平均	48.04	平均	75.82
標準誤差	2.616425354	標準誤差	1.903313973
中央値（メジアン）	48.5	中央値（メジアン）	75
最頻値（モード）	33	最頻値（モード）	69
標準偏差	18.5009211	標準偏差	13.45846217
分散	342.2840816	分散	181.1302041
尖度	-0.244349033	尖度	-0.688863299
歪度	0.396413755	歪度	-0.086839764
範囲	83	範囲	50
最小	12	最小	50
最大	95	最大	100
合計	2402	合計	3791
データの個数	50	データの個数	50

Power Query

ブック内のテーブルまたは外部データを取り込み、データを整え、ワークシートにテーブルとして出力します。データの取り込みから整形、出力までの手順を保存できるため、処理の自動化が図れます。

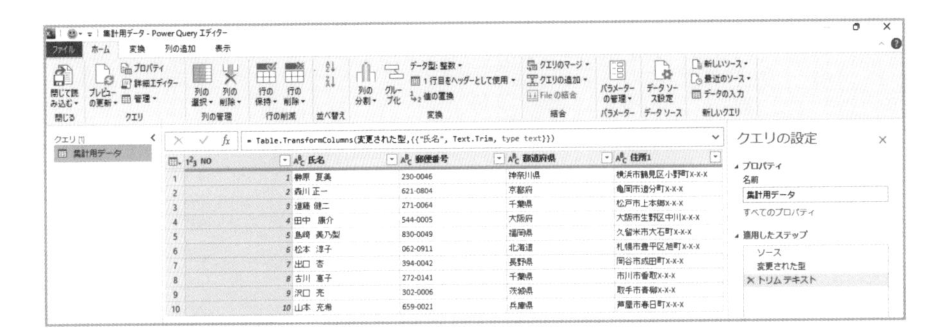

Power Pivot

集計したいデータがブック内の複数のテーブルに分かれて作成されていたり、複数のファイルに分散して管理されたりしているときに、それらのデータを関連付けてピボットテーブルを作成できます。データベースソフトを使用することなくテーブル同士を関連付ける（リレーションシップ）ことができるメリットは大きいです。

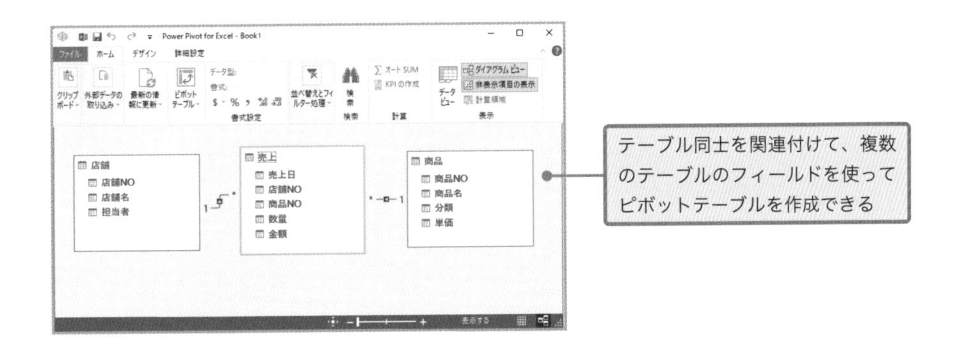

The outline of data analysis and data aggregation

02 集計・分析の処理の流れ

Excelでデータを集計・分析する場合の、基本的な処理の流れを確認しましょう。まず､①集計のもととなるデータを用意し､②正確に集計できるように元データの値を整え、③データを集計し、④グラフ化などしてデータを分析します。

● 集計・分析の処理の流れ

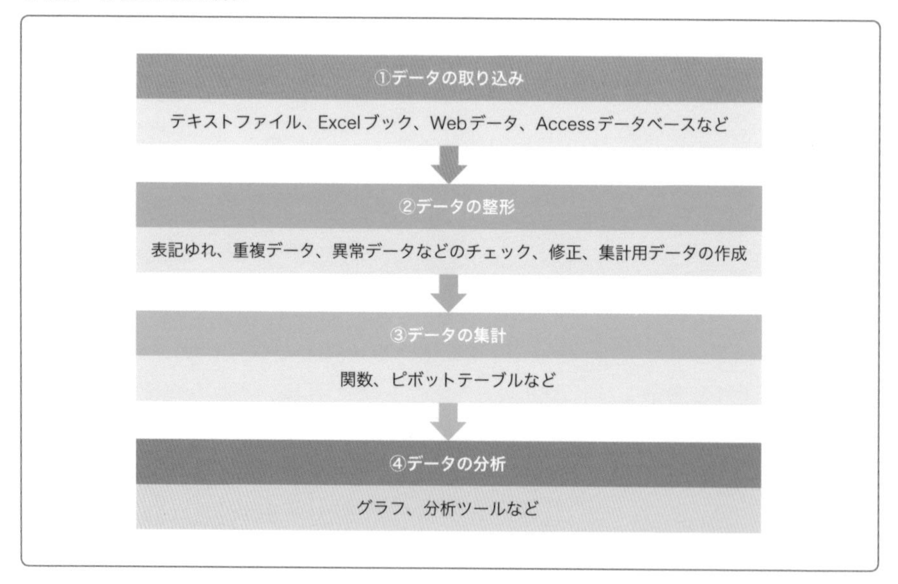

03 テーブルの基礎

テーブルとは

Excelでデータを集計・分析するには、集計元となるデータをデータベース形式で集めます。データベース形式の表とは、**1行目に項目名、2行目以降にデータが入力されている表**です。このとき、データ1件分が1行で収まるように項目名が用意されている必要があります。この形式で作成された表は、Excelでは**「データベース」**として認識され、抽出や並べ替えなどの機能を利用できるようになり、**「テーブル」**に変換することができます。表をテーブルに変換すると、表全体にスタイルが自動で設定されます。さらに、並べ替えや抽出を素早く行ったり、列の合計や平均などの集計行を表示したりできます。

● データベース形式の表

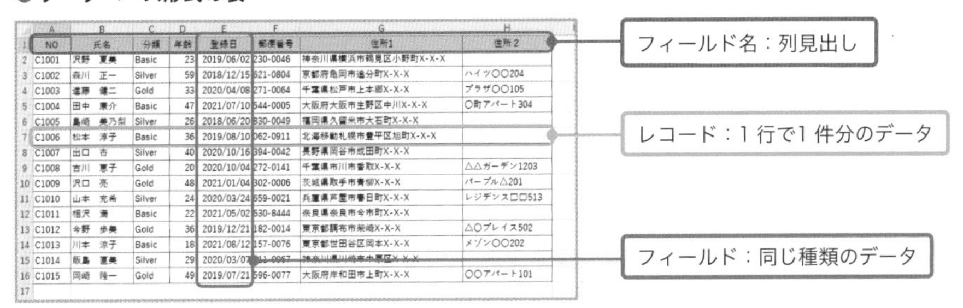

NO	氏名	分類	年齢	登録日	郵便番号	住所1	住所2
C1001	沢野　夏美	Basic	23	2019/06/02	230-0046	神奈川県横浜市鶴見区小野町X-X-X	
C1002	森川　正一	Silver	59	2018/12/15	621-0804	京都府亀岡市追分町X-X-X	ハイツ○○204
C1003	遠藤　健二	Gold	33	2020/04/08	271-0064	千葉県松戸市上本郷X-X-X	プラザ○○105
C1004	田中　康介	Basic	47	2021/07/10	544-0005	大阪府大阪市生野区中川X-X-X	○町アパート304
C1005	島崎　美乃梨	Silver	26	2018/06/20	830-0049	福岡県久留米市大石町X-X-X	
C1006	松本　淳子	Basic	36	2019/08/10	062-0911	北海道札幌市豊平区旭町X-X-X	
C1007	出口　杏	Silver	40	2020/10/16	394-0042	長野県岡谷市成田町X-X-X	
C1008	吉川　恵子	Gold	20	2020/10/04	272-0141	千葉県市川市香取X-X-X	△△ガーデン1203
C1009	沢口　亮	Gold	48	2021/01/04	302-0006	茨城県取手市青柳X-X-X	パープル△201
C1010	山本　充希	Silver	24	2020/03/24	659-0021	兵庫県芦屋市春日町X-X-X	レジデンス□□513
C1011	相沢　満	Basic	22	2021/05/02	630-8444	奈良県奈良市今市町X-X-X	
C1012	今野　歩美	Gold	36	2019/12/21	182-0014	東京都調布市柴崎X-X-X	△○プレイス502
C1013	川本　涼子	Basic	18	2021/08/12	157-0076	東京都世田谷区岡本X-X-X	メゾン○○202
C1014	飯島　直美	Silver	29	2020/03/07	[illegible]11-0067	神奈川県川崎市中原区X-X-X	
C1015	岡崎　隆一	Gold	49	2019/07/21	596-0077	大阪府岸和田市上町X-X-X	○○アパート101

- 表の1行目に列見出し（フィールド名）を用意する
- 列のことを「フィールド」といい、同じ種類のデータが入力されている
- 1件のデータを「レコード」といい、1行で1件分のデータとなるように列見出しを用意する

表をテーブルに変換する

データベース形式で作成されている表は、テーブルに変換すると、コンテキストタブの**[テーブルデザイン]タブ**が表示され、テーブルに対するさまざまな機能を利用できるようになります。（Sample ➡01-03-01.xlsx）

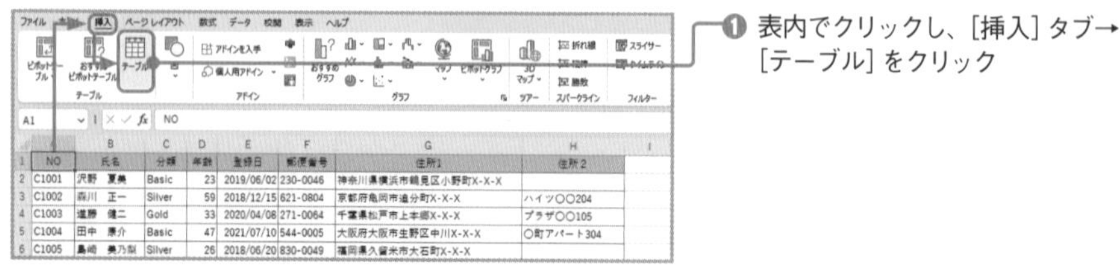

❶ 表内でクリックし、[挿入] タブ→[テーブル] をクリック

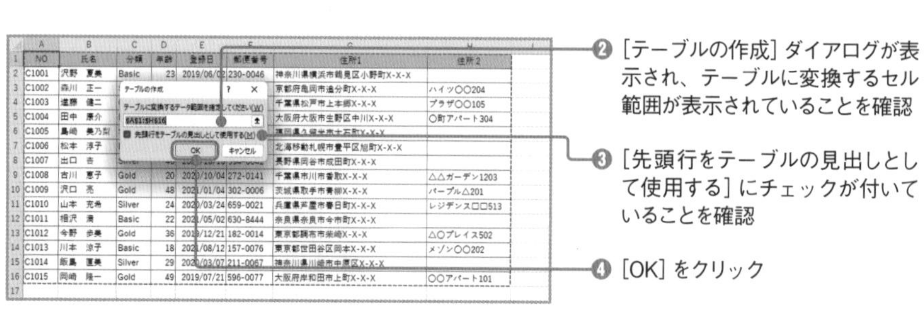

❷ [テーブルの作成] ダイアログが表示され、テーブルに変換するセル範囲が表示されていることを確認

❸ [先頭行をテーブルの見出しとして使用する] にチェックが付いていることを確認

❹ [OK] をクリック

Memo

手順❷でセル範囲が正しくない場合は、表のセル範囲をドラッグで選択し直すか、直接セル範囲を入力して修正します。

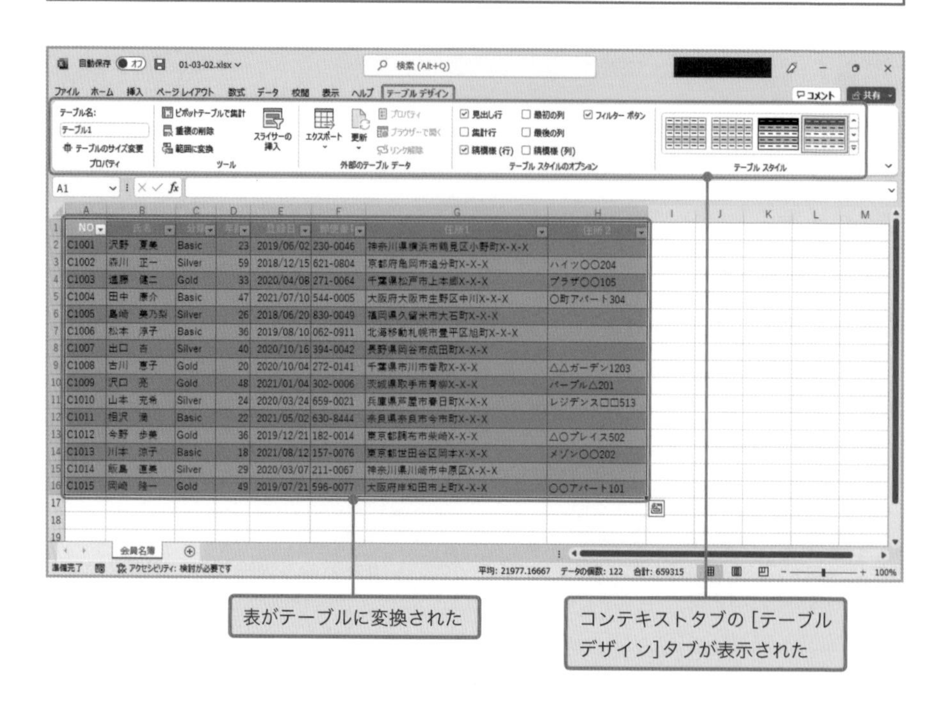

表がテーブルに変換された

コンテキストタブの [テーブルデザイン]タブが表示された

Memo

コンテキストタブの［テーブルデザイン］タブは、テーブル内にアクティブセルがあるときに表示されます。なお、本書では、Excel 2021 の画面で説明を進めます。Excel 2019/2016 の場合は、［テーブルツール］の［デザイン］タブが表示されます。以降、読み替えて操作を行ってください。

テーブルスタイルを変更する

表をテーブルに変換すると、テーブル全体に**テーブルスタイル**が設定されます。元の表に塗りつぶしや罫線などの書式が設定されていると、元の書式とテーブルの書式の両方が設定されてしまいます。ここでは、元の書式を削除してテーブルスタイルだけにする方法と、テーブルスタイルを変更する方法を確認しましょう。（Sample ➡01-03-02.xlsx）

☑元の書式を削除する

ここでは、元の表に設定されている罫線と塗りつぶしの書式を解除します。

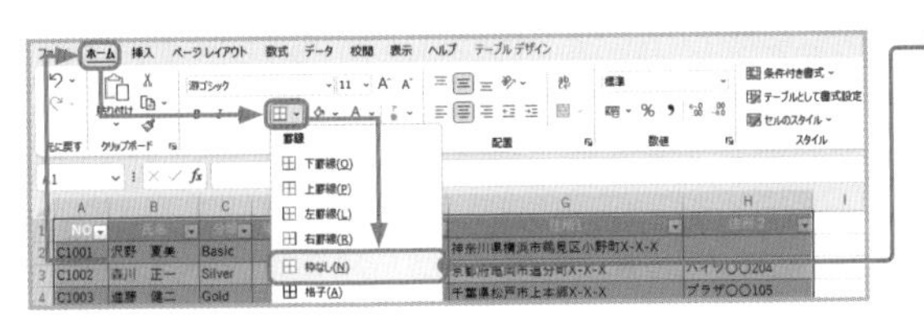

❶ テーブル全体を選択し、［ホーム］タブ→［罫線］の［⌄］→［枠なし］をクリック

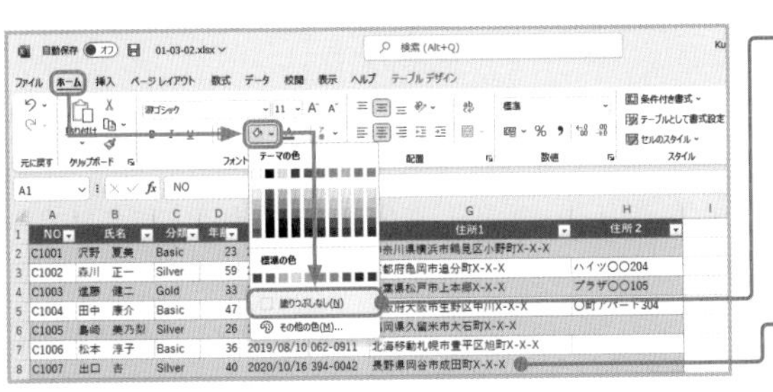

❷ 続けて、［ホーム］タブ→［塗りつぶしの色］の［⌄］→［塗りつぶしなし］をクリック

元の書式が解除され、テーブルスタイルが表示された

Memo

テーブルスタイルを解除して、元の書式のままにしたい場合は、次ページの手順❷のスタイル一覧で［クリア］を選択します。

☑テーブルのスタイルを変更する

テーブルスタイルは、後から自由に変更できます。ここでは、変更の方法を確認しましょう。

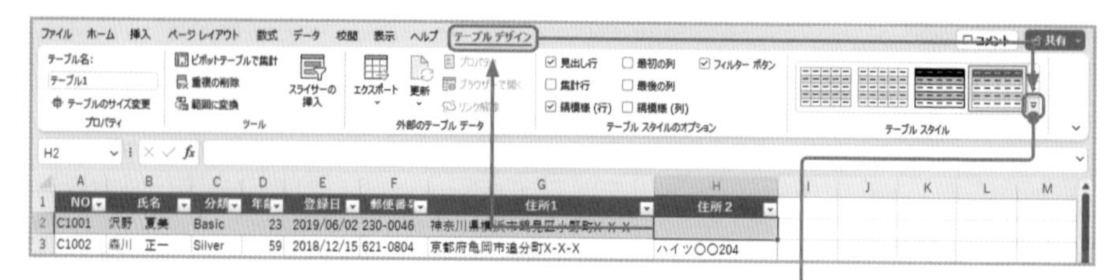

❶ テーブル内でクリックし、コンテキストタブの[テーブルデザイン]タブ→[テーブルスタイル]の[その他]（▽）をクリック

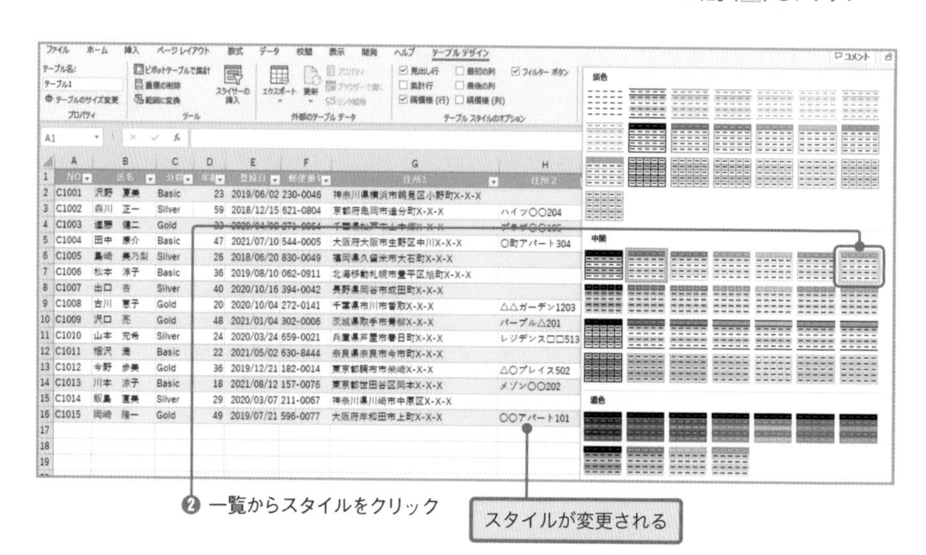

データを並べ替える

表をテーブルに変換すると、1行目の列見出しに**フィルターボタン**（▼）が表示されます。このボタンをクリックして、並べ替えることができます。**「昇順」が小さい順、「降順」が大きい順の並べ替えになります**。なお、最初の順番に戻すには、[NO]列のような連番の列をあらかじめ用意しておき、昇順に並べ替えてください。（Sample ➡01-03-03.xlsx）

☑昇順で並べ替え

ここでは、[年齢]列で小さい順に並べ替えます。

❶ 並べ替えをする列（ここでは［年齢］列）のフィルターボタン（▼）をクリック

❷［昇順］をクリック

年齢が小さい順に並べ替わる

> **Memo**
>
> 最初の順番に戻すには、［NO］列で昇順に並べ替えます。

HINT フィルターボタンの表示／非表示を切り替える

コンテキストタブの［テーブルデザイン］タブ→［フィルターボタン］でチェックを外すと非表示にできます。［データ］タブ→［フィルター］をクリックするごとに表示／非表示が切り替えられますが、この場合ボタンを非表示にするとフィルターも同時に解除されます。

HINT 昇順・降順の並べ替え

昇順の並べ替えは、数値の場合は小さい順、ひらがなやカタカナは50音順、英字はアルファベット順です。Excelでデータを入力した場合は、氏名などのセルにふりがな情報が保存されているので漢字の氏名でも50音順で並び替わります。Excel以外から取り込んだデータの場合は、JISコード順になります。降順は昇順の逆で並び替わります。なお、空欄は常に一番下になります。

☑任意の順番に並べ替え

任意の順番に並べ替えたい場合は、以下の手順で並べ替えの順番をユーザー定義の並べ替えで設定できます。一度登録すると、他のブックでも指定した順番で並べ替えられます。ここでは、[分類]列の値を「Basic」「Silver」「Gold」の順に並べ替えるように設定します。

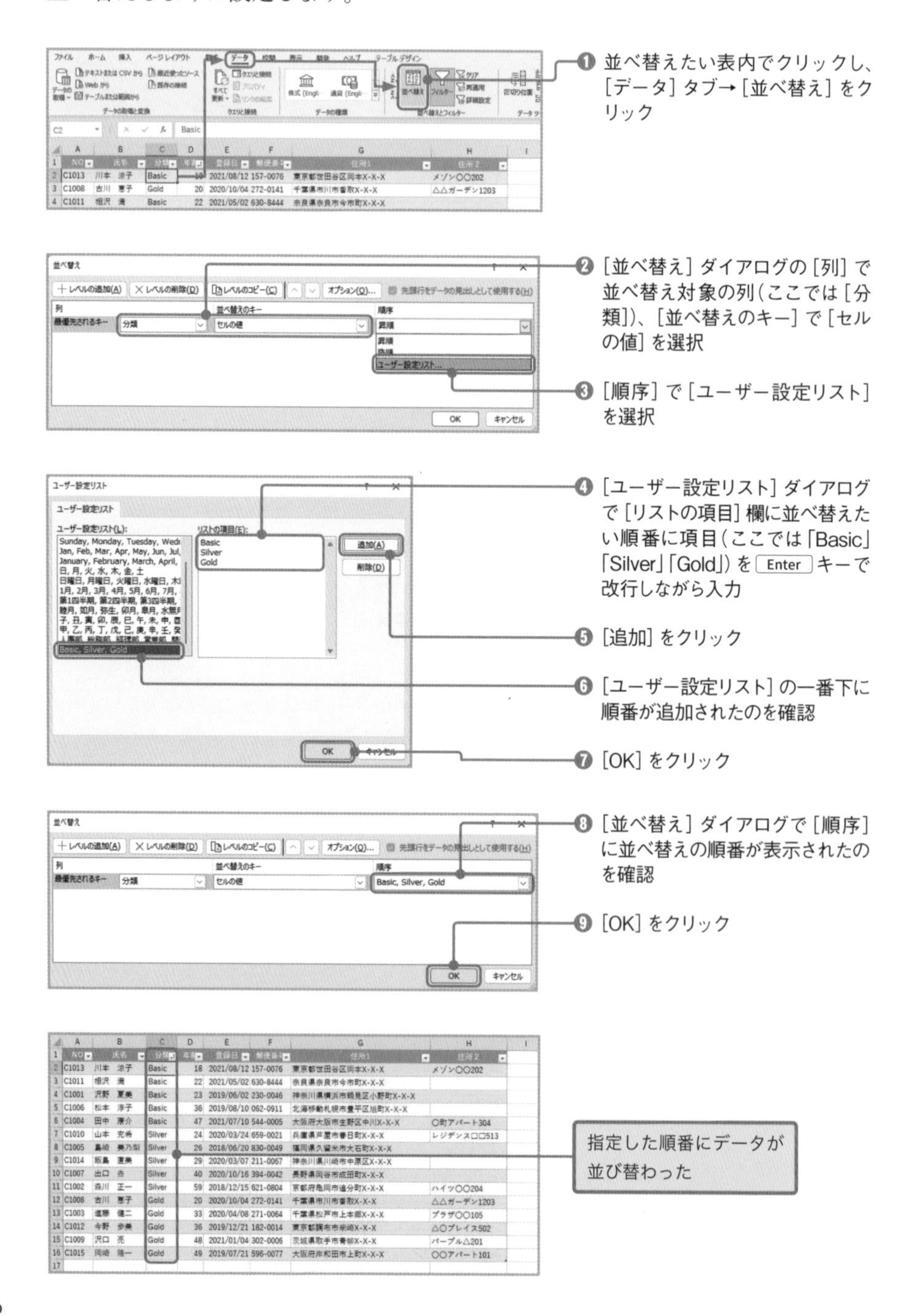

HINT 選択した範囲を並べ替えリストに登録する

[ファイル]タブ→[オプション]をクリックし表示される[Excelのオプション]ダイアログで[詳細設定]の[ユーザー設定リストの編集]をクリックして、[ユーザー設定リスト]ダイアログで[リストの取り込み元範囲]の[⇧]をクリックします。そして、ワークシート上に入力されている項目を範囲選択し、[インポート]をクリックすると[ユーザー設定リスト]に選択した値が追加されます。[OK]をクリックして登録を完了します。その後、手順❸で登録したリストを選択してください。

データを絞り込む

テーブルの見出し行に表示されているフィルターボタン(▼)をクリックして表示される一覧で表示したい項目にチェックを付けるだけでデータを絞り込んで表示できます。また、検索ボックスにキーワードを入力し、絞り込んで表示することもできます。(Sample ➡01-03-04.xlsx)

☑チェックボックスで抽出データを指定する

ここでは、[分類]列の値が「Gold」のデータのみ絞り込みます。

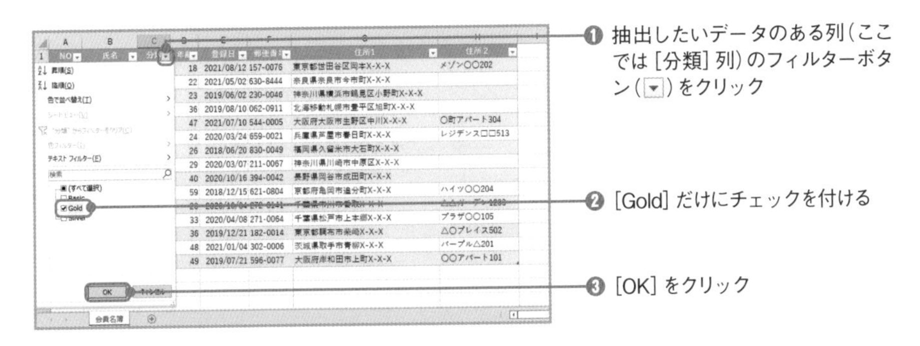

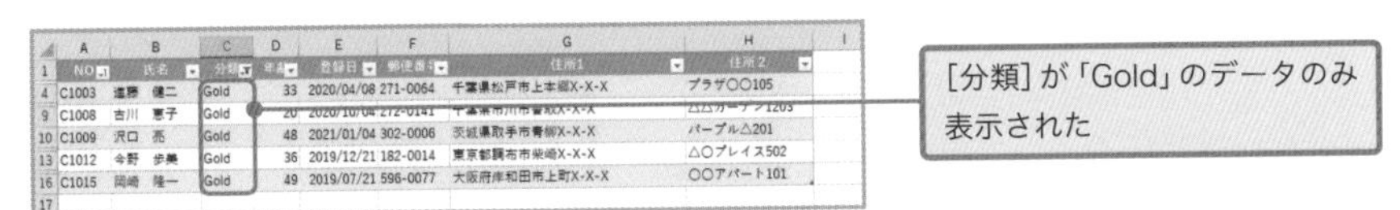

HINT 抽出を解除する

手順❶の後、一覧から ["項目名" からフィルターをクリア] をクリックするとその列で設定した抽出が解除されます。また、[データ] タブ→ [クリア] をクリックすると表全体の抽出が解除され全データが表示されます。この場合、並べ替えが行われていると、並べ替えが解除されますが並べ替えが元に戻ることはありません。

☑[検索]ボックスで指定した文字を含むデータを絞り込む

ここでは、[氏名]の中に「川」を含むデータのみ絞り込みます。

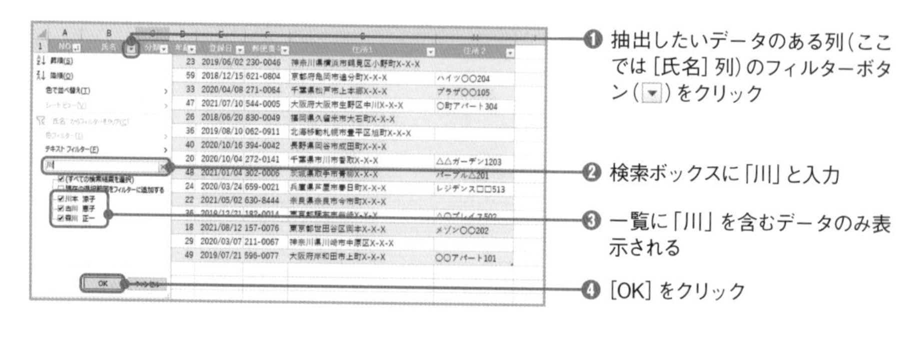

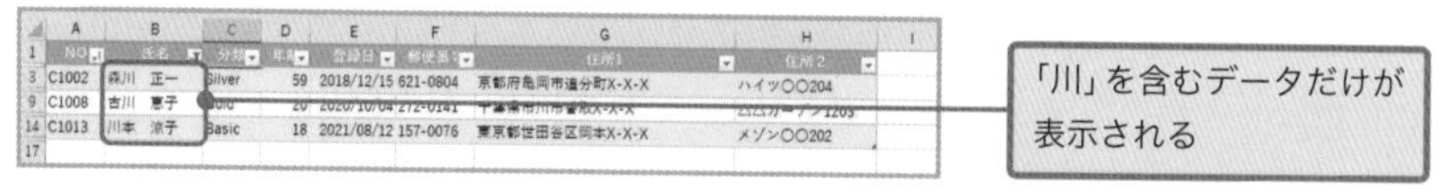

☑フィルターのメニューから抽出データを指定する

フィルターボタンをクリックしたら表示されるフィルターのメニューを使うと、より詳細な設定でデータの抽出が行えます。

ここでは[年齢]列の値が平均より下のデータのみ抽出します。

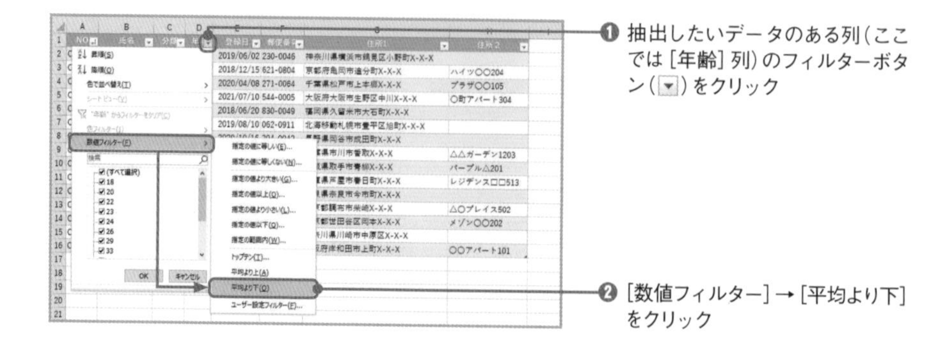

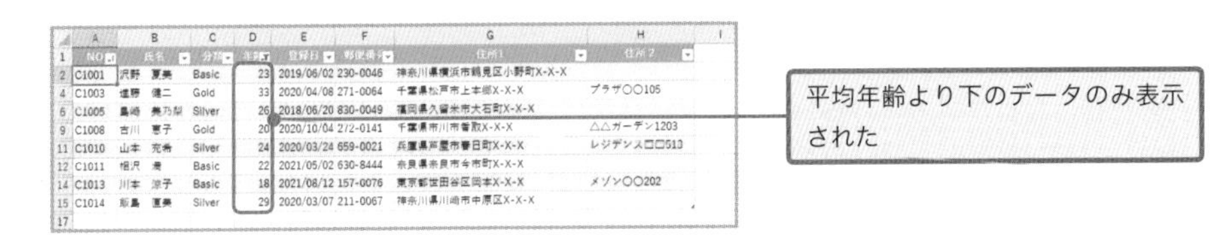

HINT データの種類によってメニューが変わる

手順では、[年齢] 列はデータの種類が数値であるためメニューには [数値フィルター] と表示されましたが、文字の場合は [テキストフィルター]、日付の場合は [日付フィルター]と、それぞれのデータに合わせた表示に切り替わります。

集計行を表示する

テーブルの最下行に集計行を追加することができます。[集計行]にチェックを付けるだけで簡単に表示でき、わざわざ行を挿入したり、計算式を設定したりする必要がありません。また、簡単に集計方法を切り替えることもできます。(Sample ➡01-03-05.xlsx)

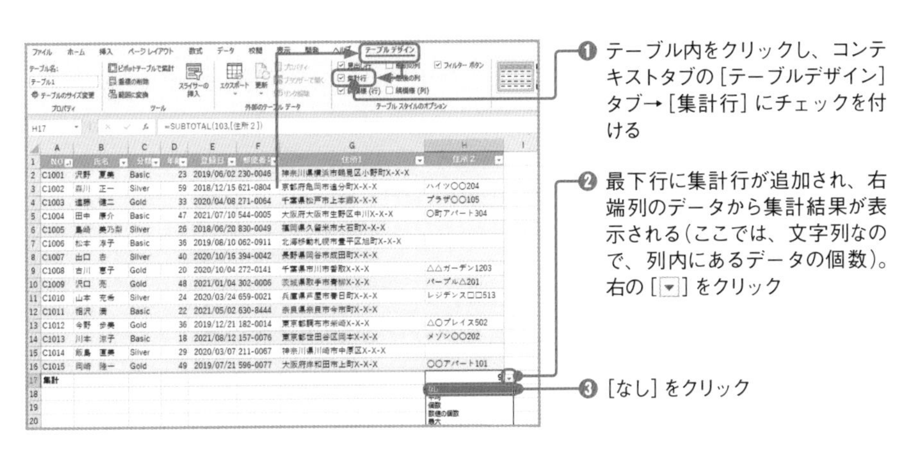

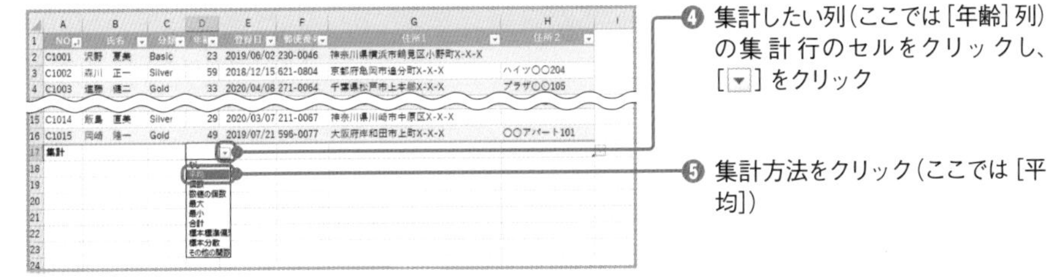

	A	B	C	D	E	F	G	H
1	NO	氏名	分類	年齢	登録日	郵便番号	住所1	住所2
2	C1001	沢野 夏美	Basic	23	2019/06/02	230-0046	神奈川県横浜市鶴見区小野町X-X-X	
3	C1002	森川 正一	Silver	59	2018/12/15	621-0804	京都府亀岡市追分町X-X-X	ハイツ〇〇204
4	C1003	遠藤 健二	Gold	33	2020/04/08	271-0064	千葉県松戸市上本郷X-X-X	プラザ〇〇105
5	C1004	田中 康介	Basic	47	2021/07/10	544-0005	大阪府大阪市生野区中川X-X-X	〇町アパート304
6	C1005	島崎 美乃梨	Silver	26	2018/06/20	830-0049	福岡県久留米市大石町X-X-X	
7	C1006	松本 淳子	Basic	36	2019/08/10	062-0911	北海道札幌市豊平区旭町X-X-X	
8	C1007	出口 杏	Silver	40	2020/10/16	394-0042	長野県岡谷市成田町X-X-X	
9	C1008	古川 恵子	Gold	20	2020/10/04	272-0141	千葉県市川市香取X-X-X	△△ガーデン1203
10	C1009	沢口 亮	Gold	48	2021/01/04	302-0006	茨城県取手市青柳X-X-X	パープル△201
11	C1010	山本 充希	Silver	24	2020/03/24	659-0021	兵庫県芦屋市春日町X-X-X	レジデンス□□513
12	C1011	相沢 清	Basic	22	2021/05/02	630-8444	奈良県奈良市今市町X-X-X	
13	C1012	今野 歩美	Gold	36	2019/12/21	182-0014	東京都調布市柴崎X-X-X	△〇プレイス502
14	C1013	川本 涼子	Basic	18	2021/08/12	157-0076	東京都世田谷区岡本X-X-X	メゾン〇〇202
15	C1014	飯島 恵美	Silver	29	2020/03/07	211-0067	神奈川県川崎市中原区X-X-X	
16	C1015	岡崎 隆一	Gold	49	2019/07/21	596-0077	大阪府岸和田市上町X-X-X	〇〇アパート101
17	集計			34				

集計結果（ここでは平均年齢）が表示される

HINT 標準の集計

［集計列］を表示すると、標準では右端列のデータが集計されます。データの種類が文字や日付の場合は個数、数値の場合は合計が表示されます。セルには、SUBTOTAL関数（p.167）が自動で設定され、現在表示されているデータを対象に集計結果が表示されます。

テーブル内のセルを参照する方式（構造化参照）を理解する

テーブル内のセルを参照して数式を設定すると、通常のセル参照ではなく、「**構造化参照**」という参照形式になります。数式入力時にテーブル内のセルをクリックしたり、セル範囲をドラッグしたりすると、自動的に構造化参照で式が記述されます。例えば、テーブル内の仕入額のセルに「**定価×掛け率**」の式を入力する場合、「=[@定価]*[@掛け率]」と表示されます。構造化参照は、テーブルの構成やサイズに対応して参照範囲が自動調整されます。構造化参照は慣れてしまえばとても便利に使えます。ここで覚えてしまいましょう。（Sample ➡01-03-06.xlsx）

☑テーブル内の［仕入額］列に「定価×掛け率」の式を入力する

	A	B	C	D	E	F	G	H
1	商品I	商品名	仕入先	定価	掛け率	仕入額		
2	1001	キレイ洗剤S	A社	800	0.9	=		
3	1002	クリーン洗剤1	B社	1200	0.8			
4	1003	除菌ペーパー	C社	900	0.7			
5	1004	キレイ洗剤A	A社	600	0.9			
6	1005	クリーン洗剤2	B社	1000	0.8			
7	1006	キレイ洗剤B	A社	500	0.9			

❶［仕入額］列の先頭セルF2をクリックし、半角で「=」と入力

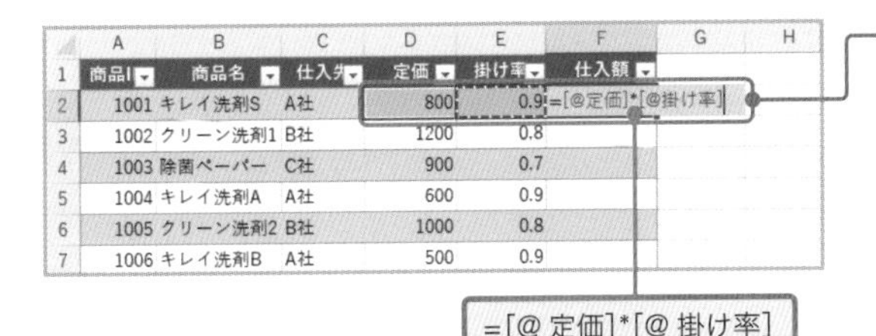

❷ 同じ行の定価のセル(D2)をクリックし、半角で「*」と入力したら、続けて同じ行の掛け率のセル(E2)をクリックして、「= [@定価] * [@掛け率]」と表示されたことを確認し、Enter キーを押す

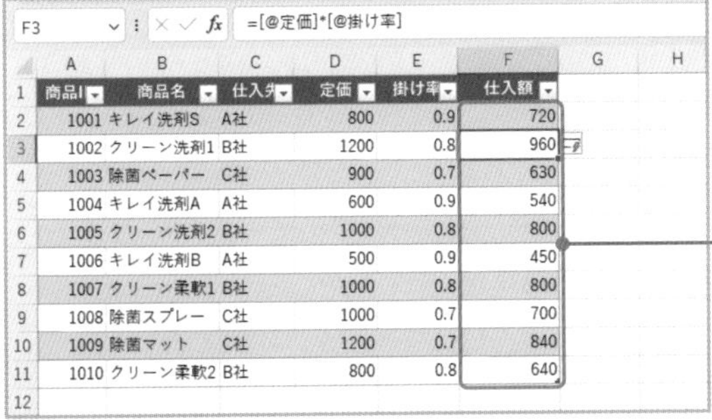

☑テーブル外のセルに平均値を表示する

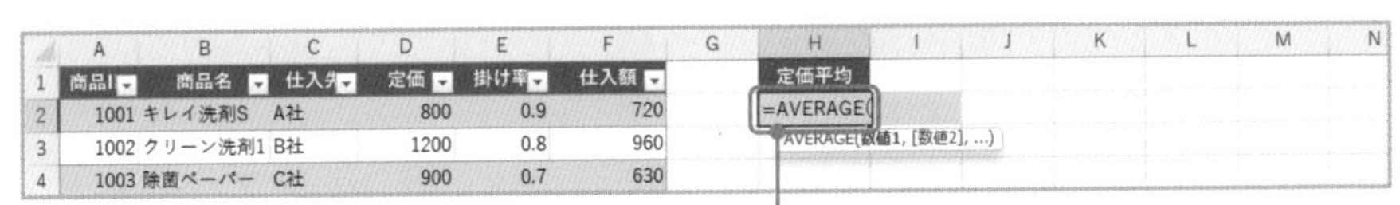

❶ 平均値を表示するセル(H2)をクリックし、「=AVERAGE(」と入力

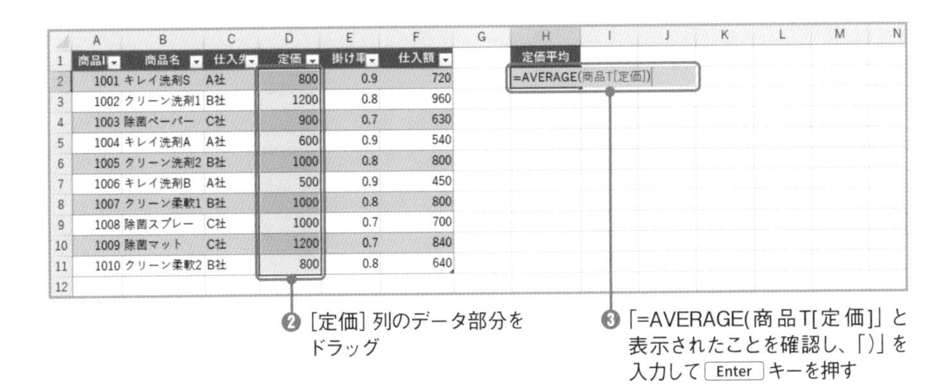

❷ [定価] 列のデータ部分をドラッグ

❸「=AVERAGE(商品T[定価]」と表示されたことを確認し、「)」を入力して Enter キーを押す

Memo

閉じるカッコ「)」を省略しても自動的に補われます。

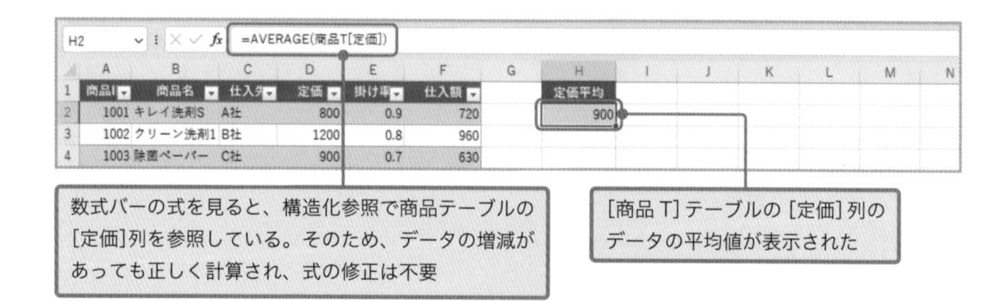

Memo

テーブルの外にあるセルからテーブル内のセルを参照する場合は、テーブル名が付加されます。今回のサンプルでは「商品 T[定価]」となり、「商品 T」テーブルの「定価」列のデータ部分が参照されます。

Memo

表のテーブル変換前にセル参照で入力されていた数式は、構造化参照に変更されません。テーブル変換後にテーブルのセルを参照する場合のみ、構造化参照を設定できます。

● **構造化参照の指定子**

指定子	内容
[# すべて]	テーブル全体
[# 見出し]	列見出し行
[# データ]	データ行
[# 集計]	集計行
[@]	数式が入力されている同じ行のセル
[見出し名]	フィールド名に対応するデータ部分
[@ 見出し名]	[@] と [見出し名] が交差するセル

HINT　セル参照を使って数式を設定する

テーブル内でセル参照を使って数式を設定したい場合は、数式を入力するセルをクリックし、数式バーで「=D2*E2」のように直接セル番地を入力して数式を設定します。セル番地を指定した場合は、テーブルのサイズに合わせて範囲指定が自動調整されないことがあるので注意してください。

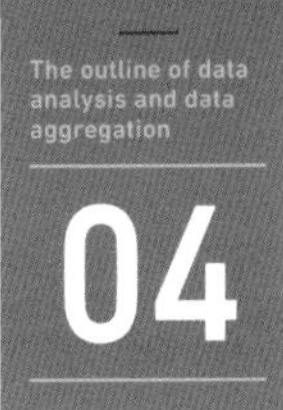

テーブルを新規作成してデータを集める

すでにデータが入力されている表をテーブルに変換する以外に、Excelのワークシートにテーブルを作成し、直接入力してデータを集めることもできます。セルの入力規則や計算式を設定し、表をテーブルに変更すると、新規入力行に自動で設定した内容がコピーされるので、データを間違いなく効率的に集めることができます。

入力規則を設定する

セルに入力規則を設定すると、入力するデータに制限を付けたり、一覧から選択できるようにしたりできます。入力エラーを防ぎ、正しく集計するためのデータを集めるのに役立ちます。ここでは、日本語入力モードの自動切り替えと選択肢を表示して入力する方法を説明します。(Sample ➡01-04-01.xlsx)

半角英数で入力するセル（ここではセルA2、D2、E2）で日本語入力システムを自動でオフ、漢字を入力するセル（ここではセルB2）で日本語入力システムを自動でオンに設定します。

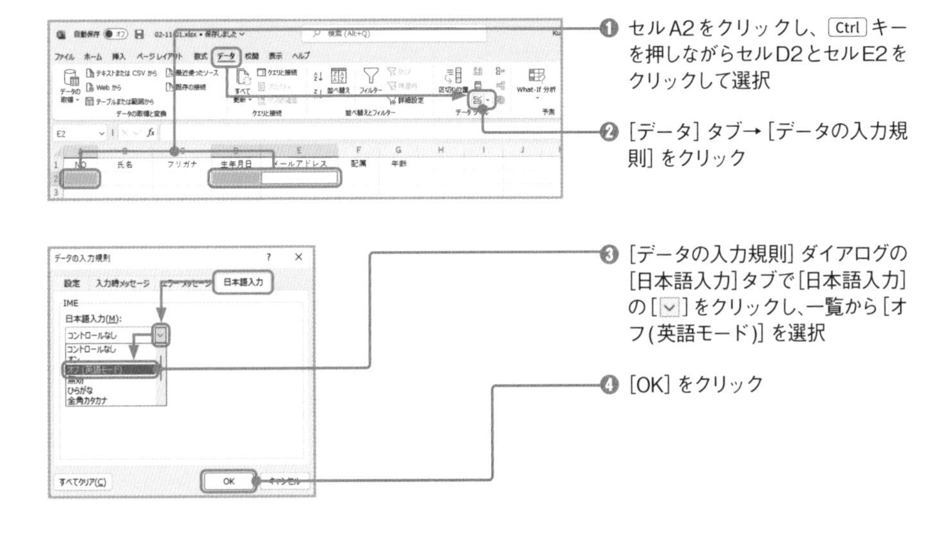

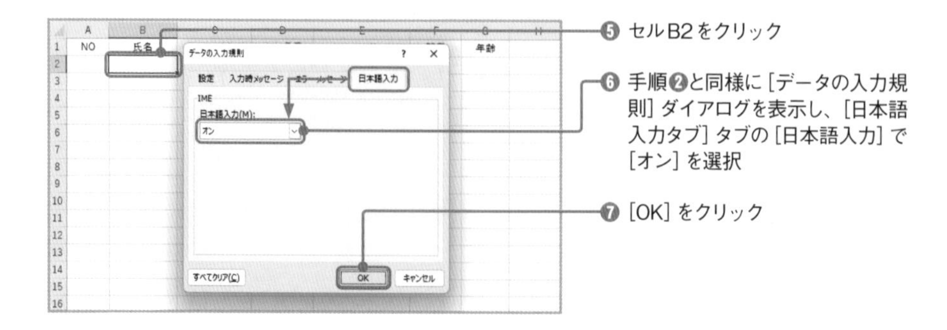

一覧から選択したいセル（ここではセルF2）に選択肢「A店、B店、C店、D店」が表示されるように設定します。

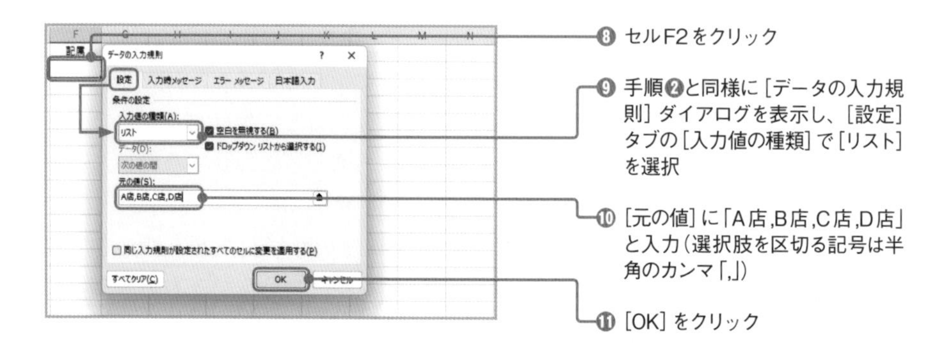

Memo

手順⓾でセル範囲に選択肢となる値が入力されている場合は、［元の値］の［⬆］をクリックして選択肢が入力されているセル範囲をドラッグして指定できます。

Memo

データの入力規則を解除するには、入力規則を解除したいセルを選択し、［データの入力規則］ダイアログを表示して［すべてクリア］をクリックします。

●［データの入力規則］ダイアログの設定内容

タブ	内容
設定	入力値の種類を指定できる。整数、小数点数、日付、時刻、文字列で入力できる範囲の指定や選択肢の指定
入力時メッセージ	セルを選択したときに表示するメッセージを指定。例えば、入力時の注意点を表示できる
エラーメッセージ	［設定］タブで設定した内容に反するデータが入力されたときに、独自のエラーメッセージを指定できる
日本語入力	セルを選択したときに自動的に日本語入力モードに切り替えられる

関数を設定する

例えば氏名に対応するフリガナや、生年月日に対応する年齢など、関数を使うと入力値に対応した値を自動入力することができます。フリガナ表示はPHONETIC関数、年齢計算はDATEDIF関数を使います。関数を上手に使えば、入力の手間を省き必要な情報を得ることができます。

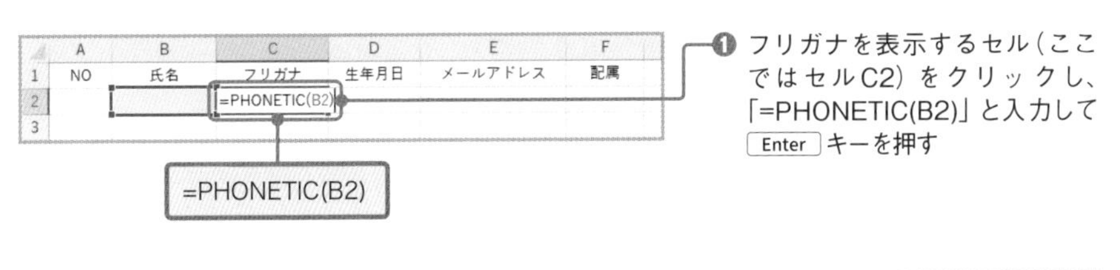

❶ フリガナを表示するセル（ここではセルC2）をクリックし、「=PHONETIC(B2)」と入力して Enter キーを押す

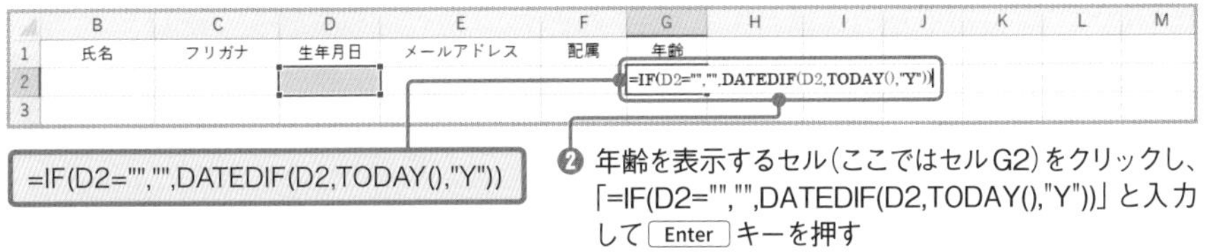

❷ 年齢を表示するセル（ここではセルG2）をクリックし、「=IF(D2="","",DATEDIF(D2,TODAY(),"Y"))」と入力して Enter キーを押す

Memo

セルG2の式は、IF関数で生年月日が空欄の場合とそうでない場合で結果を分けています。生年月日のセル（D2）が空欄の場合は何も表示せず、空欄でない場合は、生年月日と今日の日付（TODAY関数）を使ってDATEDIF関数で年齢を求めます。これは、DATEDIF関数だけを設定した場合、生年月日が空欄のとき日付が「1900/1/1」とみなされ、今日までの満年数が表示されてしまうのを防いでいます。

書式 PHONETIC

=PHONETIC（フォネティック）(参照)

文字列のフリガナを取り出す。[参照]には、フリガナを取り出したい文字が入力されているセルまたはセル範囲を指定する。

書式 IF

=IF（イフ）(論理式,真の場合,偽の場合)

条件を満たすかどうかで異なる値を返す。[論理式]にはTRUEまたはFALSEを返す式、[真の場合]には論理式がTRUEまたは0以外の場合に返す値や数式、[偽の場合]には論理式がFALSEまたは0の場合に返す値や数式を指定する。

書式 TODAY

トゥデイ
=TODAY()

現在の日付を求める

書式 DATEDIF

デイトディフ
=DATEDIF(開始日,終了日,単位)

指定期間の年数、月数、日数を求める。[開始日]と[終了日]にはそれぞれ開始日、終了日の日付を指定し、[単位]には求める期間の単位（満年数を求める場合は"Y"）を指定する。

表をテーブルに変換し、データを入力する

入力用の土台が用意できたらテーブルに変換し、データ入力を開始します。データ入力時に、**データの入力規則により日本語入力システムが自動で切り替わり、[配属]列で選択肢を使ってデータ入力ができることを確認しましょう**。また、**氏名を入力するとフリガナ、生年月日を入力すると年齢がそれぞれ表示されること**も併せて確認してください。さらに、**新規入力行に自動的にデータの入力規則と関数がコピーされていること**も確認してください。テーブル内では[Tab]キーを押して次のセルに移動しながらデータを入力します。

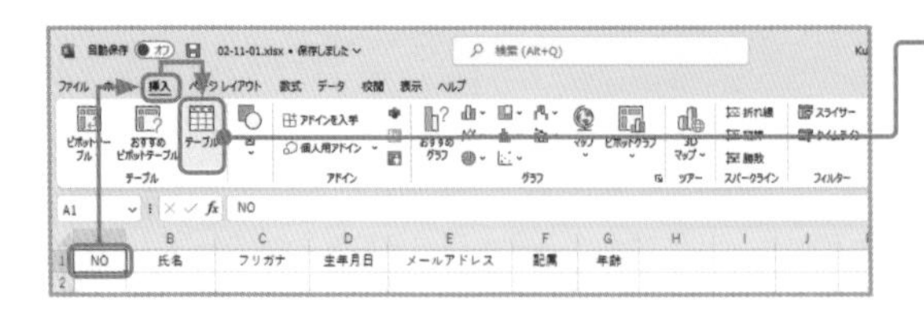

❶ 見出しのセルをクリックし、[挿入]タブ→[テーブル]をクリック

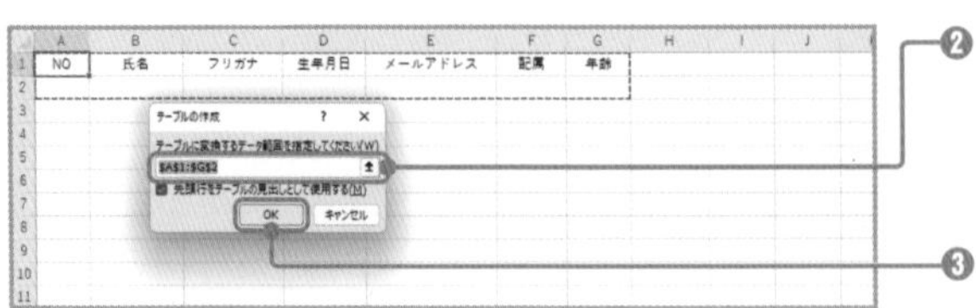

❷ [テーブルの作成]ダイアログで表の1行目の見出しと2行目のデータ入力行が指定されていることを確認

❸ [OK]をクリック

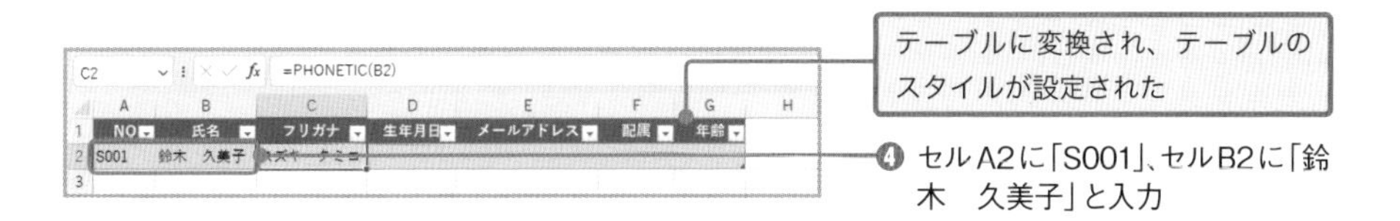

❹ セルA2に「S001」、セルB2に「鈴木　久美子」と入力

Memo

Tab キーを押して次のセルに移動しながらデータを入力します。セルを移動すると入力モードが自動で切り替わり、セルB2に入力するとセルC2にフリガナが表示されることを確認します。

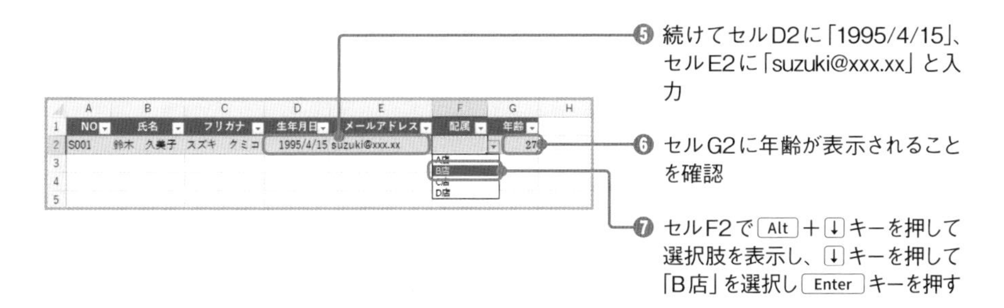

❺ 続けてセルD2に「1995/4/15」、セルE2に「suzuki@xxx.xx」と入力

❻ セルG2に年齢が表示されることを確認

❼ セルF2で Alt ＋ ↓ キーを押して選択肢を表示し、↓ キーを押して「B店」を選択し Enter キーを押す

Memo

メールアドレスを入力すると、自動的にハイパーリンクが設定されます。ハイパーリンクの設定が不要な場合は、入力直後に Ctrl+Z キーを押して解除します。メールアドレスのハイパーリンクの設定についてはp.38のHINTも参照してください。

❽ Tab キーを2回押すと次の行の先頭にアクティブセルが移動し、新規入力行が自動で追加される

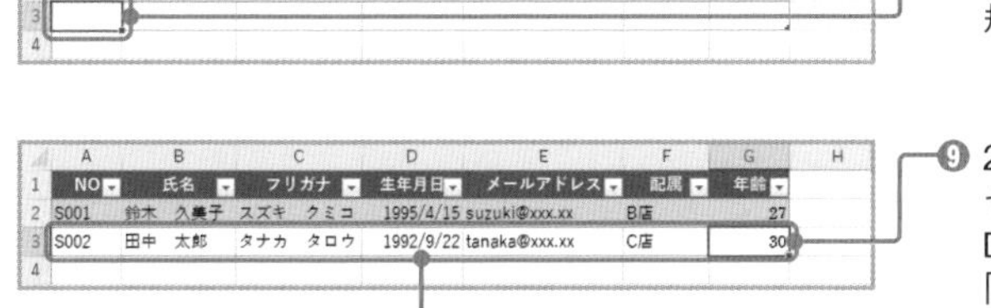

❾ 2件目としてセルA3に「S002」、セルB3に「田中　太郎」、セルD3に「1992/9/22」、セルE3に「tanaka@xxx.xx」、セルF3に「C店」を入力

HINT メールアドレスにハイパーリンクが設定されないようにする

セルにメールアドレスを入力し、確定するとハイパーリンクが設定されることがあります。ハイパーリンクが設定されたメールアドレスをクリックするとメールソフトが起動し、メールアドレスを宛先とする新規メール画面が表示されます。ハイパーリンクが不要な場合は、セルを右クリックし［ハイパーリンクの削除］をクリックして削除するか、以下の手順でハイパーリンクの自動設定を解除してください。

● ハイパーリンクの削除

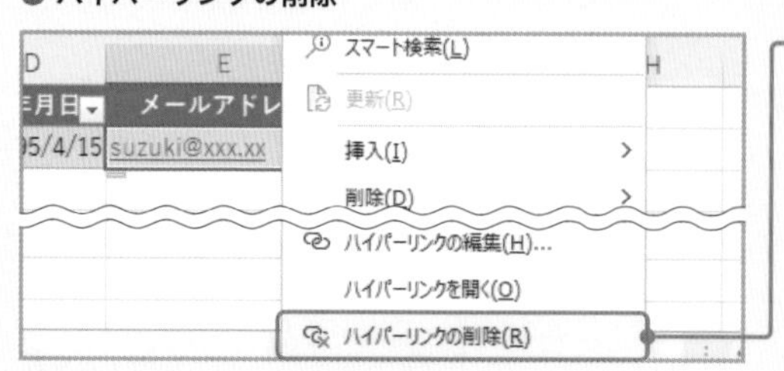

❶ メールアドレスが入力されたセルを右クリックし、［ハイパーリンクの削除］をクリック

● ハイパーリンクの自動設定の解除

❶ メールアドレスが入力されたセル内の空白部分をクリックして選択

❷ 表示される緑のラインにマウスポインターを合わせる

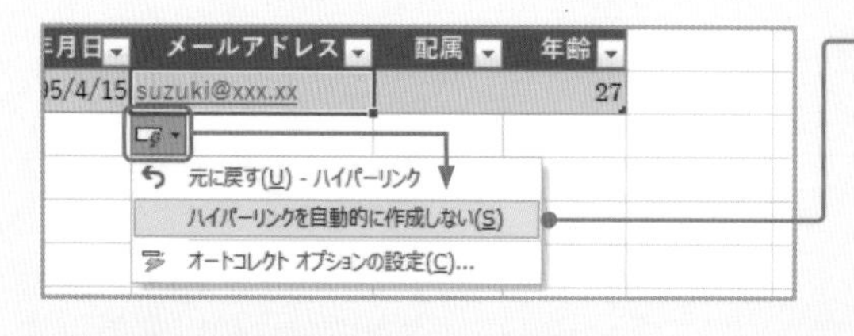

❸ ［オートコレクトオプション］→［ハイパーリンクを自動的に作成しない］をクリック

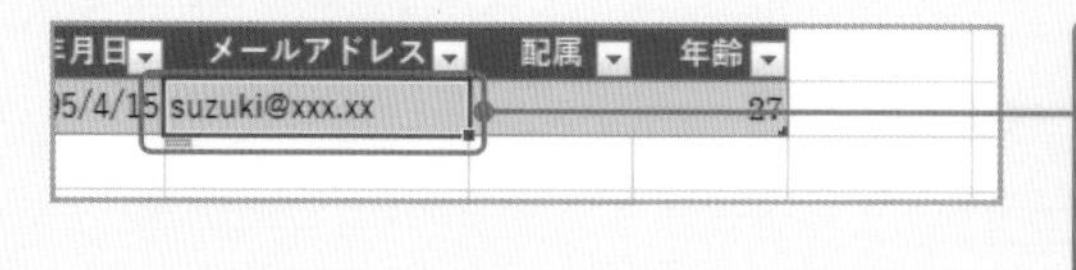

ハイパーリンクが解除される。以降、メールアドレスを入力してもハイパーリンクが自動で設定されないようになる

Chapter

02

集計・分析するデータの用意と整形

本章では、Excel にデータを取り込み、必要に応じて整形を行います。膨大なデータの中から表記ゆれや異常な値を見つけ出すのは、人の目では限界があります。そのため、Excel のフィルター機能や関数などを活用します。

集計するデータを集める方法

Excelを使って集計・分析するために、別ファイルで作成されたデータをExcelに取り込む方法として、主に以下の4つを挙げることができます。ここでは、それぞれの特徴を簡単にまとめます。

1. [ファイルを開く]ダイアログからファイルを直接開いて使用する
2. コピー／貼り付けでデータをワークシートにコピーする
3. 別のExcelブックの場合、ワークシートをコピーする
4. Power Queryの機能を使って取り込む

[ファイルを開く]ダイアログからファイルを直接開いて使用する

Excelでは、いろいろな種類のファイルを直接開くことができます。[ファイル]タブから[開く]を選択し、[参照]をクリックして表示する[ファイルを開く]ダイアログでファイルの種類を選択し、ファイルを選択して開きます。ファイルを開いた後は、Excelのブックとして名前を付けて保存し直してください。

● Excelで直接開ける主なファイルの種類

ファイルの種類	拡張子
Excelファイル	.xlsx、.xlsm、.xls　等
Webページ	.htm、.html　等
XMLファイル	.xml
テキストファイル	.prn、.txt、.csv
Accessデータベース	.mdb、.accdb　等
OpenDocument スプレッドシート	.ods

Memo

Ctrl + F12 キーを押しても[ファイルを開く]ダイアログを開くことができます。使えるショートカットキーなのでぜひ利用してください。

テキストファイルを［ファイルを開く］ダイアログで直接開く

テキストファイル（拡張子：.txt）を［ファイルを開く］ダイアログで開こうとすると、［テキストファイルウィザード］が起動します。このウィザードで列の区切りやデータ形式を指定して開くことができます。なお、CSV ファイル（p.68）の場合は、ウィザードは起動せず、カンマを列の区切り、改行を行の区切りとしてセルにデータが入力されて直接開きます。

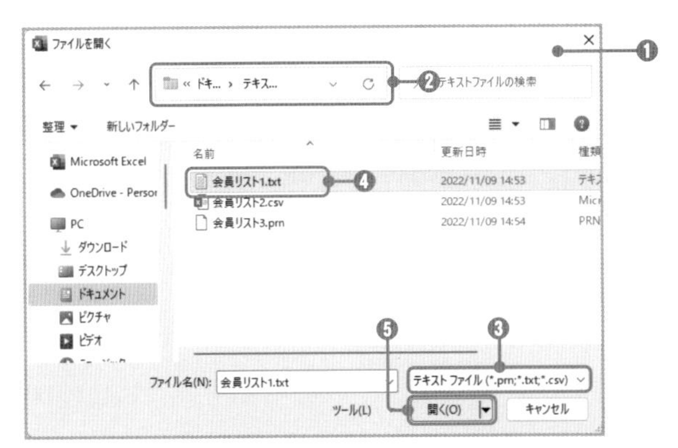

❶［ファイル］タブ→［開く］をクリックし、［参照］をクリックして［ファイルを開く］ダイアログを開いておく
❷ 取り込みたいデータが保存されている場所を選択
❸［ファイルの種類］から［テキストファイル］を選択
❹ テキストファイル（ここでは「「会員リスト1.txt」」）をクリック
❺［開く］をクリック

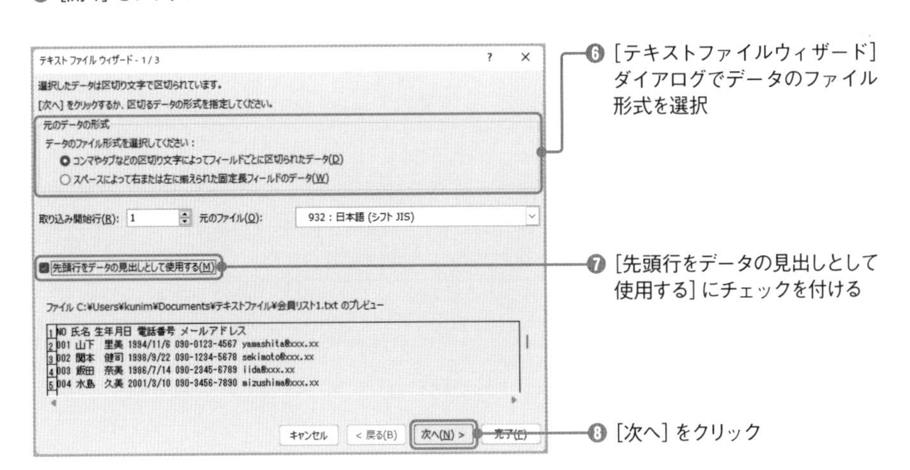

Memo

手順❼でチェックを付けても先頭行が見出しとして扱われない場合があります。取り込み後、必要に応じて修正してください。

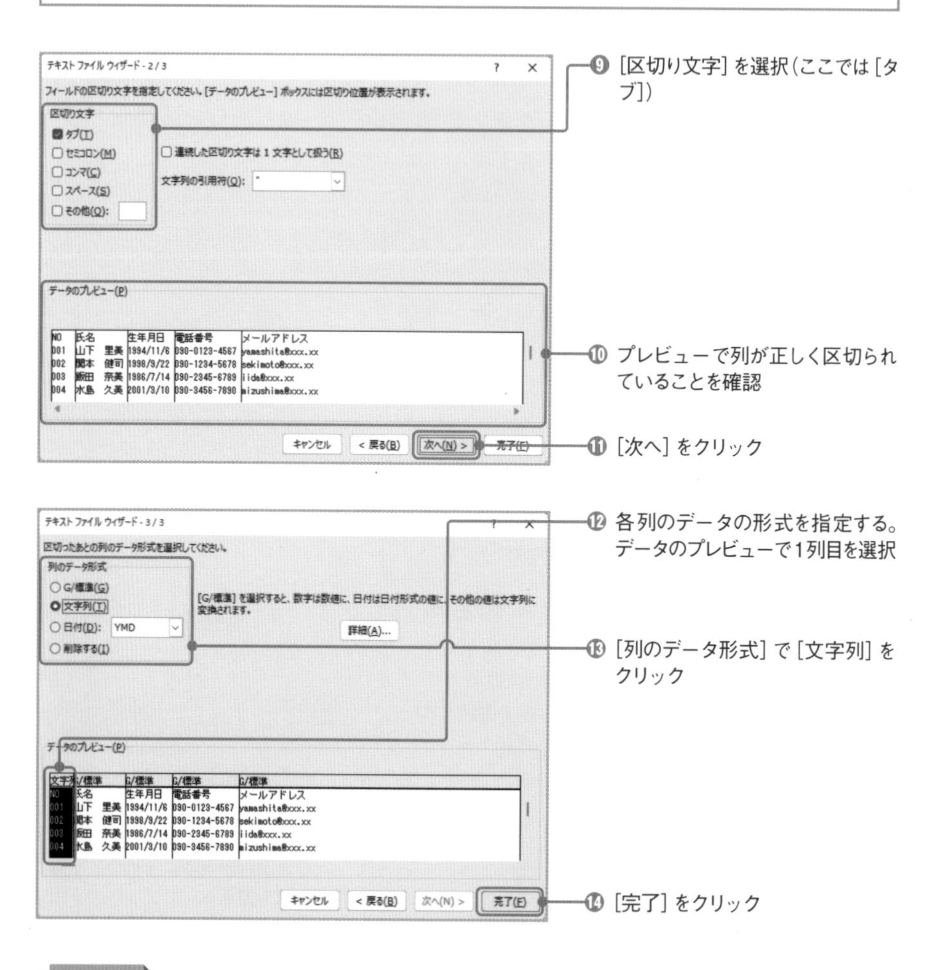

Memo

手順⓭で [G/ 標準] のままにしておくと「001」は数値としてみなされ「1」と表示されます。「001」とプレビュー通りに表示したい場合は、データ形式で [文字列]を選択します。

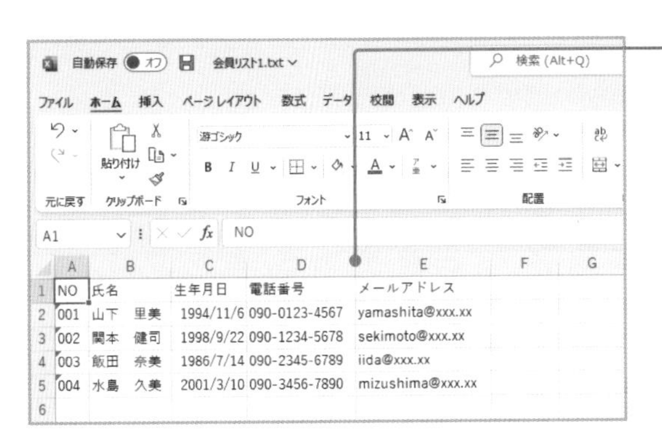

⑮ ファイルが開いたら各列のデータ全体が見えるように列幅を調整する

⑯ F12 キーを押して［名前を付けて保存］ダイアログを表示し、Excelファイルとして保存し直す

Memo

列幅の調整は、変更したい列の列番号の右境界線にマウスポインターを合わせ、ドラッグまたはダブルクリックします。

コピー／貼り付けでデータをワークシートにコピーする

パソコン上でコピー元となるファイルを開いて、取り込みたいデータ部分をコピーし、Excelのワークシートに貼り付けることで取り込むことができます。ただし、対応するソフトがパソコンにインストールされていなかったり、PDFファイルなどファイルの種類によっては、表形式で貼り付けられない場合があります。そのような場合は、p.66のPower Queryの機能を使って取り込みます。

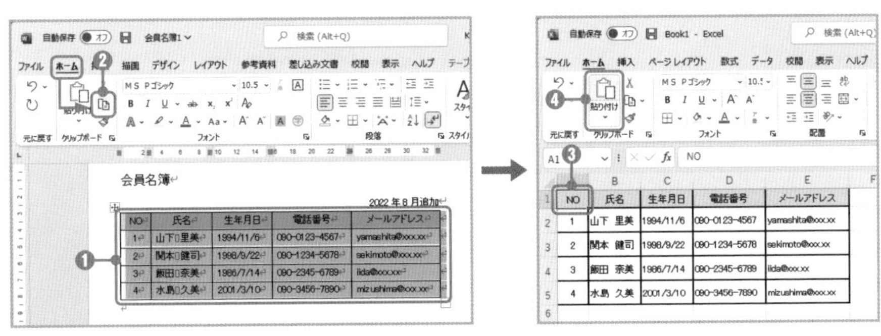

❶ コピー元のファイルを開いてデータを選択
❷［ホーム］タブ→［コピー］をクリック
❸ Excelの新規ワークシートで貼り付け先の先頭セルをクリック
❹［貼り付け］をクリック

Memo

貼り付ける際、[貼り付け] の [∨] をクリックし [貼り付け先の書式に合わせる] をクリックすると、コピー元の書式を解除して貼り付けられます。

Memo

Word などの表を取り込む場合は、表内でクリックして Ctrl + A キーを押すと、表全体を素早く選択できます。

別の Excel ブックのワークシートをコピーする

ワークシート単位でコピーすることで他の Excel ブックのデータを取り込むこともできます。そのままコピーするので、表内の計算式もそのまま残ります。操作をする前に、集計用のブックとコピーするシートがあるブックの両方を開いておきます。

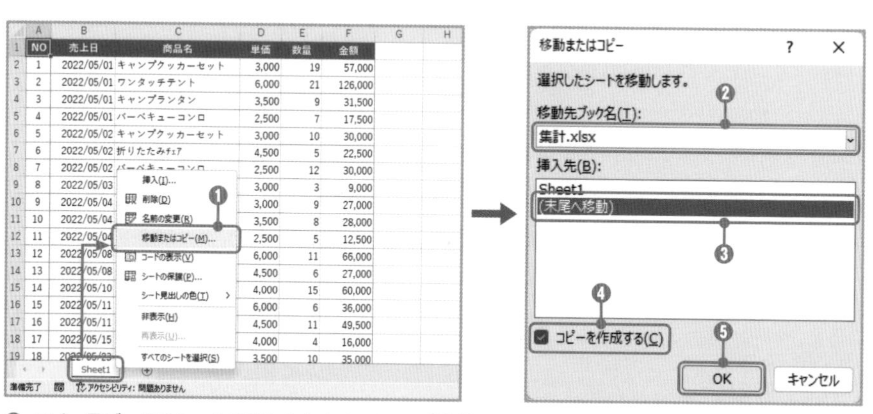

❶ コピー元ブックのシート見出しを右クリックして [移動またはコピー] をクリック
❷ コピー先のブックを選択
❸ シートの挿入先を指定
❹ [コピーを作成する] にチェックを付ける
❺ [OK] をクリック

HINT 別シートを参照する計算式に注意

表内に別シートのセルを参照する計算式が設定されていると、コピー後のブックに取り込み元のブックのセルを参照する外部参照数式が設定されます。取り込み元ブックを移動したり、削除したりするとエラーになることがあるので、参照しているシートも一緒にコピーするか、計算式を残す必要がなければ、計算式の列だけコピーし、同じ列に値のみ貼り付けて、計算式を値に変更しておきましょう。

Power Queryの機能を使って取り込む

［データ］タブの［データの取得と変換］グループにあるボタンを使うと、Power Queryという機能を使ってデータを取り込むことができます。Power Queryでは、テキストファイル、Excelファイル、PDFファイル、Webページの他に、Accessといった外部データベースやネットワークサービスなど、さまざまな形式のデータを取り込むことができます。取り込んだデータは、ワークシートにテーブルとして出力できます。

また、Power Queryは、単に外部データを取り込むだけでなく、取り込んだデータを集計しやすい形式に整える機能も持っています。取り込み元データの接続先やデータの整形手順が保存されるため、毎回同じファイルに接続し、集計作業を行いたい場合は便利です（4章参照）。

なお、Power Queryを使った外部データの基本的な取り込み手順は3章で説明します。

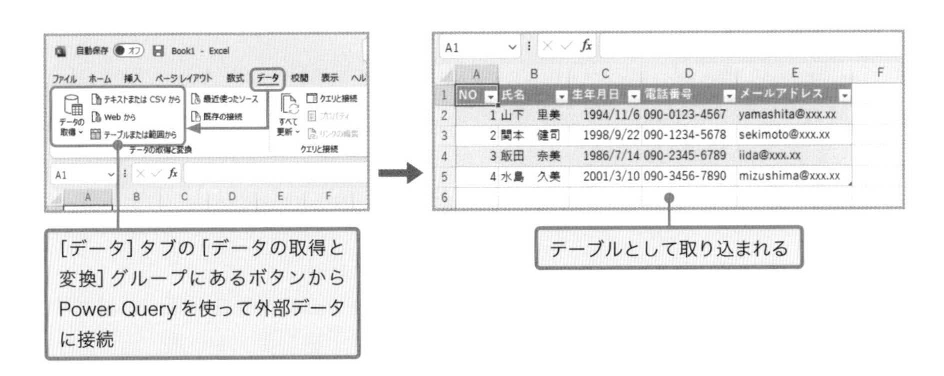

Memo

データを取り込める外部データの種類は、［データ］タブ→［データの取得］をクリックして表示されるメニューで確認できます。

Prepare data for aggregation and analysis

02 Excelの機能を使ってデータを整形する

データを取り込んだ後、集計をする前に、データに表記ゆれがないかのチェックが必要です。例えば、半角と全角が混在していたり、文字列の前や後ろに余分な空白が挿入されていたりすると、異なるデータとみなされ、正しく集計できません。ここでは、ワークシート上で表記ゆれを確認・修正する方法を紹介します。

[フィルター]で表記ゆれの有無を確認

各列見出しに表示されている**フィルターボタン**[▼]をクリックすると、その列に入力されているデータ一覧が表示されます。この一覧を見ると全角と半角の違いによる表記ゆれを確認できます。フィルターボタンが表示されていない場合は、表がテーブルでなければp.21を参照してテーブルに変換するか、[データ]タブ→[フィルター]をクリックして表示してください。

ここでは、[商品名]列で表記ゆれをチェックします。

(Sample ➡02-02-01.xlsx)

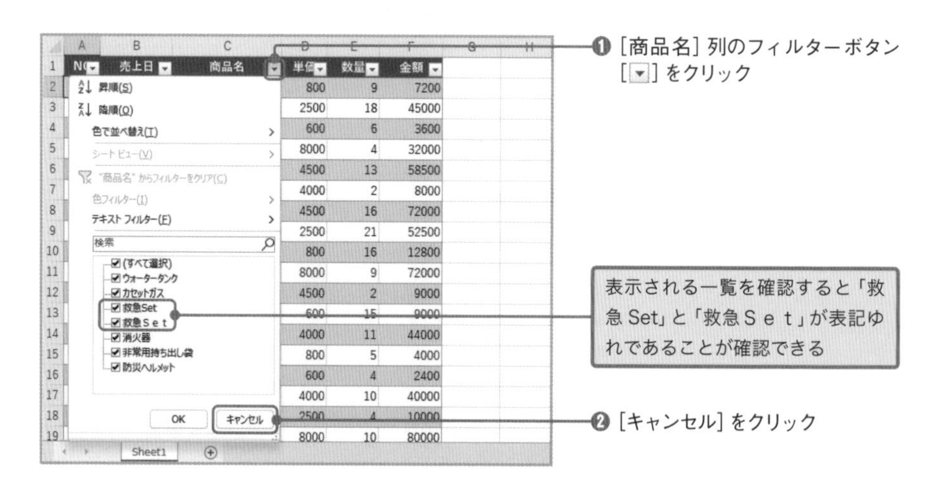

[重複の削除]で表記ゆれの有無を確認

フィルターで全角と半角の表記ゆれは確認できますが、データの前後にあるスペースはフィルターでは見つけることができません。例えば、次図の4レコード目にある「消火器」は前に半角のスペースがありますが、フィルターでは区別されませんでした。より正確に表記ゆれを確認するには、[重複の削除]機能が使えます。(Sample ➡02-02-02.xlsx)

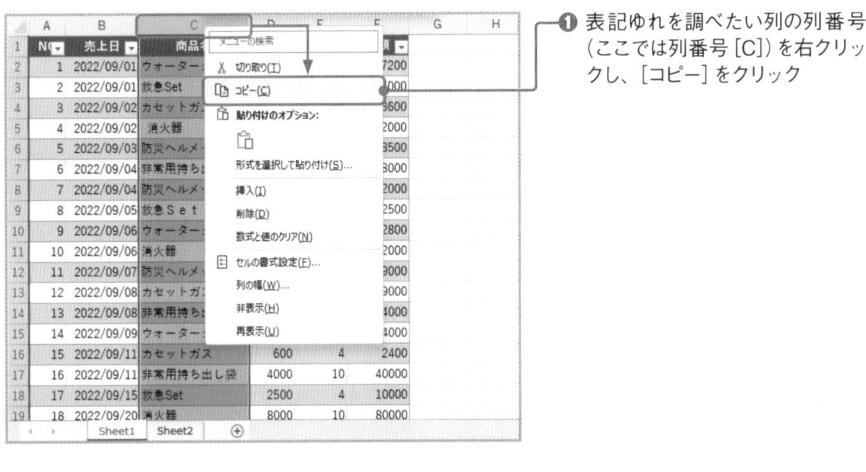

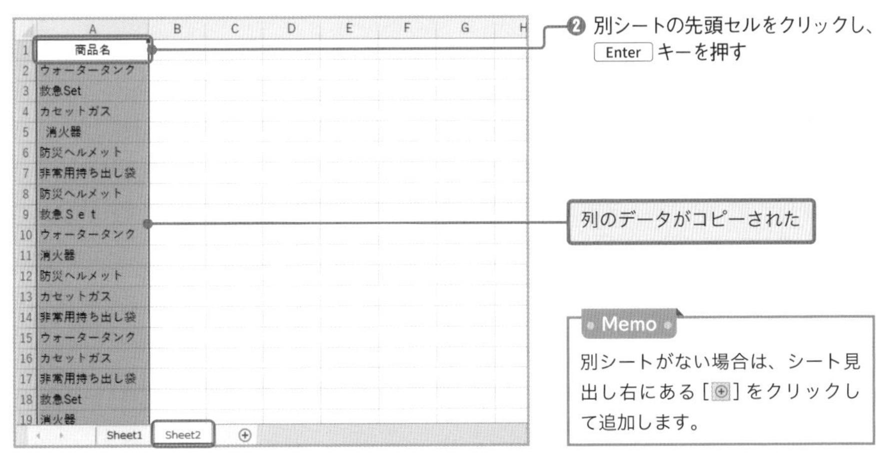

Memo

別シートがない場合は、シート見出し右にある［⊕］をクリックして追加します。

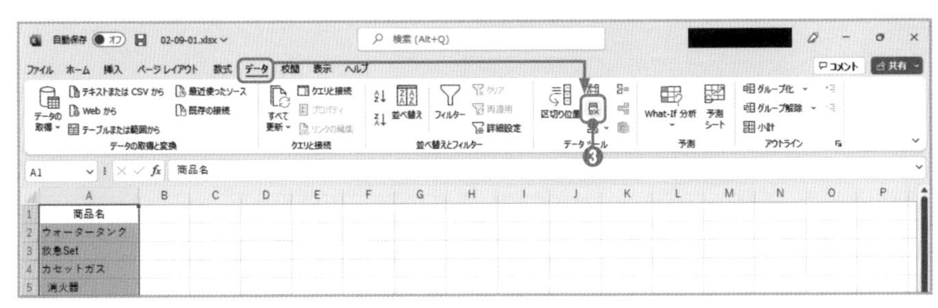

❸［データ］タブ→［重複の削除］をクリック

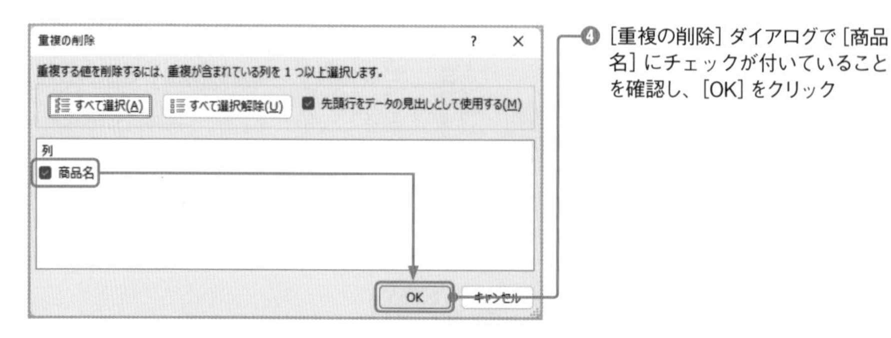

❹ [重複の削除] ダイアログで [商品名] にチェックが付いていることを確認し、[OK] をクリック

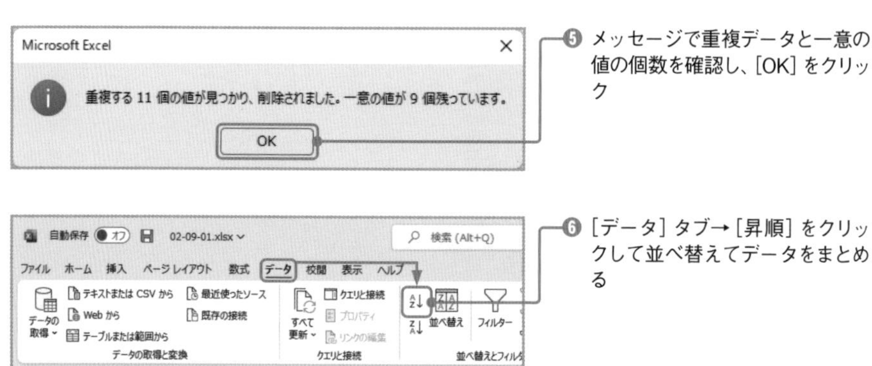

❺ メッセージで重複データと一意の値の個数を確認し、[OK] をクリック

❻ [データ] タブ→ [昇順] をクリックして並べ替えてデータをまとめる

「消火器」と「ウォータータンク」と「救急 Set」に表記ゆれがあることが確認できる

Memo

ウォータータンクは、見た目ではわかりませんが、どちらかのセルをダブルクリックしてカーソルを表示し、カーソルを末尾に移動すると半角のスペースがあることが確認できます。

Memo

アルファベットの大文字と小文字は区別されず、同じデータとして扱われます。表示を整えたい場合は、p.54 または p.117 を参照してください。

[フィルター]で表記ゆれを修正する

表記ゆれを確認したら、修正をしてデータを整えます。[フィルター]を使って表記ゆれに該当するデータのみ表示し、オートフィルで一気にコピーすると簡単です。なお、関数を使って表記ゆれを整える方法についてはp.51 ～ p.61 を参照してください。(Sample ➡02-02-03.xlsx)

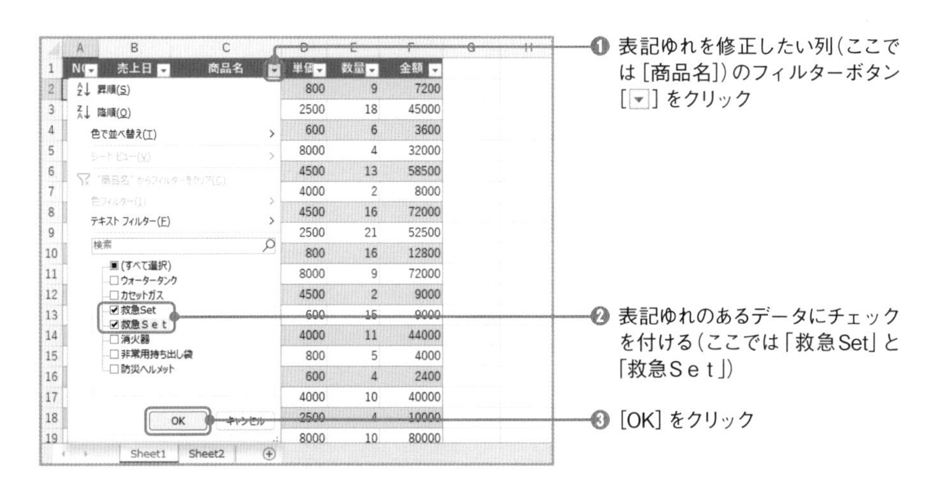

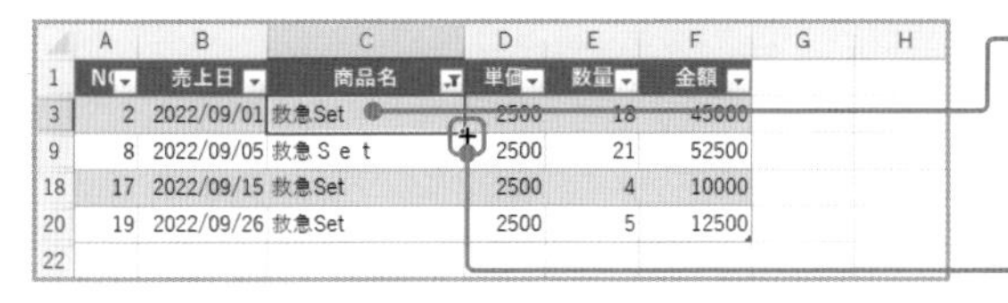

❹ 選択したデータのみ表示されたら、先頭行のセルをクリック(先頭セルのデータが正しくない場合は手入力で修正しておく)

❺ フィルハンドル(■)にマウスポインターを合わせ、ポインターの形が[+]になったらダブルクリック

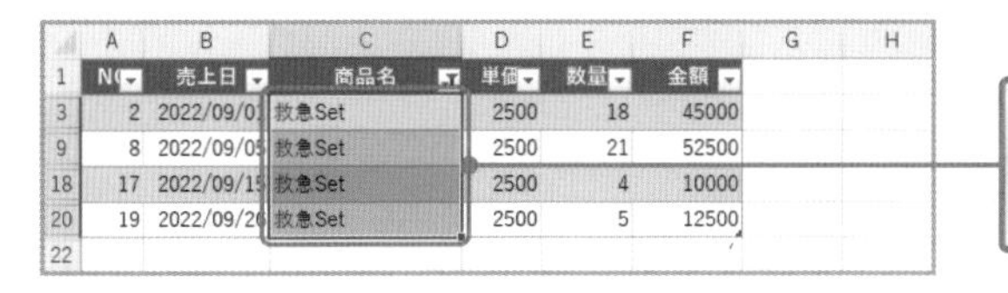

先頭データと同じデータがコピーされる(表示されている行のデータのみコピーされる)

> **Memo**
>
> オートフィルでデータを入力する場合、文字列の中に数字が含まれていると数値が連番で入力されることがあります。その場合は手入力か、コピー／貼り付けで修正してください。

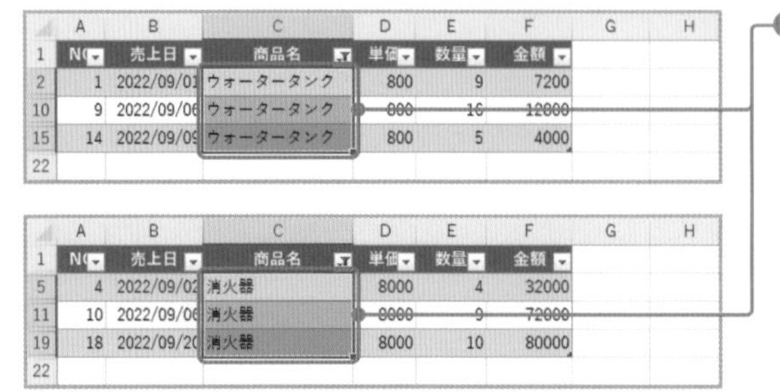

❻ 他の表記ゆれデータについても同様に手順❶～❺を繰り返してデータを修正する

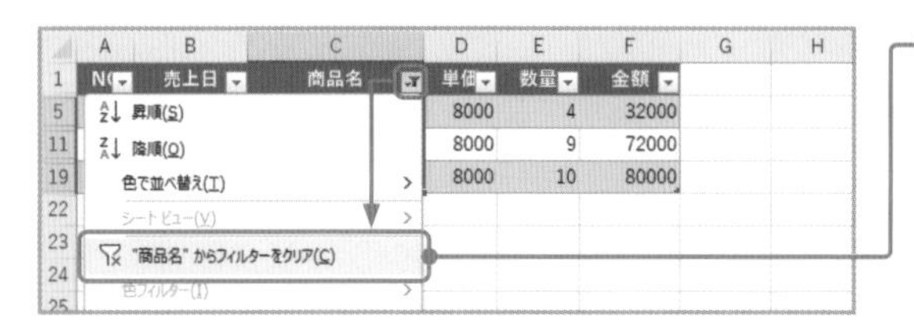

❼ フィルターを実行している列のフィルターボタン（▼）をクリックし、[（列名）からフィルターをクリア］をクリックしてフィルターを解除する

[フラッシュフィル]でデータを分割・結合する

［フラッシュフィル］は、データを一括入力する機能で、**入力済みのデータから入力パターンを分析し、残りのセルに自動的にデータを入力します。**例えば、［氏名］列の姓と名の間に全角のスペースが入力されている場合、スペースの前の姓と、スペースの後ろの名を簡単に取り出せます。（Sample ➡02-02-04.xlsx）

ここでは、［氏名］列を［姓］列と［名］列に分割します。

❶ ［姓］列の1行目に［氏名］列の姓の部分を入力（ここでは酒井）

❷ ［データ］タブ→［フラッシュフィル］をクリック

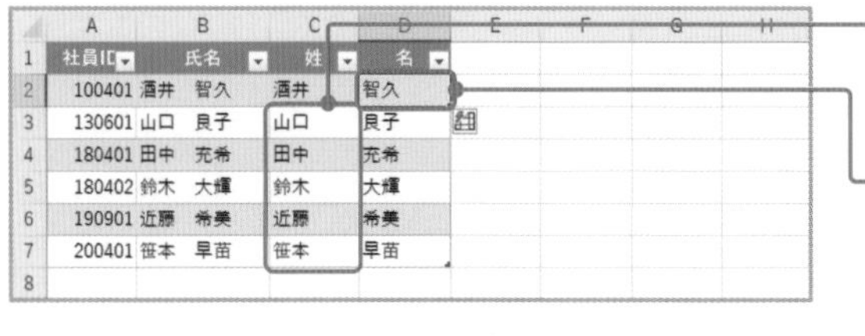

残りのセルに同じ規則でデータが自動で入力される

❸ 同様に［名］列の1レコード目のセルに名の部分を入力し、手順❷を実行する

関数を使ってデータを整形する

Excel には500 を超える関数が用意されています。その中には、文字列を操作したり、集計したりする関数も数多くあります。関数を使うことで、表記ゆれを修正したり、集計したりできます。ここでは、テーブルのデータを整形するのによく使用される関数をいくつか紹介します。

関数を使ったデータ整形の流れ

テーブル (p.21) の列内の表記ゆれを修正する場合、**関数用の列を挿入**し、関数を使って表記ゆれを整えます。整えた結果の値のみをコピーして、元の列のデータと置換したのち、作業用に追加した列は削除します。なお、ふりがな列など、不足している列を新たに追加する場合はそのまま残します。ここでは、半角文字を全角文字に変換する JIS 関数 (p.53)を例に、データ整形の手順を確認しましょう。(Sample ➡02-03-01.xlsx)

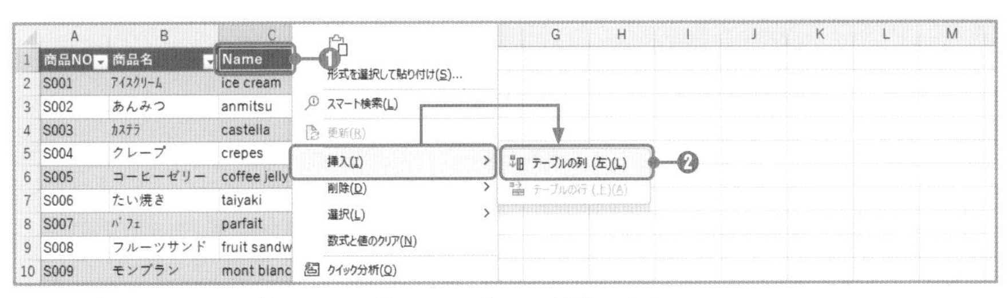

	A	B	C
1	商品NO	商品名	Name
2	S001	ｱｲｽｸﾘｰﾑ	ice cream
3	S002	あんみつ	anmitsu
4	S003	ｶｽﾃﾗ	castella
5	S004	クレープ	crepes
6	S005	コーヒーゼリー	coffee jelly
7	S006	たい焼き	taiyaki
8	S007	ﾊﾟﾌｪ	parfait
9	S008	フルーツサンド	fruit sandw
10	S009	モンブラン	mont blanc

❶ テーブル内の関数列を挿入したい列(ここでは [Name] 列) で右クリック
❷ [挿入] → [テーブルの列(左)] をクリック

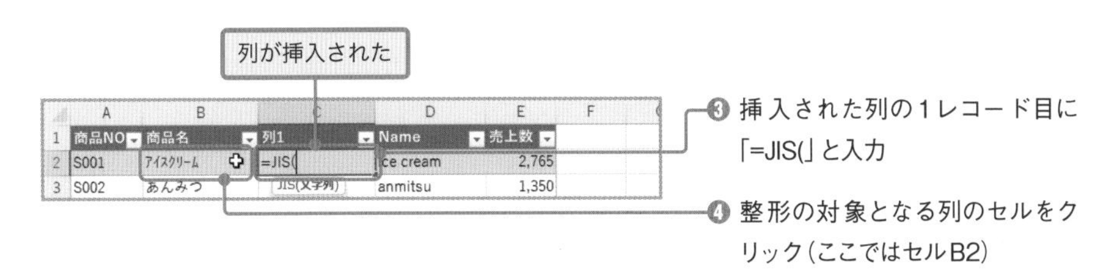

	A	B	C	D	E
1	商品NO	商品名	列1	Name	売上数
2	S001	ｱｲｽｸﾘｰﾑ	=JIS(	ice cream	2,765
3	S002	あんみつ		anmitsu	1,350

❺「=JIS([@商品名]」と入力されたことを確認し、閉じるカッコ「)」を入力して Enter キーを押す

Memo

テーブル内での数式のセル参照方法は構造化参照となるため、「[商品名] 列の同じ行にあるセル」を意味する「[@ 商品名]」が入力されます（p.30）。なお、閉じるカッコ「)」を省略しても自動的に補われます。

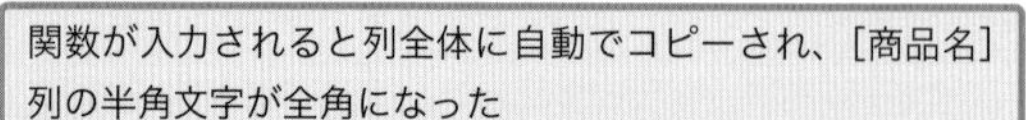

関数が入力されると列全体に自動でコピーされ、[商品名] 列の半角文字が全角になった

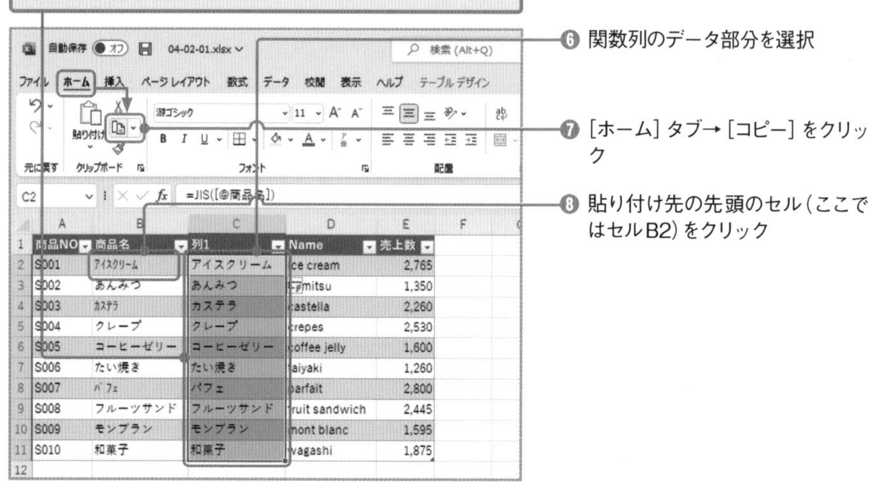

❻ 関数列のデータ部分を選択

❼ [ホーム] タブ→ [コピー] をクリック

❽ 貼り付け先の先頭のセル（ここではセルB2）をクリック

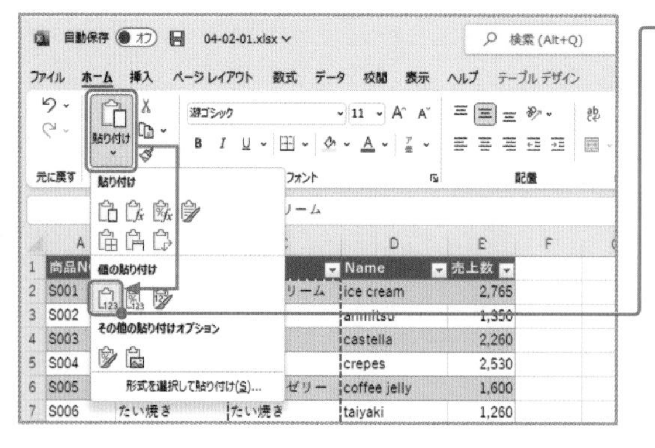

❾ [ホーム] タブ→ [貼り付け] の [⌄] → [値] をクリック

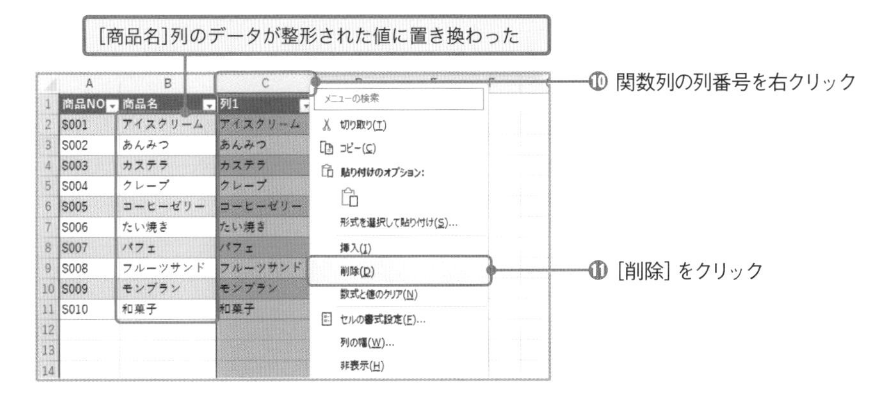

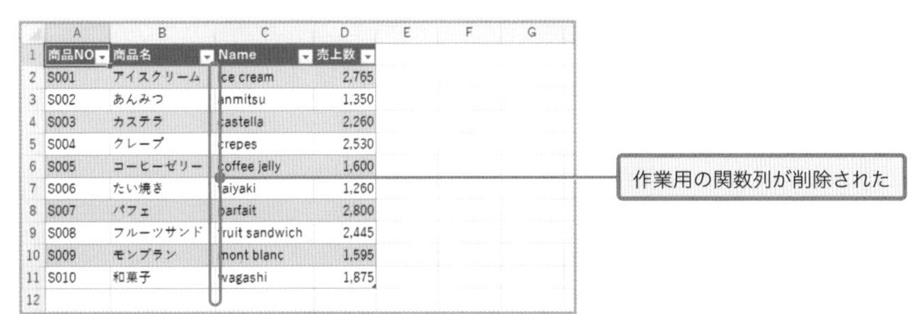

全角文字／半角文字に統一する（JIS 関数・ASC 関数）

半角の英数カナ文字を全角文字に変換するには JIS 関数、全角の英数カナ文字を半角文字に変換するには ASC 関数を使います。住所を全角に揃えたい場合や、商品番号や英語表記を半角に揃えたい場合に使えます。

書式 JIS

=JIS（ジス）(文字列)

[文字列] で指定した文字列内の半角の英数カナ文字を全角文字に変換する。[文字列] には、文字列またはセルを指定する。

書式 ASC

=ASC（アスキー）(文字列)

[文字列] で指定した文字列内の全角の英数カナ文字を半角文字に変換する。[文字列] には、文字列またはセルを指定する。

ここでは、[商品名]列の全角のカタカナを半角に変換します。
(Sample ➡02-03-02.xlsx)

	A	B	C	D	E
1	商品NO	商品名	列1	Name	売上数
2	S001	アイスクリーム	=ASC([@商品名])		2,765
3	S002	あんみつ		anmitsu	1,350
4	S003	カステラ		castella	2,260
5	S004	クレープ		crepes	2,530

❶ p.51を参照してテーブル内に列を挿入し、1レコード目に「=ASC([@商品名])」を入力して Enter キーを押す

挿入した列全体に自動的に式がコピーされ、全角のカタカナが半角に変換された

	A	B	C	D	E
1	商品NO	商品名	列1	Name	売上数
2	S001	アイスクリーム	ｱｲｽｸﾘｰﾑ	ice cream	2,765
3	S002	あんみつ	あんみつ	anmitsu	1,350
4	S003	カステラ	ｶｽﾃﾗ	castella	2,260
5	S004	クレープ	ｸﾚｰﾌﾟ	crepes	2,530
6	S005	コーヒーゼリー	ｺｰﾋｰｾﾞﾘｰ	coffee jelly	1,600
7	S006	たい焼き	たい焼き	taiyaki	1,260
8	S007	パフェ	ﾊﾟﾌｪ	parfait	2,800
9	S008	フルーツサンド	ﾌﾙｰﾂｻﾝﾄﾞ	fruit sandwich	2,445
10	S009	モンブラン	ﾓﾝﾌﾞﾗﾝ	mont blanc	1,595
11	S010	和菓子	和菓子	wagashi	1,875
12					

❷ p.52を参照し、結果を[商品名]列に値のみコピーして関数列を削除しておく

英字を大文字/小文字に変換する(UPPER関数・LOWER関数)

英単語全体をまとめて大文字に変換するにはUPPER関数、小文字に変換するにはLOWER関数を使います。大文字と小文字が混在している単語をどちらかに統一したい場合に使います。なお、**単語の先頭だけ大文字、他の文字を小文字に変換する**にはPROPER関数を使います。

書式 UPPER

=UPPER(文字列)（アッパー）

[文字列]に含まれる英文字の小文字を大文字に変換する。英文字は全角、半角に関わらず変換される。

書式 LOWER

=LOWER(文字列)（ロウアー）

[文字列]に含まれる英文字の大文字を小文字に変換する。英文字は全角、半角に関わらず変換される。

書式 **PROPER**

=PROPER(文字列)
（ルビ：プロパー）

[文字列] に含まれる英単語の先頭文字や記号の次の文字を大文字に変換し、それ以外の英字はすべて小文字に変換する。英文字は全角、半角に関わらず変換される。

ここでは、[Name]列の英字を大文字に変換します。(Sample ➡02-03-03.xlsx)

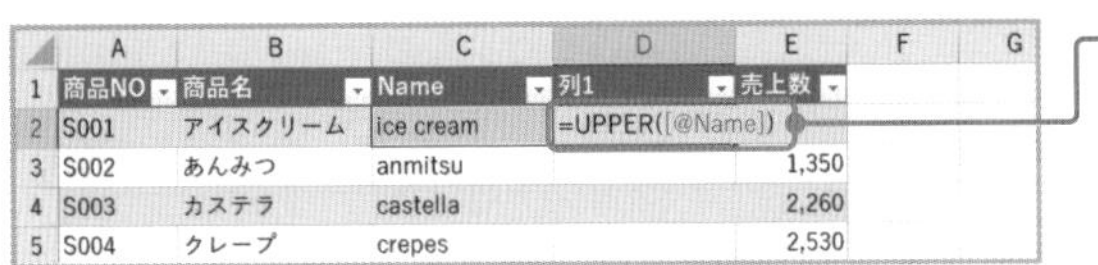

	A	B	C	D	E	F	G
1	商品NO	商品名	Name	列1	売上数		
2	S001	アイスクリーム	ice cream	=UPPER([@Name])			
3	S002	あんみつ	anmitsu		1,350		
4	S003	カステラ	castella		2,260		
5	S004	クレープ	crepes		2,530		

❶ p.51を参照してテーブル内に列を挿入し、1レコード目に「=UPPER([@Name])」を入力して Enter キーを押す

挿入した列全体に自動的に式がコピーされ、小文字の商品名が大文字に変換された

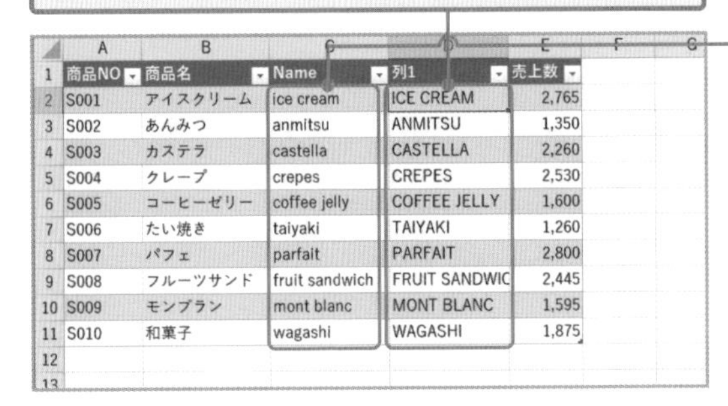

	A	B	C	D	E	F	G
1	商品NO	商品名	Name	列1	売上数		
2	S001	アイスクリーム	ice cream	ICE CREAM	2,765		
3	S002	あんみつ	anmitsu	ANMITSU	1,350		
4	S003	カステラ	castella	CASTELLA	2,260		
5	S004	クレープ	crepes	CREPES	2,530		
6	S005	コーヒーゼリー	coffee jelly	COFFEE JELLY	1,600		
7	S006	たい焼き	taiyaki	TAIYAKI	1,260		
8	S007	パフェ	parfait	PARFAIT	2,800		
9	S008	フルーツサンド	fruit sandwich	FRUIT SANDWIC	2,445		
10	S009	モンブラン	mont blanc	MONT BLANC	1,595		
11	S010	和菓子	wagashi	WAGASHI	1,875		
12							
13							

❷ p.52を参照し、結果を [Name] 列に値のみコピーして関数列を削除しておく

余分なスペースを削除する（TRIM関数）

氏名で姓と名の間に1つだけスペースを残して残りのスペースを全部削除するには、TRIM関数を使います。**文字列の前後のスペースを削除すると同時に、文字列間のスペースは1つだけ残す**ことができる関数です。

書式 **TRIM**

=TRIM(文字列)
（ルビ：トリム）

[文字列] で指定した文字列で文字列間のスペースは1つだけ残し、それ以外の不要なスペースをすべて削除する。[文字列]には、文字列またはセルを指定する。

ここでは、[氏名]列内にあるスペースを削除します。(Sample ➡02-03-04.xlsx)

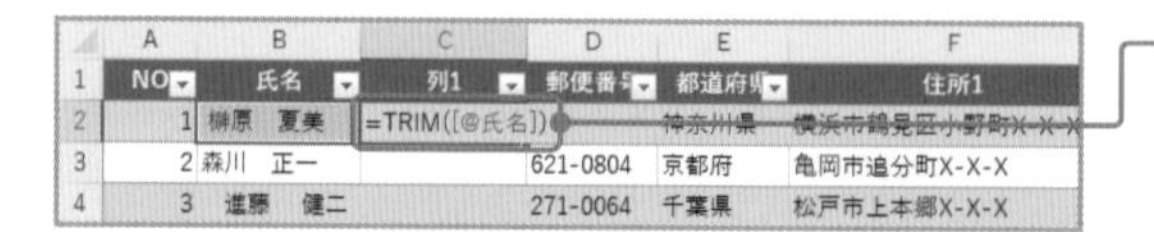

❶ p.51を参照してテーブル内に列を挿入し、1レコード目に「=TRIM([@氏名])」を入力して Enter キーを押す

挿入した列全体に自動的に式がコピーされ、余分なスペースが削除された

❷ p.52を参照し、結果を［氏名］列に値のみコピーして関数列を削除しておく

Memo

文字列間のスペースに半角と全角が混在している場合、残されたスペースを全角に統一するには、JIS関数と組み合わせて、「=JIS(TRIM([@ 氏名]))」のように指定します。

不要な文字やスペースを削除する（SUBSTITUTE関数）

SUBSTITUTE関数は、**検索した文字列を別の文字列に置換**します。文字列間にあるスペースも削除したい場合は、この関数を使います。

書式 SUBSTITUTE

=SUBSTITUTE（文字列, 検索文字列, 置換文字列, [置換対象]）

［文字列］の中から［検索文字列］で指定した文字列を検索し、見つかった文字列を［置換文字列］に置き換える。［文字列］に［検索文字列］が複数見つかった場合、何番目を置換するか数値で指定する。例えば1つ目だけ置換する場合は、［置換対象］に「1」と指定する。省略すると見つかったすべての［検索文字列］が置換される。

ここでは、［氏名］列内にある全角のスペースを削除します。
(Sample ➡02-03-05.xlsx)

❶ p.51を参照してテーブル内に列を挿入し、1レコード目に「=SUBSTITUTE([@氏名],"　","")」と入力して Enter キーを押す

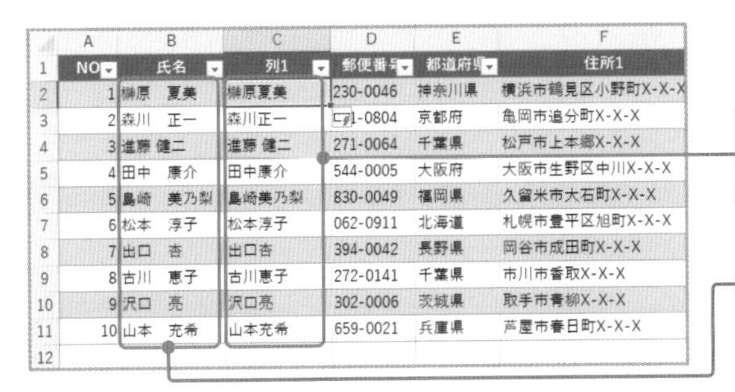

	NO	氏名	列1	郵便番号	都道府県	住所1
2	1	榊原　夏美	榊原夏美	230-0046	神奈川県	横浜市鶴見区小野町X-X-X
3	2	森川　正一	森川正一	621-0804	京都府	亀岡市追分町X-X-X
4	3	進藤 健二	進藤 健二	271-0064	千葉県	松戸市上本郷X-X-X
5	4	田中　康介	田中康介	544-0005	大阪府	大阪市生野区中川X-X-X
6	5	島崎　美乃梨	島崎美乃梨	830-0049	福岡県	久留米市大石町X-X-X
7	6	松本　淳子	松本淳子	062-0911	北海道	札幌市豊平区旭町X-X-X
8	7	出口　杏	出口杏	394-0042	長野県	岡谷市成田町X-X-X
9	8	古川　恵子	古川恵子	272-0141	千葉県	市川市香取X-X-X
10	9	沢口　亮	沢口亮	302-0006	茨城県	取手市青柳X-X-X
11	10	山本　充希	山本充希	659-0021	兵庫県	芦屋市春日町X-X-X

[氏名]列のデータの全角のスペースがすべて削除された

❷ p.52を参照し、結果を氏名列に値のみコピーして関数列を削除しておく

Memo

全角と半角が混在している場合は、半角のスペースを削除するSUBSTITUTE関数をネストして「=SUBSTITUTE(SUBSTITUTE([@氏名],"　","")," ",""))」と指定するか、すべての文字を全角に変換するJIS関数と組み合わせて「=SUBSTITUTE(JIS([@氏名]),"　","")」と指定してください。

ふりがなを表示する（PHONETIC関数）

データがExcelで入力されている場合、**PHONETIC関数を使えばセルが持つふりがな情報を取り出す**ことができます。ふりがな列が必要な場合に使いましょう。

書式　PHONETIC

=PHONETIC（参照）（フォネティック）

[参照]で指定したセルの文字列のふりがなを取り出す。[参照]には、ふりがなを取り出したい文字が入力されているセルまたはセル範囲を指定する。

ここでは、[氏名]列からふりがなを取り出します。（Sample ➡02-03-06.xlsx）

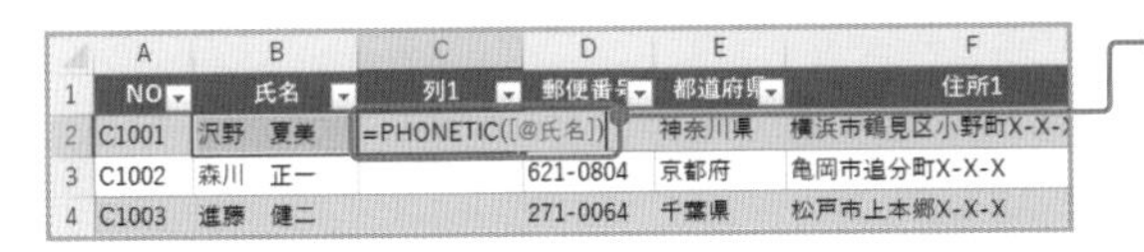

	NO	氏名	列1	郵便番号	都道府県	住所1
2	C1001	沢野　夏美	=PHONETIC([@氏名])		神奈川県	横浜市鶴見区小野町X-X-X
3	C1002	森川　正一		621-0804	京都府	亀岡市追分町X-X-X
4	C1003	進藤　健二		271-0064	千葉県	松戸市上本郷X-X-X

❶ p.51を参照してテーブル内に列を挿入し、1レコード目に「=PHONETIC([@氏名])」と入力して Enter キーを押す

	NO	氏名	列1	郵便番号	都道府県	住
2	C1001	沢野　夏美	サワノ　ナツミ	230-0046	神奈川県	横浜市鶴見区小
3	C1002	森川　正一	モリカワ　ショウイチ	621-0804	京都府	亀岡市追分町X-
4	C1003	進藤　健二	シンドウ　ケンジ	271-0064	千葉県	松戸市上本郷X-
5	C1004	田中　康介	タナカ　コウスケ	544-0005	大阪府	大阪市生野区中
6	C1005	島崎　美乃梨	シマザキ　ミノリ	830-0049	福岡県	久留米市大石町
7	C1006	松本　淳子	マツモト　ジュンコ	062-0911	北海移動	札幌市豊平区旭
8	C1007	出口　杏	デグチ　アンズ	394-0042	長野県	岡谷市成田町X-
9	C1008	古川　恵子	フルカワ　ケイコ	272-0141	千葉県	市川市香取X-X-
10	C1009	沢口　亮	サワグチ　リョウ	302-0006	茨城県	取手市青柳X-X-
11	C1010	山本　充希	ヤマモト　ミツキ	659-0021	兵庫県	芦屋市春日町X-

[氏名]列のフリガナが表示された

> **Memo**
>
> PHONETIC 関数で参照するセルの値が数値や論理値(TRUE、FALSE)の場合は空文字("")が返ります。また、アルファベットや記号、他ソフトから取り込んだ文字列のようにふりがな情報を持たない場合は、セル内の文字列がそのまま表示されます。

Column

ふりがな情報がない漢字にふりがなを設定する

Excel 以外の外部データから取り込んだ文字列はふりがな情報を持ちません。その場合、PHONETIC 関数では、セルの文字列がそのまま表示されます。ふりがな情報を持たない文字列にふりがな情報を持たせるには、入力し直すか、以下の手順でふりがな情報を設定します。自動でふりがなが設定されるので、確認する必要はありますが、手入力する手間は省けるので、覚えておくと便利なテクニックです。
(Sample ➡02-03-07.xlsx)

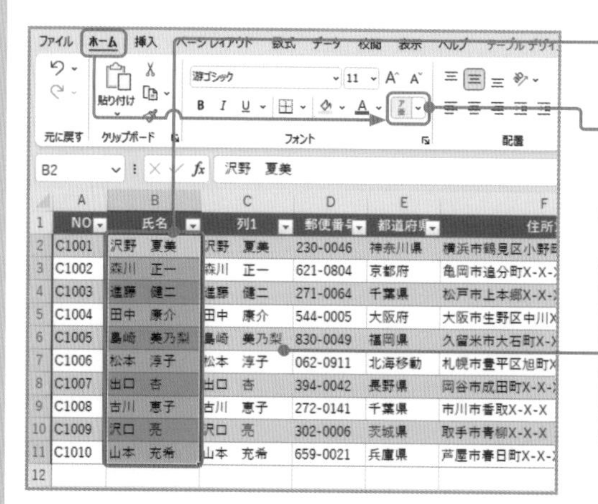

	A	B	C	D	E	F
1	NO	氏名	列1	郵便番号	都道府県	住所
2	C1001	沢野　夏美	沢野　夏美	230-0046	神奈川県	横浜市鶴見区小野町
3	C1002	森川　正一	森川　正一	621-0804	京都府	亀岡市追分町X-X-X
4	C1003	遠藤　健二	遠藤　健二	271-0064	千葉県	松戸市上本郷X-X-X
5	C1004	田中　康介	田中　康介	544-0005	大阪府	大阪市生野区中川X
6	C1005	島崎　美乃梨	島崎　美乃梨	830-0049	福岡県	久留米市大石町X-X
7	C1006	松本　淳子	松本　淳子	062-0911	北海移動	札幌市豊平区旭町X
8	C1007	出口　杏	出口　杏	394-0042	長野県	岡谷市成田町X-X-X
9	C1008	古川　惠子	古川　惠子	272-0141	千葉県	市川市香取X-X-X
10	C1009	沢口　亮	沢口　亮	302-0006	茨城県	取手市青柳X-X-X
11	C1010	山本　充希	山本　充希	659-0021	兵庫県	芦屋市春日町X-X-X
12						

❶ ふりがなを設定したい列(ここでは[氏名]列)を選択

❷ [ホーム]タブ→[ふりがなの表示/非表示]をクリック

❸ Shift + Alt + ↑ キーを押す

C 列には PHONETIC 関数が設定されているが、[氏名]列がふりがな情報を持たないために[氏名]列の値がそのまま表示されている

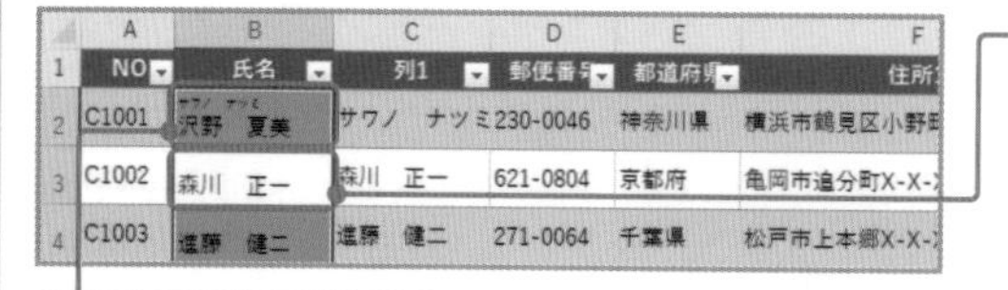

	A	B	C	D	E	F
1	NO	氏名	列1	郵便番号	都道府県	住所
2	C1001	沢野　夏美	サワノ　ナツミ	230-0046	神奈川県	横浜市鶴見区小野町
3	C1002	森川　正一	森川　正一	621-0804	京都府	亀岡市追分町X-X-X
4	C1003	遠藤　健二	遠藤　健二	271-0064	千葉県	松戸市上本郷X-X-X

❹ Enter キーを押し、1つ下のセルにアクティブセルを移動

ふりがなが設定された

> **Memo**
>
> [ホーム]タブ→[ふりがなの表示 / 非表示]の[▾]→[ふりがなの編集]をクリックしても同様に設定できます。

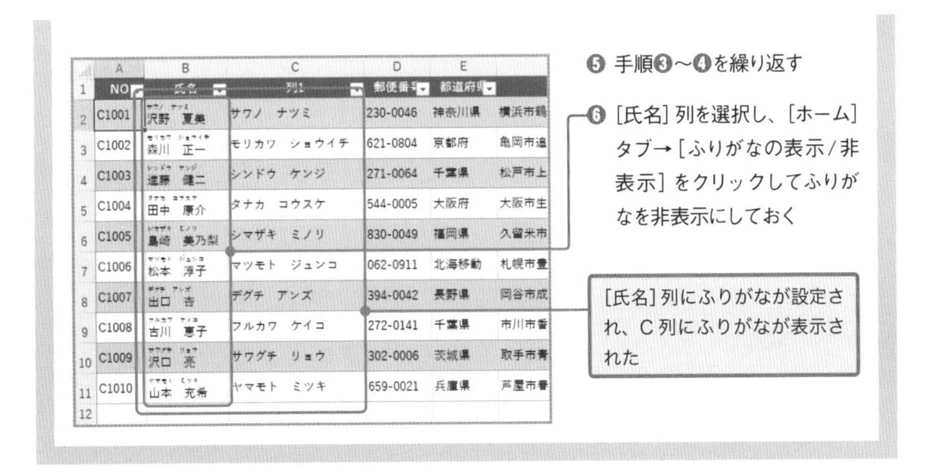

HINT フリガナをひらがなで表示するには

フリガナをひらがなで表示したい場合は、[氏名] 列を選択し、[ホーム] → [ふりがなの表示 / 非表示] の [▽] → [ふりがなの設定] をクリックして [ふりがなの設定] ダイアログの [ふりがな] タブにある [種類] で [ひらがな] を選択します。

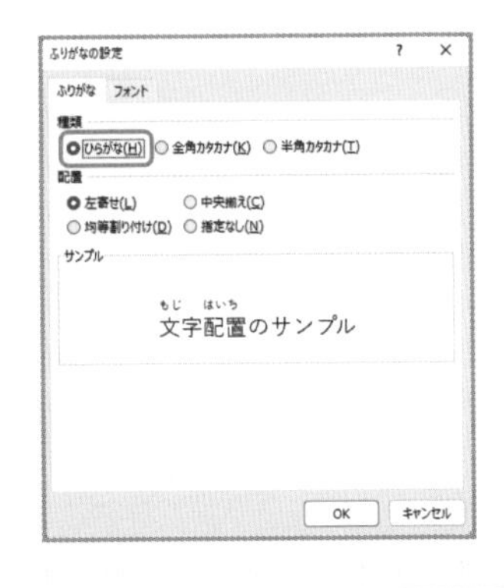

住所から都道府県を取り出す（IF 関数、MID 関数、LEFT 関数）

住所から都道府県を取り出したいときは、都道府県と市区町村以下の住所を区切る規則を見つけます。都道府県名は、神奈川県、和歌山県、鹿児島県が4 文字でそれ以外は3 文字であることを利用して、IF 関数、LEFT 関数、MID 関数を組み合わせた式を設定します。

書式 IF

=IF（論理式, 真の場合, 偽の場合）

[論理式] が TRUE の場合は [真の場合] で指定した値を表示し、FALSE の場合は [偽の場合] で指定した値を表示する。[論理式] には TRUE または FALSE を返す式を設定する。[真の場合] には [論理式] が TRUE の場合に表示する値や数式を指定する。[偽の場合] には [論理式] が FALSE の場合に表示する値や数式を指定する。

書式 LEFT

=LEFT（文字列, [文字数]）

[文字列] の先頭から [文字数] で指定した数だけ文字列を取り出す。[文字列] には、文字を取り出す文字列を指定する。[文字数] には、取り出す文字数を指定する。省略した場合は、先頭1 文字だけが取り出される。[文字列] の文字数より多い数を指定した場合は、すべての文字列が表示される。

書式 MID

=MID（文字列, 開始位置, 文字数）

[文字列] の [開始位置] から [文字数] で指定した数だけ文字列を取り出す。[文字列] の指定方法は LEFT 関数と同じ。[開始位置] は、[文字列] から取り出す先頭文字の位置を数値で指定する。

ここでは、[住所]列から都道府県を取り出します。（Sample ➡02-03-08.xlsx）

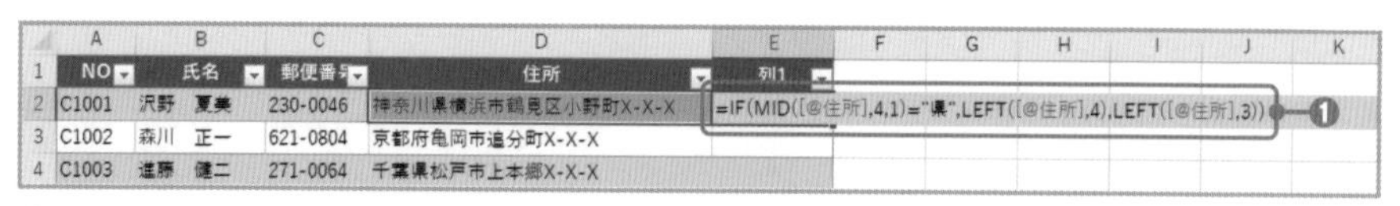

	A	B	C	D	E
1	NO	氏名	郵便番号	住所	列1
2	C1001	沢野 夏美	230-0046	神奈川県横浜市鶴見区小野町X-X-X	=IF(MID([@住所],4,1)="県",LEFT([@住所],4),LEFT([@住所],3))
3	C1002	森川 正一	621-0804	京都府亀岡市追分町X-X-X	
4	C1003	進藤 健二	271-0064	千葉県松戸市上本郷X-X-X	

❶ p.51 を参照してテーブル内に列を挿入し、1レコード目に「=IF(MID([@住所],4,1)="県",LEFT([@住所],4),LEFT([@住所],3))」と入力して Enter キーを押す

Memo

ここで設定した関数は「住所の4 文字目が"県"の場合は、左から4 文字取り出し、そうでない場合は3 文字取り出す」という意味です。

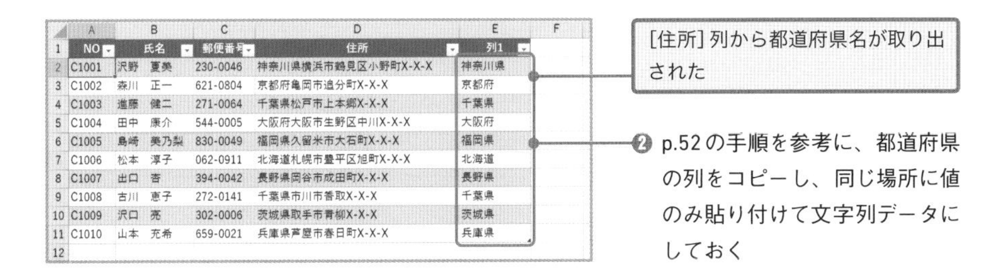

	A	B	C	D	E	F
1	NO	氏名	郵便番号	住所	列1	
2	C1001	沢野 夏美	230-0046	神奈川県横浜市鶴見区小野町X-X-X	神奈川県	
3	C1002	森川 正一	621-0804	京都府亀岡市追分町X-X-X	京都府	
4	C1003	進藤 健二	271-0064	千葉県松戸市上本郷X-X-X	千葉県	
5	C1004	田中 康介	544-0005	大阪府大阪市生野区中川X-X-X	大阪府	
6	C1005	島崎 美乃梨	830-0049	福岡県久留米市大石町X-X-X	福岡県	
7	C1006	松本 淳子	062-0911	北海道札幌市豊平区旭町X-X-X	北海道	
8	C1007	出口 杏	394-0042	長野県岡谷市成田町X-X-X	長野県	
9	C1008	吉川 恵子	272-0141	千葉県市川市香取X-X-X	千葉県	
10	C1009	沢口 亮	302-0006	茨城県取手市青柳X-X-X	茨城県	
11	C1010	山本 充希	659-0021	兵庫県芦屋市春日町X-X-X	兵庫県	
12						

住所から都道府県を削除する（SUBSTITUTE 関数）

住所から都道府県を取り出した後、住所から都道府県を取り除いた部分を取り出したい場合は、SUBSTITUTE 関数（p.56）で［住所］の中にある都道府県の文字列を空文字「""」に置き換えることで取り除くことができます。

ここでは、［住所］列から［都道府県］列の値を削除します。

（Sample ➡02-03-09.xlsx）

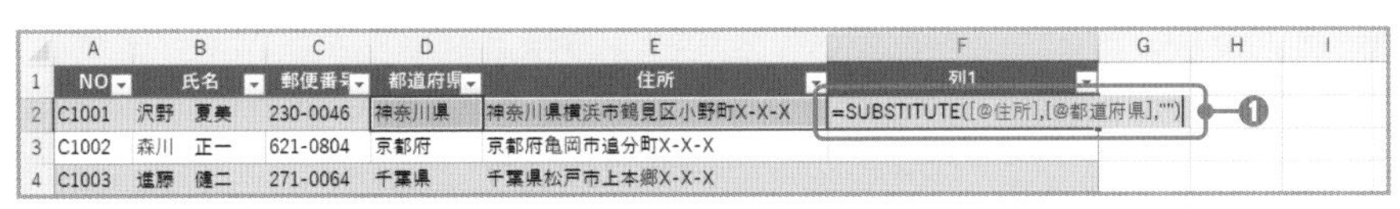

	A	B	C	D	E	F
1	NO	氏名	郵便番号	都道府県	住所	列1
2	C1001	沢野 夏美	230-0046	神奈川県	神奈川県横浜市鶴見区小野町X-X-X	=SUBSTITUTE([@住所],[@都道府県],"")
3	C1002	森川 正一	621-0804	京都府	京都府亀岡市追分町X-X-X	
4	C1003	進藤 健二	271-0064	千葉県	千葉県松戸市上本郷X-X-X	

❶ p.51を参照してテーブル内に列を挿入し、1レコード目に「=SUBSTITUTE([@住所],[@都道府県],"")」と入力して Enter キーを押す

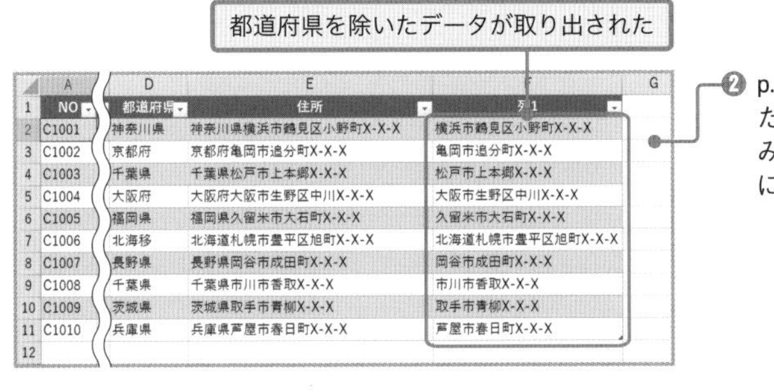

	A	D	E	F
1	NO	都道府県	住所	列1
2	C1001	神奈川県	神奈川県横浜市鶴見区小野町X-X-X	横浜市鶴見区小野町X-X-X
3	C1002	京都府	京都府亀岡市追分町X-X-X	亀岡市追分町X-X-X
4	C1003	千葉県	千葉県松戸市上本郷X-X-X	松戸市上本郷X-X-X
5	C1004	大阪府	大阪府大阪市生野区中川X-X-X	大阪市生野区中川X-X-X
6	C1005	福岡県	福岡県久留米市大石町X-X-X	久留米市大石町X-X-X
7	C1006	北海移	北海道札幌市豊平区旭町X-X-X	北海道札幌市豊平区旭町X-X-X
8	C1007	長野県	長野県岡谷市成田町X-X-X	岡谷市成田町X-X-X
9	C1008	千葉県	千葉県市川市香取X-X-X	市川市香取X-X-X
10	C1009	茨城県	茨城県取手市青柳X-X-X	取手市青柳X-X-X
11	C1010	兵庫県	兵庫県芦屋市春日町X-X-X	芦屋市春日町X-X-X
12				

データの整形に利用できる関数

Excel には、文字列を操作する関数が数多くあります。ここでは、データの整形に利用できる主な文字列操作関数をまとめています。

文字列操作関数

関数	内容
LEN(文字列)	文字列の文字数を求める
LEFT(文字列 ,[文字数])	文字列の先頭から指定した数の文字を取り出す
RIGHT(文字列 ,[文字数])	文字列の末尾から指定した数の文字を取り出す
MID(文字列 , 開始位置 , 文字数)	文字列の指定した位置から指定した数の文字を取り出す
CONCAT(テキスト 1,[テキスト 2],…)	複数の文字列を結合する
SUBSTITUTE(文字列 , 検索文字列 , 置換文字列 ,[置換対象])	検索した文字列を別の文字列に置換する
FIND(検索文字列 , 対象 ,[開始位置])	文字列の位置を求める（大文字と小文字の区別あり）
SEARCH(検索文字列,対象,[開始位置])	文字列の位置を求める（大文字と小文字の区別なし）
ASC(文字列)	全角文字を半角に変換する
JIS(文字列)	半角文字を全角に変換する
LOWER(文字列)	英字を小文字に変換する
UPPER(文字列)	英字を大文字に変換する
PROPER(文字列)	英単語の頭文字だけ大文字に変換する
TRIM(文字列)	単語内のスペースを 1 つだけ残して余分なスペースを削除する
CLEAN(文字列)	印刷できない文字を削除する
PHONETIC(文字列)	文字列のふりがなを取り出す
TEXT(数値 , 表示形式)	数値に表示形式を設定して文字列に変換する
VALUE(文字列)	数値を表す文字列を数値に変換する
TYPE(値)	データの種類を調べる

外れ値を検出する

データを分析するとき、他のデータから大きくかけ離れているデータを外れ値といいます。外れ値があると、分析結果と実際の内容との食い違いが生じてしまうことがあります。そのため、**データの中から外れ値を見つけ、単なる入力ミスなのか、何らかの理由があっての値なのかを調べ、必要に応じてデータを取り除いたり、正しい値に修正したりします。**なお、測定ミスや入力ミス、機器異常など原因がわかっている外れ値を異常値といいます。

カラースケールで外れ値を見つける

条件付き書式のカラースケールを使うと、数値の大小でセルの色を変更することができます。極端な数値があると、その数値だけ大きく色が変わるので、外れ値を簡単に見分けることができます。(Sample ➡02-04-01.xlsx)

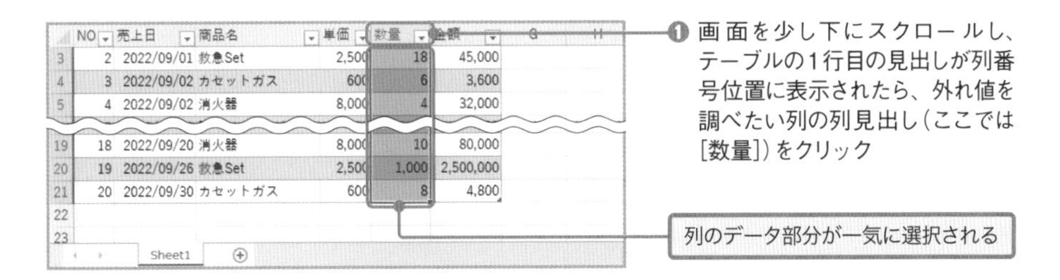

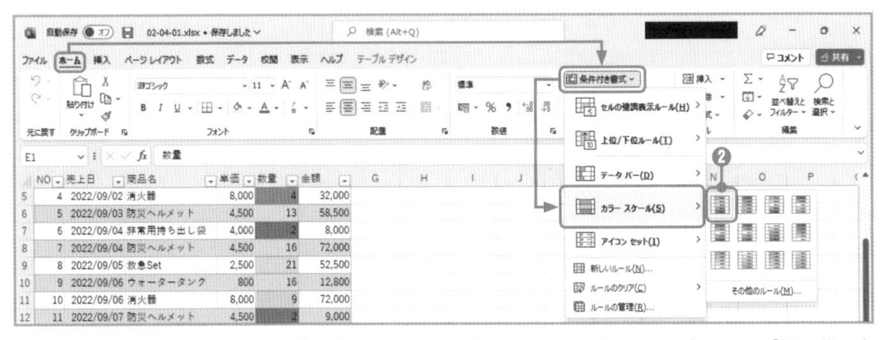

❷ [ホーム] タブ→ [条件付き書式] → [カラースケール] からパターンをクリック(ここでは [緑、黄、赤のカラースケール])

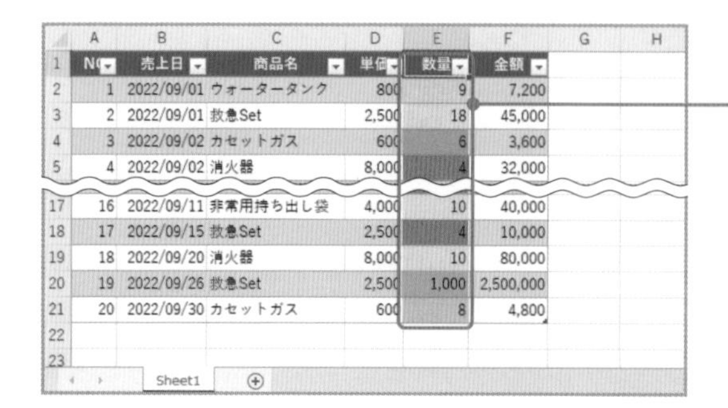

	A	B	C	D	E	F	G	H
1	No	売上日	商品名	単価	数量	金額		
2	1	2022/09/01	ウォータータンク	800	9	7,200		
3	2	2022/09/01	救急Set	2,500	18	45,000		
4	3	2022/09/02	カセットガス	600	6	3,600		
5	4	2022/09/02	消火器	8,000	4	32,000		
17	16	2022/09/11	非常用持ち出し袋	4,000	10	40,000		
18	17	2022/09/15	救急Set	2,500	4	10,000		
19	18	2022/09/20	消火器	8,000	10	80,000		
20	19	2022/09/26	救急Set	2,500	1,000	2,500,000		
21	20	2022/09/30	カセットガス	600	8	4,800		
22								
23								

数値の大きさによってセルに色が付いた。極端な数値(ここでは「1,000」)だけ異なる色でより濃く表示される

Memo

他に比べて極端に異なる大きさの数値がない場合は、カラーパターンの色は全体的にバランスよく表示されます。

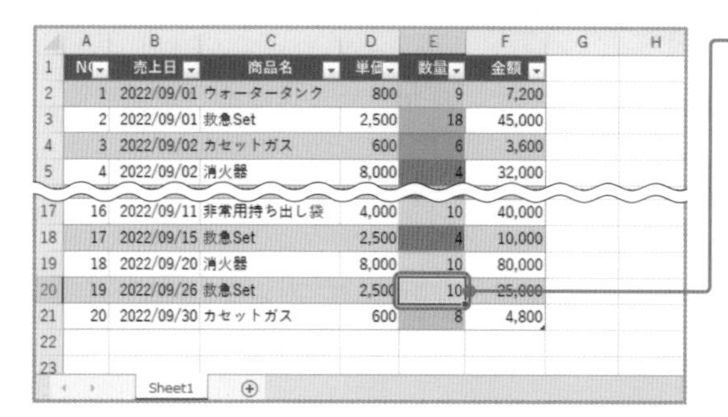

	A	B	C	D	E	F	G	H
1	No	売上日	商品名	単価	数量	金額		
2	1	2022/09/01	ウォータータンク	800	9	7,200		
3	2	2022/09/01	救急Set	2,500	18	45,000		
4	3	2022/09/02	カセットガス	600	6	3,600		
5	4	2022/09/02	消火器	8,000	4	32,000		
17	16	2022/09/11	非常用持ち出し袋	4,000	10	40,000		
18	17	2022/09/15	救急Set	2,500	4	10,000		
19	18	2022/09/20	消火器	8,000	10	80,000		
20	19	2022/09/26	救急Set	2,500	10	25,000		
21	20	2022/09/30	カセットガス	600	8	4,800		
22								
23								

❸ 数量が適切かどうか調査し、必要に応じてデータを修正(ここでは[数量]が入力ミスだったとして「1,000」から「10」に修正)

Memo

条件付き書式を解除するには、条件付き書式を解除したいセル範囲を選択後、[ホーム]タブ→[条件付き書式]→[ルールのクリア]→[選択したセルからルールをクリア]をクリックします。

Memo

散布図のようなグラフを作成することで外れ値を見つけることもできます(p.278 参照)。

Chapter

03

Power Queryを使って外部データを取り込む

Power Queryでは、外部データへの接続から整形・出力までの手順を保存して繰り返し実行できます。毎月の営業データなど、同じ形式のデータを定期的に処理する必要がある場合に大いに役立ちます。本章では、Power Queryを使ってさまざまな形式のデータを取り込む方法を紹介します。

Power Queryの概要

定期的に更新されるファイルのデータをExcelブックに取り込み、集計、分析する場合、毎回同じ手順で作業しているというケースはよくあるのではないでしょうか。毎回のルーチン業務を簡素化するには、Power Queryの利用をお勧めします。ここでは、Power Queryの概要を理解し、Power Queryを使った外部データの基本的な取り込み手順を確認しましょう。

Power Queryとは

Power Queryは、Excel 2016から標準装備された機能で、外部データへの接続、データの整形、データの出力を行い、これら一連の手順を保存します。同じ処理を繰り返し実行できるので、短時間で最新のデータに更新することが可能です。Power Queryを上手に活用すれば、毎週、毎月行う定型業務の効率化が図れます。また、単発の作業でもデータの整形が簡単にできます。非常に便利な機能なので、是非とも使い方を覚えてください。

☑Power Queryの画面

Power Queryは、Excelに付属しているツールでExcelとは別ウィンドウで開きます。

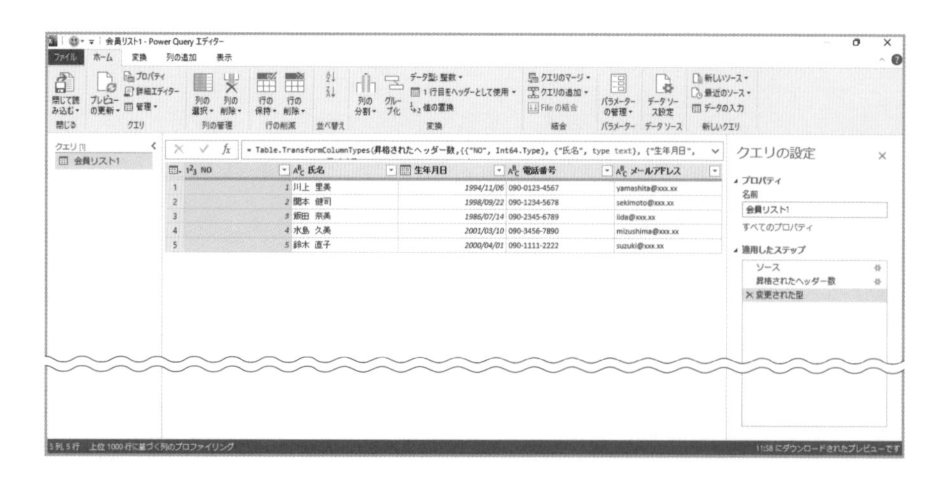

● Power Query の機能

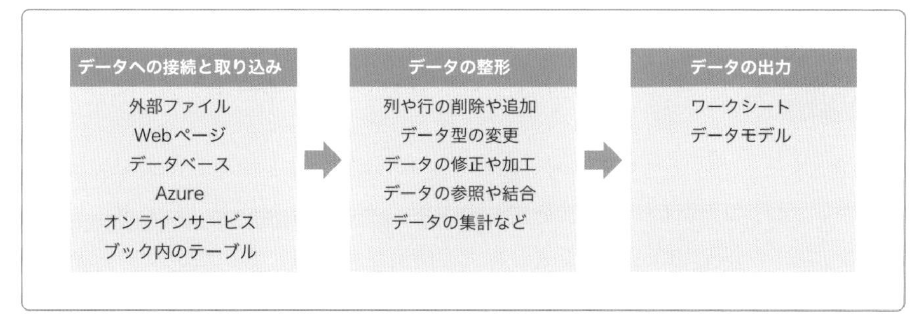

☑データへの接続

取り込み元のデータとして、テキストファイル、別の Excel ブックなどのファイル、Web ページ、Access などのデータベース、Microsoft 社が提供するクラウドサービスである Azure、オンラインサービスといったさまざまなデータに接続できます。また、同一ブック内にあるテーブルにも接続できます。

☑データの整形

取り込み元のデータを変更せずに、取り込んだデータに対してさまざまな編集が行えます。例えば、並べ替えやフィルター、列の追加や削除などができます。また、データ型の変更やデータの加工も行えます。さらに、別テーブルの値を参照して表示することや、複数のテーブルを 1 つのテーブルにまとめることもできます。

☑データの出力

データを整形した結果をワークシートまたはデータモデルに出力します。データモデルは、Excel 内にあるデータ格納領域です。ここには、複数のテーブルを格納でき、それらを関連付けることができます(リレーションシップ)。また、データモデル内では約20 億行におよぶデータを格納できるため、ワークシートに出力するよりも大量のデータを扱うことができ、処理も速くなります。データモデル内でリレーションシップを設定するには、Power Pivot を使います (p.312)。

テキストファイルのデータをワークシートに取り込む

テキストファイルは、文字のみで構成されているファイルです。テキストファイルのデータは、タブやカンマなどを列の区切り、改行を行の区切りとして用いるファイルで、集計や分析用の元データとしてよく使用されます。ここでは、テキストファイルで用意されたデータをワークシートに取り込む手順を確認しましょう。

テキストファイルを確認する

データを取り込む前にデータの内容を確認しておきます。**集計用データとして使用できるのは、主に列の区切りがタブやカンマなどの区切り記号で区切られているものです。**テキストファイルは、拡張子が「**.txt**」のものが大半ですが、列区切りが「**,**」(カンマ)で構成され、拡張子が「**.csv**」で保存されているものを**CSVファイル**といいます。いずれも、メモ帳などのテキストエディターを使って開くことができます。

● タブ区切りのテキストファイル

● カンマ区切りのテキストファイル（CSVファイル）

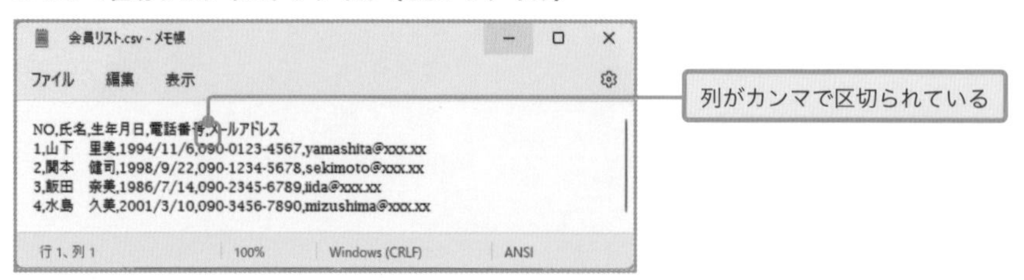

Memo

Windows に付属するアプリケーションの「メモ帳」はテキストファイルを作成、編集するのに使用されます。テキストファイルの内容は、「メモ帳」を使って確認できます。起動するには、[スタート] ボタン→ [Windows アクセサリ]→ [メモ帳]をクリックします。

Memo

CSV ファイルは、Excel と親和性が高く、[ファイルを開く] ダイアログから開くと、カンマが列の区切り、改行が行の区切りとなってセルにデータが入力された状態で開きます。

テキストファイルのデータをワークシートに取り込む

Power Query を使って、テキストファイルのデータを取り込む手順を確認します。テキストファイルの場合は、列区切りの確認とデータ形式の設定がポイントになります。

ここでは、列がタブで区切られているテキストファイルを取り込みます。(Sample ➡会員リスト.txt)

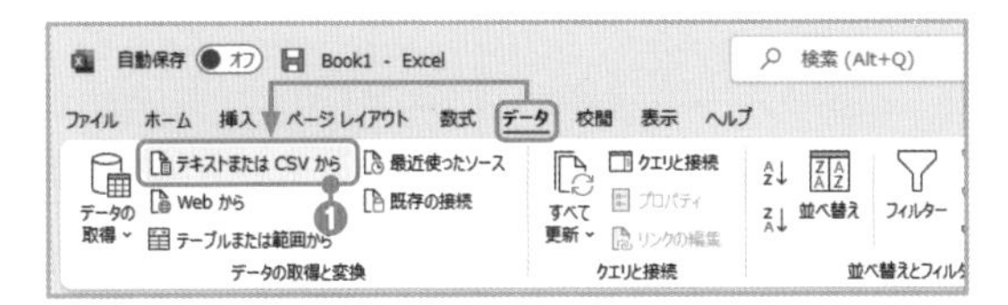

❶ 新規ブックを開き、[データ] タブ→ [テキストまたは CSV から] をクリック

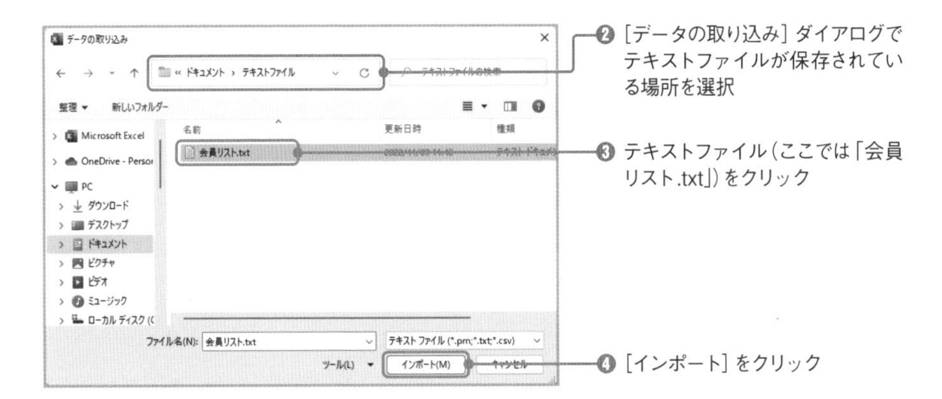

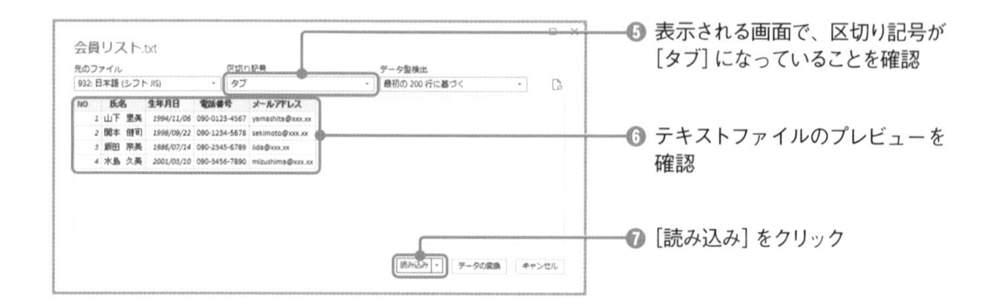

NO	氏名	生年月日	電話番号	メールアドレス
1	山下 里美	1994/11/06	090-0123-4567	yamashita@xxx.xx
2	関本 健司	1998/09/22	090-1234-5678	sekimoto@xxx.xx
3	飯田 奈美	1986/07/14	090-2345-6789	iida@xxx.xx
4	水島 久美	2001/03/10	090-3456-7890	mizushima@xxx.xx

Memo

取り込み時にデータが数値や日付とみなされると自動的にデータ型が変換されてセルに表示されます。ワークシートに読み込む前にデータ型を指定したい場合は、[データの変換]をクリックしてPower Query エディターを開き、データ型を指定します(p.104 参照)。

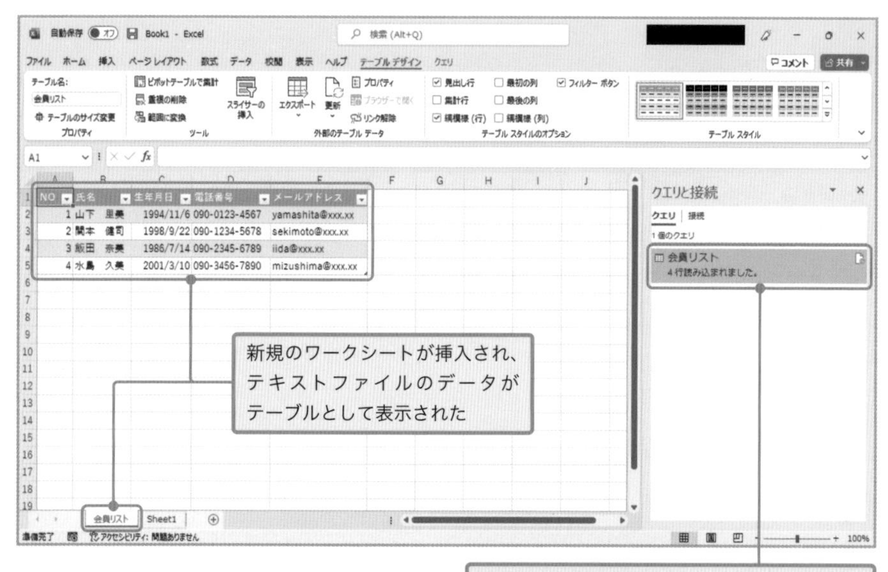

NO	氏名	生年月日	電話番号	メールアドレス
1	山下 里美	1994/11/6	090-0123-4567	yamashita@xxx.xx
2	関本 健司	1998/9/22	090-1234-5678	sekimoto@xxx.xx
3	飯田 奈美	1986/7/14	090-2345-6789	iida@xxx.xx
4	水島 久美	2001/3/10	090-3456-7890	mizushima@xxx.xx

他のExcelブックのデータをワークシートに取り込む

データが別のExcelブックで管理されている場合、そのブック内にあるデータを取り込んで集計用に使用するのに、コピー／貼り付けやシートのコピーでも取り込めますが(p.43)、Power Queryを使えば、わざわざ別のExcelブックを開くことなく、直接ブックに接続してデータを取り込むことができます。

他のExcelブックを確認する

Power Queryを使って他のExcelブックのデータを取り込む場合、「ワークシート」「テーブル」「セル範囲に付けられた名前」を取り込む単位として指定できます。なお、取り込まれるのはデータのみで、数式が設定されているセルは、計算結果が取り込まれます。

☑ワークシート単位

ワークシート単位で取り込む場合、データ以外のタイトルなどが入力されているセルを含めてすべて取り込まれます。下図のように1行目からデータが入力されており、ワークシート内にデータのみが作成されていれば特に問題ありませんが、1行目にタイトルや日付などデータ以外の値が入力されているとその部分も含めて取り込まれます。4章で説明するPower Queryエディターで編集すれば、見出し行の調整や余分な行や列の削除などデータを整えることができます。

取り込み元データ
シート名：Sheet1

	A	B	C	D	E	F
1	NO	売上日	商品名	単価	数量	金額
2	1	2021/05/01	キャンプクッカーセット	3,000	19	57,000
3	2	2021/05/01	ワンタッチテント	6,000	21	126,000
4	3	2021/05/01	キャンプランタン	3,500	9	31,500
5	4	2021/05/01	バーベキューコンロ	2,500	7	17,500
6	5	2021/05/02	キャンプクッカーセット	3,000	10	30,000
7	6	2021/05/02	折りたたみチェア	4,500	5	22,500
8	7	2021/05/02	バーベキューコンロ	2,500	12	30,000
9	8	2021/05/03	キャンプクッカーセット	3,000	3	9,000
10	9	2021/05/04	キャンプクッカーセット	3,000	9	27,000
17	16	2021/05/11	折りたたみチェア	4,500	11	49,500
18	17	2021/05/15	折りたたみテーブル	4,000	4	16,000
19	18	2021/05/23	キャンプランタン	3,500	10	35,000

Sheet1 Sheet2 Sheet3

取り込み結果

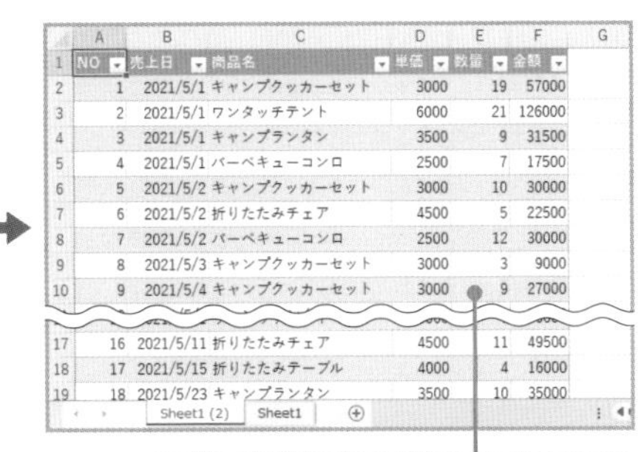

	A	B	C	D	E	F
1	NO	売上日	商品名	単価	数量	金額
2	1	2021/5/1	キャンプクッカーセット	3000	19	57000
3	2	2021/5/1	ワンタッチテント	6000	21	126000
4	3	2021/5/1	キャンプランタン	3500	9	31500
5	4	2021/5/1	バーベキューコンロ	2500	7	17500
6	5	2021/5/2	キャンプクッカーセット	3000	10	30000
7	6	2021/5/2	折りたたみチェア	4500	5	22500
8	7	2021/5/2	バーベキューコンロ	2500	12	30000
9	8	2021/5/3	キャンプクッカーセット	3000	3	9000
10	9	2021/5/4	キャンプクッカーセット	3000	9	27000
17	16	2021/5/11	折りたたみチェア	4500	11	49500
18	17	2021/5/15	折りたたみテーブル	4000	4	16000
19	18	2021/5/23	キャンプランタン	3500	10	35000

Sheet1 (2) Sheet1

☑テーブル単位

　取り込み元ファイルのデータがテーブルの場合、テーブル単位でそのまま取り込めます。そのため、テーブル以外のセルにデータが入力されていてもその部分は取り込まれません。

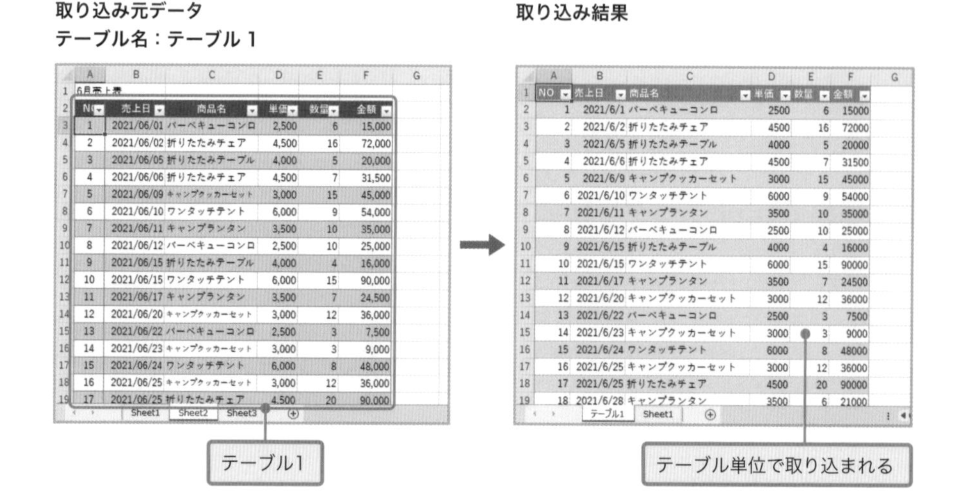

取り込み元データ（テーブル1）

NO	売上日	商品名	単価	数量	金額
1	2021/06/01	バーベキューコンロ	2,500	6	15,000
2	2021/06/02	折りたたみチェア	4,500	16	72,000
3	2021/06/05	折りたたみテーブル	4,000	5	20,000
4	2021/06/06	折りたたみチェア	4,500	7	31,500
5	2021/06/09	キャンプクッカーセット	3,000	15	45,000
6	2021/06/10	ワンタッチテント	6,000	9	54,000
7	2021/06/11	キャンプランタン	3,500	10	35,000
8	2021/06/12	バーベキューコンロ	2,500	10	25,000
9	2021/06/15	折りたたみテーブル	4,000	4	16,000
10	2021/06/15	ワンタッチテント	6,000	15	90,000
11	2021/06/17	キャンプランタン	3,500	7	24,500
12	2021/06/20	キャンプクッカーセット	3,000	12	36,000
13	2021/06/22	バーベキューコンロ	2,500	3	7,500
14	2021/06/23	キャンプクッカーセット	3,000	3	9,000
15	2021/06/24	ワンタッチテント	6,000	8	48,000
16	2021/06/25	キャンプクッカーセット	3,000	12	36,000
17	2021/06/25	折りたたみチェア	4,500	20	90,000

取り込み結果

NO	売上日	商品名	単価	数量	金額
1	2021/6/1	バーベキューコンロ	2500	6	15000
2	2021/6/2	折りたたみチェア	4500	16	72000
3	2021/6/5	折りたたみテーブル	4000	5	20000
4	2021/6/6	折りたたみチェア	4500	7	31500
5	2021/6/9	キャンプクッカーセット	3000	15	45000
6	2021/6/10	ワンタッチテント	6000	9	54000
7	2021/6/11	キャンプランタン	3500	10	35000
8	2021/6/12	バーベキューコンロ	2500	10	25000
9	2021/6/15	折りたたみテーブル	4000	4	16000
10	2021/6/15	ワンタッチテント	6000	15	90000
11	2021/6/17	キャンプランタン	3500	7	24500
12	2021/6/20	キャンプクッカーセット	3000	12	36000
13	2021/6/22	バーベキューコンロ	2500	3	7500
14	2021/6/23	キャンプクッカーセット	3000	3	9000
15	2021/6/24	ワンタッチテント	6000	8	48000
16	2021/6/25	キャンプクッカーセット	3000	12	36000
17	2021/6/25	折りたたみチェア	4500	20	90000
18	2021/6/28	キャンプランタン	3500	6	21000

☑名前単位

　取り込みたいデータのセル範囲に名前が付いていれば、名前単位で取り込むことができます。

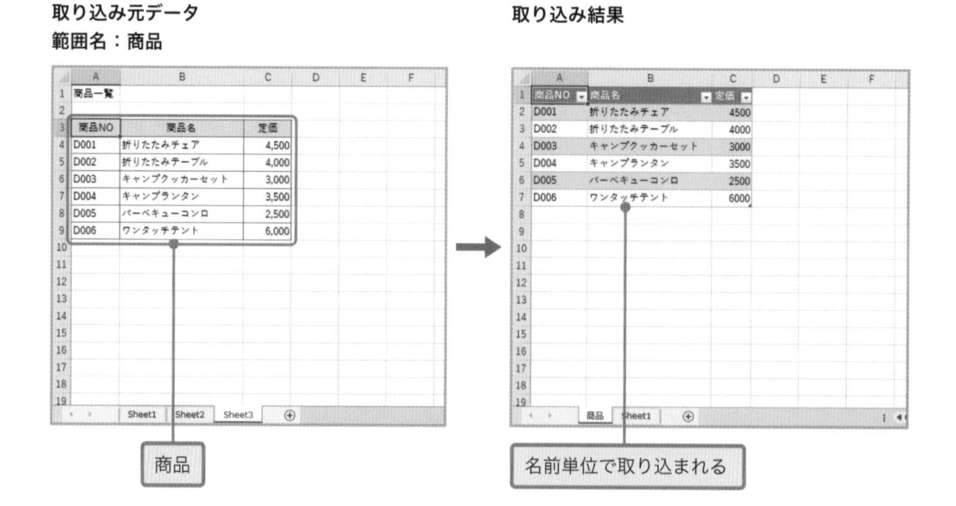

取り込み元データ（範囲名：商品）

商品NO	商品名	定価
D001	折りたたみチェア	4,500
D002	折りたたみテーブル	4,000
D003	キャンプクッカーセット	3,000
D004	キャンプランタン	3,500
D005	バーベキューコンロ	2,500
D006	ワンタッチテント	6,000

取り込み結果

商品NO	商品名	定価
D001	折りたたみチェア	4500
D002	折りたたみテーブル	4000
D003	キャンプクッカーセット	3000
D004	キャンプランタン	3500
D005	バーベキューコンロ	2500
D006	ワンタッチテント	6000

他のExcelブックのデータをワークシートに取り込む

他のExcelブックのデータを取り込む手順を確認しましょう。データを取り込む形式を選択することがポイントです。（Sample ➡キャンプグッズ売上表.xlsx）

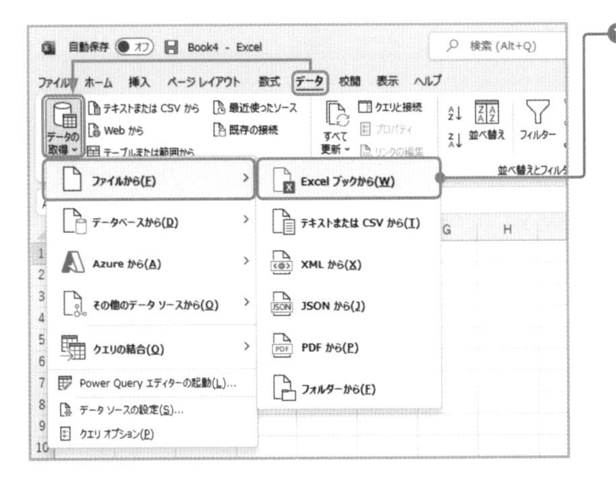

❶ 新規ブックを開き、[データ] タブ→[データの取得]→[ファイルから]→[Excelブックから] をクリック

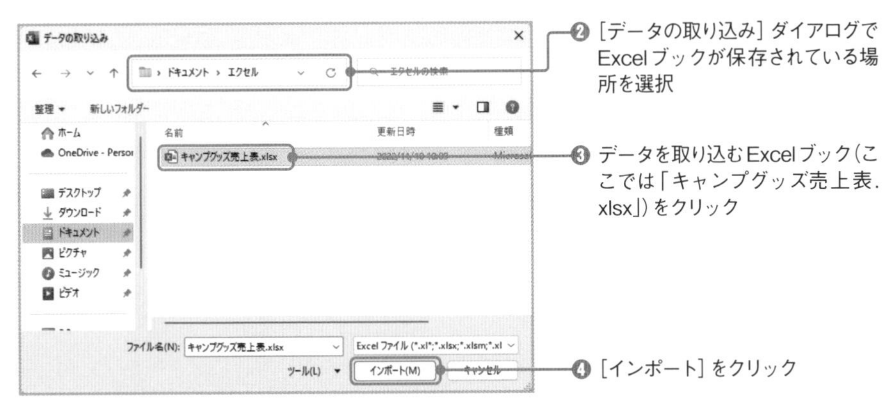

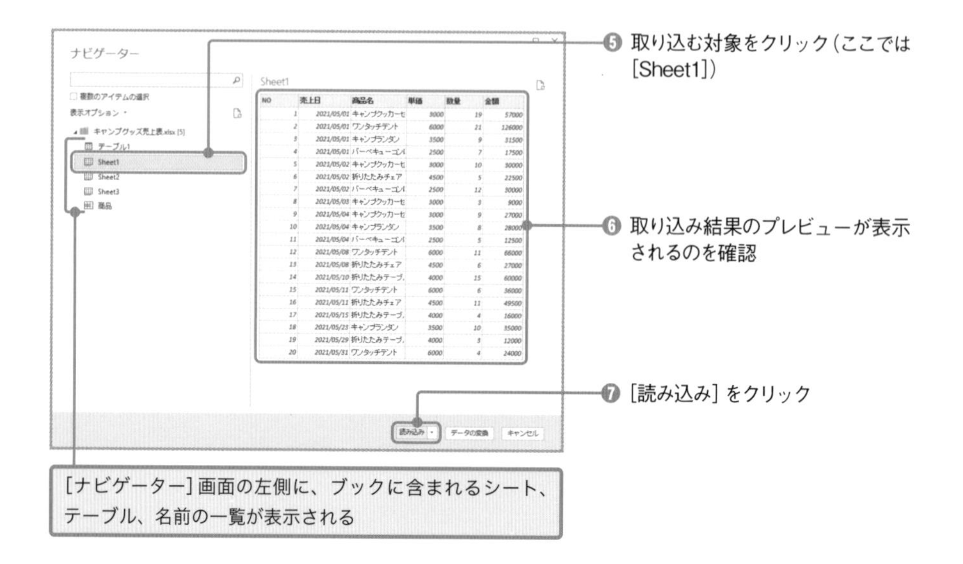

Memo

[複数のアイテムの選択] にチェックを付けると、複数の項目にチェックを付けて、選択したシートやテーブルを一度に取り込めます。その場合、「接続の作成のみ」となり、データモデルに格納され、ワークシートにデータは表示されません。

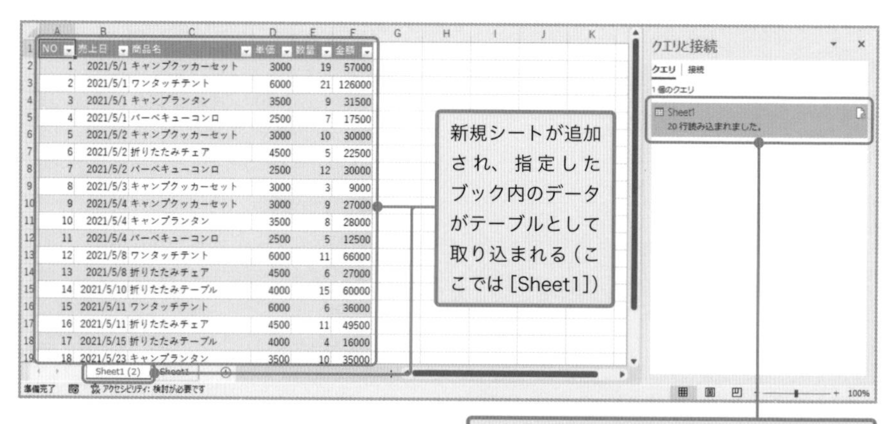

Memo

既存のシートに出力したい場合は、手順❼で[読み込み]の[▾]→[読み込み先…]をクリックして[データのインポート]ダイアログで出力先のシートを選択します（p.89）。

Column

Excel データの取り込み単位選択画面

手順❺の［ナビゲーター］画面でワークシートは「▦」、テーブルは「▦」、名前範囲は「▦」のアイコンが表示され、それぞれシート名、テーブル名、名前が表示されます。クリックすると取り込み結果のプレビューが表示され、そのまますぐに集計用のテーブルとして使用できるかどうかを事前に確認できます。

ワークシート単位の場合は、ワークシート内にある全データが取り込まれるため、注意してください。取り込み時に Power Query エディターで調整したのちワークシートに出力することもできますが、ワークシートに出力した後で Power Query エディターを開いて修正することもできます（p.98）。

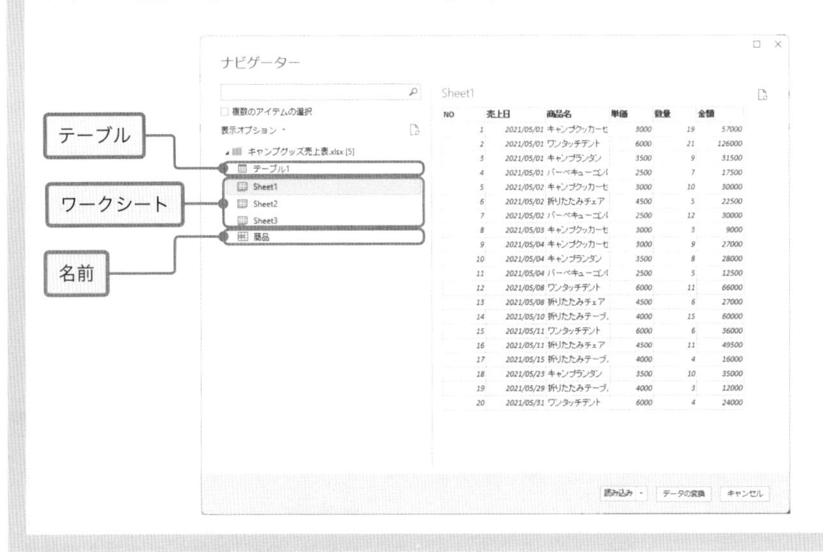

Web上にあるデータを ワークシートに取り込む

インターネットやイントラネットなどのWeb上にある表を取り込み、集計データとして使用することができます。コピー／貼り付け機能を使わずにPower Query機能を使えば、表単位で素早く取り込むことができます。

Webデータを確認する

取り込みたいデータのあるWebページを開き、URLを確認し、メモするか、コピーしておきます。データとして取り込むことができるのは、Webページ内で表(Table)として用意されているデータです。

ここでは、本書のサポートページの以下のURLに表のデータを用意しています。

(URL：https://www.sbcr.jp/support/4815617716/)

Webページを開き、URLを確認

会員一覧

NO	氏名	種別	都道府県	年齢
1	山田　恵子	一般会員	東京都	48
2	青山　健介	年会員	東京都	26
3	川崎　太郎	特別会員	埼玉県	39
4	上島　真理恵	一般会員	神奈川県	45
5	野田　里美	年会員	神奈川県	60
6	佐藤　健太	一般会員	千葉県	49
7	稲田　伸吾	特別会員	東京都	33
8	佐々木　杏	年会員	東京都	59
9	高橋　洋子	年会員	千葉県	29
10	飯島　奈央	一般会員	茨城県	56
11	穂積　恭子	年会員	茨城県	41
12	木下　拓郎	一般会員	東京都	38
13	渡辺　雅治	特別会員	東京都	5

Webページの表(Table)部分を取り込む

Webページ上のデータをワークシートに取り込む

Webページ上のデータをワークシートに取り込む手順を確認しましょう。確認しておいたWebページのURLを使います。なお、ここでは、前ページで紹介した本書のサポートページに用意した表のデータを使います。

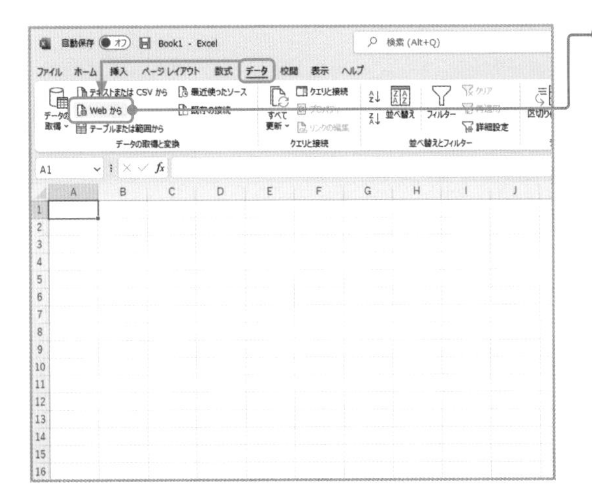

❶ 新規ブックを開き、[データ] タブ→[Webから] をクリック

Chapter 03 Power Queryを使って外部データを取り込む

Memo

[データ]→[データの取得]→[その他のデータソースから]→[Webから]をクリックしても同じです。

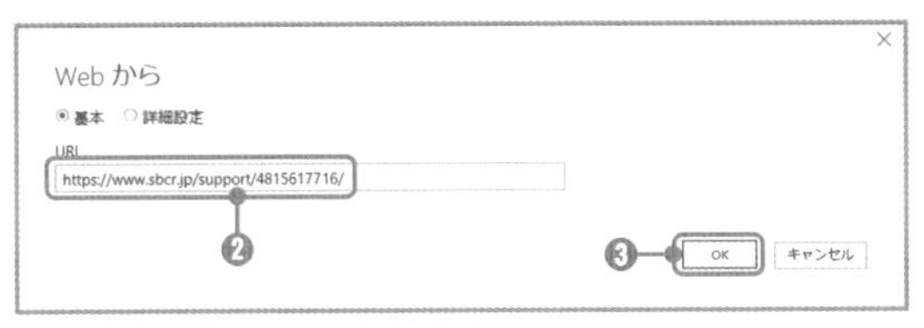

❷ [Webから] 画面が表示されたら、取り込みたいデータがあるWebページのURLを入力（ここでは、前ページの本書のサポートページのURL）

❸ [OK] をクリック

Memo

手順❸の後、[Webコンテンツへのアクセス]画面が表示されることがあります。ここでは、何も変更せずに匿名のまま [接続] をクリックしてください。なお、環境によっては、アクセスするためのIDやパスワードが必要になる場合があります。

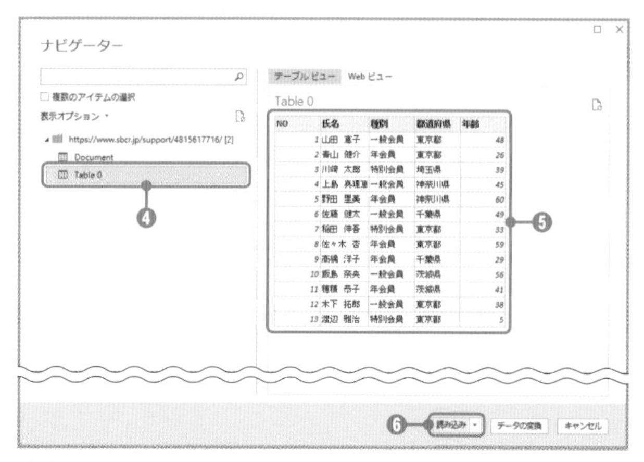

❹ [ナビゲーター] 画面で [Table0] をクリック
❺ プレビューを確認
❻ [読み込み] をクリック

Memo

[ナビゲーター] 画面が表示されず、Power Query の編集画面が表示された場合は、URL が正しく指定されていない可能性があります。Power Query を閉じ、内容を破棄して、再度 URL を確認しやり直してください。

Memo

[ナビゲーター] 画面の右側の [テーブルビュー] では、テーブル形式のデータの取り込みイメージが確認できます。右上にある [] をクリックすると最新のデータに更新できます。[Web ビュー] では、選択したアイテムの Web ページの表示イメージが確認できます。

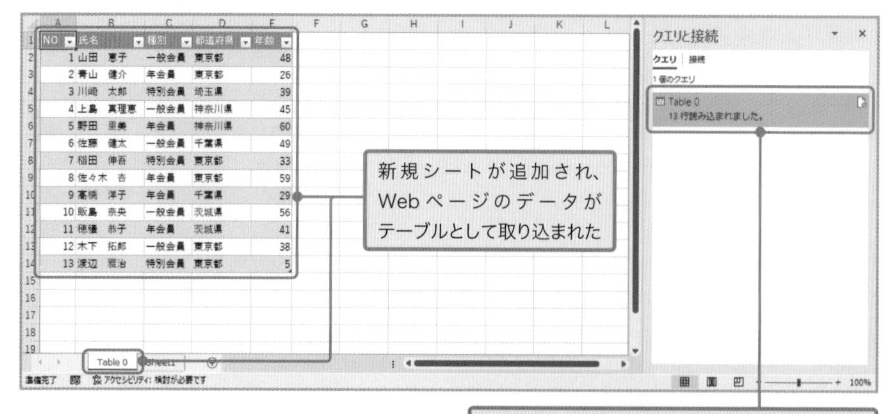

[クエリと接続] 作業ウィンドウが表示され、データ取り込み時の設定がクエリとして表示される (p.85 参照)

PDFファイルのデータをワークシートに取り込む

Microsoft 365、Excel 2021 では、PDF ファイルで提供されているデータを取り込むことができるようになっています。Power Query の機能を使うことで可能になり、活用の幅が広がっています。

PDF ファイルを確認する

取り込みたいデータが保存されている PDF ファイルを確認します。PDF ファイルは、Microsoft Edge などのブラウザで開いて確認できます。

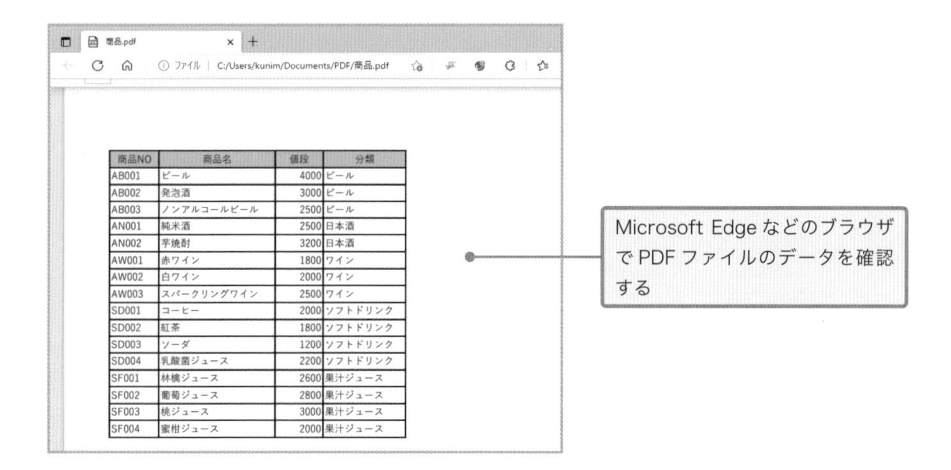

商品NO	商品名	値段	分類
AB001	ビール	4000	ビール
AB002	発泡酒	3000	ビール
AB003	ノンアルコールビール	2500	ビール
AN001	純米酒	2500	日本酒
AN002	芋焼酎	3200	日本酒
AW001	赤ワイン	1800	ワイン
AW002	白ワイン	2000	ワイン
AW003	スパークリングワイン	2500	ワイン
SD001	コーヒー	2000	ソフトドリンク
SD002	紅茶	1800	ソフトドリンク
SD003	ソーダ	1200	ソフトドリンク
SD004	乳酸菌ジュース	2200	ソフトドリンク
SF001	林檎ジュース	2600	果汁ジュース
SF002	葡萄ジュース	2800	果汁ジュース
SF003	桃ジュース	3000	果汁ジュース
SF004	蜜柑ジュース	2000	果汁ジュース

PDF ファイルのデータを取り込む

PDF ファイルにあるデータをワークシートに取り込む手順を確認しましょう。PDF ファイルのページ内にある表のみを取り込む場合は、「Table」を選択します。(Sample ➡商品.pdf)

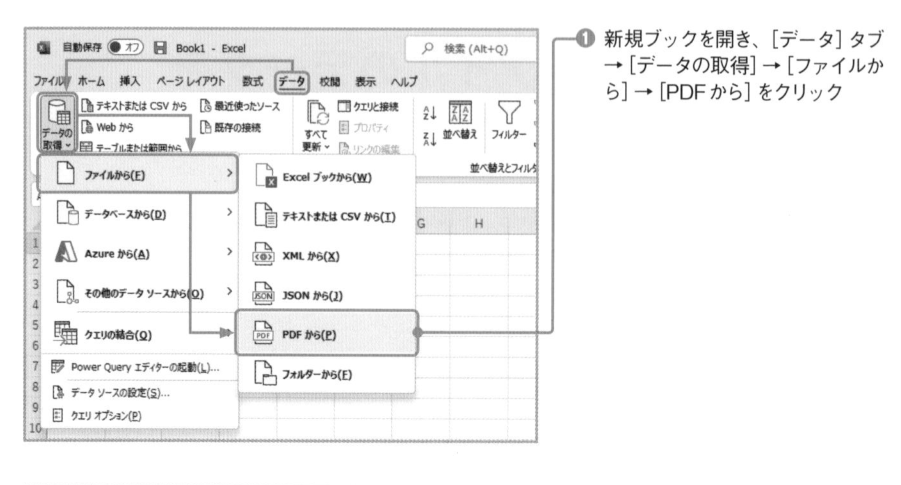
❶ 新規ブックを開き、[データ] タブ→[データの取得]→[ファイルから]→[PDFから] をクリック

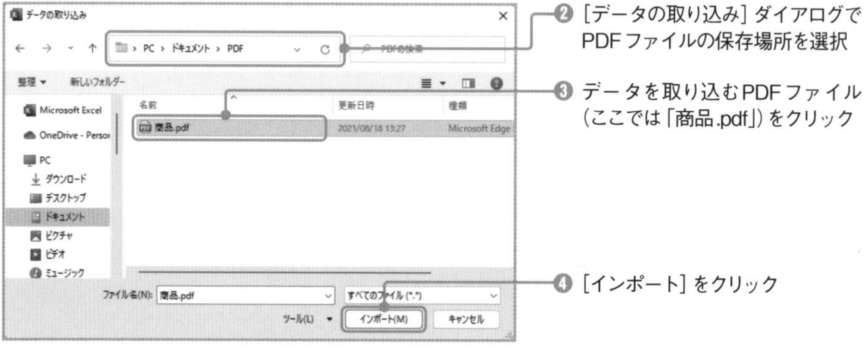
❷ [データの取り込み] ダイアログでPDFファイルの保存場所を選択
❸ データを取り込むPDFファイル(ここでは「商品.pdf」)をクリック
❹ [インポート] をクリック

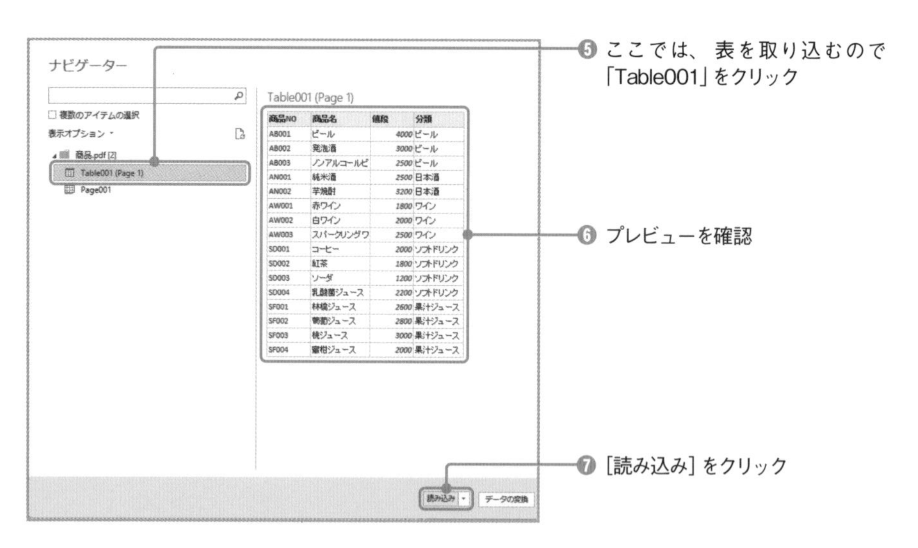
❺ ここでは、表を取り込むので「Table001」をクリック
❻ プレビューを確認
❼ [読み込み] をクリック

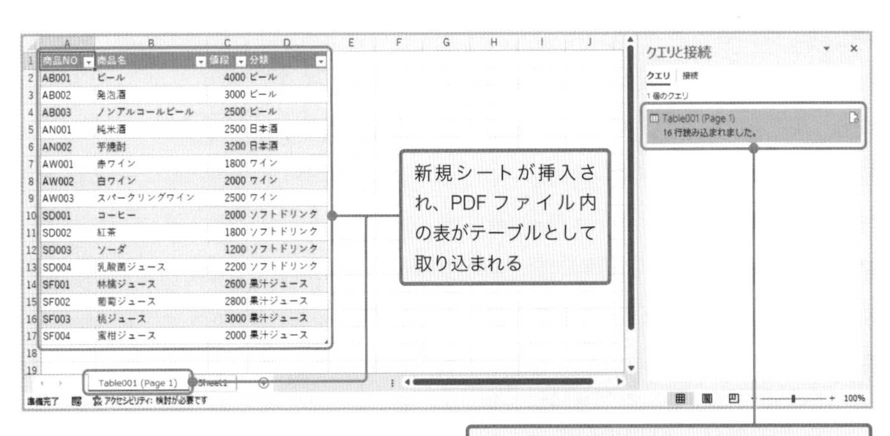
新規シートが挿入され、PDFファイル内の表がテーブルとして取り込まれる
クエリと接続
Table001 (Page 1)
16 行読み込まれました。
[クエリと接続]作業ウィンドウが表示され、データ取り込みの内容がクエリとして表示される(p.85参照)

Accessのデータを ワークシートに取り込む

Access とは、Microsoft 社が提供するデータベースソフトの1つです。Access のデータベース内に保存されているデータを Excel に取り込んで利用することができます。

Access データを確認する

Access を起動し、Access のデータベースファイルを開くと、下図のように、いくつかの要素で構成されていることがわかります。

構成要素には、テーブル、クエリ、フォーム、レポートなどがあり、これらの構成要素を**データベースオブジェクト**といいます (次ページの表参照)。Excel では、データベースオブジェクトの中のテーブルとクエリのデータを取り込むことができます。なお、テーブルとクエリは Access データベース内の構成要素の名称であり、Excel 内で使用するテーブルとクエリとは異なることに注意してください。なお、Access データを確認するためには、Access がインストールされている必要がありますが、Access がインストールされていなくても、Access ファイルのデータを取り込むことは可能です。

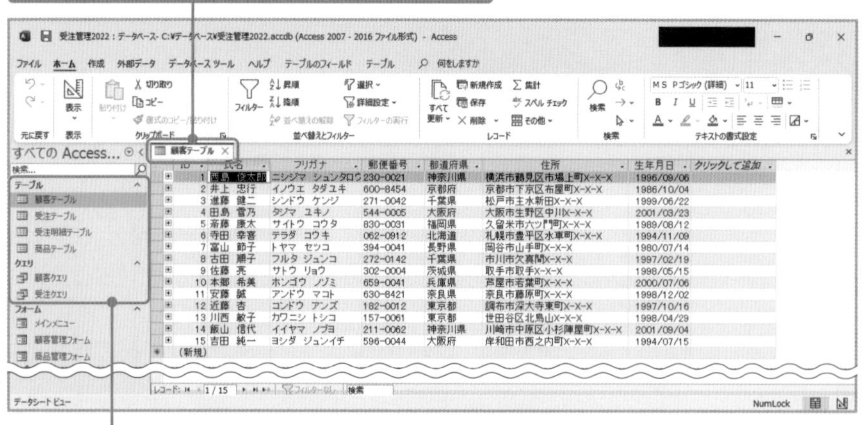

Access データベースファイル（.accdb）内の構成要素

データベースオブジェクト	機能
テーブル	データの格納（表形式で格納されている）
クエリ	テーブルへの問い合わせ（列の選択、データの抽出、計算式の設定、複数テーブルのデータの組み合わせなど）
フォーム	データの表示・入力用画面
レポート	データの印刷用画面
マクロ	自動実行機能
モジュール	自動実行機能（VBA によるプログラム）

Access データをワークシートに取り込む

Access データベースにあるデータをワークシートに取り込む手順を確認しましょう。Access データベースの「テーブル」または「クエリ」単位でデータを取り込むことができます。（Sample ➡受注管理2022.accdb）

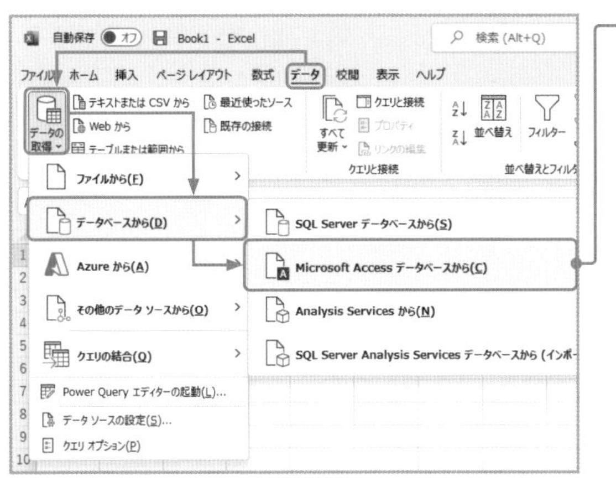

❶ 新規ブックを開き、[データ] タブ→ [データの取得] → [データベースから]→[Microsoft Accessデータベースから] をクリック

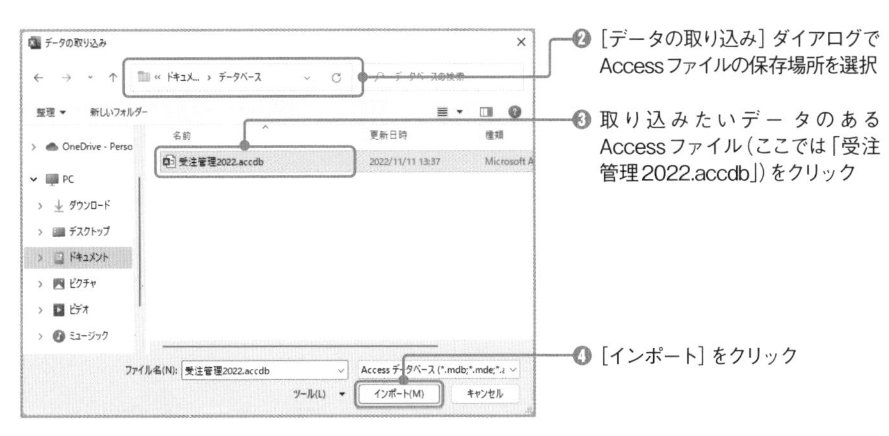

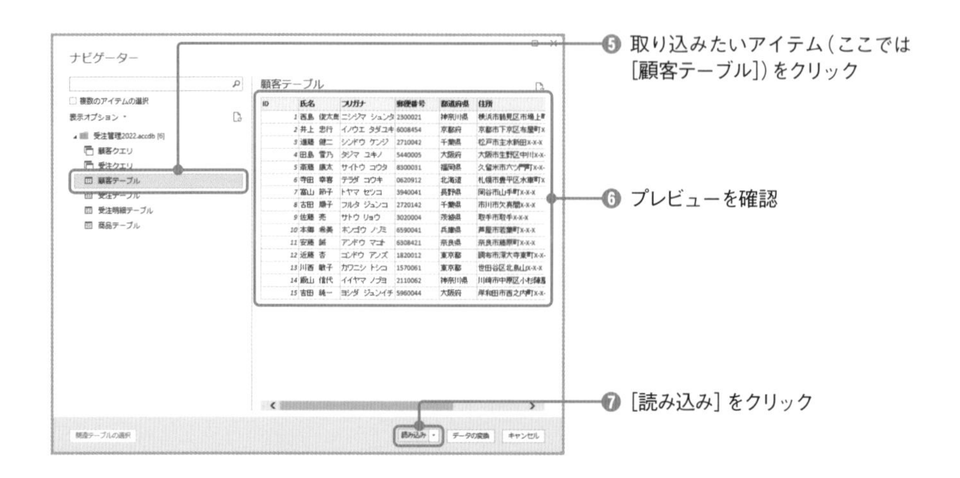

ID	氏名	フリガナ	郵便番号	都道府県	住所	生年月日
1	西島　俊太郎	ニシジマ　シュンタロウ	2300021	神奈川県	横浜市鶴見区市場上町X-X-X	1996/9/6 0:00
2	井上　忠行	イノウエ　タダユキ	6008454	京都府	京都市下京区布屋町X-X-X	1986/10/4 0:00
3	進藤　健二	シンドウ　ケンジ	2710042	千葉県	松戸市主水新田X-X-X	1999/6/22 0:00
4	田島　雪乃	タジマ　ユキノ	5440005	大阪府	大阪市生野区中川X-X-X	2001/3/23 0:00
5	斎藤　康太	サイトウ　コウタ	8300031	福岡県	久留米市六ツ門町X-X-X	1989/8/12 0:00
6	寺田　幸喜	テラダ　コウキ	0620912	北海道	札幌市豊平区水車町X-X-X	1994/11/9 0:00
7	富山　節子	トヤマ　セツコ	3940041	長野県	岡谷市山手町X-X-X	1980/7/14 0:00
8	古田　順子	フルタ　ジュンコ	2720142	千葉県	市川市欠真間X-X-X	1997/2/19 0:00
9	佐藤　亮	サトウ　リョウ	3020004	茨城県	取手市取手X-X-X	1998/5/15 0:00
10	本郷　希美	ホンゴウ　ノゾミ	6590041	兵庫県	芦屋市若葉町X-X-X	2000/7/6 0:00
11	安藤　誠	アンドウ　マコト	6308421	奈良県	奈良市藤原町X-X-X	1998/12/2 0:00
12	近藤　杏	コンドウ　アンズ	1820012	東京都	調布市深大寺東町X-X-X	1997/10/16 0:00
13	川西　敏子	カワニシ　トシコ	1570061	東京都	世田谷区北烏山X-X-X	1998/4/29 0:00
14	飯山　信代	イイヤマ　ノブヨ	2110062	神奈川県	川崎市中原区小杉陣屋町X-X-X	2001/9/4 0:00
15	吉田　純一	ヨシダ　ジュンイチ	5960044	大阪府	岸和田市西之内町X-X-X	1994/7/15 0:00

新規シートが挿入され、Access ファイル内のデータが取り込まれる

［クエリと接続］作業ウィンドウが表示され、データ取り込み時の設定がクエリとして表示される（p.85 参照）

[クエリと接続]作業ウィンドウについて

Power Queryを使ってデータを取り込むと、[クエリと接続]作業ウィンドウが表示されます。ここでは、データを取り込んだ後に表示される[クエリと接続]作業ウィンドウについて理解しましょう。

[クエリと接続]作業ウィンドウに表示されるクエリ

[クエリと接続]作業ウィンドウには、取り込み時にPower Queryによって作成されたクエリが表示されます。**クエリとは、データの取り込み方法を保存したものです。**取り込み元データの保存場所やファイル名、取り込む列や編集内容、更新日時などの内容が保存されています。

クエリ作成時は、取り込み元のファイル名、テーブル名、名前のいずれかがクエリ名として自動的に設定されます。クエリ名にマウスポインターを合わせると取り込み元のデータや列、読み込み状態や、取り込み元のファイル名(データソース)など、取り込んだデータの情報が表示されます。

なお、[クエリと接続]作業ウィンドウが非表示の場合は、[データ]タブの[クエリと接続]をクリックして表示できます。

クエリ名にマウスポインターを合わせると、取り込んだデータの情報が表示される

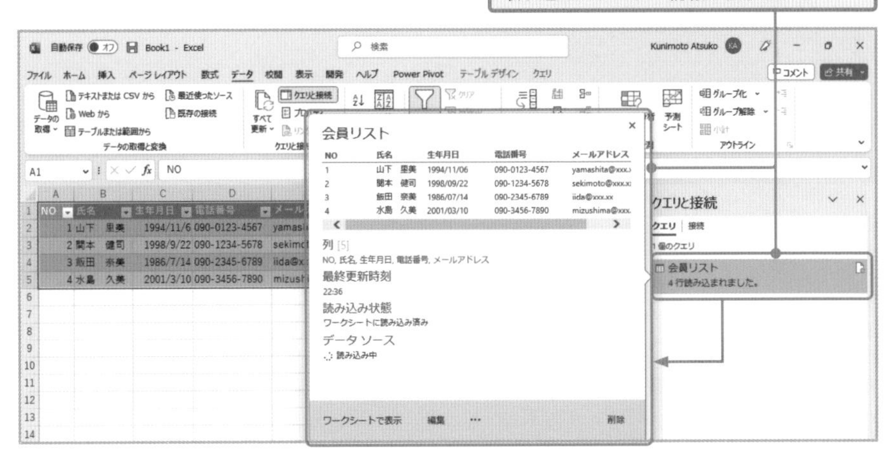

Memo

クエリは、Power Query によって作成されています。クエリに保存されている内容を編集したい場合は、Power Query エディターを起動します（p.93 参照）。

Memo

クエリを選択して F2 キーを押すとクエリ名が編集状態になり、任意の名前に変更できます。

クエリを使って最新の情報に更新する

クエリには、元データの保存場所やファイル名などの情報が保存されているので、クエリを使って最新の情報に更新することができます。つまり、取り込み元データに接続し、最新のデータに更新できるということです。そのため、ワークシート上で取り込んだテーブルのデータを変更していた場合、取り込み元データの内容に置き換わるので注意が必要です。取り込み元データと関係なく編集したい場合は、テーブルを別のシートにコピーして別データとして編集するか、クエリを削除して取り込み元データとの関連を削除します（p.87）。

ここでは、p.68 のテキストファイル「会員リスト .txt」のデータを取り込んだファイルを使います。あらかじめ p.69 の手順で「会員リスト .txt」を取り込み、ファイルを用意した上で以下の操作をしてください。

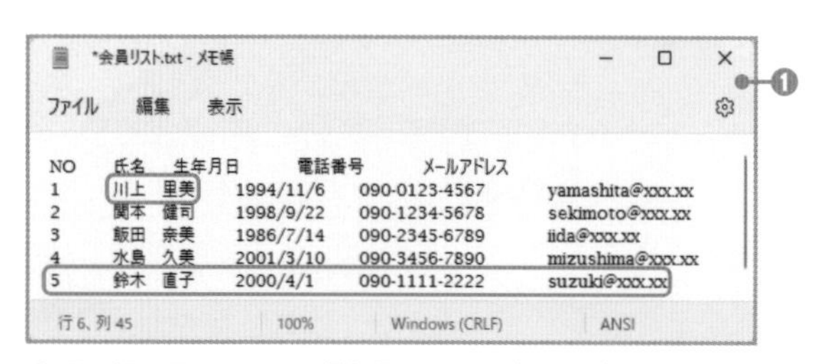

❶ 取り込み元のファイル「会員リスト.txt」をダブルクリックして開き、図のようにデータを変更して上書き保存し、閉じておく（ここでは1件目の「氏名」を「川上　里美」に変更し、5件目のレコードを追加、項目間は Tab キーで区切っている）

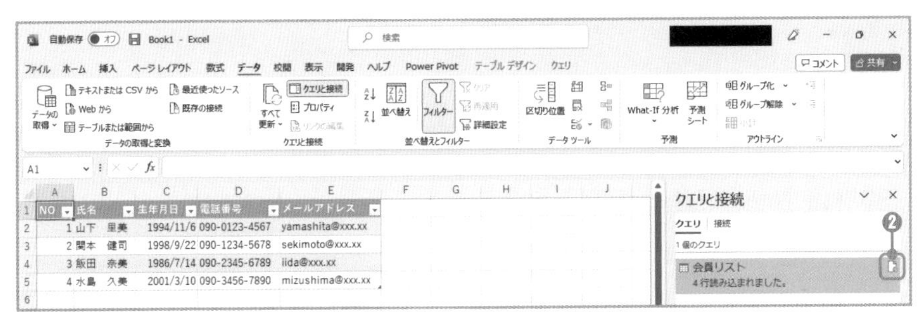

❷「会員リスト.txt」のデータを取り込んだExcelブックを表示し、[クエリと接続] 作業ウィンドウでクエリ名「会員リスト」の右端にある [ ] をクリック

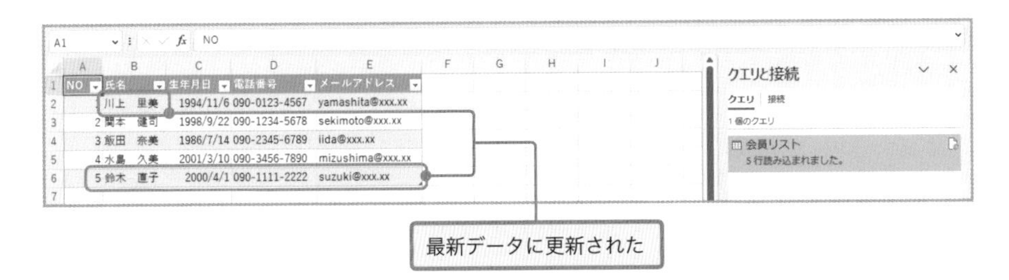

Memo

[データ]タブ→ [すべて更新]をクリックするか、Ctrl + Alt + F5 キーを押すとブック内のすべてのテーブルが更新されます。また、[テーブルデザイン]タブ→ [更新]か、[クエリ]タブ→ [更新]をクリック、もしくは Alt + F5 キーを押すとアクティブセルのあるテーブルのみ更新されます。

Memo

テーブルに計算列など、取り込んだデータとは別に新しく追加した列は削除されず、そのまま残ります。例えば、[年齢] 列を追加し、DATEDIF 関数 (p.36) を設定している場合、その列はそのまま残り更新されたデータを使って計算されます。

クエリの削除

前項で確認したように、最新の情報に更新すると、取り込み元ファイルのデータに置き換わります。取り込んだデータを、取り込み元ファイルのデータと切り離して、独自に修正したり、編集したりしたい場合は、クエリを削除します。

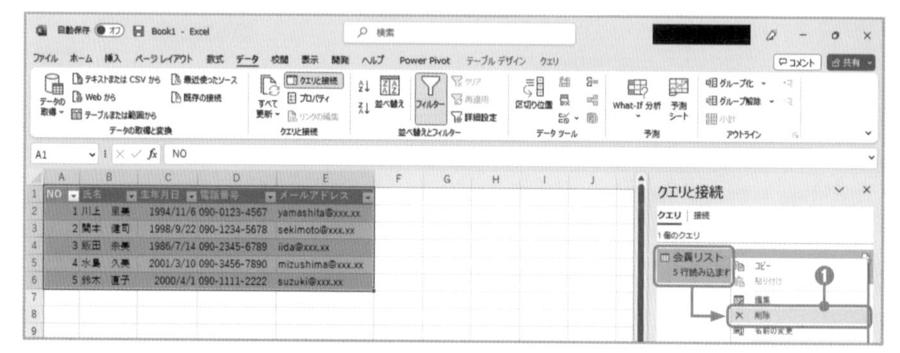

❶ ［クエリと接続］作業ウィンドウで削除したいクエリ（ここでは「会員リスト」）を右クリックし、［削除］をクリック

Memo

［クエリ］タブ→［削除］でも削除できます。

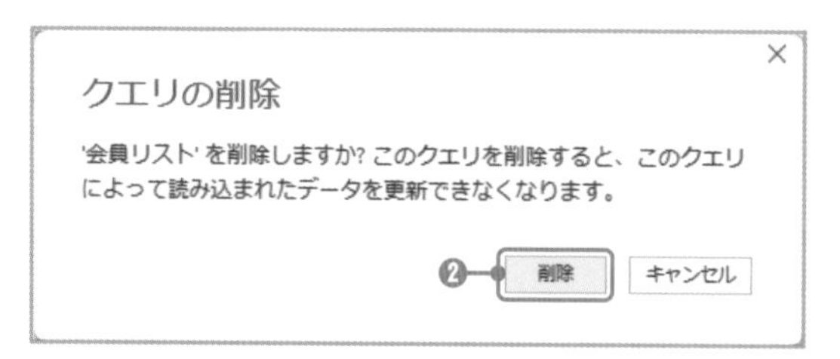

❷ 確認画面が表示されたら、［削除］をクリック

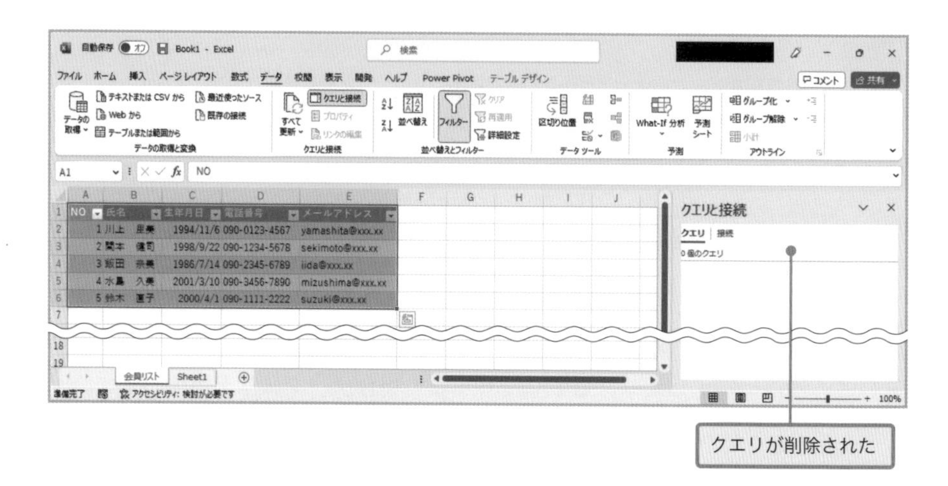

クエリの削除以降は、取り込み元ファイルとは関係なくデータの加工が自由にできます。

Column

取り込んだデータの表示方法や表示先の確認と変更

取り込み操作の中で表示される[ナビゲーター]画面で[読み込み]の[▼]をクリックし、[読み込み先]をクリックすると[データのインポート]ダイアログが表示されます。初期設定では、データの表示方法は[テーブル]、データの表示先は[新規ワークシート]になっています。また、[ナビゲーター]画面で、[複数のアイテムの選択]にチェックを付け、複数のアイテムを選択した場合は、[接続のみ]となり、[このデータをデータモデルに追加する]が選択されます。[データのインポート]ダイアログで表示方法やデータの表示先を変更して[OK]をクリックすると、設定した内容でデータの取り込みが開始されます。

なお、データの表示方法で[テーブル]以外を選択した場合は、ワークシート上にデータは表示されません。その場合、データを確認するには、Power Query エディターを開きます(p.93 参照)。

データの取り込み後、[クエリと接続]作業ウィンドウからクエリを右クリックし、表示されるメニューで[読み込み先]をクリックしても[データのインポート]ダイアログを表示できます。

ここでは p.83 の手順❹まで操作し、[ナビゲーター]画面を表示しています。

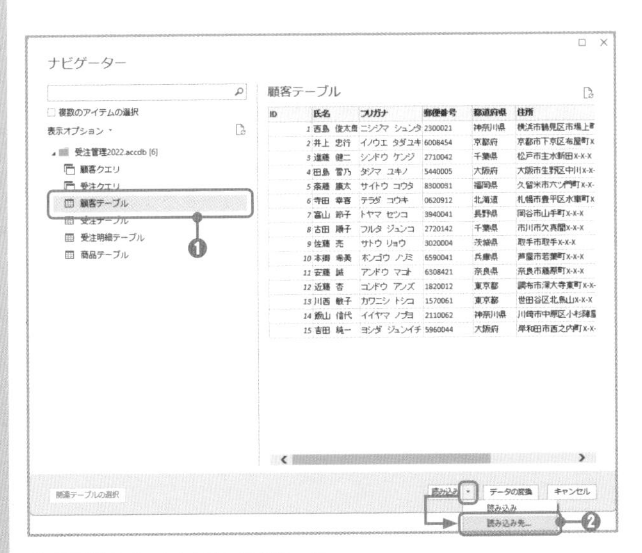

❶ 取り込みたいアイテムをクリック

❷ [読み込み]の[▼]→[読み込み先]をクリック

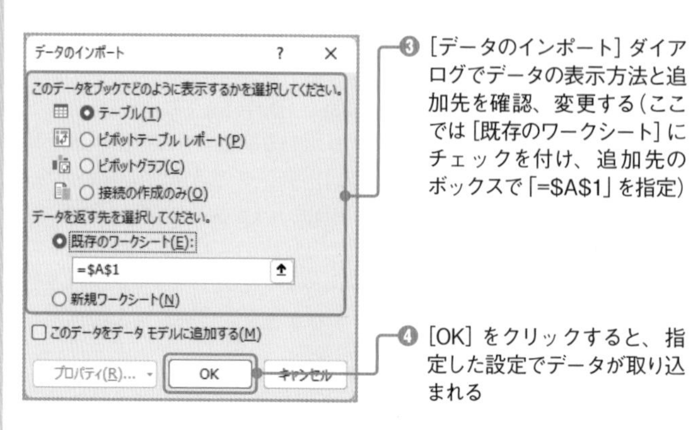

データの表示方法	内容
テーブル	読み込んだデータをテーブルとしてワークシートに表示
ピボットテーブルレポート	ピボットテーブル用のデータとして取り込むがデータはワークシートには表示しない。空のピボットテーブルが作成される
ピボットグラフ	ピボットグラフ用のデータとして取り込むがワークシートには表示しない。空のピボットグラフが作成される
接続の作成のみ	指定したデータとの設定内容を保存するだけで、データを使用するときのみデータを読み込み、ワークシートには表示しない

データの表示先	内容
既存のワークシート	既存のワークシートの指定したセルを出力先の先頭セルとしてデータを表示する
新規ワークシート	新規のワークシートを追加してそこにデータを表示する

追加先	内容
データモデル	指定したデータをデータモデルに追加する。[ナビゲーター] 画面で複数のデータを選択した場合は、自動的にデータモデルに追加される。データモデルに追加した場合は、テーブル同士を関連付けるなど、Power Query の機能を利用できる（p.312）

Chapter

04

Power Queryを使ってデータを整える

取り込んだデータに表記ゆれや空白があると、そのまま集計や分析に使うことができません。本章ではPower Queryを使ってデータを整形したり、複数のデータを1つにまとめたりする方法を紹介します。

Power Queryの活用

3章で解説したデータの取り込みでは、Power Queryの機能を使い、いろいろな種類のデータを取り込む手順を紹介しました。Power Queryは、単に外部データに接続して取り込むだけでなく、データの加工・修正や手順の保存など、豊富な機能が用意されています。ここでは、Power Queryについて理解を深めましょう。

Power Queryの活用方法

Power Queryは、外部データまたはブック内にあるテーブルに接続し、データを取り込んで、編集・加工し、その結果をワークシートやデータモデルに出力します。そして、接続から出力までの一連の処理を記録し、クエリとして保存します。**保存されたクエリを使って同じ処理を繰り返し実行することができる**ため、VBAを使ってプログラミングするよりも簡単で手軽に処理を自動化できるというメリットがあります。

また、単発の処理であっても、データの加工のために利用できます。この場合に気を付けたいのは、出力後のテーブルでデータを書き換えた後、クエリを更新すると元データの値に書き換わってしまうという点です。**出力後に元データと関係なくデータを自由に加工したい場合は、クエリを削除し、元データとの関連を解除します（p.87参照）**。

● Power Queryの処理の流れ

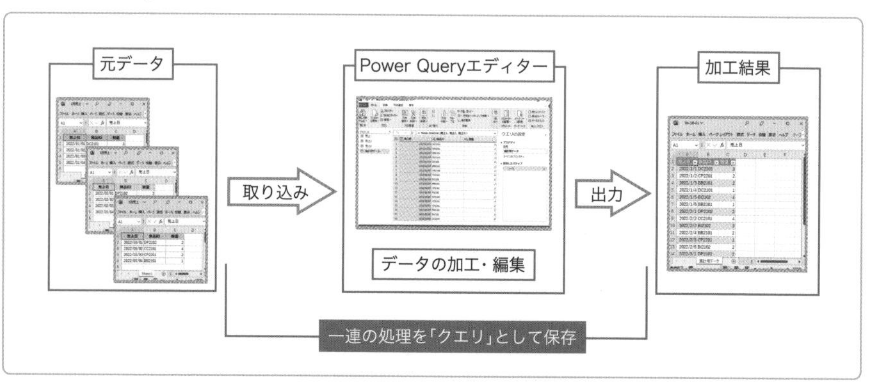

取り込み時にPower Queryエディターで整形する

外部データをワークシートに取り込んだ結果によっては、集計のために表を整えなければならない場合があります。ここでは別のExcelブック「会員1.xlsx」のシート「Sheet1」を取り込み、Power Queryエディターを起動してデータを整形したのち、ワークシートに出力するという一連の操作を確認しながら、Power Queryエディターの概要を紹介します。以降の手順では、サンプルファイル[chap4]>[会員]フォルダーの配下にあるファイルを使用します。

☑データを取り込んでPower Queryエディターを起動する

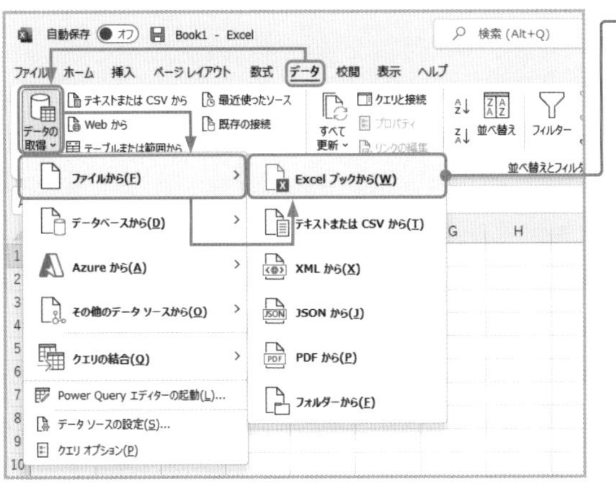

❶ 新規ブックを開き、[データ]タブ→[データの取得]→[ファイルから]→[Excelブックから]をクリック

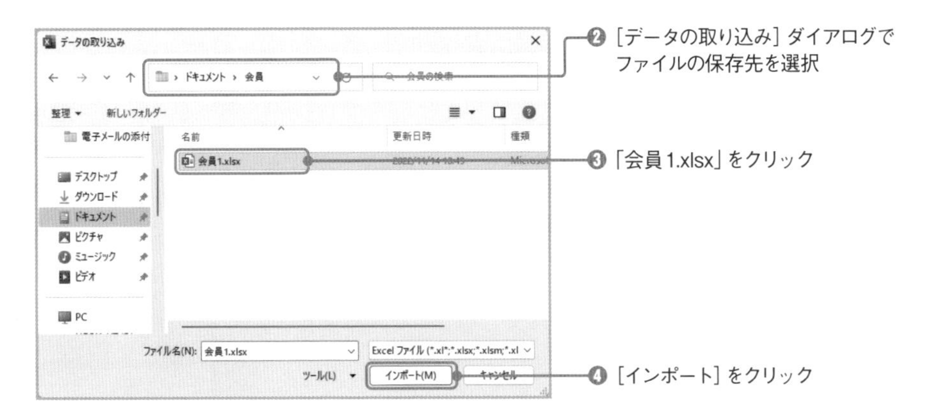

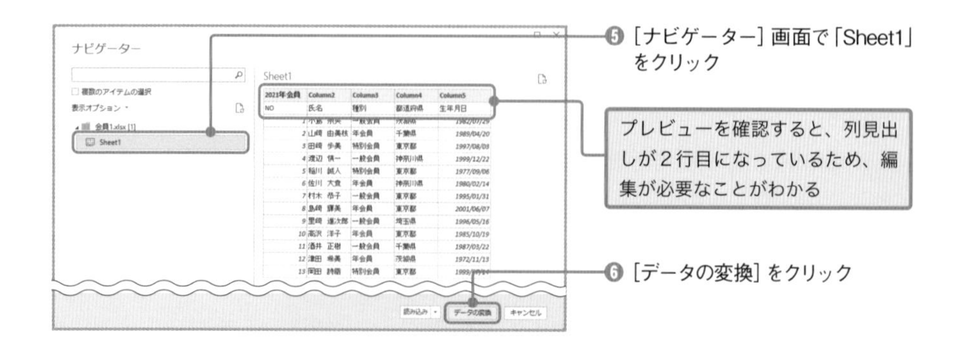

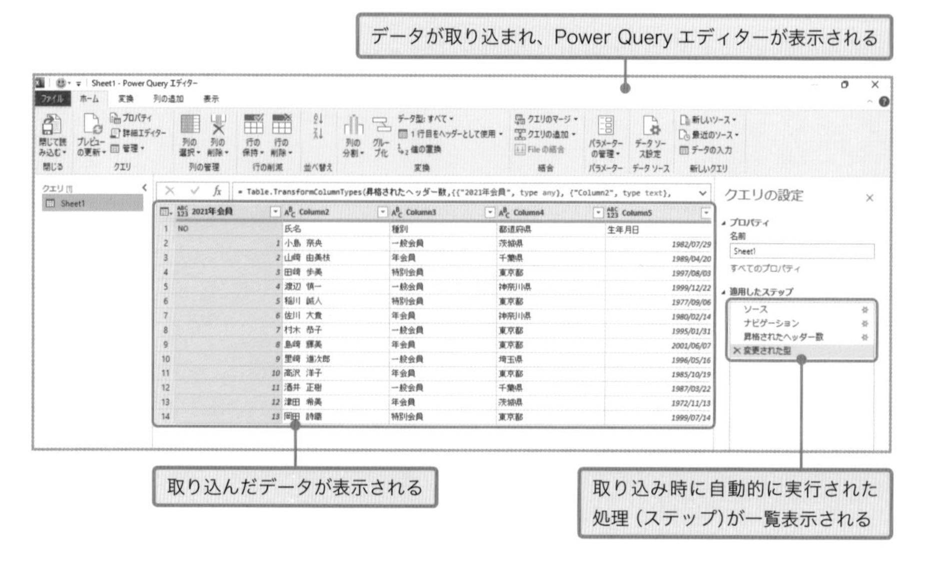

☑Power Query エディターの画面構成

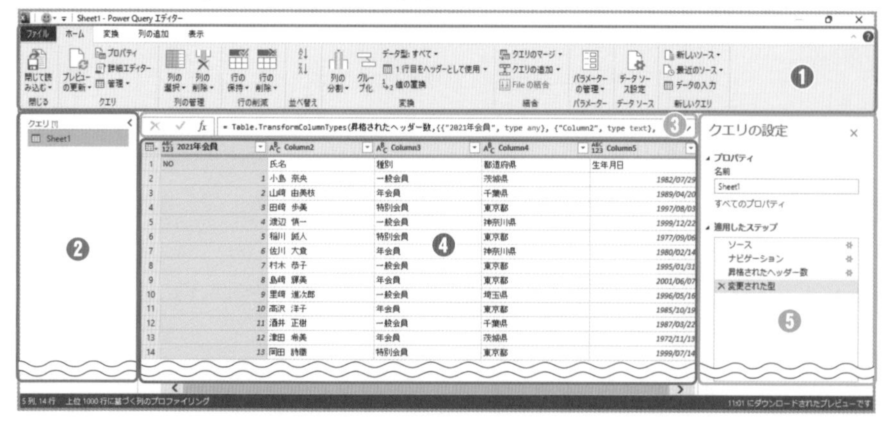

● Power Query エディターの画面構成

番号	名称	説明
❶	リボン	[ファイル]、[ホーム]、[変換]、[列の追加]、[表示] タブからなり、テーブルやデータの整形や加工などに使うメニューが用意されている
❷	[クエリ] ペイン	ブック内に作成されているクエリの一覧が表示される
❸	数式バー	選択したステップの処理内容がM言語の式で表示される（p.103）
❹	プレビュー画面	[クエリ] ペインで選択されているクエリに対するデータのプレビューが表示される。
❺	クエリの設定	[名前] でクエリ名を変更できる。[適用したステップ] 欄には適用したステップ（実行された処理）が順番に上から表示され、処理内容が自動的に追加される。ステップをクリックするとその時点のデータがプレビュー画面に表示される。表示される一連のステップがクエリとして保存される

☑Power Query エディター上でデータを整形する

Power Query エディターで列の追加や削除、並べ替え、データ型の変更などの処理をすると、その処理は「ステップ」として記録されます。[適用したステップ]欄には、**データの取り込み時にPower Queryによって自動的に実行された処理が、実行された順番にステップとして一覧表示されます**。ステップをクリックすると、その時点のデータがプレビューで表示され、処理の履歴をプレビューで順番に確認できます。一番下のステップをクリックすると最新のプレビューが表示されます。

また、任意のステップを追加したり、既存のステップを修正したりできます。ステップを追加する場合は、[適用したステップ]欄で選択されているステップの下に挿入され、[適用したステップ]欄の内容がクエリの中に保存されます。クエリを更新すると、リソース（取り込み元データのファイル）に接続し、ステップを順番に実行し、処理の結果を出力するという処理がPower Queryによって実行されます。ここでは、1行目が列見出しになるように変更します。前ページの手順に続けて操作します。

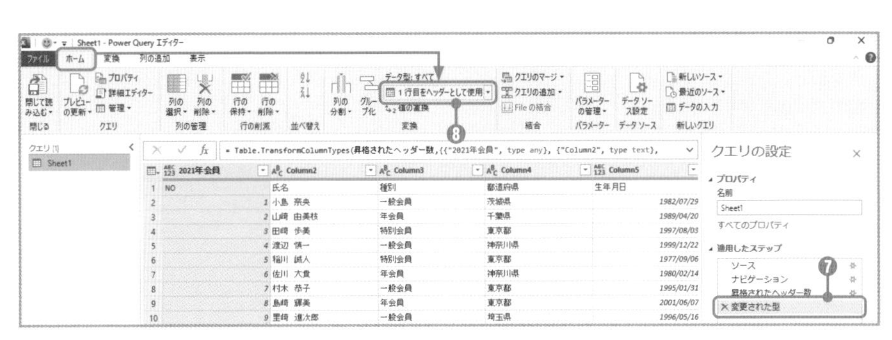

❼ [適用したステップ] 欄で一番下のステップ [変更された型] をクリック

❽ [ホーム] タブ→ [1行目をヘッダーとして使用] をクリック

Power Query の初期設定では、各列のデータの種類を分析し、自動的にデータ型が設定され、[変更された型]というステップが追加されます。

❾ [適用したステップ] 欄で、[変更された型] をクリックすると処理前のプレビューにさかのぼって表示される

列見出しが指定されていない場合は「Column1」「Column2」…または「列1」「列2」…のように自動で表示されます。

⑩ [昇格されたヘッダー数1] をクリックすると、1行目が列見出しに取り込まれた状態のプレビューが表示される

Memo

列見出しの前にデータ型を表すアイコンが表示されます。データ型が設定されていない場合は、[ABC123] が表示されます。データ型の詳細は p.104 を参照してください。

⑪ [変更された型1] をクリックすると、1列目のデータ型が [123]、2～4列目のデータ型が [ABC]、5列目のデータ型が [▦] に設定されたことが確認できる

⑫ [ホーム] タブ→ [閉じて読み込む] をクリック

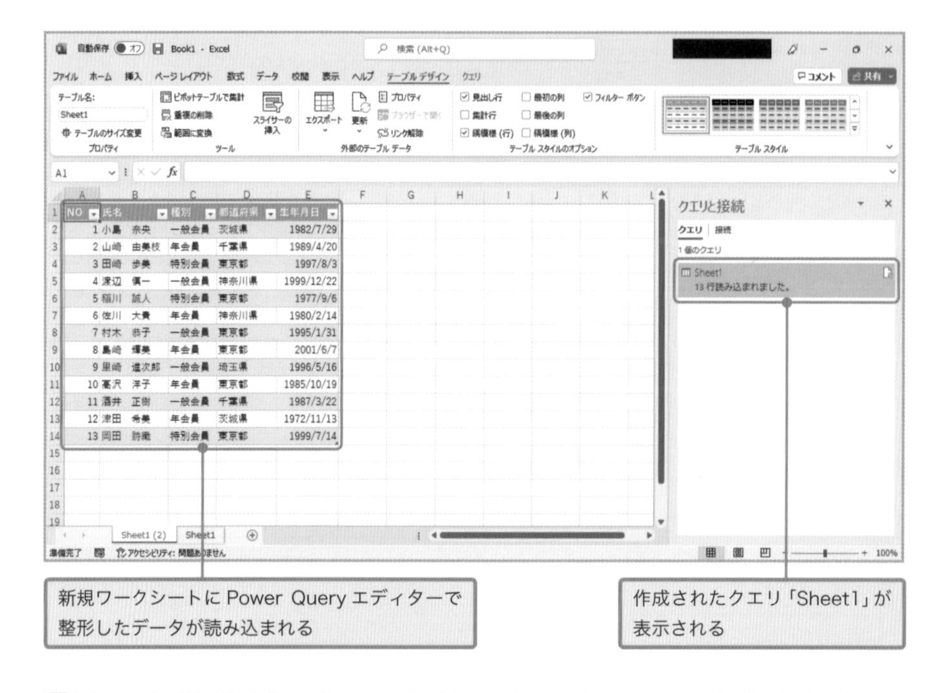

取り込み後にPower Queryエディターでクエリを編集する

［クエリと接続］作業ウィンドウにはPower Queryによって作成されたクエリが表示されます。このクエリをダブルクリックするとPower Queryエディターが表示され、クエリを編集できます。ここでは、Power Queryエディターを起動して**クエリ名の変更**と**不要なステップの削除**を行ってみましょう。

☑クエリ名を変更する

クエリ名を変更して、処理内容がわかりやすいものにしておくと便利です。［クエリと接続］作業ウィンドウで変更することができますが、ここではPower Queryエディター上で変更してみましょう。

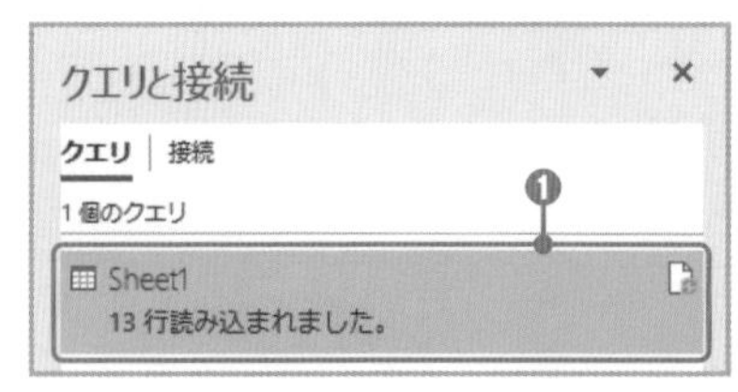

❶［クエリと接続］作業ウィンドウでクエリ「Sheet1」をダブルクリック

Memo

[クエリと接続] 作業ウィンドウが表示されていない場合は、[データ] タブ→ [クエリと接続] をクリックして表示します。また、[データ]タブ→[データの取得]→[Power Query エディターの起動]をクリックするか、[クエリ]タブ→ [編集]をクリックすると直接 Power Query エディターを起動できます。

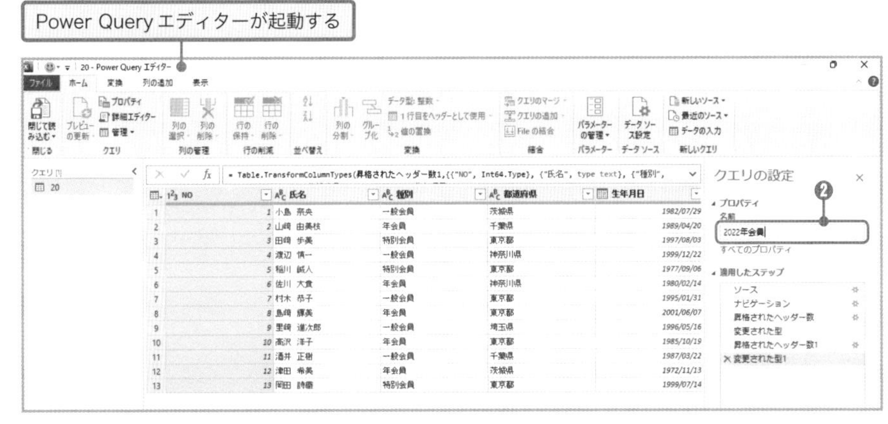

❷ [クエリの設定] ウィンドウの [名前] でクエリ名を「2022年会員」に変更

☑ステップを削除する

不要なステップは自由に削除できます。ここでは、[適用したステップ]欄で[変更された型]が4行目と6行目にあるため、1つ目の [変更された型] を削除してデータ型の変更の処理を1つにまとめます。

❸ [適用したステップ] の上から4つ目にある [変更された型] にマウスポインターを合わせ、[✕] をクリック

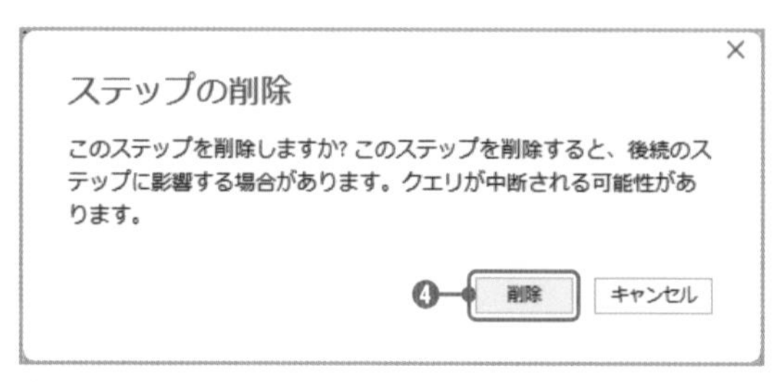

❹ 削除確認のメッセージが表示されたら［削除］をクリック

Memo

ステップを削除すると、その処理は元に戻すことはできません。一覧の途中にあるステップを誤って削除するとプレビューが表示できずエラーになってしまうことがあります。もし間違えて削除してしまった場合は、［ファイル］タブ→［破棄して閉じる］をクリックしてクエリの変更を保存しないでPower Query エディターをいったん閉じ、再度やり直してください。

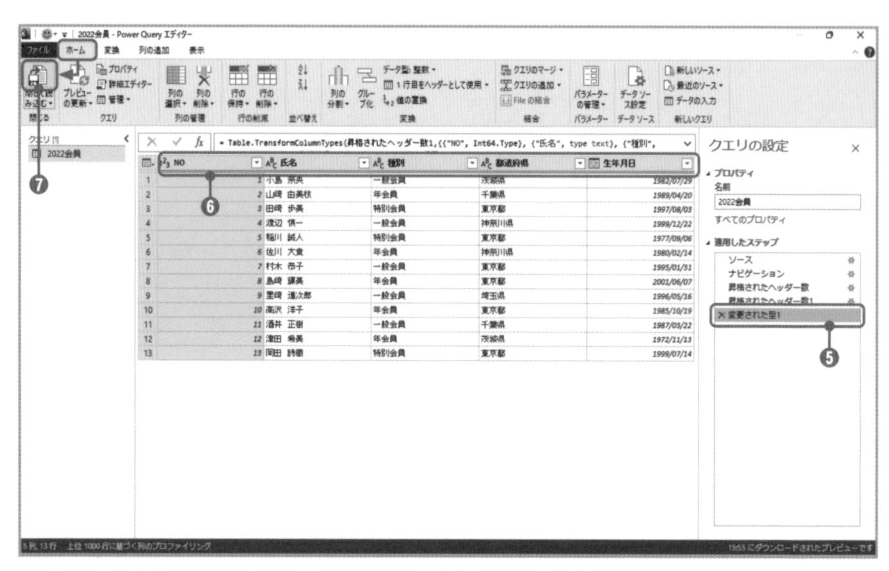

❺［クエリの設定］ウィンドウで一番下のステップ［変更された型 1］をクリック
❻ ステップを削除しても、データ型に影響がないことをプレビューで確認
❼［ホーム］タブ→［閉じて読み込む］をクリックし、クエリの変更を保存してワークシートにデータを表示する

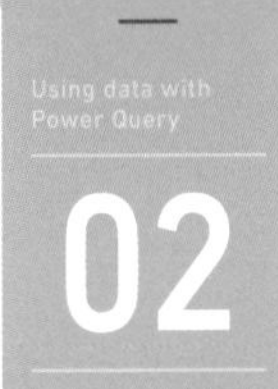

ブック内のテーブルを整形するクエリを作成する

Power Query では、外部データだけでなく**ブック内に作成されているテーブルを取り込んで整形し、ワークシートに書き出すことができます**。元データに変更を加えることなく、集計用のデータを用意できます。元データがテーブルでない場合は、テーブルに変換してから Power Query に取り込まれます。

元データとは別に集計用のテーブルを用意する

本章では、Power Query の機能を確認しやすくするために、ブック内にあるテーブルを元データとし、Power Query に取り込んで作成したクエリを使って、いろいろな整形方法を説明しています。ここでは、ブック内のテーブル「顧客T」を取り込み元データとした場合の集計用のテーブルを作成する手順を確認しましょう。(Sample ➡04-02-01.xlsx)

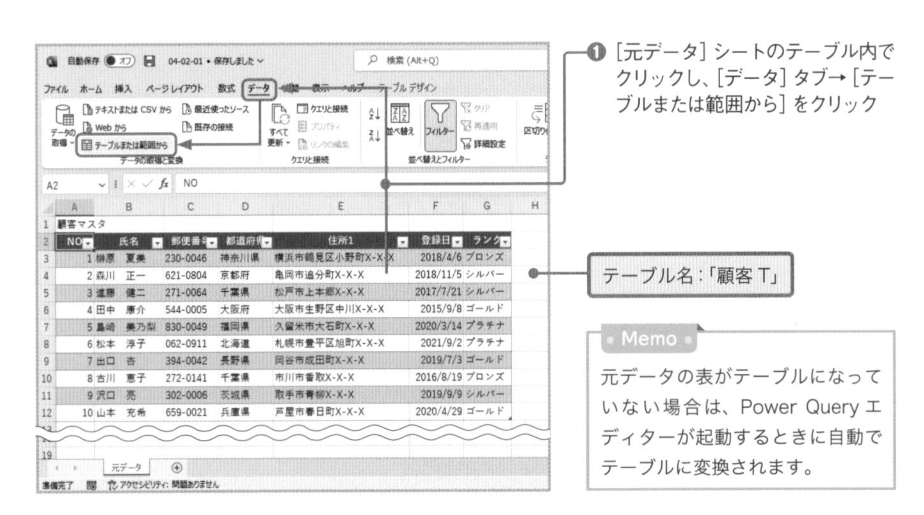

Memo

元データの表がテーブルになっていない場合は、Power Query エディターが起動するときに自動でテーブルに変換されます。

Memo

クエリが作成されているブックを保存して、再度開くと [セキュリティの警告] メッセージが表示されます。クエリを使用する場合は [コンテンツの有効化] をクリックし、表示されるセキュリティの警告メッセージで [はい] をクリックします。

テーブルのデータが取り込まれ、Power Query エディターが表示された

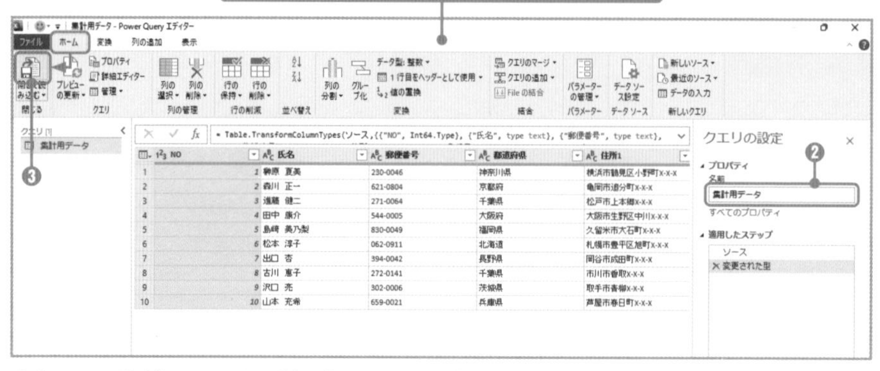

❷ [クエリの設定] ウィンドウの [名前] でクエリ名を「集計用データ」に変更

❸ [ホーム] タブ→ [閉じて読み込む] をクリック

Memo

ここではクエリ名のみ変更していますが、この画面でいろいろな編集が行えます。

Power Query エディターが閉じ、クエリ名と同じ名前で新規シート [集計用データ]が追加され、データがテーブルとして出力された

Memo

間違えて作成したり、試しに作成したりしたシートを削除すると、作成されたクエリは接続専用となり、クエリ自体はなくなりません。完全に削除したい場合は、シートの削除と同時にクエリも削除 (p.87) してください。

クエリの内容は M 言語で記述されている

Power Query エディターでは、クエリの内容を [適用したステップ] 欄で確認できます。クエリは、実際には M 言語で記述されています。クエリの各ステップをクリックすると、対応する M 言語の式が数式バーに表示されます。数式バーの右端にある [⌄] をクリックすると、数式バーが縦に広がり、数式全体が表示されます。また、クエリ全体の M 言語の内容は、[ホーム] タブ→ [詳細エディター] をクリックし、表示される [詳細エディター] 画面で確認・編集できます。

なお、本書では M 言語についての解説は省略しています。

選択されているステップの M 言語の内容を数式バーで確認する

❶ ステップをクリックすると、選択しているステップに対するM言語の式の内容が数式バーに表示される

❷ ここをクリックすると、数式バーが縦に拡大される

クエリの全体の内容を M 言語で表示する

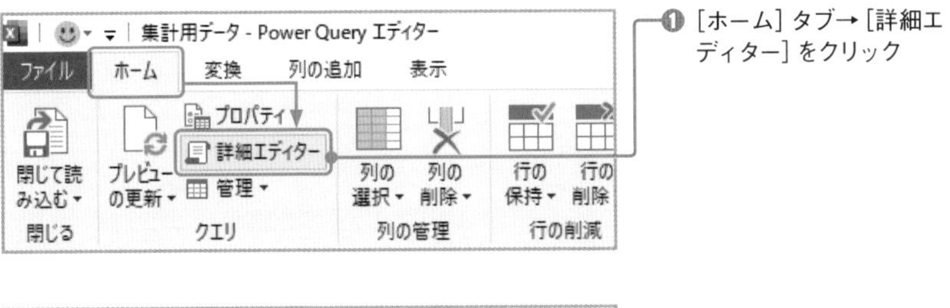

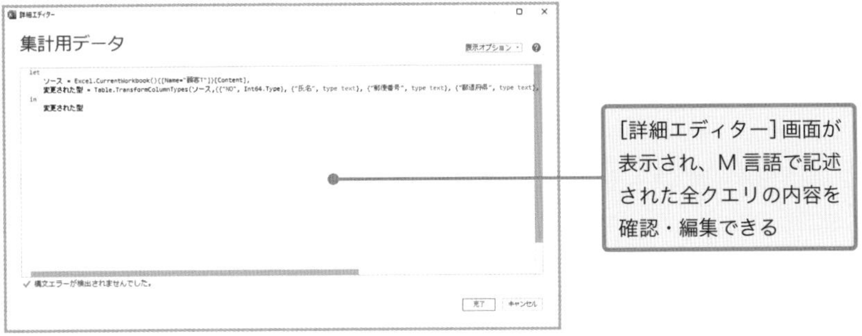

データ型を変更する

Power Query の初期設定では、データ取り込み時に列内のデータをもとに自動的にデータ型が設定されます。正しく変更されなかった場合は手作業で変更する必要があります。ここでは、**データ型とデータ型の変更方法**を確認しましょう。

データ型を確認する

データ型は、Power Query エディターのプレビューの列見出しの左側にあるアイコンまたは、[ホーム]タブの[**データ型**]で確認、変更できます。
(Sample ➡04-03-01.xlsx)

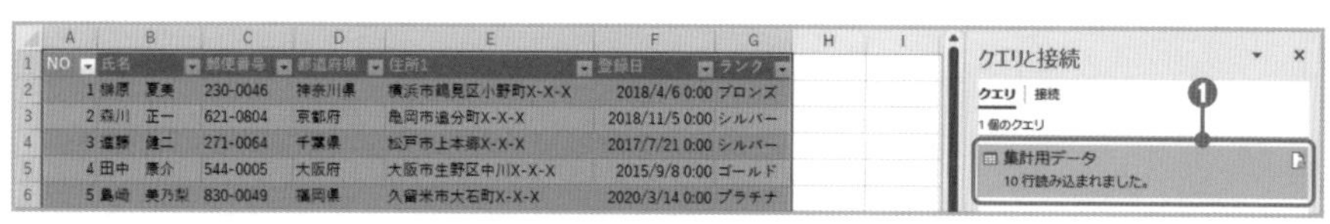

❶ [クエリと接続] 作業ウィンドウでクエリ「集計用データ」をダブルクリック

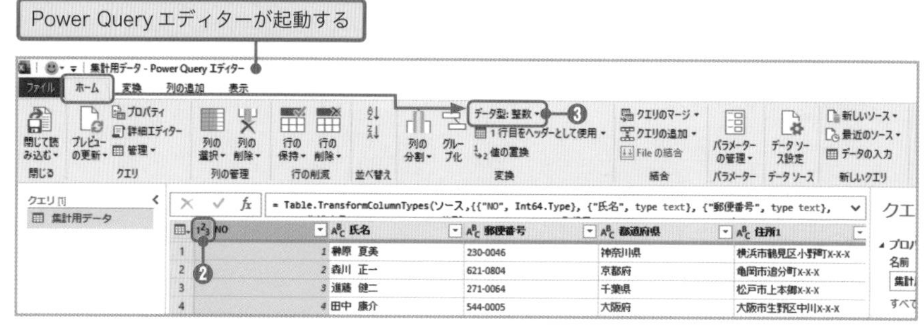

❷ プレビューの列見出しの左側にあるアイコンでデータ型を確認(次表参照)

❸ 現在選択されている列のデータ型を [ホーム] タブの [データ型] で確認(ここでは [NO] 列が整数型)

● データ型の種類

アイコン	データ型
	指定なし。すべてのデータ型を含む
	10 進数。小数部を含む
	通貨
	整数。小数部を含まない
	パーセンテージ
	日付 / 時刻

アイコン	データ型
	日付
	時刻
	期間
	テキスト
	True/False
	バイナリ

データ型を変更する

自動で設定されたデータ型が正しいかどうかを確認し、必要に応じてデータ型を変更します。ここでは、[登録日] 列のデータ型を [日付 / 時刻] 型から [日付] 型に変更し、時刻を非表示にして日付のみ表示されるようにします。

ここでは、前ページの続きから操作します。

❶ [適用したステップ] 欄で [ソース] をクリック

❷ 型変換される前のデータ型を確認（ここでは、すべて [ABC 123] でありデータ型が指定されていない）

Memo

[ソース]には、取り込み元データの保存場所やファイル名などの情報が設定されています。

❸ [変更された型] をクリックすると、自動で型変換された結果が表示される

❹ [登録日] 列のアイコン [ ] をクリックし、一覧から [日付] をクリック

Memo

[登録日] 列が見えない場合は、水平スクロールバーの [>] をクリックして画面をスクロールして表示します。

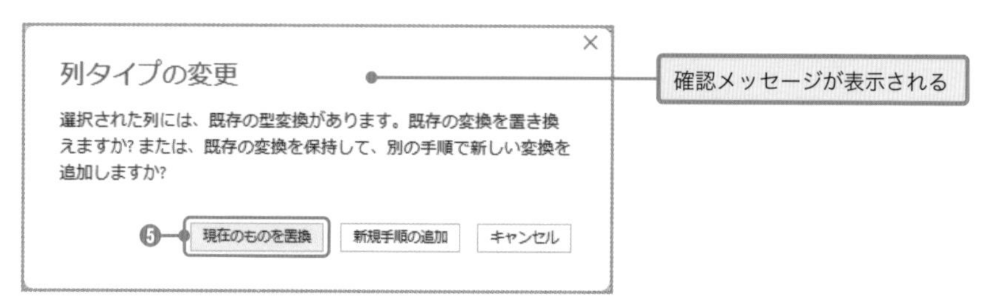

❺ 選択している [変更された型] ステップを変更するので [現在のものを置換] をクリック

Memo

[新規手順の追加]をクリックすると、現在のステップの下に新たに型変換のステップが追加されます。

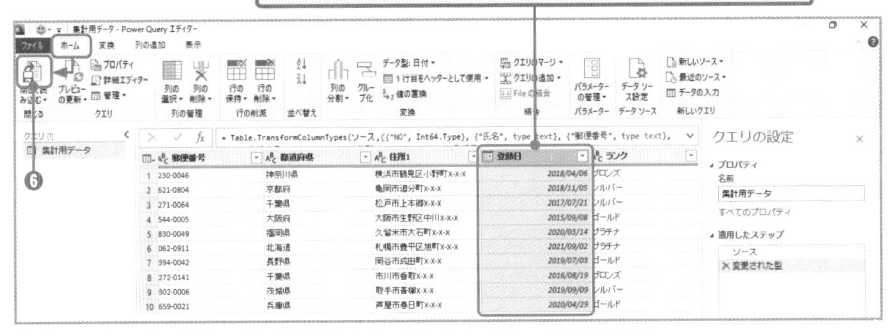

❻ [ホーム] タブ→ [閉じて読み込む] をクリックしてワークシートに表示する

Memo

テキストファイルを読み込む場合によくあることですが、データが「001」のように0から始まる数字の場合、数値と判断されてデータ型が数値型に変換され「1」と表示されます。この場合、データ型をテキスト型に変更することで「001」の表示に戻すことができます。

Memo

適切でないデータ型を選択すると「Error」と表示されます。

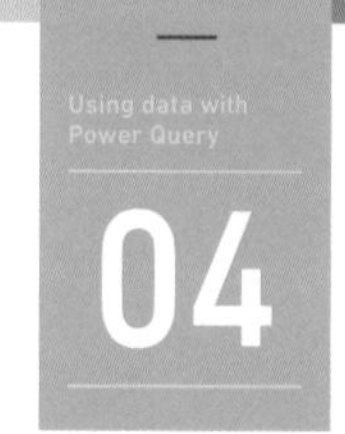

不要な列や行を削除する

取り込んだデータには、表の上部にタイトルや空白行のような集計に使用しない不要な行があったり、余分な列が含まれていたりする場合があります。Power Query エディターで不要な行や列を削除し、表を適切な形に整えられます。

不要な列を削除する

Power Query エディターで**不要な列を削除**しましょう。**列を削除しても元データの列を削除するわけではない**ので、簡単に戻せますし、集計に使用する列だけにすると表がすっきりします。ここでは、[郵便番号]列と[住所1]列を削除してみましょう。(Sample ➡04-04-01.xlsx)

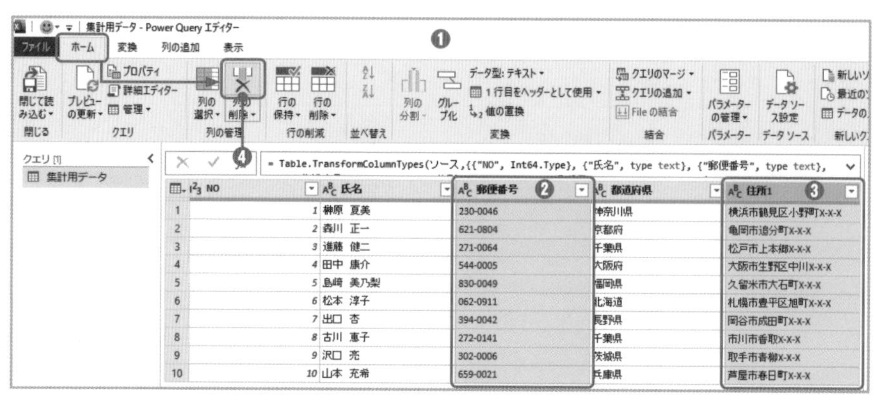

❶ p.104の手順を参照し、[クエリと接続] 作業ウィンドウで [集計用データ] クエリをダブルクリックしてPower Queryエディターを起動しておく

❷ [郵便番号] の列見出しをクリックして列選択

❸ Ctrl キーを押しながら [住所1] の列見出しをクリックして2つの列を選択

❹ [ホーム] タブ→ [列の削除] をクリック

Memo

手順❹で Delete キーを押しても列を削除できます。

> **Memo**
>
> [列の削除] の [▼] をクリックすると表示されるメニューで [他の列の削除] をクリックすると、選択された列のみ残して他の列をまとめて削除します。

❺ [ホーム] タブ→ [閉じて読み込む] をクリックしてワークシートに出力する

[削除された列]ステップが追加された

> **Memo**
>
> 列の削除を取り消したい場合は、[適用したステップ]欄で追加された [削除された列] の [✕]をクリックしてステップを削除してください (p.99 参照)。

空白行を削除する

取り込んだテーブル内に空白行が含まれている場合、[行の削除]メニューの[空白行の削除]ですべての空白行を一気に取り除くことができます。なお、いずれかの列にデータが入力されている場合は削除されません。

(Sample ➡04-04-02.xlsx)

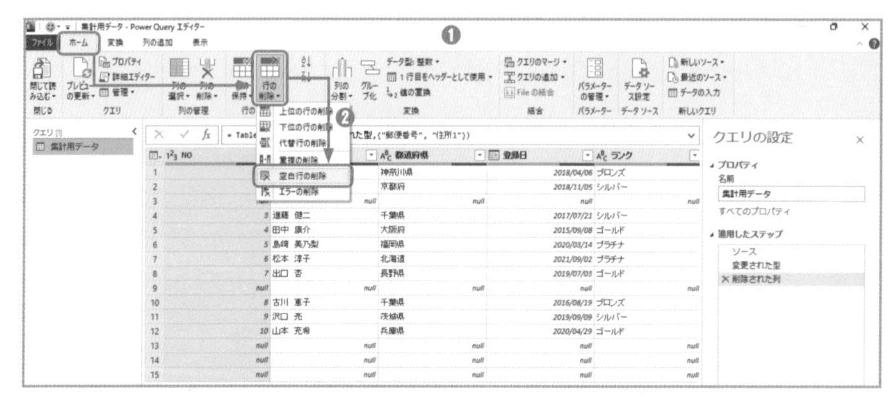

❶ p.104の手順を参照し、[クエリと接続] 作業ウィンドウで [集計用データ] クエリをダブルクリックしてPower Queryエディターを起動しておく

❷ [ホーム] タブ→ [行の削除] → [空白行の削除] をクリック

Memo

Power Query エディターのプレビューが取り込み元データ ([元データ] シートのテーブル) と異なる場合は、[ホーム]タブ→ [プレビューの更新]をクリックして、元データを再度取り込みます。

❸ [ホーム] タブ→ [閉じて読み込む] をクリックしてワークシートに出力する

Memo

一部の列だけ空白の場合に、行全体を削除したいときは、フィルターを使います (p.113 参照)。

重複行を削除する

[行の削除] メニューの [重複の削除] を使うと、選択した列内で同じデータが見

つかった場合、一番上の行だけ残して残りの重複行を削除できます。複数列の値の組み合わせで重複しているかどうかを調べ、該当する重複行を削除することもできます。ここでは、[氏名]列から[ランク]列で値が重複している行を削除します。(Sample ➡04-04-03.xlsx)

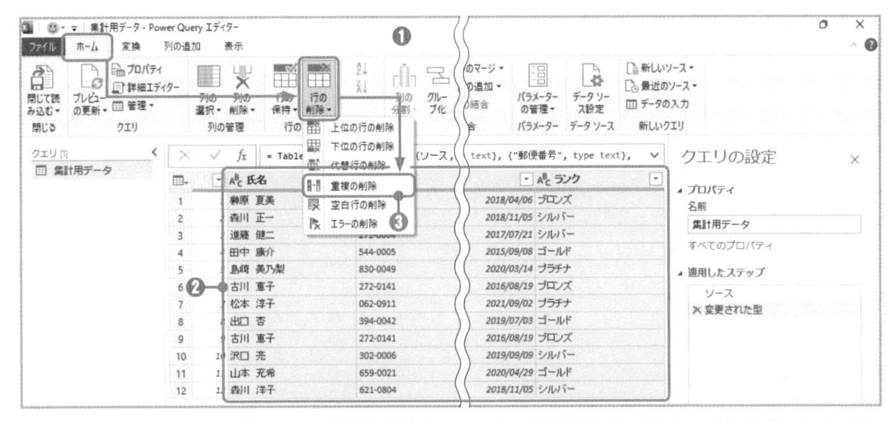

❶ p.104の手順を参照し、[クエリと接続] 作業ウィンドウで [集計用データ] クエリをダブルクリックしPower Query エディターを起動しておく
❷ [氏名] の列見出しをクリックし、Shift キーを押しながら [ランク] 列をクリックして [氏名] 列から [ランク] 列まで選択する
❸ [ホーム] タブ→ [行の削除] → [重複の削除] をクリック

> **Memo**
> ここでは、NO が6 と9 の古川さんの行が重複しており、NO が2 と12 の森川さんの行は、氏名だけが異なっています。

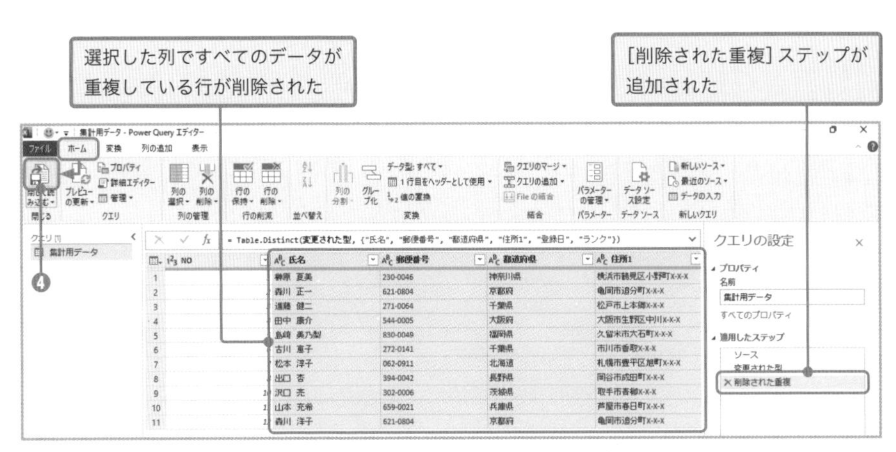

❹ [ホーム] タブ→ [閉じて読み込む] をクリックしてワークシートに出力する

Memo

NO が6 と9 の重複では、6 行目だけ残して削除されます。ＮＯが2 と12 は氏名が異なる（「森川　正一」、「森川　洋子」）ため削除されません。

Column

行の削除メニューと行の保持メニュー

行の削除には2 つの方法があります。[ホーム]タブ→ [行の削除] では指定した行を削除、[ホーム] タブ→ [行の保持] では指定した行を残し、他の行を削除します。指定した行を削除するのか、指定した行を残して他の行を削除するのかの違いがあります。特に [行の保持] メニューの [重複の保持] や [エラーの保持] は選択した列にある重複データやエラー値の確認用に便利です。確認後、[適用したステップ] 欄で保持の操作で追加されたステップ（[保持した重複データ]、[保存されたエラー]）を削除すれば元の状態に戻せます。

なお、[NO]列の値が「10」の行を削除するなど、任意の行を削除することはできません。その場合は、フィルターを使って削除する行を指定します （p.113 参照）。

● [行の削除] メニュー

メニュー	説明
上位の行の削除	1 行目から指定した行数を削除
下位の行の削除	最下行から指定した行数を削除
代替行の削除	削除する行数と残す行数のパターンを指定して削除
重複の削除	選択した列で重複する値の行を先頭行のみ残して削除
空白行の削除	行全体が空白（null）の行をすべて削除
エラーの削除	選択した列でエラー値（Error）を持つ行を削除

● [行の保持] メニュー

メニュー	説明
上位の行を保持	1 行目から指定した行数を残して削除
下位の行の保持	最下行から指定した行数を削除
行の範囲の保持	特定の行を開始位置にして指定した行数のみ残して削除
重複の保持	選択した列で重複する行のみ残して削除
エラーの保持	選択した列でエラー値（Error）の行のみ残して削除

フィルターを使って不要な行を非表示にする

Power Query エディター上でフィルターを使って、データを絞り込み、必要な行だけを表示することができますが、逆に不要な行を非表示にすることもできます。例えば、特定の列の値が空（null）の行を非表示にするというように、取り除きたい値を持つ行を非表示にするときに特に便利です。

列の値が空のセル（null）の行を非表示にする

空のセルがある列のフィルターボタン［▼］をクリックし、［**空の削除**］をクリックするとその列内の空のセル（null）がある行全体を非表示にできます。行全体が空白ではなく、指定した列内のセルが空（null）の場合、そのセルの行全体を削除したいときに利用できます。（Sample ➡04-05-01.xlsx）

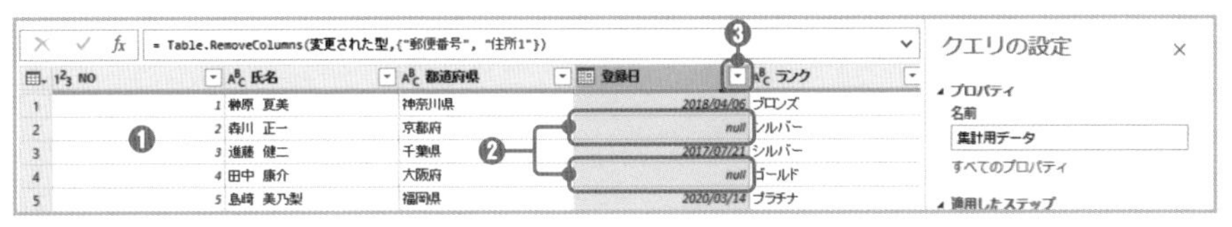

❶ p.104の手順を参照し、［クエリと接続］作業ウィンドウで［集計用データ］クエリをダブルクリックしてPower Query エディターを起動しておく
❷ ［登録日］列に空のセル「null」の行があることを確認
❸ ［登録日］列のフィルターボタン［▼］をクリック

❹ ［空の削除］をクリック

Memo

手順❹でチェックボックスの［(null)］をオフにしても同様に非表示にできます。

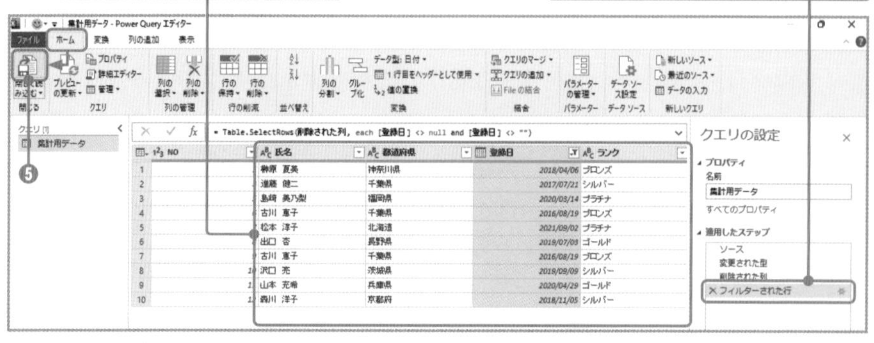

❺［ホーム］タブ→［閉じて読み込む］をクリックしてワークシートに出力する

Memo

ワークシートに書き出した結果、非表示にした行が削除された状態になります。

Memo

フィルターを解除するには、手順❹で［フィルターのクリア］をクリックします。または、［適用したステップ］欄に追加されたステップ［フィルターされた行］を削除しても解除できます。

Column

いろいろな抽出をして必要なデータのみ表示する

フィルターボタン［▼］をクリックして表示されるフィルターメニューでは、列内のデータの種類によって［テキストフィルター］［数値フィルター］［日付フィルター］などのメニューが表示されます。このメニューを使ってより詳細な条件を指定して表示するデータを絞り込むことができます。また、［検索］ボックスにキーワードを入力すると、キーワードを含むデータのみをチェックボックスの選択肢に表示することができます。

なお、リストはデータの上から1000件まで読み込まれて表示されるため、1000件を超える場合、［リストが完全でない可能性があります］と表示されます。［さらに読み込む］をクリックすると、1000件を超える行も読み込まれます。

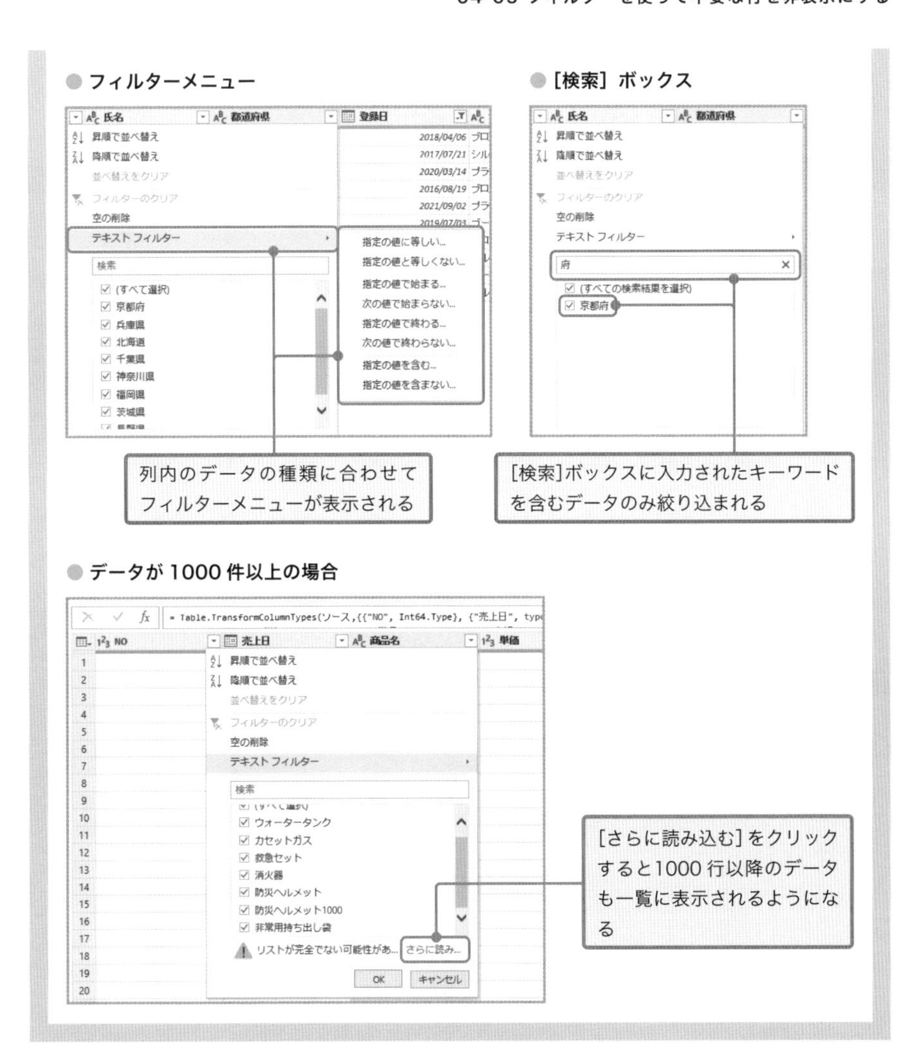

フィルターメニュー
[検索] ボックス
昇順で並べ替え
降順で並べ替え
並べ替えをクリア
フィルターのクリア
空の削除
テキスト フィルター
検索
(すべて選択)
京都府
兵庫県
北海道
千葉県
神奈川県
福岡県
茨城県
指定の値に等しい...
指定の値と等しくない...
指定の値で始まる...
次の値で始まらない...
指定の値で終わる...
次の値で終わらない...
指定の値を含む...
指定の値を含まない...
府
(すべての検索結果を選択)
京都府
列内のデータの種類に合わせてフィルターメニューが表示される
[検索]ボックスに入力されたキーワードを含むデータのみ絞り込まれる
データが 1000 件以上の場合
= Table.TransformColumnTypes(ソース,{{"NO", Int64.Type}, {"売上日", typ
NO
売上日
商品名
単価
ウォータータンク
カセットガス
救急セット
消火器
防災ヘルメット
防災ヘルメット1000
非常用持ち出し袋
リストが完全でない可能性があ...
さらに読み...
OK
キャンセル
[さらに読み込む] をクリックすると1000 行以降のデータも一覧に表示されるようになる

列内の文字を整える

ワークシート上では、表記ゆれや文字列の加工は主に関数を使って調整しますが、Power Query エディターの［変換］タブの［書式］には列内のデータを加工するさまざまなメニューが用意されています。メニューを選択するだけで、データを修正したり、加工したりできるため大変便利です。

［トリミング］を使ってデータ前後にある余分なスペースを削除する

［書式］メニューの［**トリミング**］を使うと、**選択した列内の文字列の前後にあるスペースを一気に削除**できます。全角、半角に関わらず削除できますが、文字列間のスペースは削除されません。（Sample ➡4-06-01.xlsx）

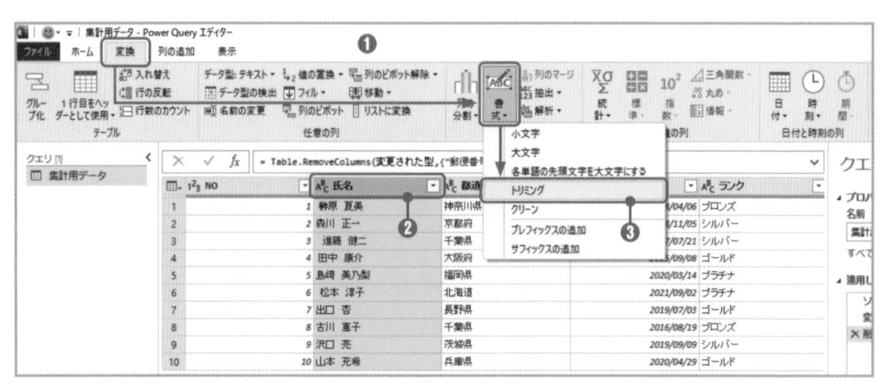

❶ p.104の手順を参照し、［クエリと接続］作業ウィンドウで［集計用データ］クエリをダブルクリックしてPower Query エディターを起動しておく
❷ スペースを削除したい列の列見出しをクリックして列を選択（ここでは［氏名］列）
❸ ［変換］タブ→［書式］→［トリミング］をクリック

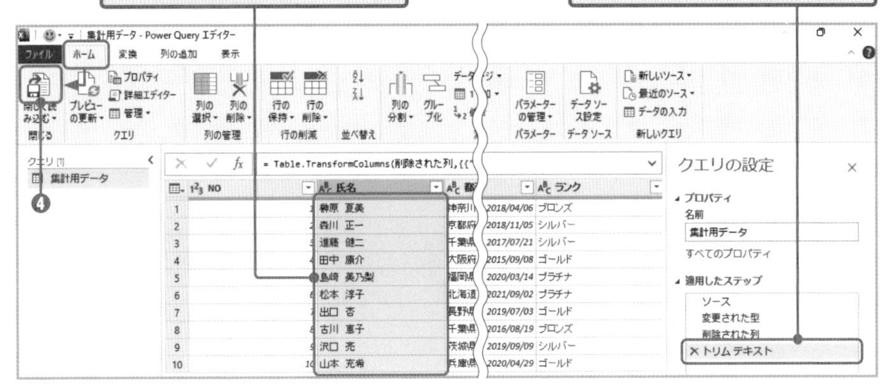

❹ [ホーム] タブ→ [閉じて読み込む] をクリックしてワークシートに出力する

• Memo •

文字間にあるスペースを削除したい場合は、[変換]タブ→ [値の置換]を使います (p.119)。

アルファベットの大文字、小文字を変換する

[書式]メニューにはアルファベットの単語の表記ゆれの修正用メニューとして、小文字変換、大文字変換、単語の先頭文字の大文字変換が用意されています。ここでは、**先頭文字のみ大文字に一括変換**してみましょう。

(Sample ➡04-06-02.xlsx)

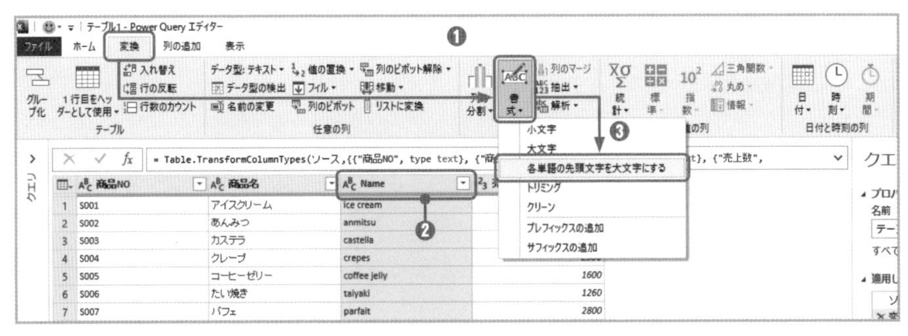

❶ p.104の手順を参照し、[クエリと接続] 作業ウィンドウで [テーブル1] クエリをダブルクリックしてPower Query エディターを起動しておく

❷ 頭文字だけ大文字に変換したい列の列見出しをクリックして列を選択 (ここでは [Name] 列)

❸ [変換] タブ→ [書式] → [各単語の先頭文字を大文字にする] をクリック

各単語の先頭文字だけ大文字に変換された

[適用したステップ]欄にステップ[大文字単語]が追加された

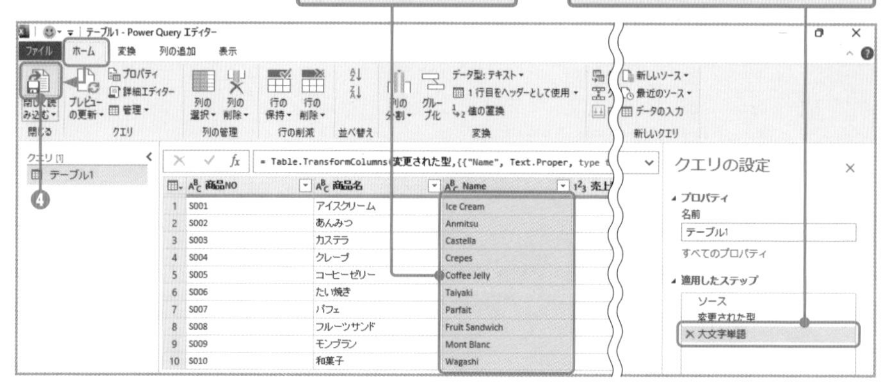

❹ [ホーム] タブ→ [閉じて読み込む] をクリックしてワークシートに出力する

Memo

半角と全角の変換が必要な場合は、ワークシート上でASC関数またはJIS関数を使います(p.53参照)。

Column

[書式]メニューの種類

[変換] タブの [書式] には、列内の文字列を指定した形に加工できるメニューが用意されています。ワークシート上で関数を使うことなく簡単に変換でき便利です。

● 書式メニュー

メニュー	説明
小文字	すべての英文字を小文字に変換
大文字	すべての英文字を大文字に変換
各単語の先頭文字を大文字にする	各単語の先頭文字だけを大文字、他は小文字に変換
トリミング	文字列の前後にあるスペースを削除
クリーン	改行文字など、印刷できない文字を削除
プレフィックスの追加	文字列の前に指定した文字を追加
サフィックスの追加	文字列の後ろに指定した文字を追加

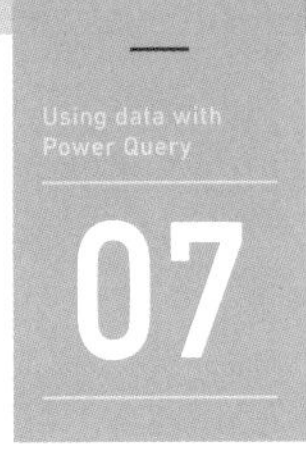

文字列を別の文字列に置き換える

列に入力されている文字列を別の文字列に置き換えたり、指定した文字列を削除したりするには、[値の置換]画面を表示します。

会社名のフリガナから「カブシキガイシャ」を削除する

会社名のフリガナに「カブシキガイシャ」が含まれていると、会社名を50音でうまく並べ替えることができません。値の置換機能を使って会社名のカナだけに変換して削除できます。(Sample ➡04-07-01.xlsx)

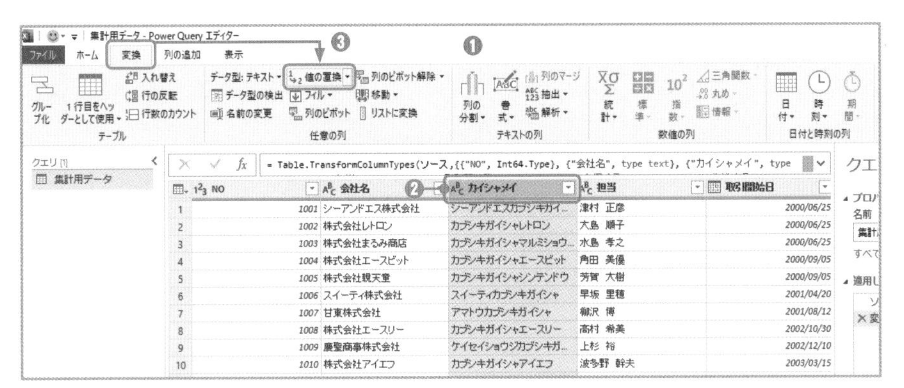

❶ p.104の手順を参照し、[クエリと接続] 作業ウィンドウで [集計用データ] クエリをダブルクリックしてPower Query エディターを起動しておく
❷ フリガナ列の列見出しをクリックして列を選択(ここでは [カイシャメイ] 列)
❸ [変換] タブ→ [値の置換] をクリック

Memo

[ホーム]タブ→ [値の置換]でも同様に操作できます。

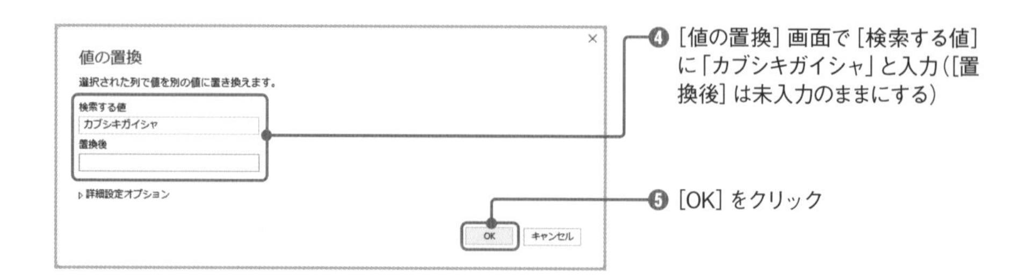

Memo

手順❹の [検索する値] にスペースを入力すると、セル内にあるスペースが削除されます。

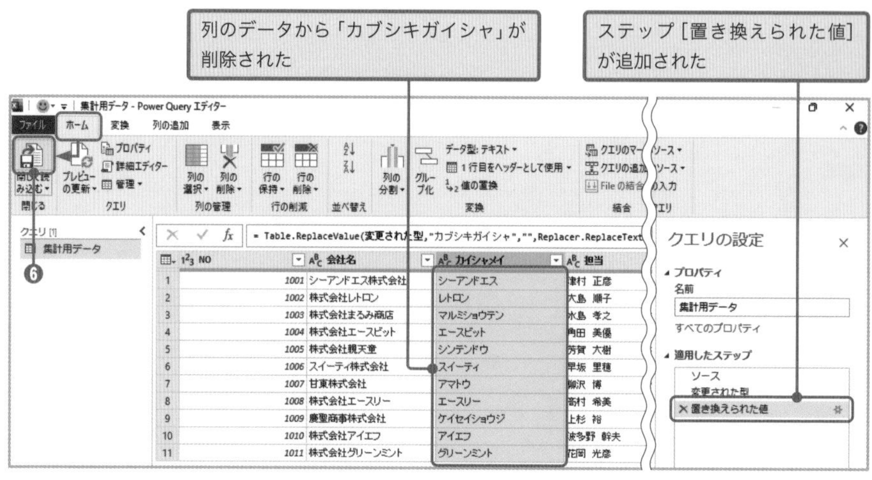

❻ [ホーム] タブ→ [閉じて読み込む] をクリックしてワークシートに出力する

Memo

[適用したステップ] 欄でステップ [置き換えられた値] の右端にある [✱] をクリックするか、ステップ名をダブルクリックすると [値の置換] 画面が表示され、設定を変更することができます。

エラー値を別文字に置換する

ワークシートのセル内に表示されている「#N/A」や「#VALUE!」などのエラー値はPower Query エディターでは「Error」と表示されます。特に何もせずに[閉じて読み込む]で出力すると、エラー値のセルは空欄で表示されます。エラー値を空欄ではなく、別の値に置き換えたい場合は、エラー値が表示されている列を選択し、[変換]タブの[値の置換]の[▾]をクリックし、[エラーの置換]をクリックして、[エラーの置換]画面で置換したい値を入力します。なお、置換する値は列に入力されているデータの種類に合わせた値を指定するようにしてください。(Sample ➡04-07-02.xlsx)

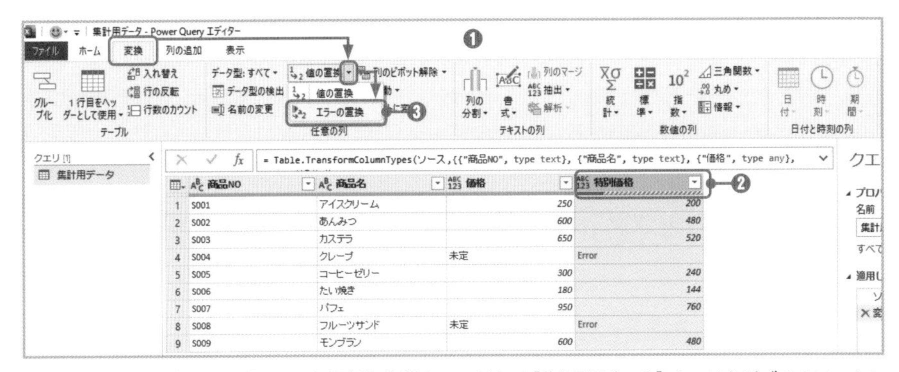

❶ p.104の手順を参照し、[クエリと接続] 作業ウィンドウで [集計用データ] クエリをダブルクリックしてPower Queryエディターを起動しておく
❷ エラー値が表示されている列の列見出し (ここでは [特別価格] 列) をクリックして列選択
❸ [変換] タブ→ [値の置換] の [▼] → [エラーの置換] をクリック

Memo

Excel 2021、Microsoft 365 では、列内にエラー値があると、列見出しの下に赤線が表示されます。

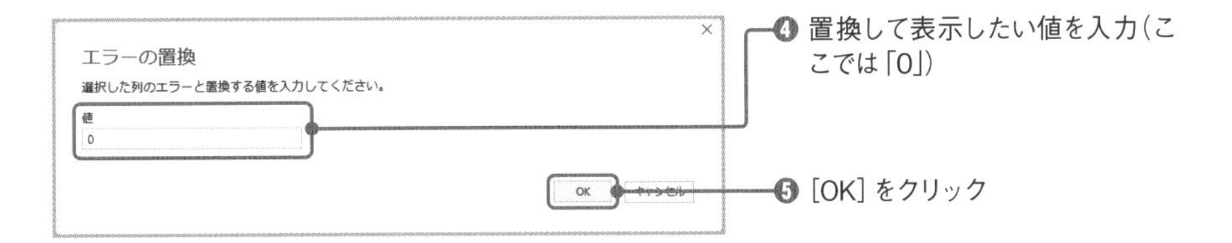

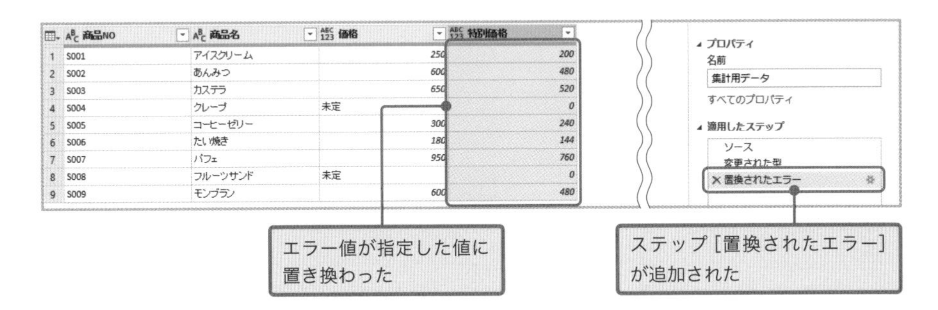

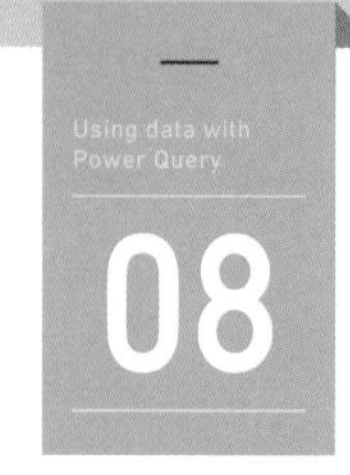

列を複数列や複数行に分割する

［氏名］の「姓」と「名」を別の列に分割する、［サイズ］の値に「S,M」と複数の値が入力されている場合に別の行に分割するというように、**列内に入力されている文字列を指定した方法で列または行に分割することができます。**

氏名の「姓」と「名」で列を分割する

［氏名］列に「姓」と「名」が全角のスペースを空けて入力されている場合、全角のスペースを区切り記号にして「姓」と「名」で列を分割できます。
(Sample ➡04-08-01.xlsx)

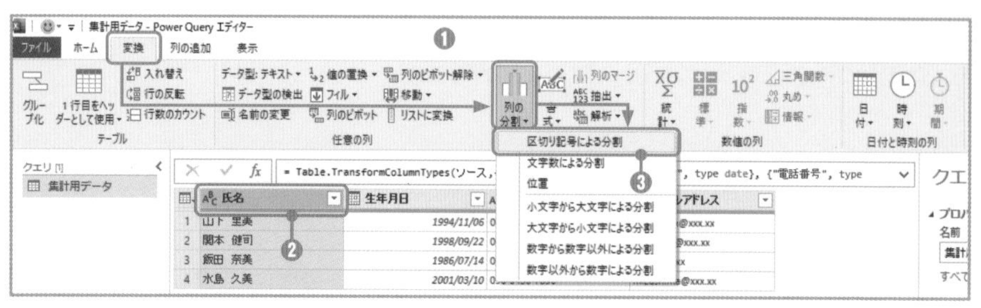

❶ p.104を参照し、［クエリと接続］作業ウィンドウで［集計用データ］クエリをダブルクリックしてPower Queryエディターを起動しておく
❷ ［氏名］列の列見出しをクリックし列を選択
❸ ［変換］タブ→［列の分割］→［区切り記号による分割］をクリック

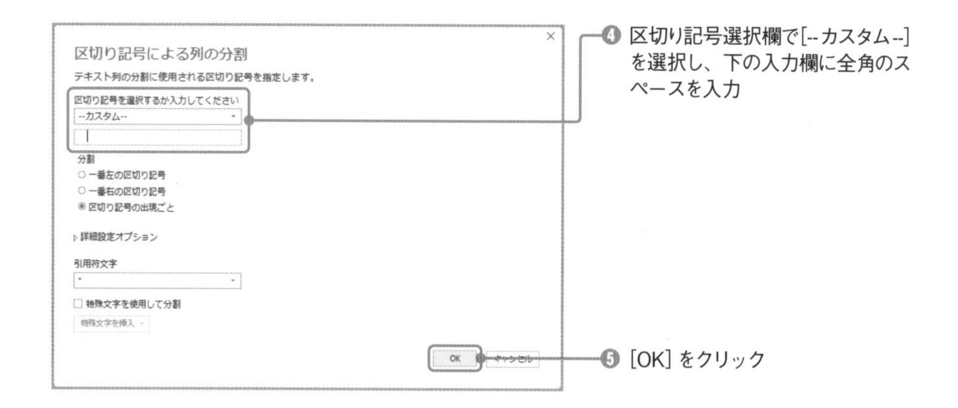

❹ 区切り記号選択欄で[--カスタム--]を選択し、下の入力欄に全角のスペースを入力

❺ [OK] をクリック

Memo

区切り記号選択欄の［▼］をクリックして表示される選択肢の中に「スペース」がありますが、これは半角のスペースです。全角のスペースを区切りとする場合は手順のようにカスタムで指定してください。

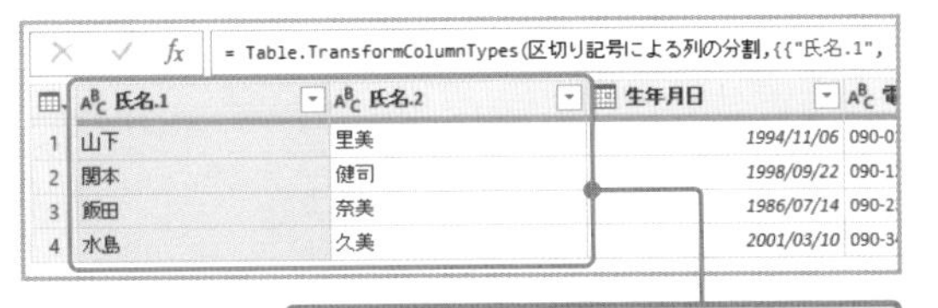

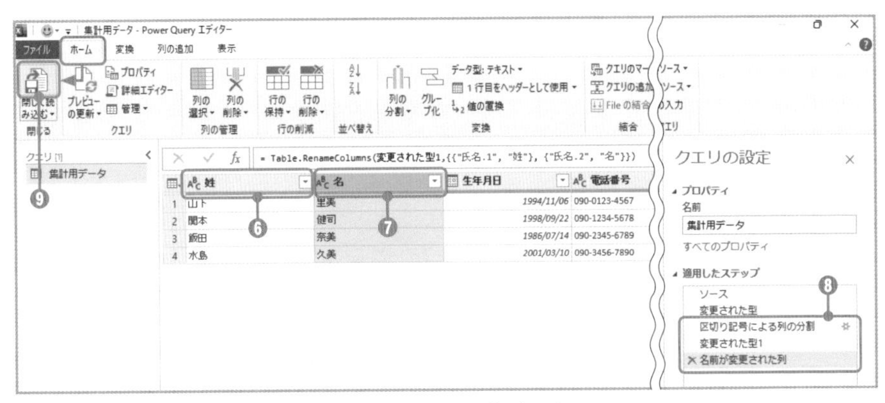

❻ ［氏名.1］列の列見出しをダブルクリックし、項目名を「姓」に変更

❼ 同様に［氏名.2］列の項目名を「名」に変更

❽ ［区切り記号による列の分割］［変更された型1］［名前が変更された列］の3つのステップが追加されたことを確認

❾ ［ホーム］タブ→［閉じて読み込む］をクリックしてワークシートに出力する

複数の値が入力されている列で値ごとに行を分割

集計する際、1つのセルに1つの値が入力されていないと正しく計算することができません。［サイズ］列に「S」「M」「L」と複数の値が改行されて入力されている場合、サイズごとに行を分けて別のレコードにするには、［区切り記号による列の分割］画面の［詳細設定オプション］の［分割の方向］で［行］を選択します。(Sample ➡04-08-02.xlsx)

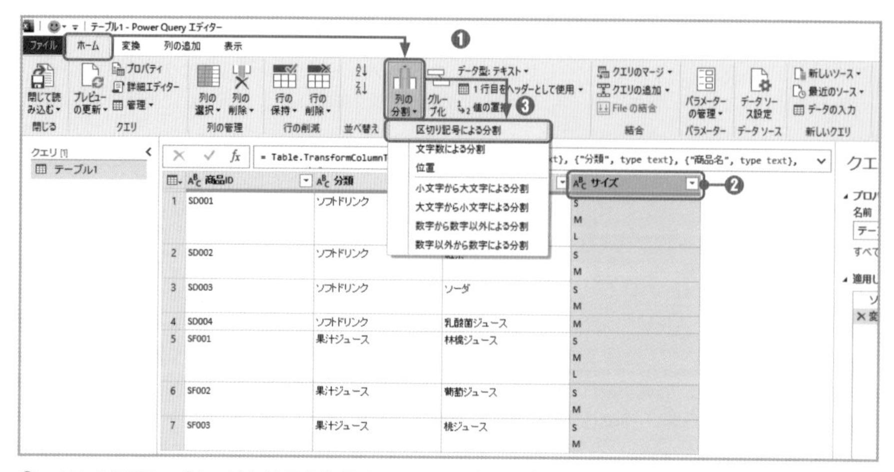

❶ p.104を参照し、[クエリと接続] 作業ウィンドウで [テーブル1] クエリをダブルクリックしてPower Queryエディターを起動しておく

❷ 分割したい列(ここでは [サイズ] 列) を選択

❸ [ホーム] タブ→ [列の分割] → [区切り記号による分割] をクリック

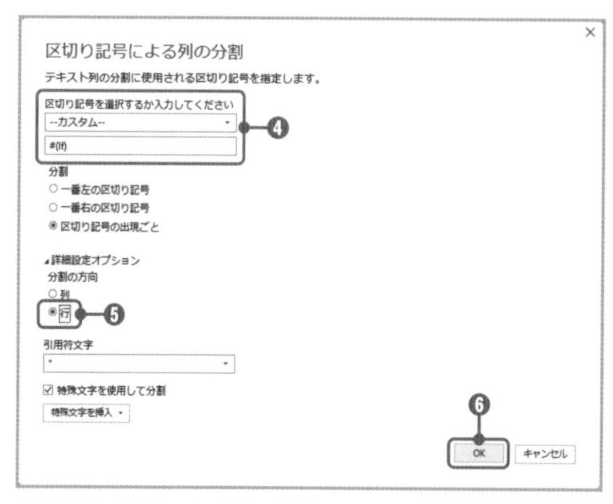

❹ [区切り記号による列の分割] 画面で区切り記号がそれぞれ「-- カスタム --」、「#(lf)」と表示されていることを確認

❺ [詳細設定オプション] の [分割の方向] で [行] をクリック

❻ [OK] をクリック

Memo

手順❹では区切り記号が自動的に判別されて表示されます。「#(lf)」は、ラインフィードのことで改行を意味しています。

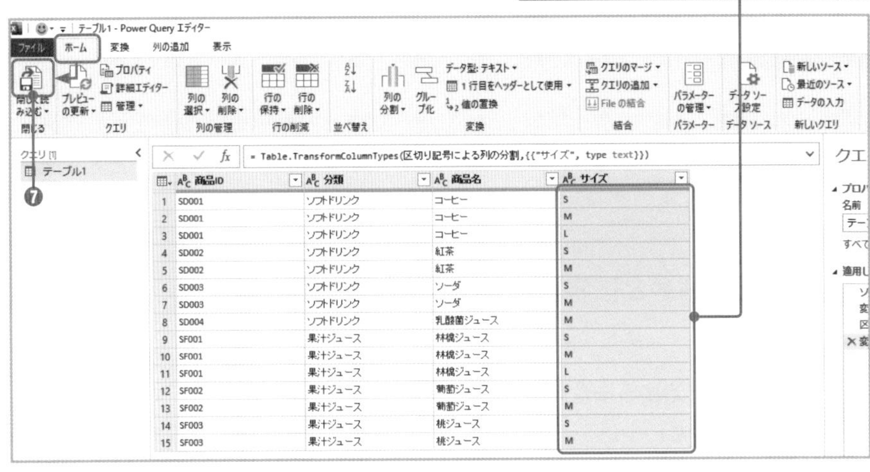

❼ [ホーム] タブ→ [閉じて読み込む] をクリックしてワークシートに出力する

Column

[列の分割]メニューの種類

[ホーム] タブまたは [変換] タブの [列の分割] には、下表のようなメニューが用意されています。文字列がスペースで区切られている、３文字目で区切るなど、列内の文字列にある規則を利用し、対応するメニューを使って分割します。

● [列の分割] メニューの種類

メニュー	説明
区切り記号による分割	区切り記号の位置で列を分割する
文字数による分割	指定した文字数の位置で列を分割する
位置	先頭を含めた分割位置を数値とカンマで指定して任意の位置で分割。例えば「09012345678」を「090」「1234」「5678」に分割するには「0,3,7」と指定
小文字から大文字による分割	英字の小文字から大文字に切り替わる位置で列を分割
大文字から小文字による分割	英字の大文字から小文字に切り替わる位置で列を分割
数字から数字以外による分割	数字から数字以外に切り替わる位置で列を分割
数字以外から数字による分割	数字以外から数字に切り替わる位置で列を分割

連番の列を追加する

Power Query エディターでは、メニューを使って簡単に連番列を追加することができます。0 から始まる連番、1 から始まる連番、任意の数字から始まる連番と連番の種類を指定できます。

他のレコードと区別する連番の列を追加する

［列の追加］タブの［**インデックス列**］を使うと、連番列を簡単に追加できます。ここでは、**1 から始まる連番列を追加**する手順を確認しましょう。
(Sample ➡04-09-01.xlsx)

❶ p.104 を参考にして、［クエリと接続］作業ウィンドウで［集計用データ］クエリをダブルクリックして Power Query エディターを起動しておく
❷ ［列の追加］タブ→［インデックス列］の［▼］→［1 から］をクリック

1 から連番が入力されている［インデックス］列が右端に追加された

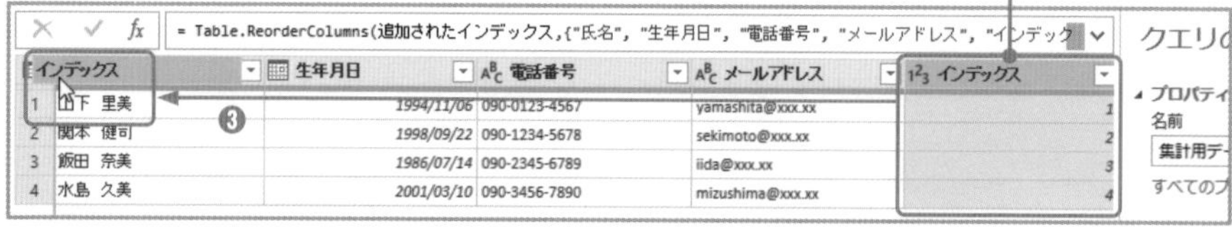

❸ ［インデックス］列の列見出しにマウスポインターを合わせ、左端までドラッグ

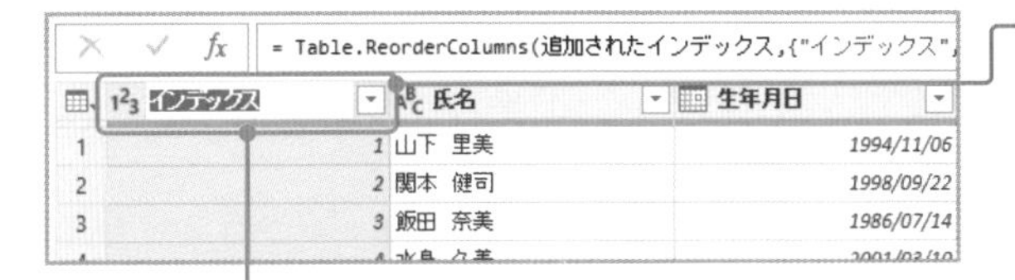

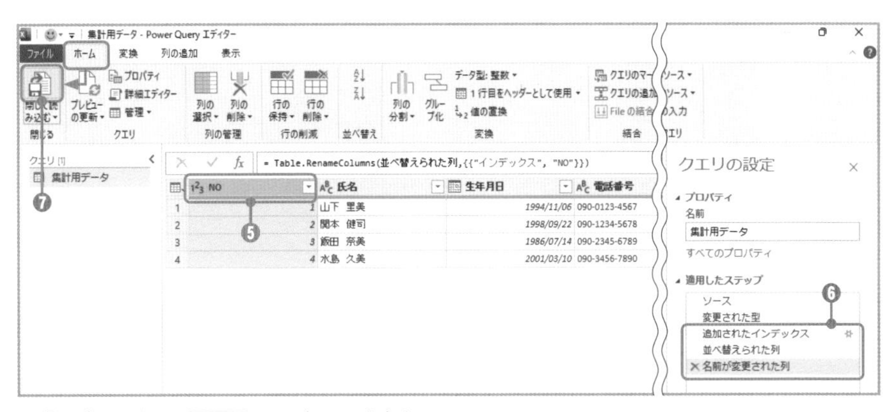

❺「NO」と入力し、Enter キーを押して確定する

❻ [追加されたインデックス] [並べ替えられた列] [名前が変更された列] の3つのステップが追加されたことを確認

❼ [ホーム] タブ→ [閉じて読み込む] をクリックしてワークシートに出力する

売上額の多い順の順位列を追加する

金額の多い順とか、小さい順での順位列を追加するには、**最初に順位を付けたい列で並べ替えてから、1から始まるインデックス列を追加**します。ここでは [売上数]列の金額が多い順で順位を付ける [順位]列を追加してみましょう。(Sample ➡04-09-02.xlsx)

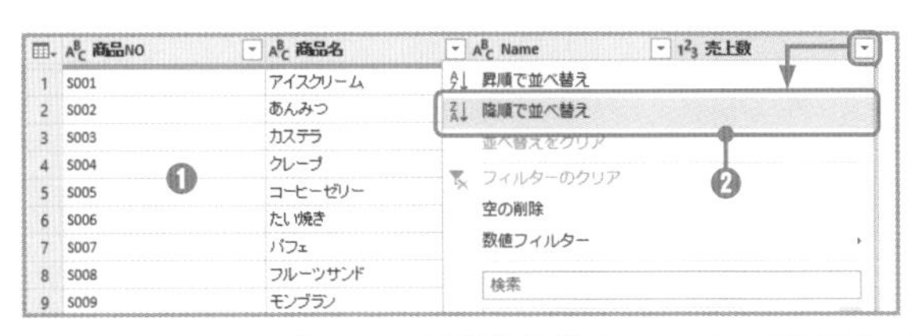

❶ p.104 を参照し、[クエリと接続] 作業ウィンドウで [集計用データ] クエリをダブルクリックして Power Query エディターを起動しておく

❷ [売上数] 列のフィルターボタン [▾] をクリックし、[降順で並べ替え] をクリック

Memo

列を選択し、[ホーム]タブ→[降順で並べ替え]をクリックしても同様に並べ替えられます。

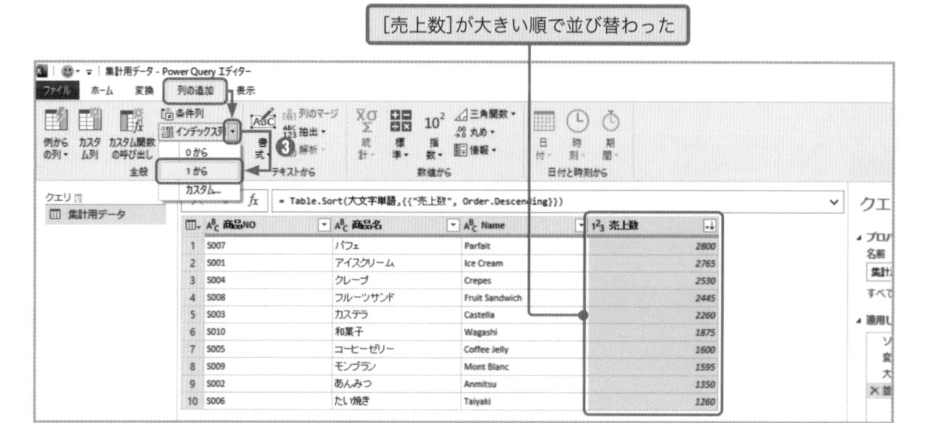

❸ [列の追加] タブ→ [インデックス列] の [▼] → [1 から] をクリック

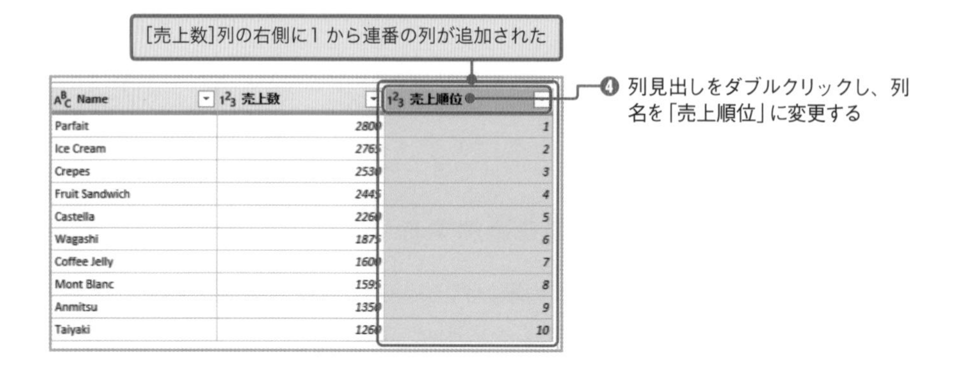

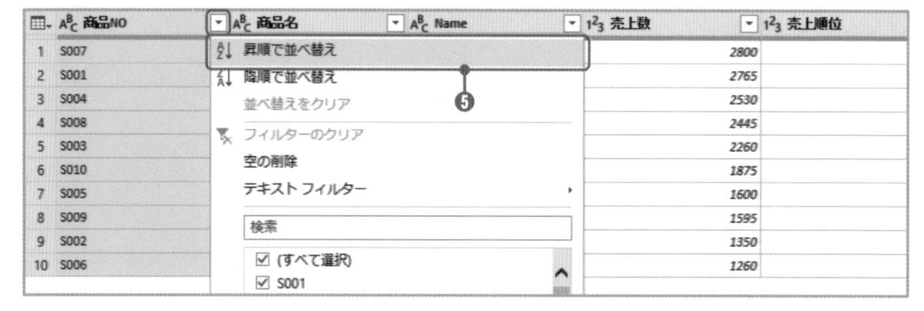

❺ 最初の並び順に戻すため、[商品NO] 列のフィルターボタン [▼] をクリックし、[昇順で並べ替え] をクリック

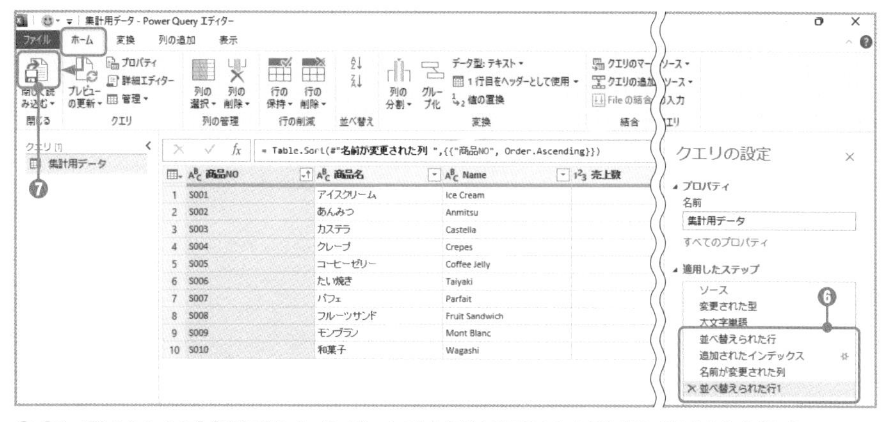

❻ [並べ替えられた行] [追加されたインデックス] [名前が変更された列] [並べ替えられた行1] の4つのステップが追加されたことを確認

❼ [ホーム] タブ→ [閉じて読み込む] をクリックしてワークシートに出力する

Column

[インデックス列]メニューの種類

インデックス列とは、連番列のことです。他の行と区別するための列や順位列を追加する場合に利用できます。[列の追加] タブの [インデックス列] を直接クリックすると0から始まる連番の列が追加されます。[インデックス列] の [▾] をクリックし、メニューから [1 から] をクリックすれば1 から始まる連番の列が追加できます。[カスタム] をクリックすると下図の [インデックス列の追加] 画面が表示され、開始値や増分を指定できます。例えば、[開始インデックス]を「10」、[増分]を「10」とすると、「10、20、30…」となる連番列が追加できます。

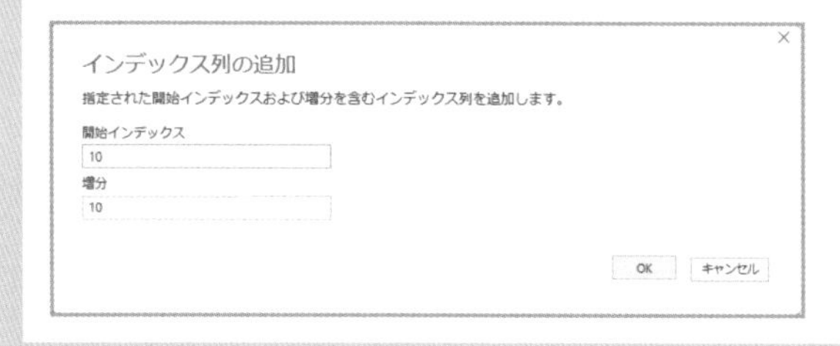

計算列を追加する

データ型が数値の列を対象に列内の数値を計算対象とした計算結果の列を追加できます。なお、データ全体を集計する方法についてはp.29を参照してください。

売上金額（価格×売上数）の列を追加する

[列の追加]タブの[**標準**]メニューでは、選択している列の値を使って、足し算、引き算、掛け算、割り算と割り算の余り、割合（パーセンテージ）の計算結果の列を追加できます。ここでは[価格]列と[売上数]列の値を掛け算した結果の列を追加してみましょう。（Sample ➡04-10-01.xlsx）

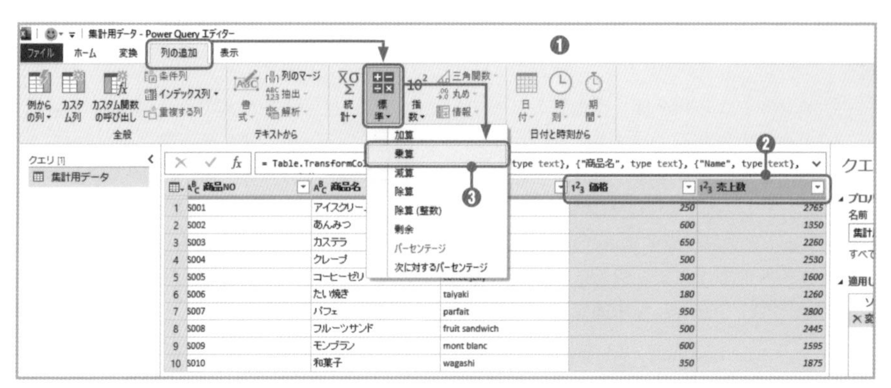

❶ p.104を参照し、[クエリと接続] 作業ウィンドウで [集計用データ] クエリをダブルクリックしてPower Queryエディターを起動しておく

❷ [価格] 列の列見出しをクリックし、Ctrl キーを押しながら [売上数] 列の列見出しをクリックして計算で使用する列を選択

❸ [列の追加] タブ→ [標準] → [乗算] をクリック

Memo

計算式で使用する列に「null」値が含まれていると結果も「null」になります。結果に「null」と表示したくない場合は、[値の置換]（p.119）を使って「null」を「0」に置き換えて数式を設定してください。

	商品名	Name	価格	売上数	乗算
1	アイスクリーム	ice cream	250	2765	691250
2	あんみつ	anmitsu	600	1350	810000
3	カステラ	castella	650	2260	1469000
4	クレープ	crepes	500	2530	1265000
5	コーヒーゼリー	coffee jelly	300	1600	480000
6	たい焼き	taiyaki	180	1260	226800
7	パフェ	parfait	950	2800	2660000
8	フルーツサンド	fruit sandwich	500	2445	1222500
9	モンブラン	mont blanc	600	1595	957000
10	和菓子	wagashi	350	1875	656250

右端に「価格×売上数」の計算結果となる[乗算]列が追加された

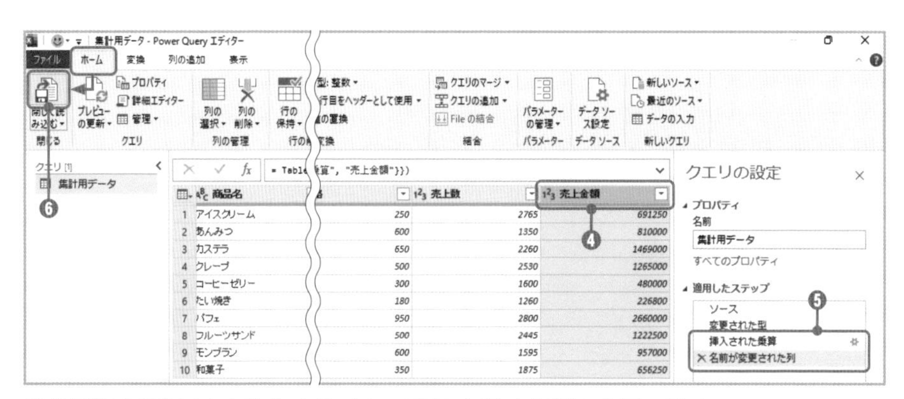

❹ [乗算] 列の列見出しをダブルクリックし、項目名を「売上金額」に変更しておく

❺ [挿入された乗算] [名前が変更された列] の2つのステップが追加されたことを確認

❻ [ホーム] タブ→ [閉じて読み込む] をクリックしてワークシートに出力する

Memo

ワークシートに出力したテーブルで売上数や売上金額の列に桁区切りカンマなどの表示形式を設定できます。データを更新しても既定では表示形式はそのまま残ります (p.85)。

Column

計算列の追加方法について

手順のように複数の列を選択し、[列の追加] タブの [標準] をクリックし、演算の種類を選択すると、選択した列の値を使った演算結果の列が追加されます。1つの列を選択して演算の種類を選択した場合、次図のような入力画面が表示され、演算に使用する数値や列を指定できます。また、[列の追加] タブの [数値から] グループには、選択している列の数値に対してさまざまな演算をして列を追加するメニューが用意されています。

☑1 列だけ選択した場合に表示される画面

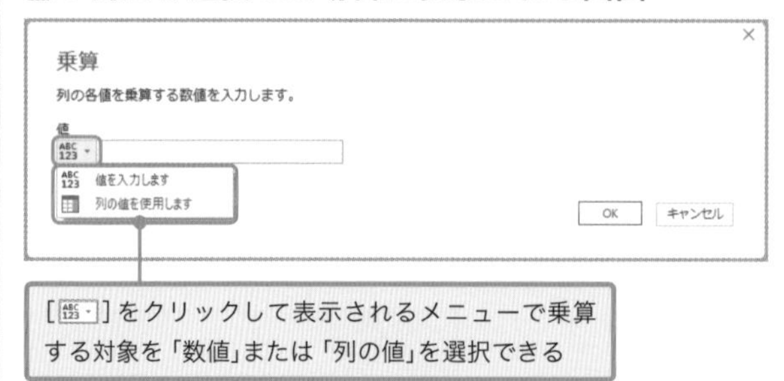

☑[列の追加]タブの [数値から]グループのメニュー

● [統計] メニューの種類

メニュー
合計
最小値
最大値
中央
平均
標準偏差
値のカウント
個別の値のカウント

● [標準] メニューの種類

メニュー
加算
乗算
減算
除算
除算（整数）
剰余
パーセンテージ
次に対するパーセンテージ

● [指数] メニューの種類

メニュー
絶対値
累乗
平方根
指数
対数
階乗

● [三角関数] メニューの種類

メニュー
サイン
コサイン
タンジェント
アークサイン
アークコサイン
アークタンジェント

［丸め］メニューの種類

メニュー
切り上げ
切り捨て
四捨五入

［情報］メニューの種類

メニュー
偶数
奇数
符号

Column

設定画面から計算列を追加

［列の追加］タブの［カスタム列］をクリックすると、［カスタム列］画面が表示され、新しい列名と、カスタム列の式を指定できます。例えば、「価格×売上数」の場合は、「=[価格]*[売上数]」と列名を「[]」で囲んで指定し、算術演算子を使って式を作成します。式は［カスタム列の式］欄の「=」の続きから入力します。列は、［使用できる列］欄で使用する列をクリックし、［<< 挿入］をクリックして追加できます。また、「=[価格]*0.8」のように数値を使う式も設定できます。

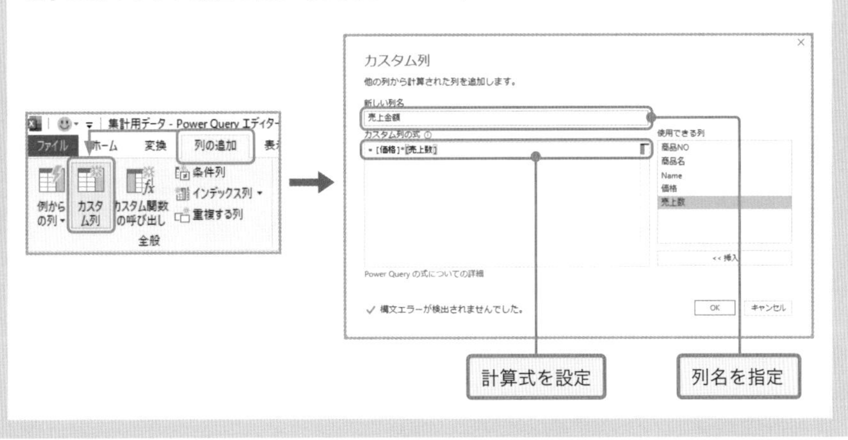

日付の列から年、月、日を取り出した列を追加する

データ型が日付や時刻の列を対象に、年、月、四半期、期間など、日付や時刻に関連した情報の列を追加できます。

日付から年と月を取り出す

[列の追加] タブの [日付] メニューには、日付が入力されている列から年や月などの日付に関する情報を取り出すさまざまなメニューが用意されています。ここでは、[売上日]列から年と月を取り出して [年]列と [月]列を追加してみましょう。(Sample ➡04-11-01.xlsx)

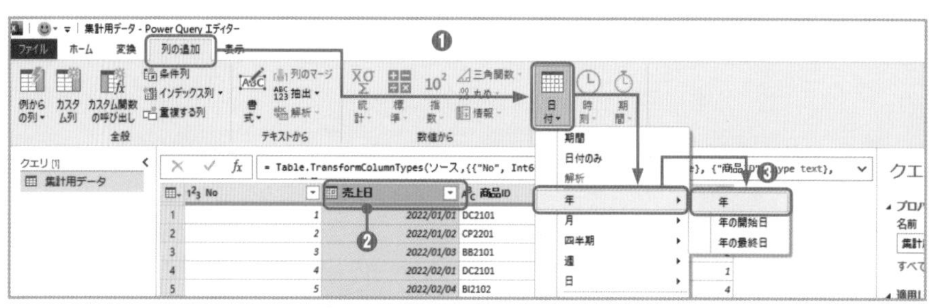

❶ p.104を参照し、[クエリと接続] 作業ウィンドウで [集計用データ] クエリをダブルクリックして Power Query エディターを起動しておく
❷ [売上日] 列の列見出しをクリックして列を選択
❸ [列の追加] タブ→ [日付] → [年] → [年] をクリック

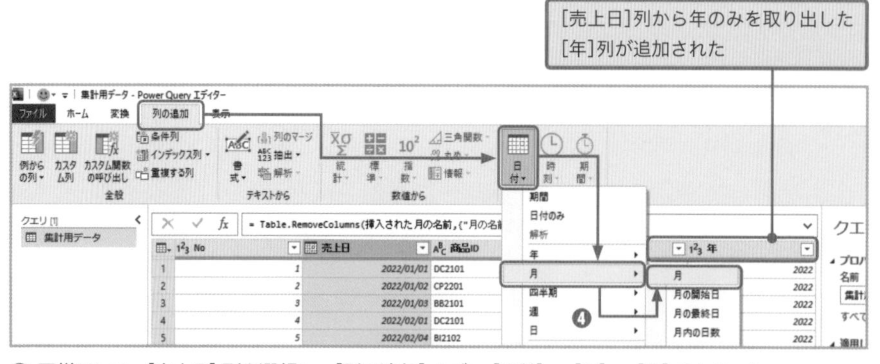

❹ 同様にして、[売上日] 列を選択し、[列の追加] タブ→ [日付] → [月] → [月] をクリック

Memo

手順❹で［月の名前］を選択すると、「1 月」「2 月」というような値の列が追加されます。

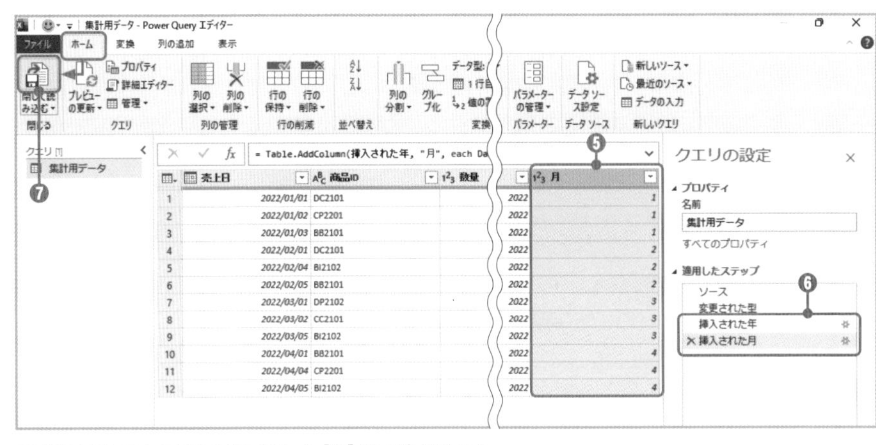

❺［売上日］列から月のみ取り出した［月］列が追加された
❻［挿入された年］［挿入された月］の2つのステップが追加されたことを確認
❼［ホーム］タブ→［閉じて読み込む］をクリックしてワークシートに出力する

Column

日付の年、月、日や期間の追加について

［列の追加］タブの［日付と時刻から］グループにある［日付］、［時刻］では、選択している列の日付や時刻から年、月、日、時、分、秒などの情報を取り出した列を追加できます。［日付］メニューの［期間］をクリックすると、選択している列の日付時刻のデータと現在の日付時刻との期間の列が追加されます。

例えば、［生年月日］列を選択し、［列の追加］タブ→［日付］→［期間］をクリックすると、生年月日と現在の日時との期間を計算した列が追加されます。追加した［期間］列を選択し、［変換］タブ→［期間］をクリックすると、期間の日、時間などのパーツを取り出せます。

また、［合計年数］を選択すると期間を年に換算します。この場合、数式バーの式を確認すると、期間全体を365で割っているだけなので年換算とはいえ、誤差が生じることがあります。より正確に算出したいときは、ワークシート上でDATEDIF関数(p.36)を使って年数を求めるといいでしょう。(Sample ➡04-11-02.xlsx)

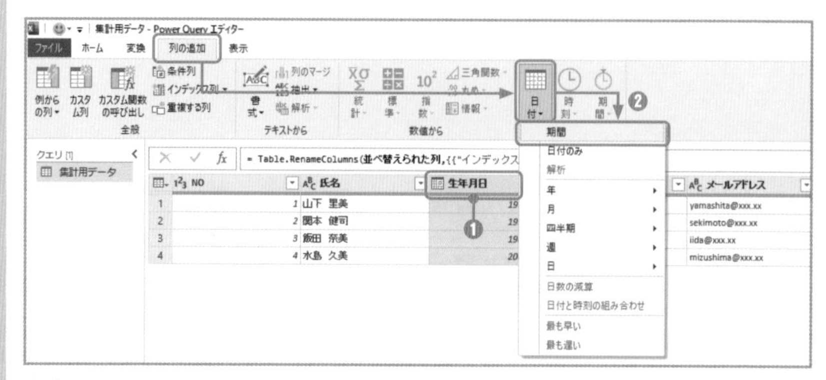

❶ [生年月日] 列の列見出しをクリックして列を選択

❷ [列の追加] タブ→ [日付] → [期間] をクリック

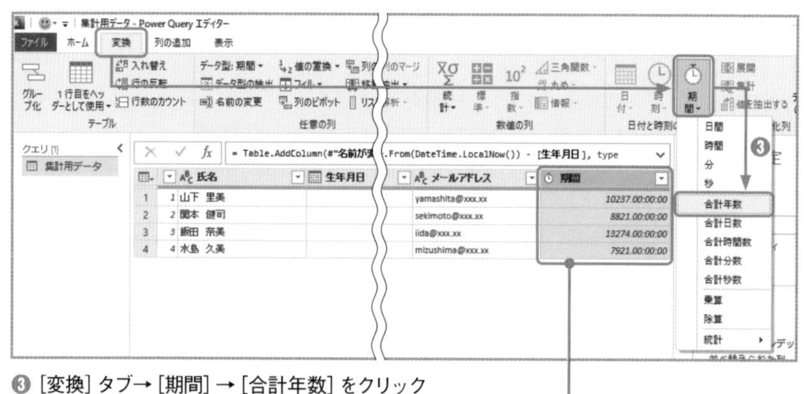

❸ [変換] タブ→ [期間] → [合計年数] をクリック

生年月日と現在の日時の経過期間の列が追加された（書式は日：時：分：秒）

	NO	氏名	生年月日	電話番号	メールアドレス	期間
1	1	山下 里美	1994/11/06	090-0123-4567	yamashita@xxx.xx	28.09863014
2	2	関本 健司	1998/09/22	090-1234-5678	sekimoto@xxx.xx	24.21917808
3	3	飯田 奈美	1986/07/14	090-2345-6789	iida@xxx.xx	36.41917808
4	4	水島 久美	2001/03/10	090-3456-7890	mizushima@xxx.xx	21.75342466

[期間] 列の数値が年に換算された（計算結果は、10 進数に変換されている）。小数点以下を切り捨てるには、[変換]タブ→ [丸め]→ [切り捨て]をクリックする

複数の列を連結して1つの列にする

複数の列を連結して1つの列にまとめるには、[列のマージ]機能を使います。複数の列の値を結合するときに、列と列の間にスペースやカンマ、ハイフンといった記号を追加することができます。

[姓]列と[名]列を[氏名]列にまとめる

ここでは、[姓]列と[名]列の間に全角のスペースを挿入して、[氏名]列に結合します。(Sample ➡04-12-01.xlsx)

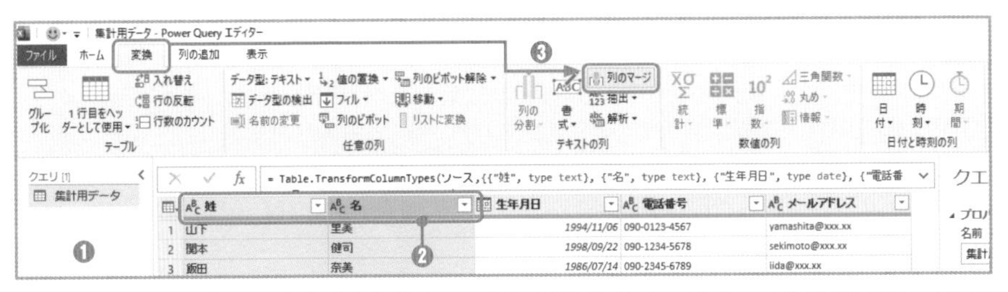

❶ p.104を参照し、[クエリと接続]作業ウィンドウで[集計用データ]クエリをダブルクリックしてPower Queryエディターを起動しておく
❷ [姓]列の列見出しをクリックし、Shift キーを押しながら[名]列の列見出しをクリックして連結する列を選択しておく
❸ [変換]タブ→[列のマージ]をクリック

Memo

連続していない列の選択は、2つ目以降の列を Ctrl キーを押しながらクリックします。

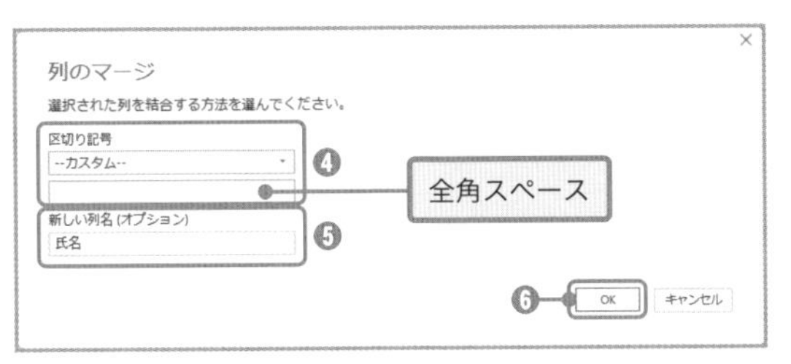

Memo

[区切り記号]の[▼]をクリックして表示される選択肢に[スペース]がありますが、この場合は半角のスペースが挿入されます。

❹ [列のマージ]画面の[区切り記号]で「--カスタム--」を選択し、下の入力欄に全角のスペースを入力
❺ [新しい列名(オプション)]に結合後の列の列名として「氏名」と入力
❻ [OK]をクリック

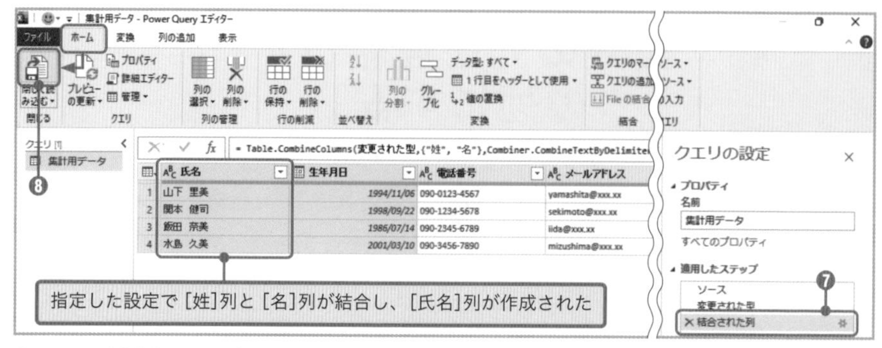

❼ ステップ［結合された列］が追加されたことを確認
❽［ホーム］タブ→［閉じて読み込む］をクリックしてワークシートに出力する

HINT ［例からの列］を使ってサンプルをもとに自動入力

前ページの手順❷で結合したい列を選択した後、次のように操作します。❶［列の追加］タブ→［例からの列］の［▼］→［選択範囲から］をクリックし、❷表示される画面で新しい列に、サンプルとして、1行目の［姓］列の値、全角スペース、［名］列の値（ここでは、「山下　里美」）を入力し、Ctrl ＋ Enter キーを押します。❸2行目以降に連結した結果が自動的に表示されたのを確認し、❹［OK］ボタンを押して確定します。Excelのフラッシュフィル機能のように自動でデータが入力される便利な機能です。

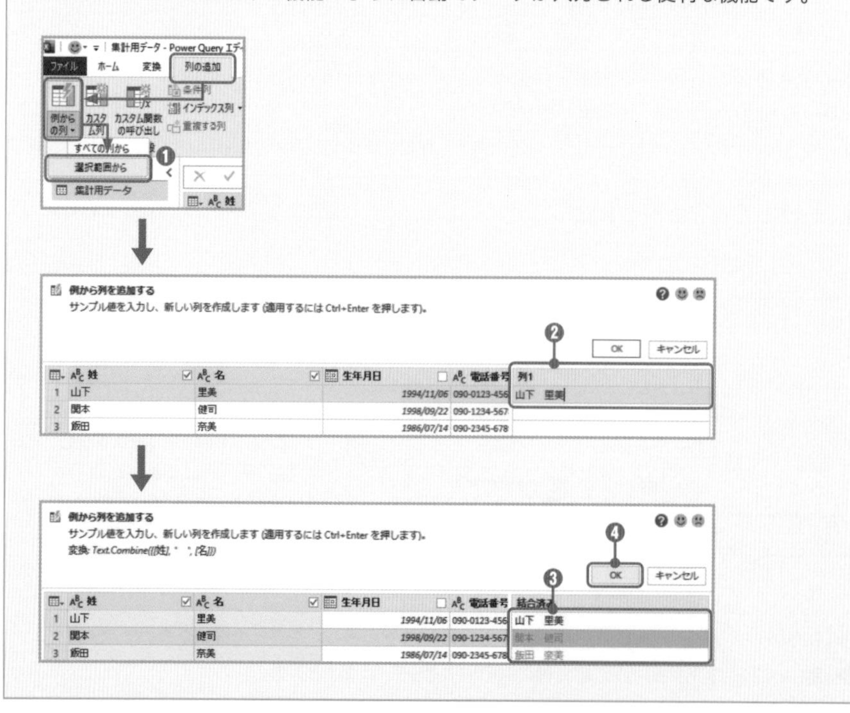

セルが結合されている表を整形する

Excel では、セルを結合して表を作成する場合がよくあります。このような表を Power Query に取り込んだ場合、結合セルがどのように扱われるか、集計できるようにするにはどのように整形すればいいかを紹介します。

[フィル]を使って空欄「null」値にデータを入力する

結合セルのある表を Power Query に取り込むと、セル結合が解除され、結合されていたセルの先頭セルのみ値が残り、残りのセルは空欄「null」になります。**空欄になったセルに先頭セルの値を設定するには、[フィル]を使います。**

ここでは、ブック内にある結合セルのある表を取り込んで、整形する手順を確認しましょう。(Sample ➡04-13-01.xlsx)

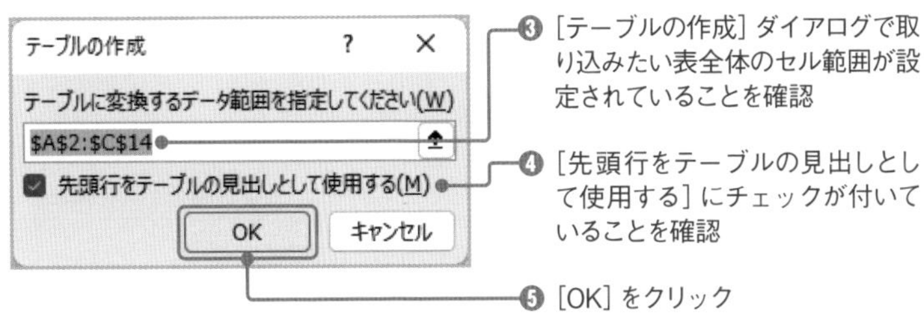

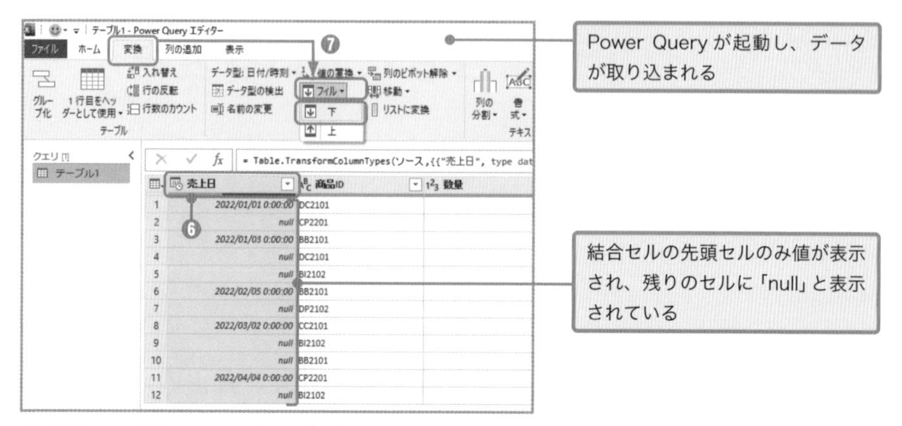

❻ 整形したい列（ここでは［売上日］列）の列見出しをクリックし、列を選択
❼［変換］タブ→［フィル］→［下］をクリック

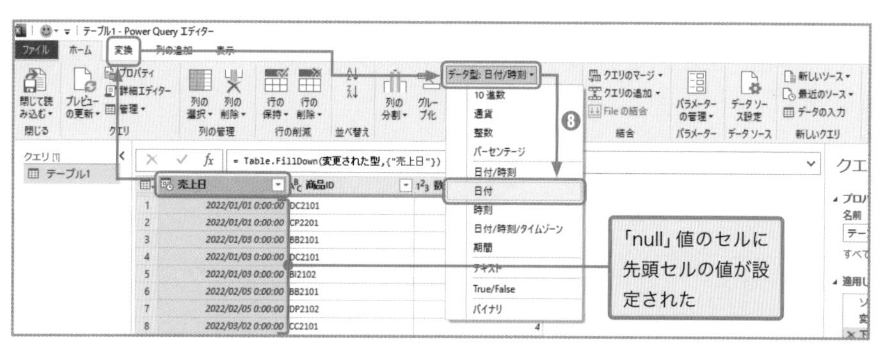

❽［売上日］列が選択されていることを確認し、［変換］タブ→［データ型：日付／時刻］→［日付］をクリックして、データ型を日付に変更する

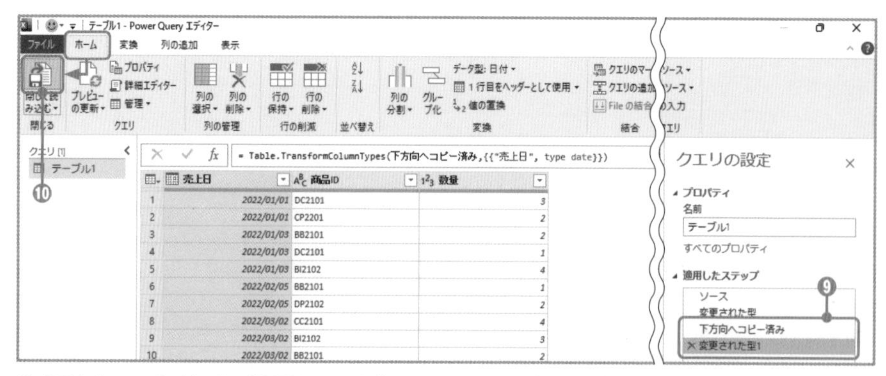

❾［下方向へコピー済み］、［変更された型1］の2つのステップが追加されたことを確認
❿［ホーム］タブ→［閉じて読み込む］をクリックしてワークシートに出力する

別表のデータを参照して表示する

売上テーブルにある商品コードをキーにして、別表に用意されている商品マスターテーブルから商品名と単価を表示したい場合、ワークシート関数ではVLOOKUP関数を使います。Power Queryでは、**2つのテーブルのクエリを作成し、それらを1つにまとめる**「**クエリのマージ**」という機能を使うことで、別表を参照してデータを表示することができます。

[クエリのマージ]を使って商品IDから商品名と単価を表示する

ここでは、同じシート内にある[売上T]テーブルと[商品T]テーブルを使い、[売上T]テーブルの[商品ID]をキーにして、[商品T]テーブルにある[商品名]と[単価]を参照したテーブルを新規作成する手順を例に「クエリのマージ」の手順を紹介します。(Sample ➡04-14-01.xlsx)

☑ 2つのテーブルの接続専用のクエリを作成する

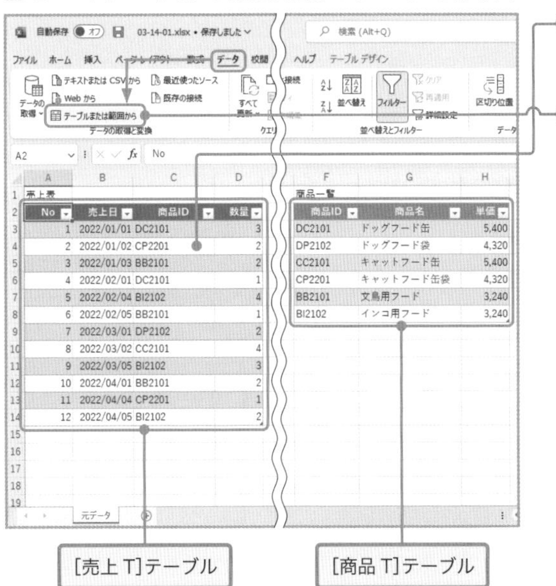

❶ [売上T] テーブル内でクリック

❷ [データ] タブ→ [テーブルまたは範囲から] をクリック

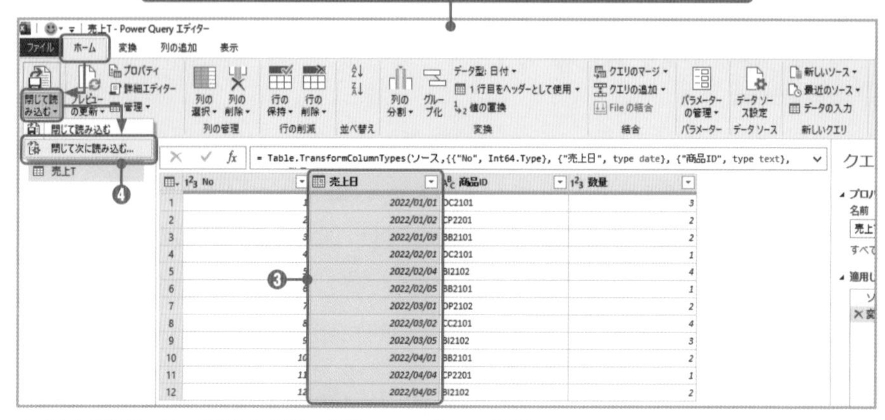

❸ [売上日] 列のデータ型を日付型に変更しておく(p.104参照)。

❹ [ホーム] タブ→ [閉じて読み込む] の [▼] → [閉じて次に読み込む] をクリック

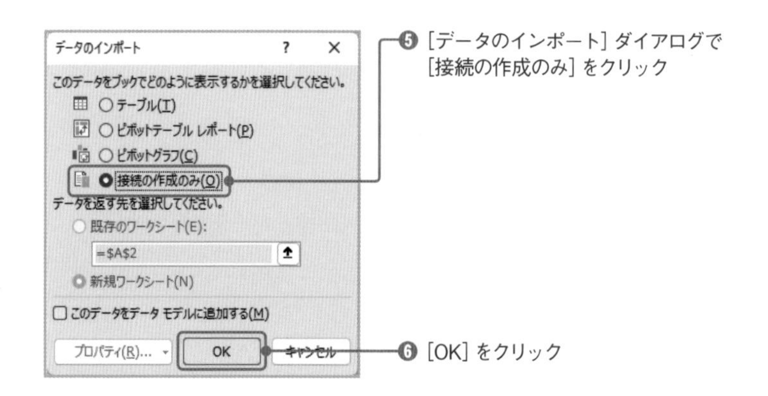

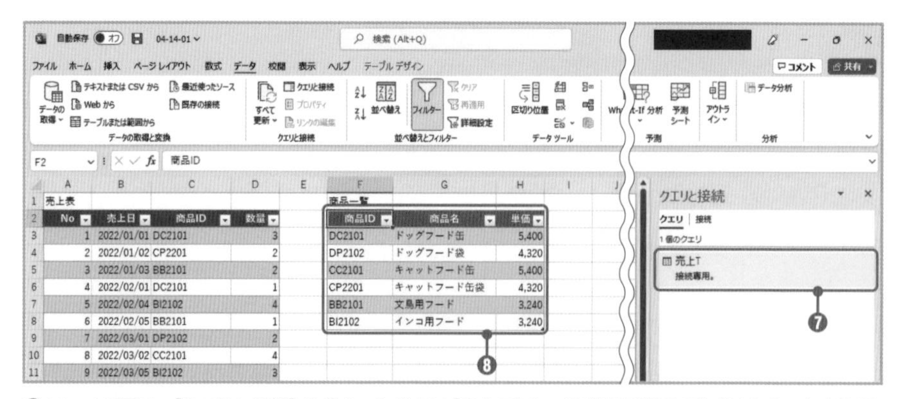

❼ Excelに戻り、[クエリと接続] 作業ウィンドウに [売上T] クエリが接続専用で作成されたことを確認

❽ [商品T] テーブル内でクリックし、同じ手順で [商品T] テーブルの接続専用のクエリを作成

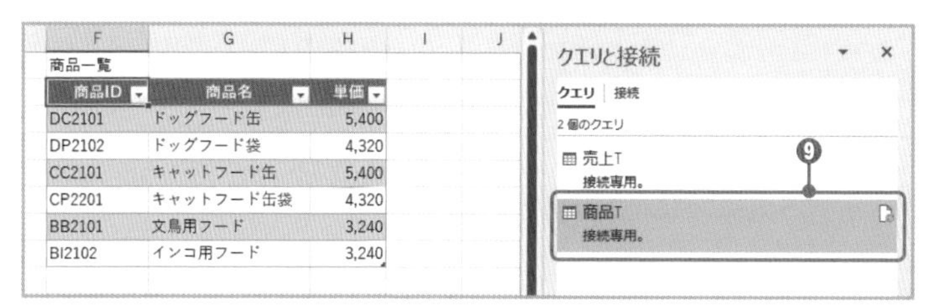

⑨ [商品T] クエリが接続専用で作成されたら、[商品T] をダブルクリックしてPower Queryエディターを起動する

☑クエリをマージする

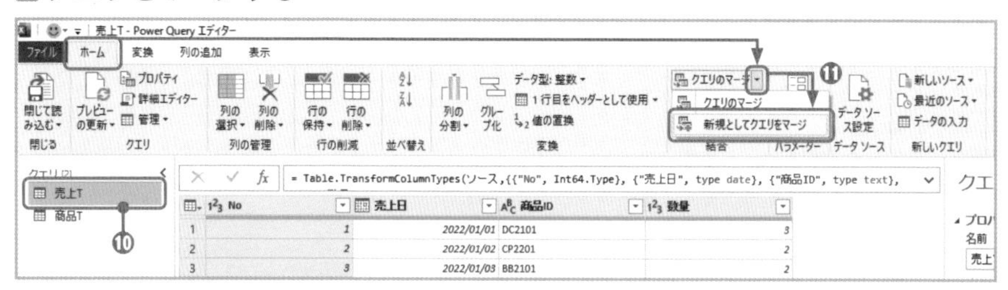

⑩ [クエリ] ペインで [売上T] をクリック

⑪ [ホーム] タブ→ [クエリのマージ] の [▼] → [新規としてクエリをマージ] をクリック

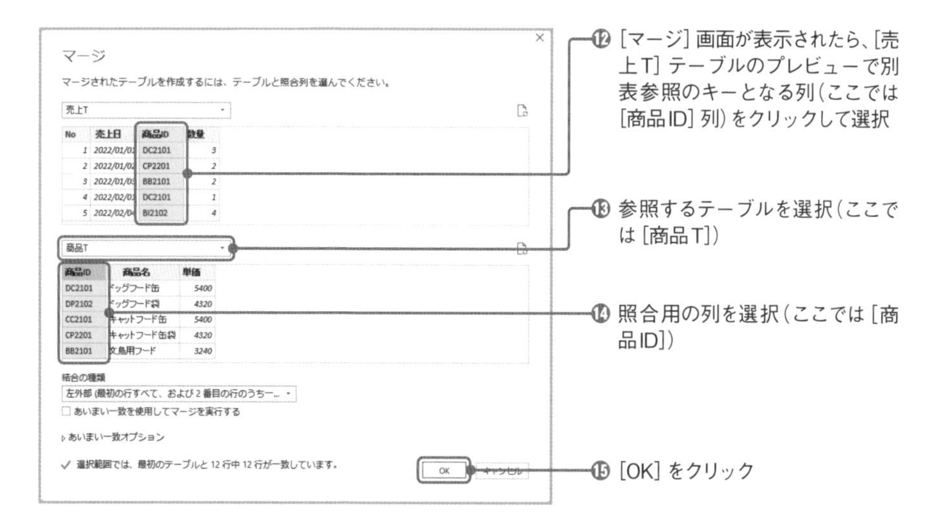

⑫ [マージ] 画面が表示されたら、[売上T] テーブルのプレビューで別表参照のキーとなる列(ここでは [商品ID] 列) をクリックして選択

⑬ 参照するテーブルを選択(ここでは [商品T])

⑭ 照合用の列を選択(ここでは [商品ID])

⑮ [OK] をクリック

新規クエリ[マージ1]が作成され、2つのクエリ([売上T]クエリと[商品T]クエリ)がマージ(結合)され、[売上T]テーブルに[商品T]列が追加された

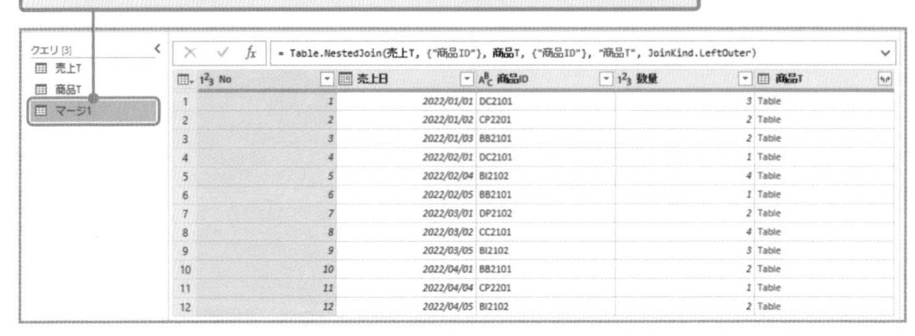

⑯ [商品T] 列の [ ] をクリック

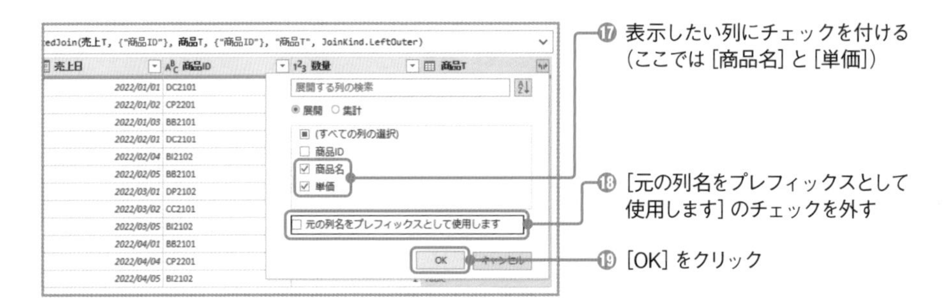

Memo

手順⑱で[元の列名をプレフィックスとして使用します]にチェックを付けておくと、「商品T.商品名」のようにテーブル名と項目名が列見出しに表示されます。

[商品名]列と[単価]列が表示された

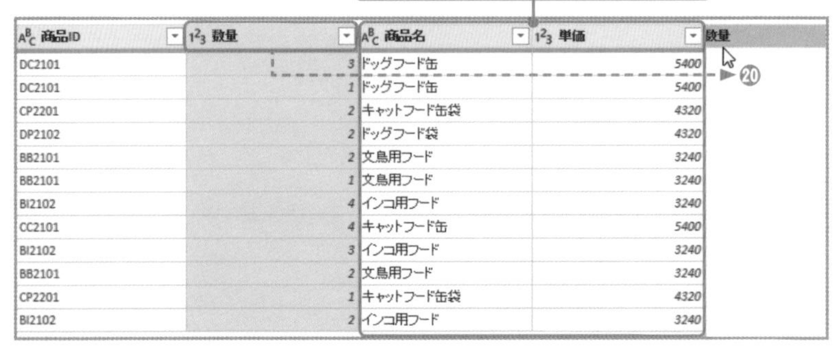

⑳ [数量] 列の列見出しを右端までドラッグして移動する

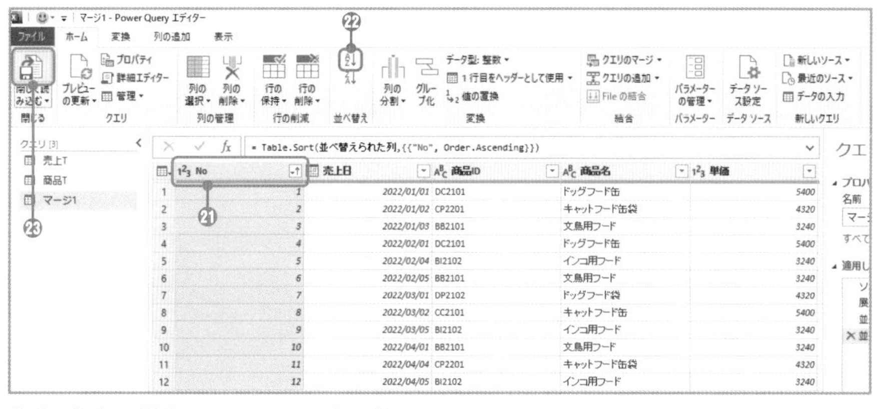

㉑ [NO] 列の列見出しをクリックして列を選択

㉒ [ホーム] タブ→ [昇順] をクリックしてNO順に並べ替える

㉓ [ホーム] タブ→ [閉じて読み込む] をクリック

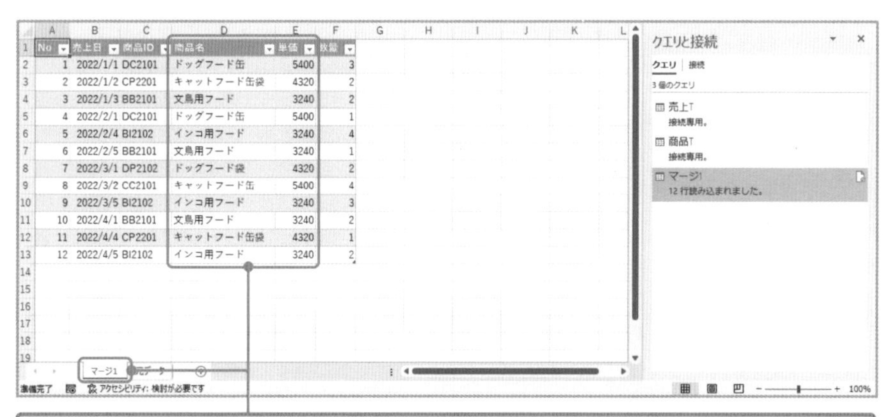

新規ワークシート（ここでは [マージ1]）が追加され、[売上 T] テーブルの [商品 ID] に対応する [商品 T]テーブルの [商品名]と [単価]が表示されたテーブルが作成された

複数のテーブルを1つのテーブルにまとめる

複数のテーブルのデータを1つのテーブルにまとめるには、Power Queryの[クエリの追加]を使います。**[クエリの追加]は、テーブルの列見出しが同じものでまとめます。**

[クエリの追加]で複数テーブルを縦に結合する

ここでは、ブック内にある[売上1月]シートの[売上1]テーブル、[売上2月]シートの[売上2]テーブル、[売上3月]シートの[売上3]テーブルを1つにまとめます。まず、[売上1]テーブル、[売上2]テーブル、[売上3]テーブルをPower Queryに取り込み、それぞれ接続専用のクエリを作成しておき、最後に1つの表にまとめてワークシートに出力します。一連の手順を確認してください。
(Sample ➡04-15-01.xlsx)

● ブック内にあるテーブルをまとめる

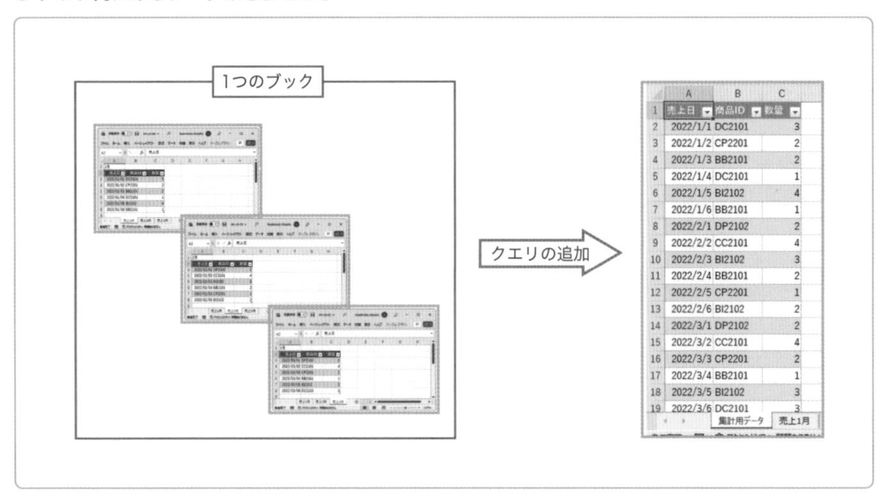

	A	B	C
1	売上日	商品ID	数量
2	2022/1/1	DC2101	3
3	2022/1/2	CP2201	2
4	2022/1/3	BB2101	2
5	2022/1/4	DC2101	1
6	2022/1/5	BI2102	4
7	2022/1/6	BB2101	1
8	2022/2/1	DP2102	2
9	2022/2/2	CC2101	4
10	2022/2/3	BI2102	3
11	2022/2/4	BB2101	2
12	2022/2/5	CP2201	1
13	2022/2/6	BI2102	2
14	2022/3/1	DP2102	2
15	2022/3/2	CC2101	4
16	2022/3/3	CP2201	2
17	2022/3/4	BB2101	1
18	2022/3/5	BI2102	3
19	2022/3/6	DC2101	3

☑各テーブルの接続専用のクエリを作成する

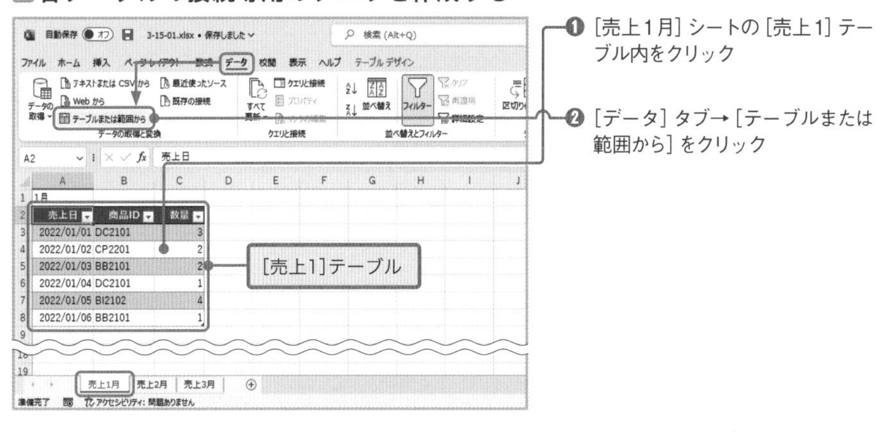

Memo

異なるブックにあるテーブルをまとめる場合は、[データ]タブ→ [データの取得]→ [ファイルから]→ [Excel ブックから]をクリックし、ブックから取り込む手順を使って接続専用のクエリを作成します。

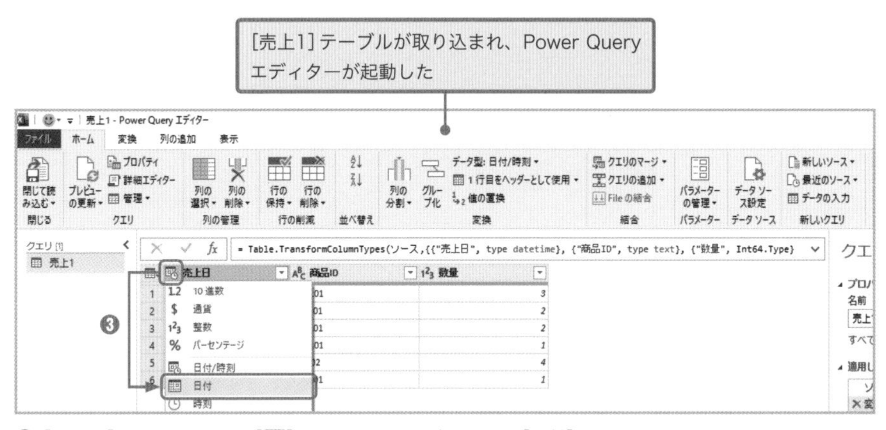

❸ [売上日] 列の列見出しの [日付/時刻アイコン] をクリックし、データ型の [日付] をクリック

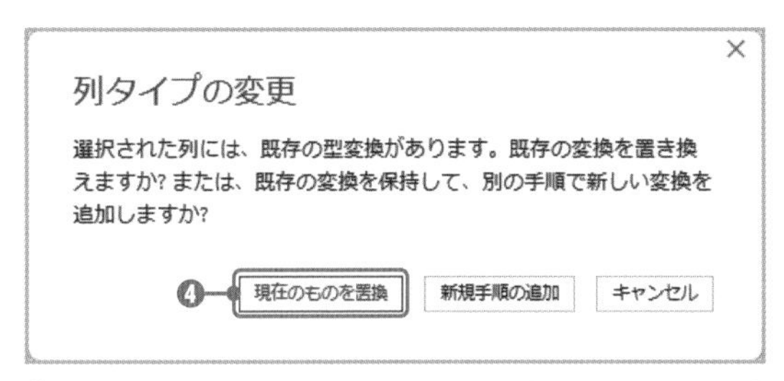

❹ [列タイプの変更] 画面が表示されたら [現在のものを置換] をクリック

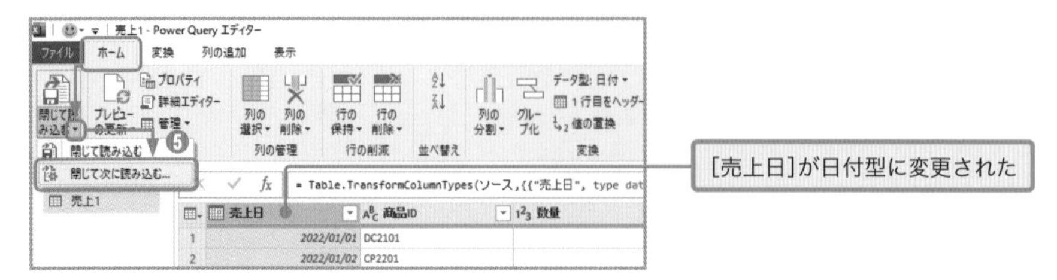

❺ 接続専用にするので、[ホーム] タブ→ [閉じて読み込む] の [▼] → [閉じて次に読み込む] をクリック

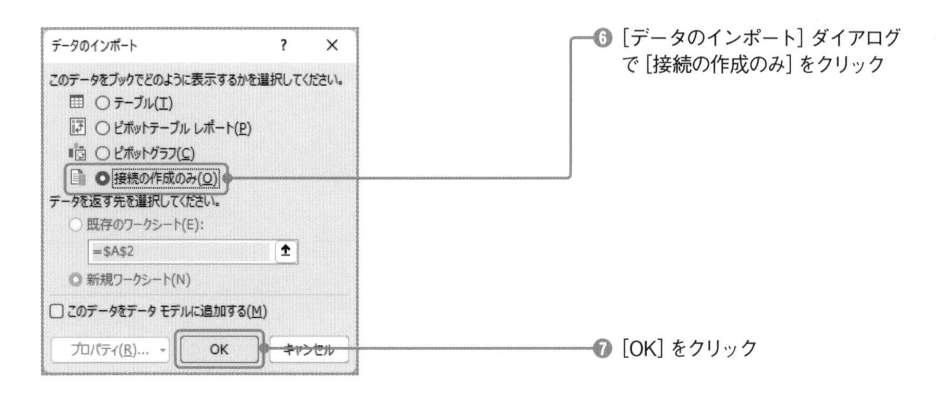

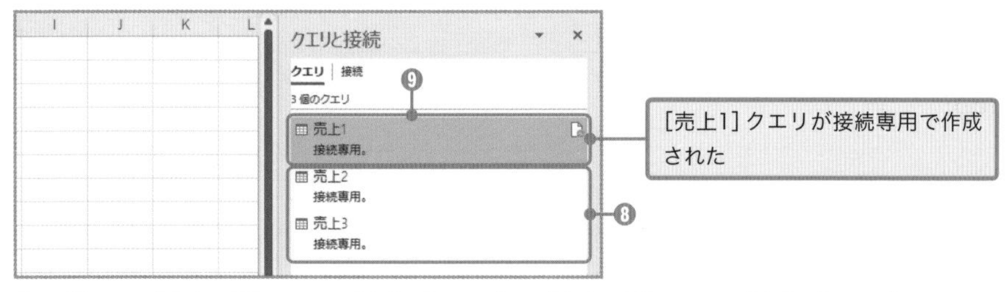

❽ 同様にして [売上２月] シートの [売上2] テーブル、[売上３月] シートの [売上3] テーブルについても接続専用のクエリを作成する

❾ いずれかのクエリ名をダブルクリックしてPower Queryエディターを起動する

Memo

間違えて新規シートに出力した場合は、追加されたシートを削除してください。クエリは自動的に接続専用になります。

☑テーブルをまとめるクエリを追加する

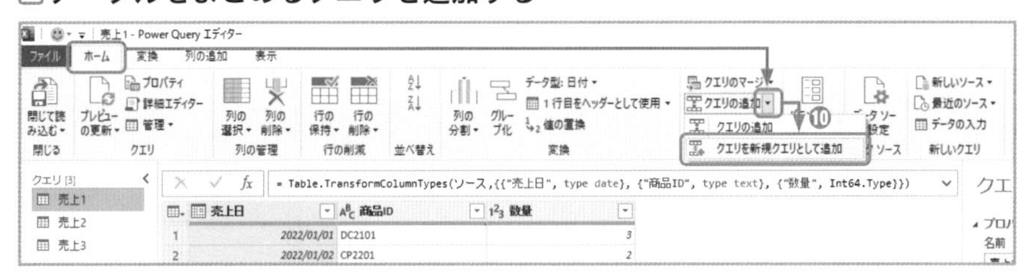

⑩ [ホーム] タブ→ [クエリの追加] の [▼] → [クエリを新規クエリとして追加] をクリック

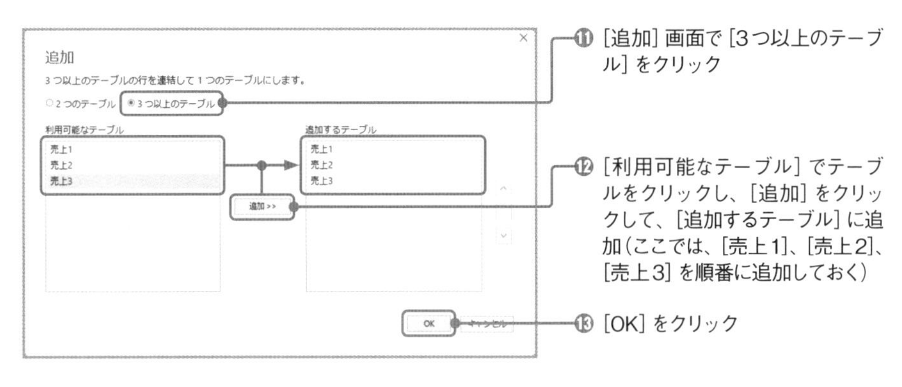

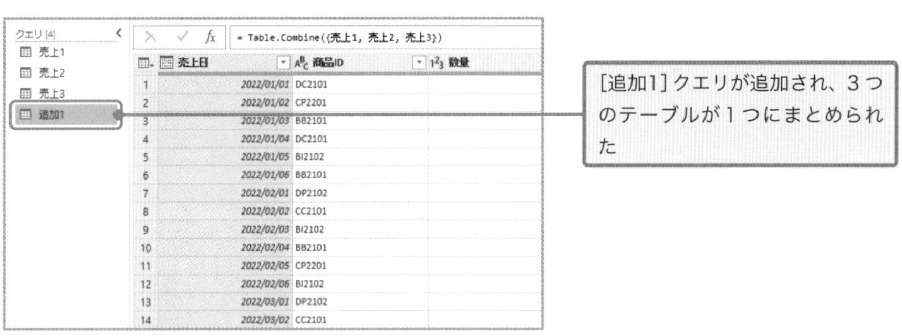

⑭ クエリ名を「集計用データ」に変更する

⑮ [ホーム] タブ→ [閉じて読み込む] をクリックしてテーブルに出力する

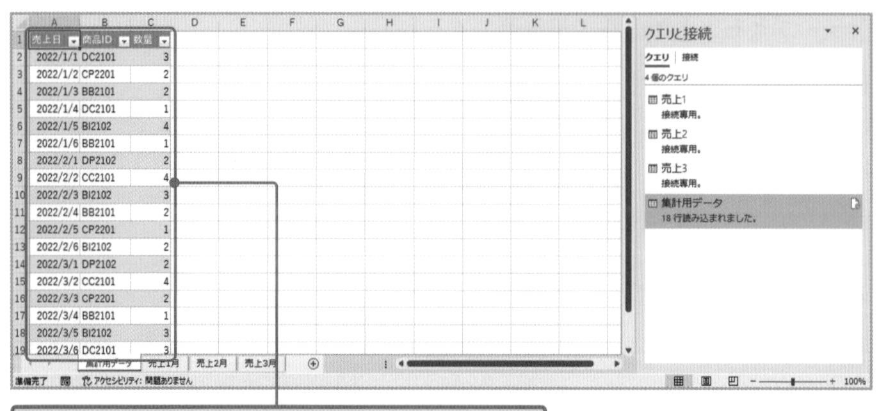

新規シート［集計用データ］に［売上1］、［売上2］、［売上3］が1つのテーブルにまとめられ出力された

別ブックにある複数の表を1つにまとめる

別ブックの各シートに作成されている表を1つにまとめる手順を確認しましょう。取り込む表がテーブル形式でない場合は、取り込み後に整形が必要です。Power Query エディターを使えば、手間のかかる整形を簡単に自動化できます。

ここでは、新規 Excel ブックを開き、別ブック（04-15-02.xlsx）の3つのワークシートに同じ形式で作成されたテーブルではない表を取り込み、整形して1つにまとめる手順を紹介します。

（Sample ➡04-15-02.xlsx）

☑別ブックにあるワークシートを取り込む

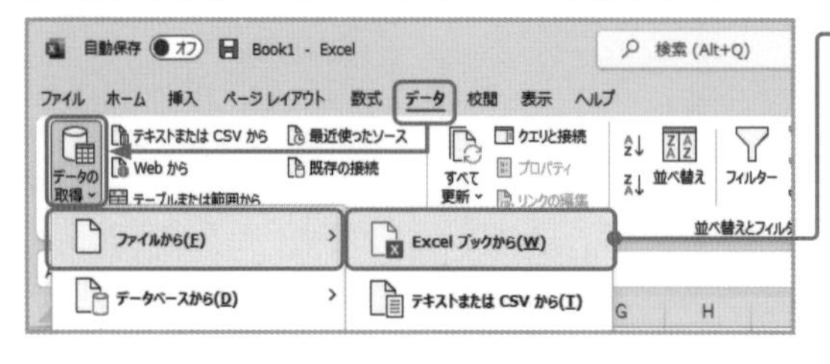

❶ 新規ブックを開き、［データ］タブ→［データの取得］→［ファイルから］→［Excel ブックから］をクリック

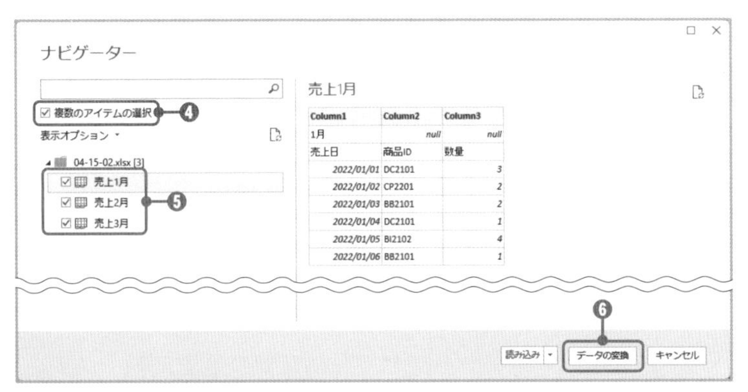

❹ [ナビゲーター] 画面で [複数のアイテムの選択] にチェックを付ける
❺ [売上1月]、[売上2月]、[売上3月] シートのチェックボックスにチェックを付ける
❻ [データの変換] をクリック

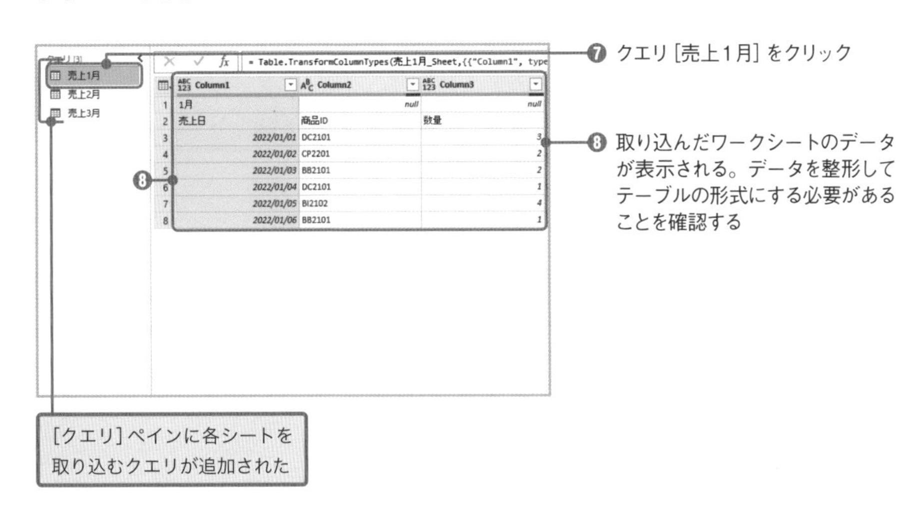

☑フィルターを使って「null」値がある行を取り除く

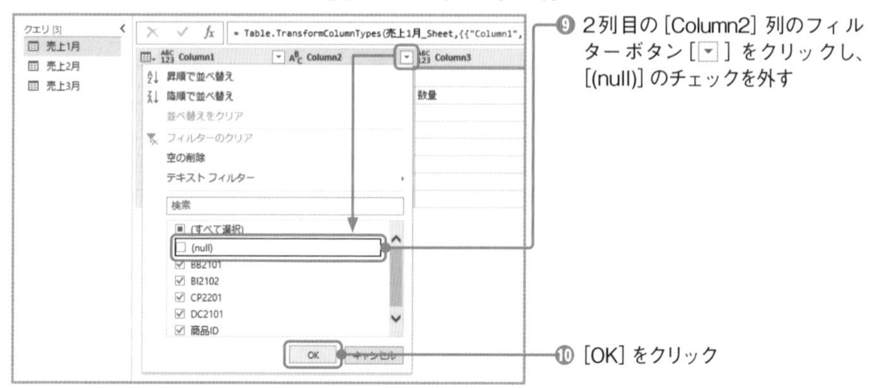

☑1 行目を列見出しに変更する

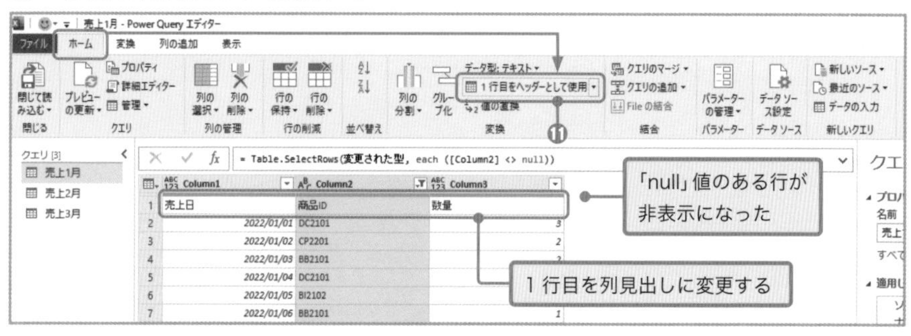

⓫［ホーム］タブ→［1行目をヘッダーとして使用］をクリック

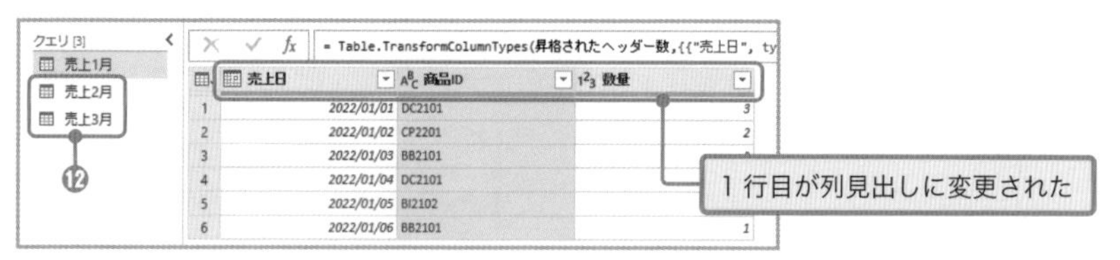

⓬ クエリ［売上２月］、［売上３月］も同様にして表を整えておく

☑テーブルをまとめるクエリを追加する

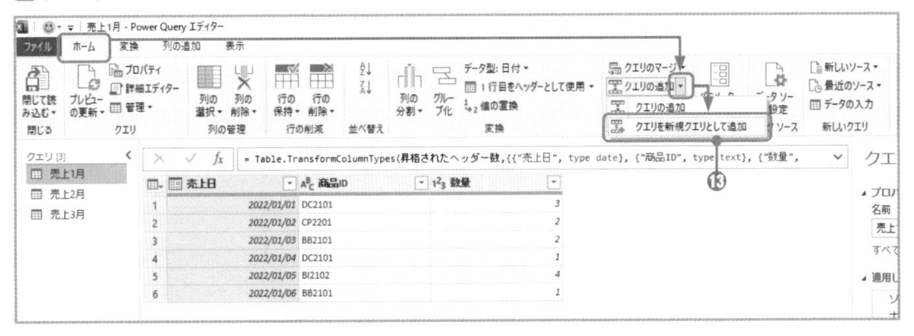

⑬ [ホーム] タブ→ [クエリの追加] の [▼] → [クエリを新規クエリとして追加] をクリック

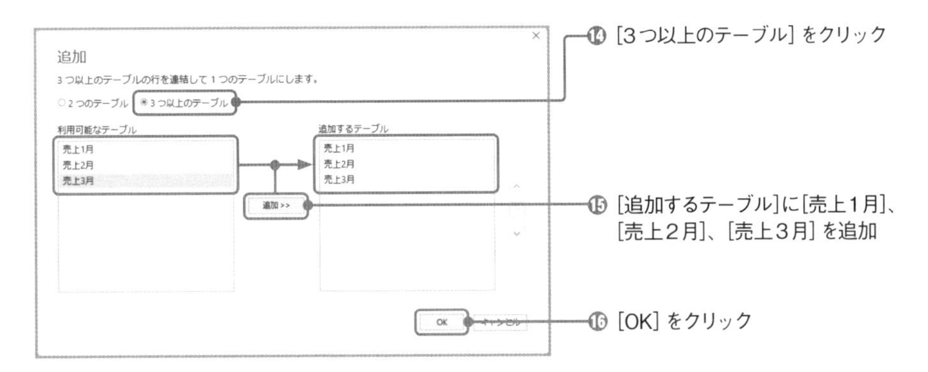

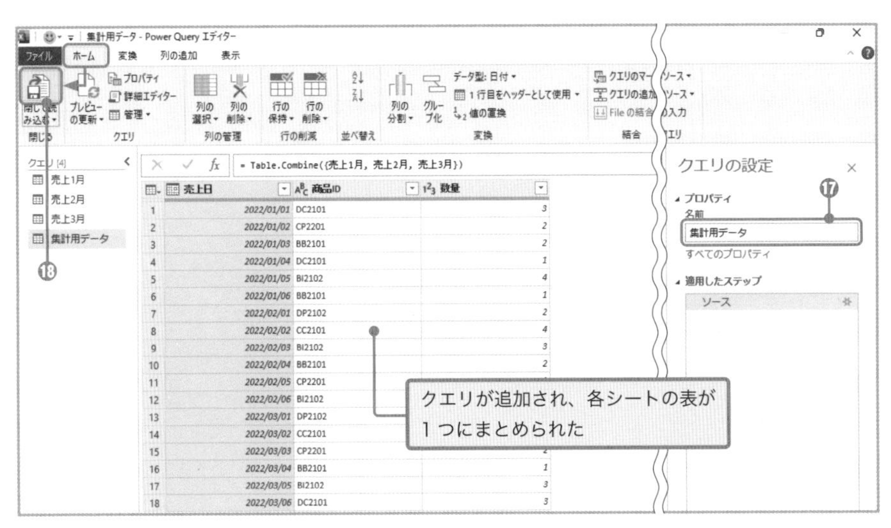

⑰ クエリ名を「集計用データ」に変更しておく

⑱ [ホーム] タブ→ [閉じて読み込む] をクリック

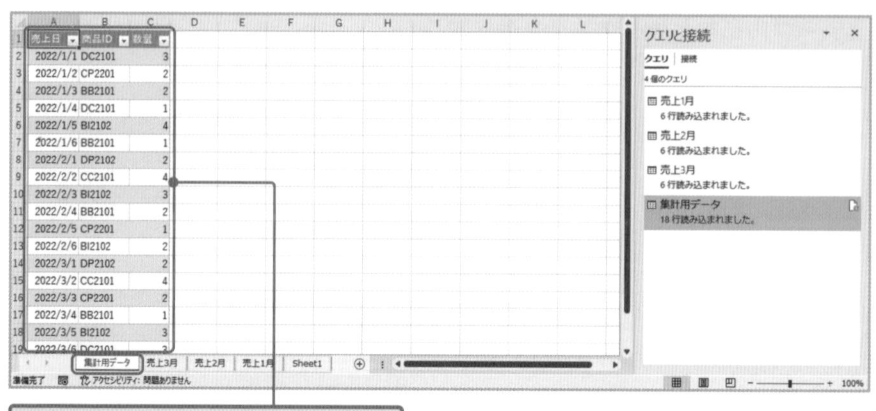

売上日	商品ID	数量
2022/1/1	DC2101	3
2022/1/2	CP2201	2
2022/1/3	BB2101	2
2022/1/4	DC2101	1
2022/1/5	BI2102	4
2022/1/6	BB2101	1
2022/2/1	DP2102	2
2022/2/2	CC2101	4
2022/2/3	BI2102	3
2022/2/4	BB2101	2
2022/2/5	CP2201	1
2022/2/6	BI2102	2
2022/3/1	DP2102	2
2022/3/2	CC2101	4
2022/3/3	CP2201	2
2022/3/4	BB2101	1
2022/3/5	BI2102	3
2022/3/6	DC2101	3

各クエリが実行され、新規ワークシートにテーブルが追加された

Memo

シート［売上1月］、［売上2月］、［売上3月］が不要な場合は、シート見出しを右クリックし、［削除］をクリックしてシートを削除します。シートを削除すると、クエリの出力先が［接続専用］に変更されます。

Column

列見出しが異なるテーブルを1つのテーブルにまとめる

［クエリの追加］機能を使って複数のテーブルを1つにまとめる場合、項目名が同じ列で1つにまとめます。そのため、下図のように項目名が異なる場合は、テーブルをまとめると［売上日］と［日付］が異なる列になります。（Sample ➡04-15-03.xlsx）

ここでは、日付列の列見出しが［売上日］と［日付］で異なっている

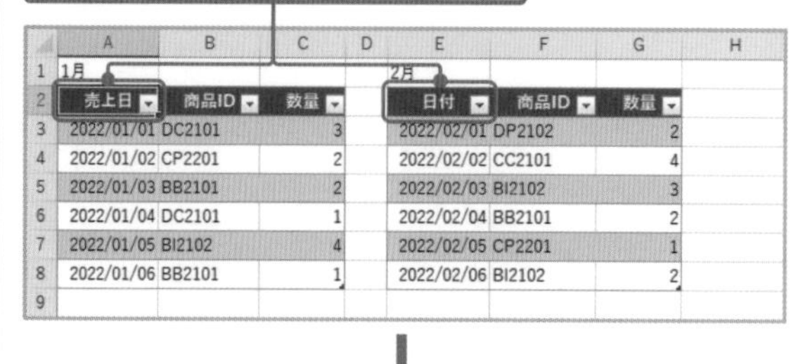

1月

売上日	商品ID	数量
2022/01/01	DC2101	3
2022/01/02	CP2201	2
2022/01/03	BB2101	2
2022/01/04	DC2101	1
2022/01/05	BI2102	4
2022/01/06	BB2101	1

2月

日付	商品ID	数量
2022/02/01	DP2102	2
2022/02/02	CC2101	4
2022/02/03	BI2102	3
2022/02/04	BB2101	2
2022/02/05	CP2201	1
2022/02/06	BI2102	2

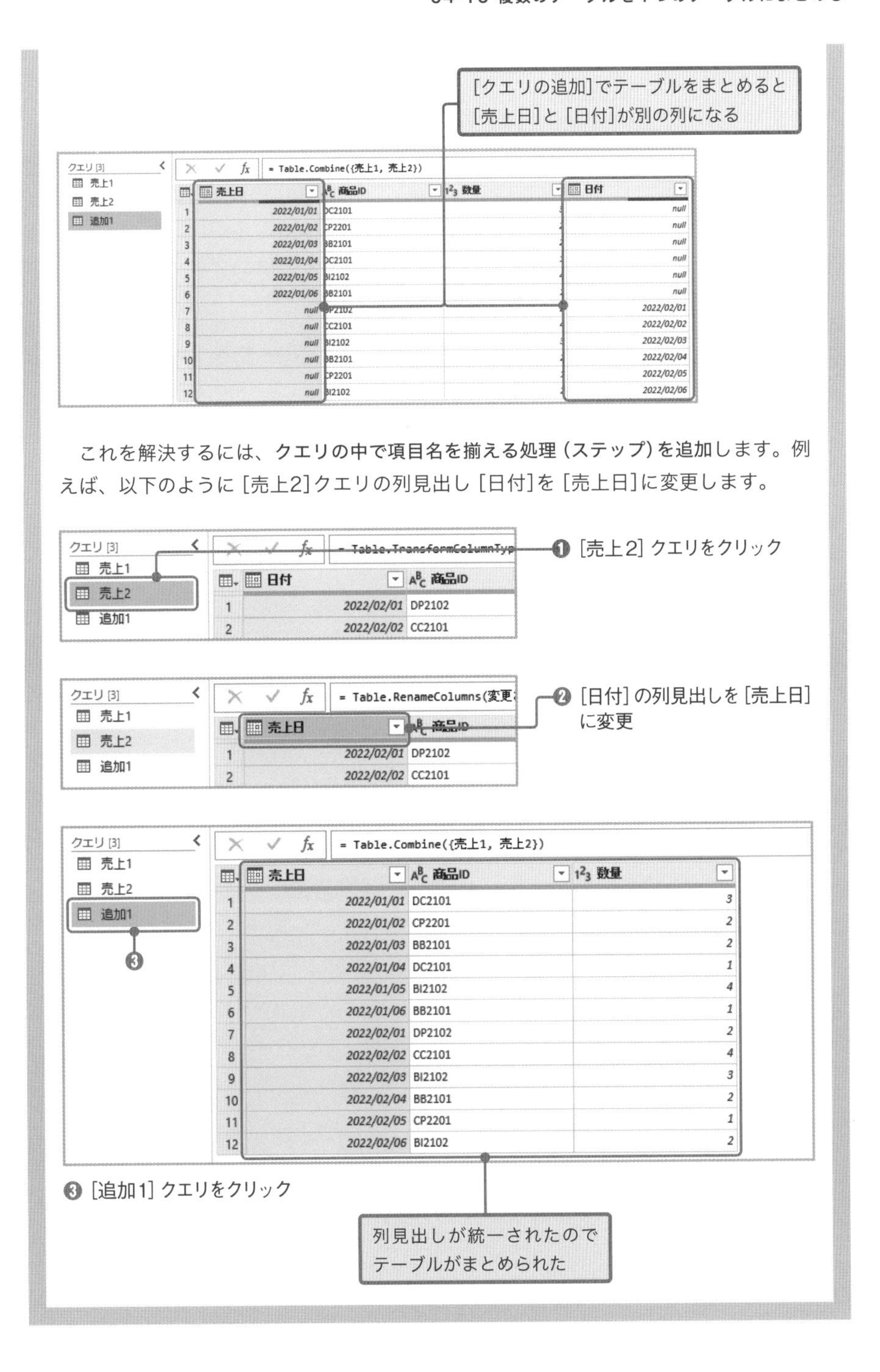

これを解決するには、クエリの中で項目名を揃える処理(ステップ)を追加します。例えば、以下のように[売上2]クエリの列見出し[日付]を[売上日]に変更します。

❸ [追加1] クエリをクリック

[売上] フォルダー内にある月別売上ブックのデータを1つにまとめる

フォルダー内にあるすべてのブックに全く同じ形式の表が用意されている場合、[File の結合]を使って簡単に1 つのテーブルにまとめることができます。

[File の結合]でフォルダー内のファイルのデータを1 つにまとめる

ここでは[売上]フォルダーの中にあるブック[1 月売上 .xlsx]、[2 月売上 .xlsx]、[3 月売上 .xlsx]のシート[Sheet1]に同じ形式で売上表が作成されています。これを Power Query エディターで1 つのテーブルにまとめます。

● フォルダー内にあるブックのデータをまとめる

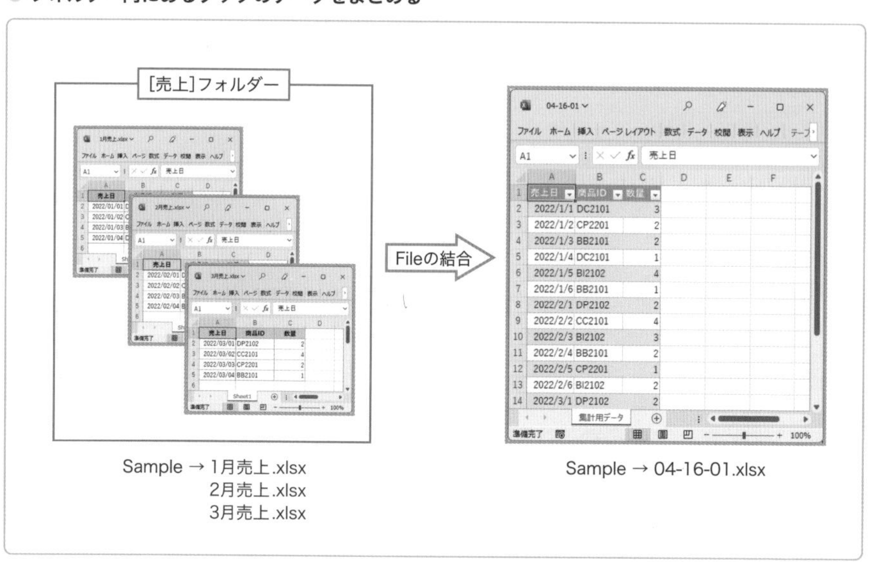

Sample → 1月売上.xlsx
2月売上.xlsx
3月売上.xlsx

Sample → 04-16-01.xlsx

❶ 新規ブックを開き、[データ] タブ→[データの取得]→[ファイルから]→[フォルダーから] をクリック
❷ [参照] ダイアログでブックが保存されているフォルダー(ここでは[売上] フォルダー)を選択
❸ [開く] をクリック
❹ 取り込むファイル一覧を確認
❺ [結合]→[データの結合と変換] をクリック

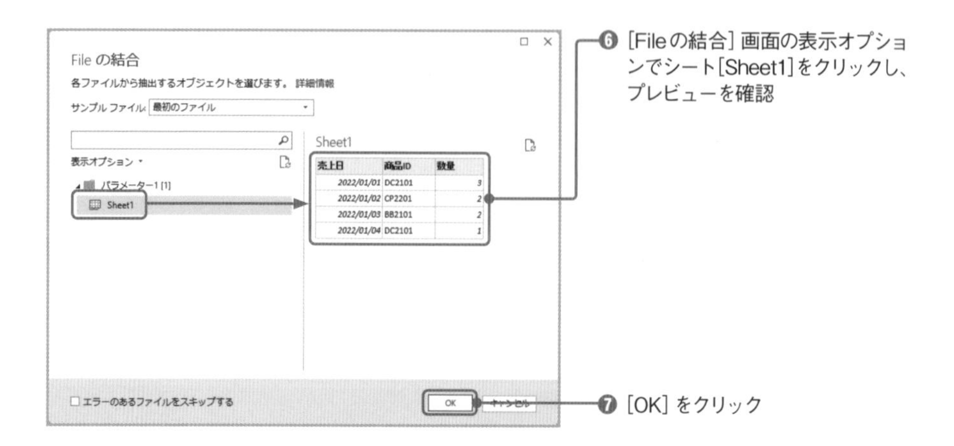

Memo

同じシート名で結合されるので、シート名が異なる場合は、エラーになります。元ブックを開いてシート名を同じ名前に揃えておく必要があります。

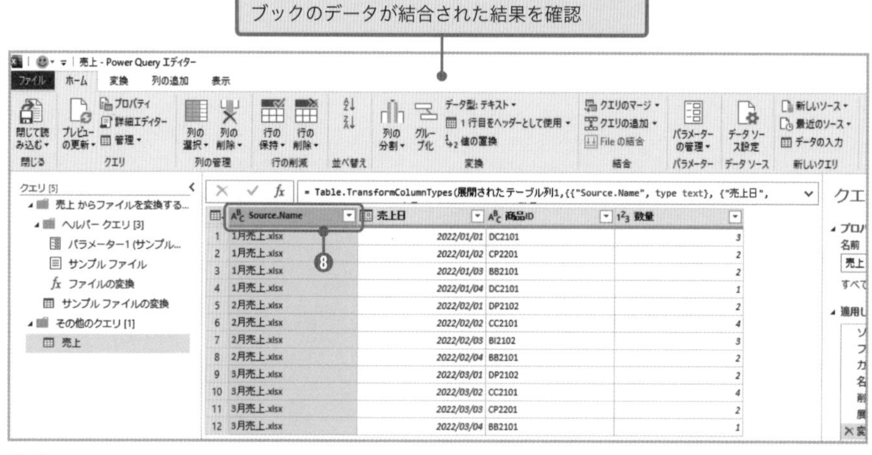

❽ [Source.Name] 列は集計に使わないので、列見出しをクリックして列を選択し Delete キーを押して削除

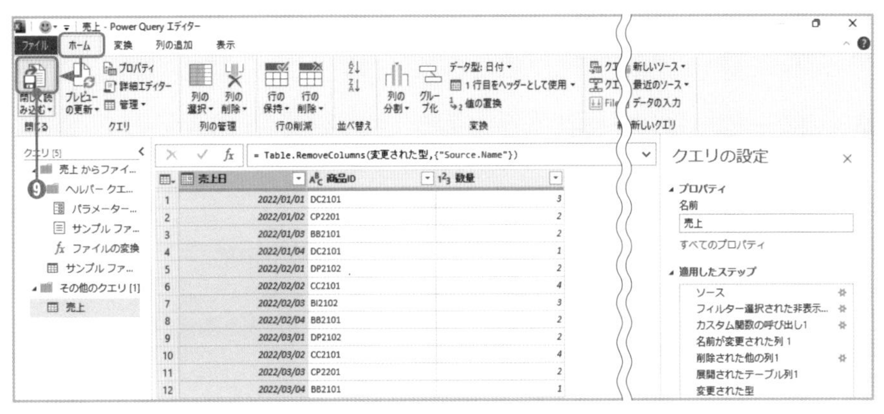

❾ [ホーム] タブ→ [閉じて読み込む] をクリックしてワークシートに書き出す

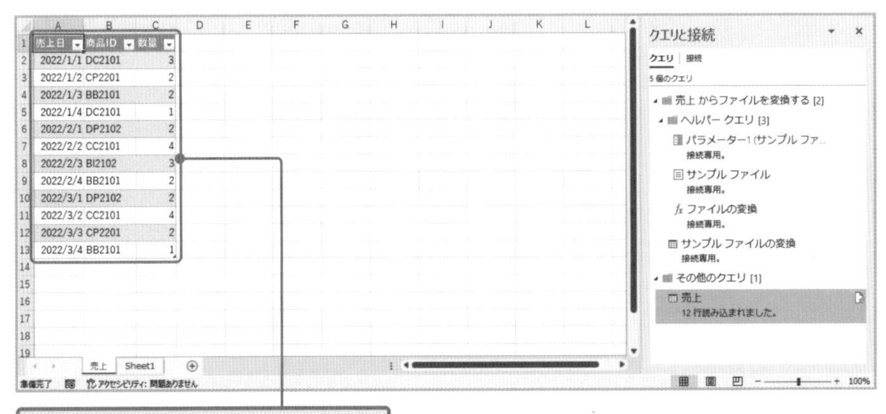

3つのブックのデータが1つのテーブルにまとめられた

Memo

[クエリと接続]作業ウィンドウの[売上]クエリの[ ]をクリックすると最新のデータに更新されます。

Column

上部や下部、データの間にある空白行など不要な行を削除する

複数のブックのデータを1つにまとめたい場合、取り込み元のブックのデータがテーブルの場合や、1行目から表が作成されている場合はスムーズにまとめることができます。

しかし、取り込み元のデータには、1行目にタイトル、2行目は空白行があり、3

行目から表が作成されているというケースもよくあります。このような場合、[Fileの結合] でデータをまとめると、テーブルの中にタイトルや空白行、項目名が混在してしまいます。その場合も今まで紹介した機能を使って整形することができます。
ここではサンプルファイルの [売上 _ 要整形] フォルダー内にあるファイルのデータをまとめて整形する手順を例に説明します。

☑ [上位の行の削除] で上部にある不要行をまとめて削除

新規ブックを開き、取り込み元のフォルダーを [売上 _ 要整形] にして、p.157 の手順❶から手順❽まで操作しておきます。はじめに、一番上の2 行を削除します。

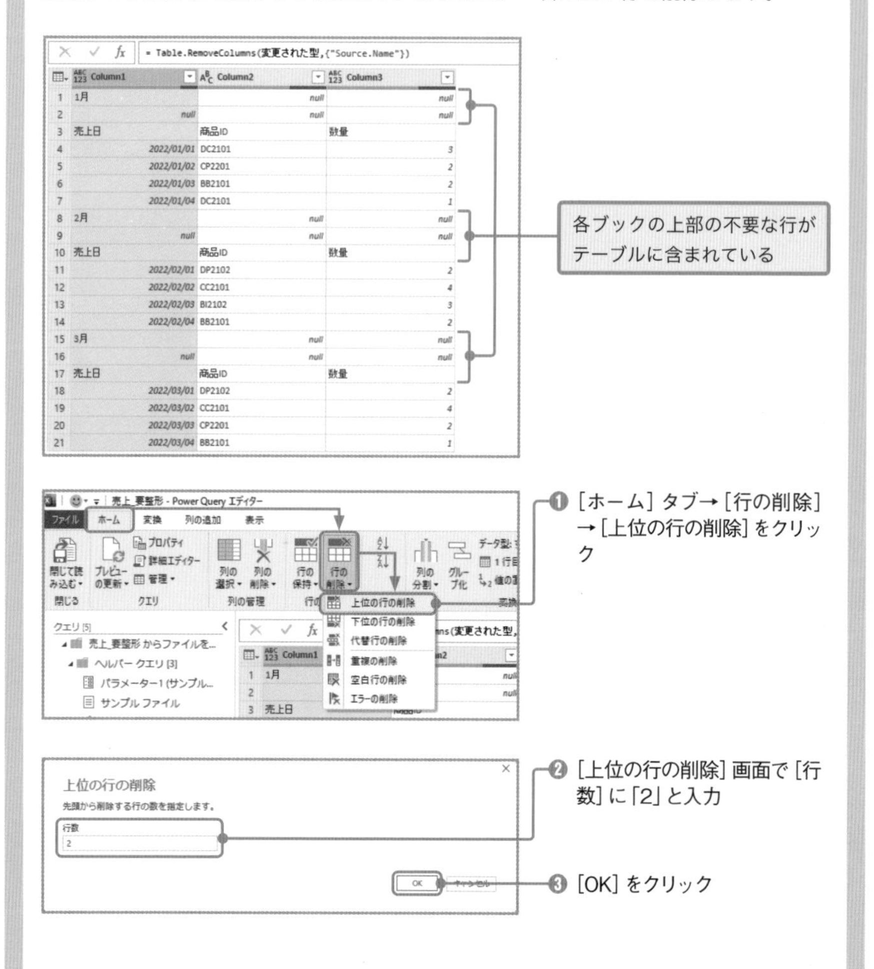

☑[１行目をヘッダーとして使用]で１行目を列見出しに取り込む

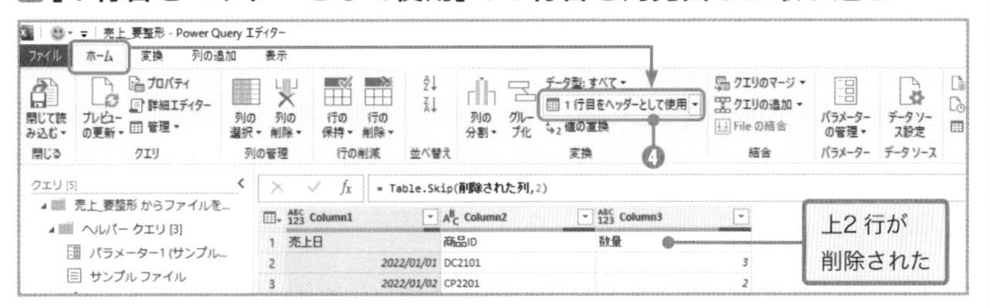

❹ [ホーム] タブ→ [1行目をヘッダーとして使用] をクリック

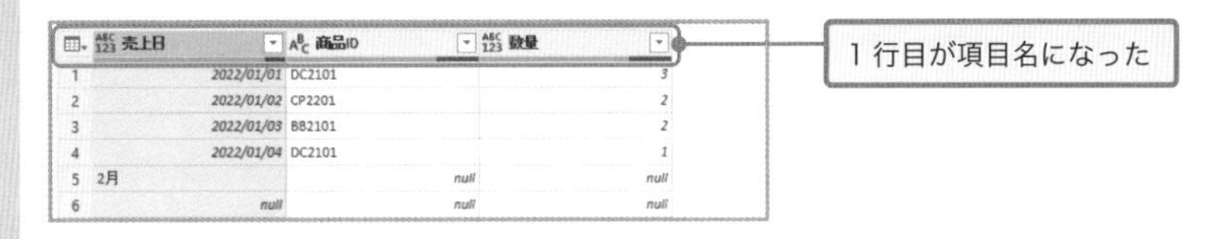

☑フィルターを使って「null」値など特定の値のある行を削除する

「null」値の行と項目名が表示されている行を非表示にします。

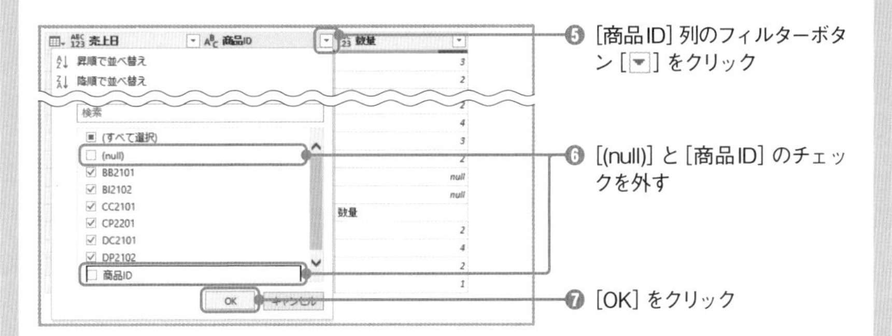

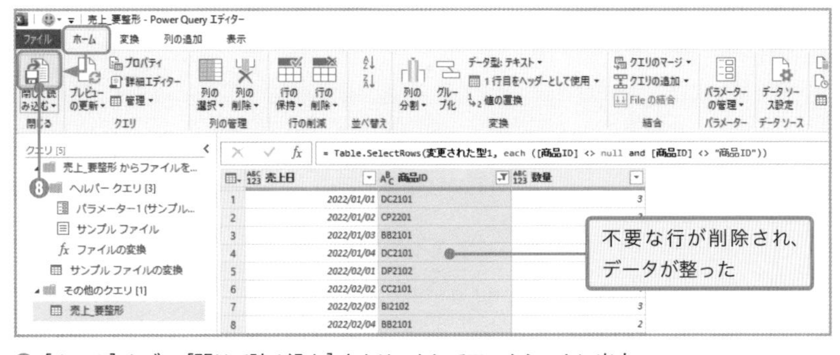

❽ [ホーム] タブ→ [閉じて読み込む] をクリックしてワークシートに出力

取り込み元ファイルの名前や保存場所が変更になった場合の対処法

別ファイルにあるデータを取り込む場合、取り込み元のファイルの保存場所が変わったり、ファイル名が変更されたりすると正しく参照できなくなるため、エラーになります。解決するには、Power Query エディターの [適用したステップ] 欄の一番上にある [ソース] をダブルクリックして編集用画面を表示し、正しいファイルを選択し直します。

Power Query エディターを起動すると、取り込み元のファイルに接続できないため、エラーになる

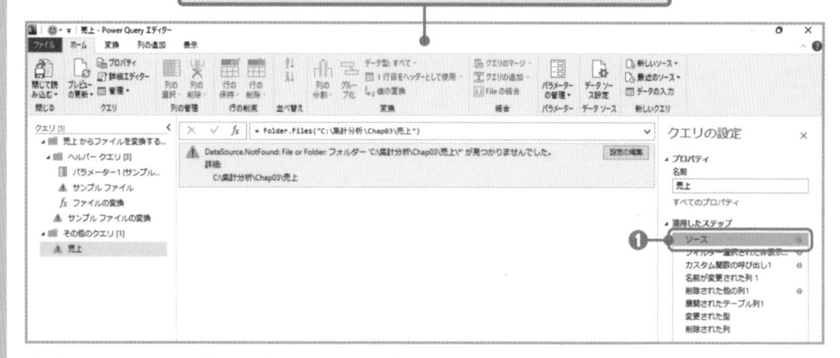

❶ [適用したステップ] 欄の [ソース] をダブルクリックするか、右端にある [⚙] をクリック

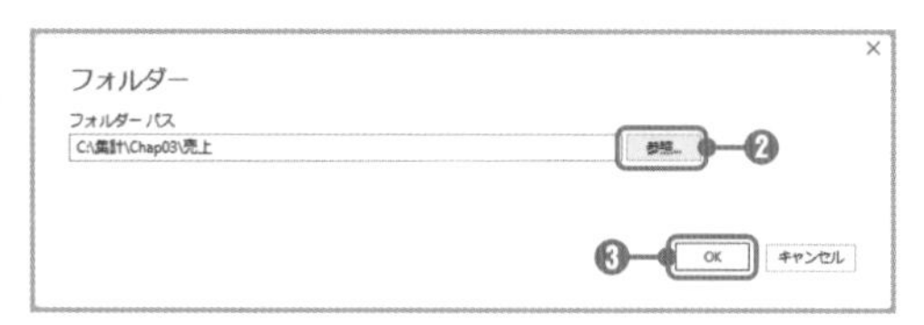

❷ [参照] をクリックし、表示される [データの取り込み] ダイアログで正しいファイルを選択し直す

❸ [OK] をクリック

Chapter

05

関数を使った データの集計と分析

２章ではデータを整形するための関数を紹介しましたが、Excelにはデータを集計するための関数も多く用意されています。ここでは、関数を使ってテーブル内のデータを集計する方法をいくつか紹介します。テーブル内のセルや列を数式で使用する場合、構造化参照となります。ここで、構造化参照に慣れておきましょう。

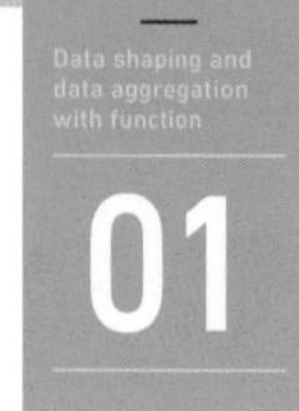

合計、平均、データ件数を求める

テーブルに［価格］列や［金額］列など、数値の列がある場合、列単位で合計や平均を求めることができます。列内のデータ数を調べて件数を求めることもできます。

SUM関数で合計を求める

SUM関数を使うと**数値が入力された列の合計を求める**ことができます。データがテーブルで集められている場合は、合計範囲は構造化参照となるため（p.30）、データの増減に関係なく正確に合計を求めることができます。
（Sample ➡05-01-01.xlsx）

書式　**SUM**

=SUM（サム）(数値1, [数値2], …)

[数値]で指定した数値やセル範囲内の数値を合計する。

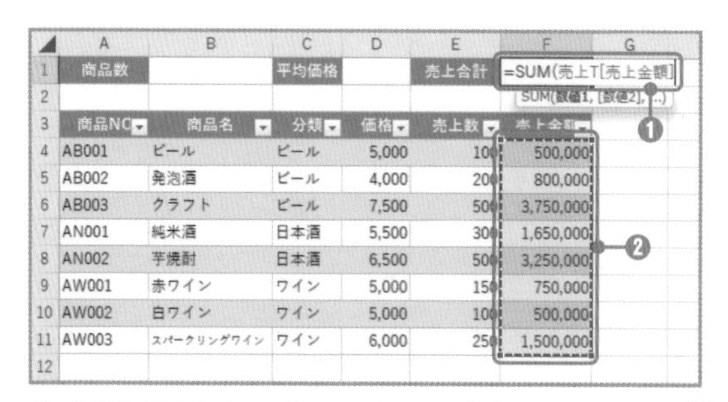

	A	B	C	D	E	F	G
1	商品数		平均価格		売上合計	=SUM(売上T[売上金額]	
2						SUM(数値1, [数値2], ...)	
3	商品NO	商品名	分類	価格	売上数	売上金額	
4	AB001	ビール	ビール	5,000	100	500,000	
5	AB002	発泡酒	ビール	4,000	200	800,000	
6	AB003	クラフト	ビール	7,500	500	3,750,000	
7	AN001	純米酒	日本酒	5,500	300	1,650,000	
8	AN002	芋焼酎	日本酒	6,500	500	3,250,000	
9	AW001	赤ワイン	ワイン	5,000	150	750,000	
10	AW002	白ワイン	ワイン	5,000	100	500,000	
11	AW003	スパークリングワイン	ワイン	6,000	250	1,500,000	
12							

❶ 合計を表示するセル（ここではセルF1）をクリックし、まず「=SUM(」と入力
❷ 合計する範囲（ここでは［売上T］テーブルの［売上金額］列）をドラッグして選択すると、構造化参照「テーブル名[列名]」の形式で合計範囲が表示される
❸ Enter キーを押して式を確定

Memo

手順❷で1レコード目をクリックし、Ctrl + Shift + ↓ キーを押すと一気に列全体を選択できます。また、最後の閉じるカッコ「)」を省略しても自動的に補われます。

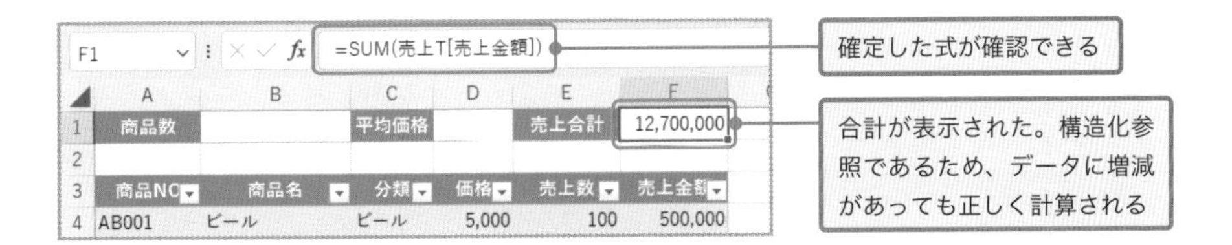

AVERAGE関数で平均値を求める

AVERAGE関数を使うと列内に入力されているデータの平均値を求めることができます。平均値を求めることで、データの傾向を把握するのに役立ちます。なお、データ傾向を調べるその他の関数については、p.176を参照してください。
(Sample ➡05-01-02.xlsx)

書式 AVERAGE

=AVERAGE(アベレージ)(数値1, [数値2], …)

[数値]で指定した数値やセル範囲内の数値の平均値を求める。

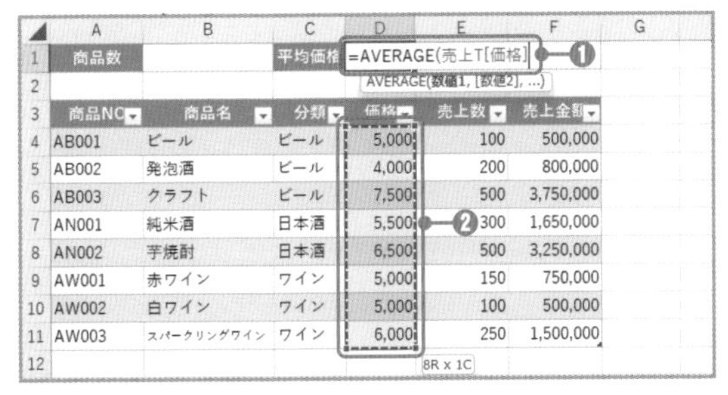

❶ 平均を表示するセル(ここではセルD1)をクリックし、「=AVERAGE(」と入力

❷ 平均値を求める範囲(ここでは[売上T]テーブルの[価格]列)をドラッグして選択すると、構造化参照「テーブル名[列名]」の形式で平均範囲が表示される

❸ Enter キーを押して式を確定

Memo

手順❷で1レコード目をクリックし、Ctrl + Shift + ↓ キーを押すと一気に列全体を選択できます。

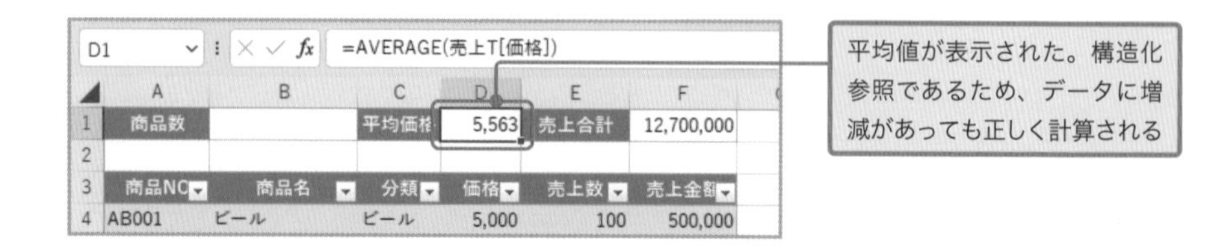

COUNTA関数でデータの個数を求める

COUNTA関数を使うと列内に入力されているデータの個数を求めることができます。データがテーブルにまとめられている場合は、指定範囲は構造化参照となるため(p.30)、データの増減に関係なく正確に個数を求めることができます。(Sample ➡05-01-03.xlsx)

書式 COUNTA

=COUNTA(値1, [値2]…)

[値]で指定した範囲に含まれる空白ではないセルの個数を求める。

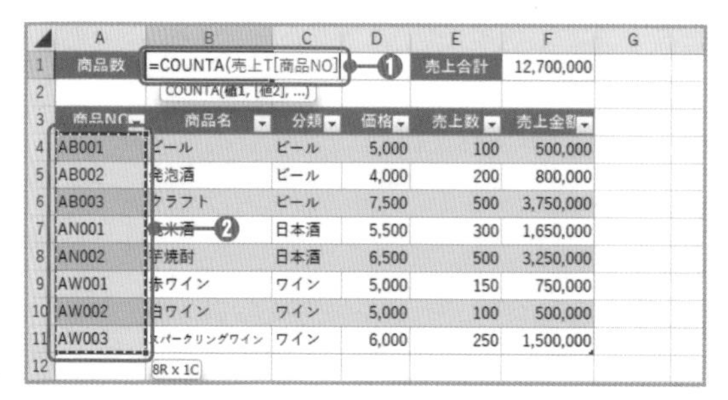

❶ 個数を表示するセル(ここではセルB1)をクリックし、「=COUNTA(」と入力

❷ 個数を数える範囲(ここでは[売上T]テーブルの[商品NO]列)をドラッグして選択すると、構造化参照「テーブル名[列名]」の形式で範囲が表示される

❸ Enter キーを押して式を確定

Memo

手順❷で1レコード目をクリックし、Ctrl+Shift+↓キーを押すと一気に列全体を選択できます。

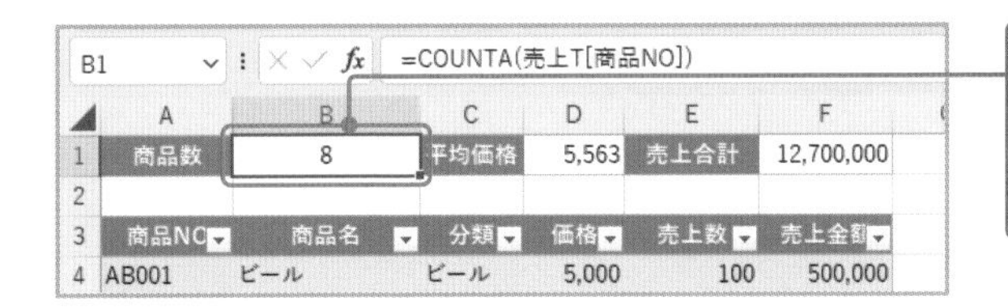

データ個数が表示された。構造化参照であるため、データに増減があっても正しく計算される

Memo

数値や日付データの個数はCOUNT関数、空白セルの個数はCOUNTBLANK関数を使います。書式は、COUNTA関数と同じです。

SUBTOTAL関数で抽出部分の合計を求める

フィルターによりデータが抽出されている表が折りたたまれている場合、表示されている部分だけ合計したい場合は、SUBTOTAL関数が使えます。引数の指定方法によって、合計だけでなく、個数や平均などさまざまな計算ができます。(Sample ➡05-01-04.xlsx)

書式 SUBTOTAL

=SUBTOTAL(集計方法, 参照1, [参照2]…)

[参照]のセル範囲を、指定した[集計方法]で集計する。集計方法を101 ~ 111にすると、非表示の値を含めずに集計する。フィルターにより折りたたまれている場合は、[集計方法]に関わらず表示されているデータで集計される。また、[参照]のセル範囲内にSUBTOTAL関数またはAGGREGATE関数※が使われていれば、そのセルを除外して集計する。

● 集計方法

集計方法		該当する関数	
1	101	AVERAGE	平均値
2	102	COUNT	数値の個数
3	103	COUNTA	データの個数
4	104	MAX	最大値
5	105	MIN	最小値
6	106	PRODUCT	積
7	107	STDEV.S	不偏標準偏差
8	108	STDEV.P	標準偏差
9	109	SUM	合計
10	110	VAR.S	不偏分散
11	111	VAR.P	分散

※ AGGREGATE関数は、SUBTOTAL関数と同様に指定した集計方法で計算する関数ですが、より多くの集計方法やエラー値を無視する設定など、機能が拡張されています。

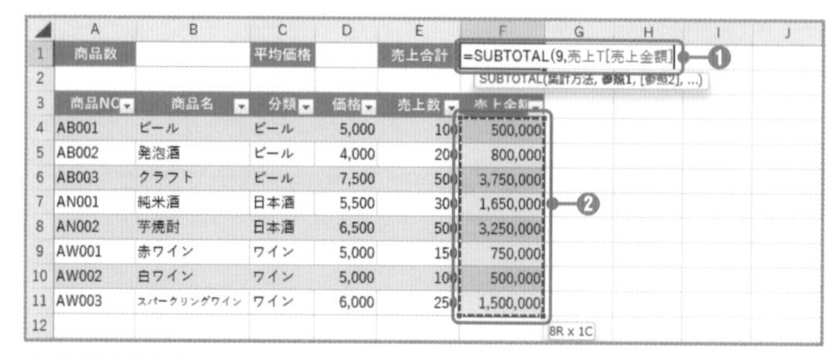

❶ 結果を表示するセル（ここではセルF1）をクリックし、「=SUBTOTAL(9,」と入力（ここでは合計を求めるので第1引数は「9」）

❷ p.164を参考に、合計を求める列（ここでは［売上T］テーブルの［売上金額］列）を選択し、Enterキーを押す

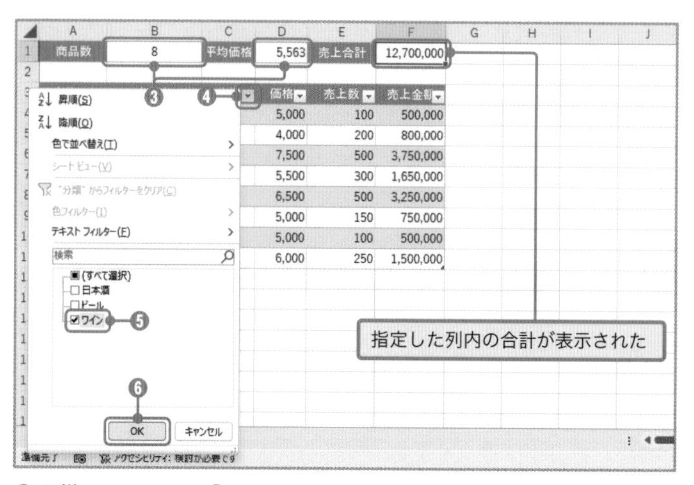

❸ 同様にしてセルB1に「=SUBTOTAL(3,売上T[商品NO])」、セルD1に「=SUBTOTAL(1,売上T[価格])」と入力しておく

❹ ［分類］列のフィルターボタン［▼］をクリック

❺ ［ワイン］にチェックを付ける

❻ ［OK］をクリック

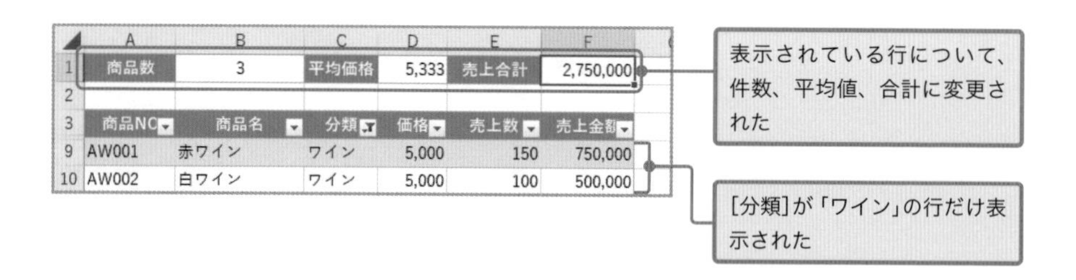

いろいろな条件で合計を求める

店舗別や商品別に売上数量や売上金額を求めるには、SUMIF関数、SUMIFS関数を使います。集計表を作成する際によく使われるため、設定方法を覚えておきましょう。

SUMIF関数を使って1つの条件を満たす値の合計を求める

1つの条件を満たすデータの合計を求めるには、SUMIF関数を使います。ここでは、販売形態がセルC2（ネット通販）の売上金額を求めながら設定方法を説明します。（Sample ➡05-02-01.xlsx）

書式 SUMIF

=SUMIF（サムイフ）(範囲, 検索条件, [合計範囲])

指定した［範囲］内で、［検索条件］に一致する値を探し、見つかった行の［合計範囲］の値を合計する。［合計範囲］を省略した場合は、［範囲］にある数値が合計される。

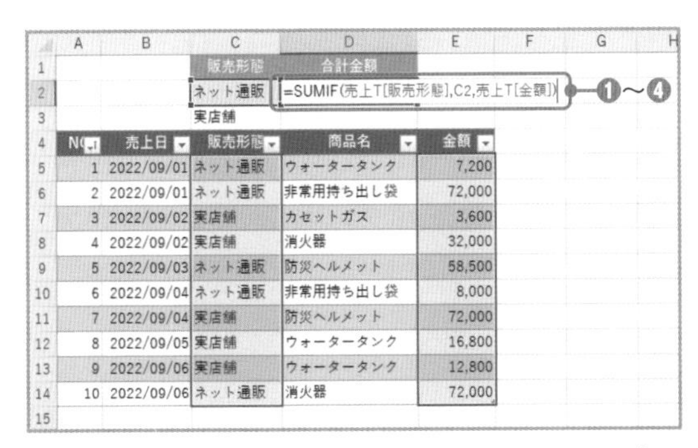

NO	売上日	販売形態	商品名	金額
1	2022/09/01	ネット通販	ウォータータンク	7,200
2	2022/09/01	ネット通販	非常用持ち出し袋	72,000
3	2022/09/02	実店舗	カセットガス	3,600
4	2022/09/02	実店舗	消火器	32,000
5	2022/09/03	ネット通販	防災ヘルメット	58,500
6	2022/09/04	ネット通販	非常用持ち出し袋	8,000
7	2022/09/04	実店舗	防災ヘルメット	72,000
8	2022/09/05	実店舗	ウォータータンク	16,800
9	2022/09/06	実店舗	ウォータータンク	12,800
10	2022/09/06	ネット通販	消火器	72,000

❶ 合計を表示するセル（ここではセルD2）をクリックし、「=SUMIF(」と入力
❷ 検索値が含まれる列を指定（ここでは［売上T］テーブルの［販売形態］列）し、カンマ「,」を入力
❸ 検索値となる値を指定（ここではセルC2）し、カンマ「,」を入力
❹ 合計する列を指定（ここでは［売上T］テーブルの［金額］列）したら、Enterキーを押して確定

Memo

テーブルの列を選択する際、1 レコード目でクリックし、Ctrl + Shift + ↓ キーを押すと一気に列選択できます。または直接、「売上 T[販売形態]」のように構造化参照を入力します。

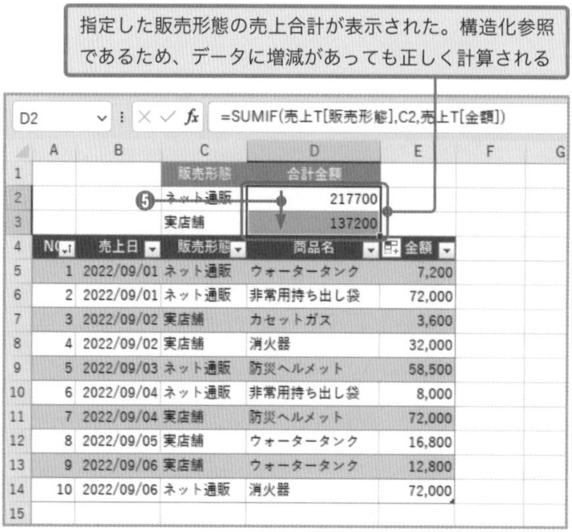

指定した販売形態の売上合計が表示された。構造化参照であるため、データに増減があっても正しく計算される

D2 =SUMIF(売上T[販売形態],C2,売上T[金額])

	A	B	C	D	E
1			販売形態	合計金額	
2			ネット通販	217700	
3			実店舗	137200	
4	NO	売上日	販売形態	商品名	金額
5	1	2022/09/01	ネット通販	ウォータータンク	7,200
6	2	2022/09/01	ネット通販	非常用持ち出し袋	72,000
7	3	2022/09/02	実店舗	カセットガス	3,600
8	4	2022/09/02	実店舗	消火器	32,000
9	5	2022/09/03	ネット通販	防災ヘルメット	58,500
10	6	2022/09/04	ネット通販	非常用持ち出し袋	8,000
11	7	2022/09/04	実店舗	防災ヘルメット	72,000
12	8	2022/09/05	実店舗	ウォータータンク	16,800
13	9	2022/09/06	実店舗	ウォータータンク	12,800
14	10	2022/09/06	ネット通販	消火器	72,000
15					

❺ セルD2の関数を下にコピーすることで、実店舗の合計金額が求められる

SUMIFS 関数を使って複数の条件を満たす値の合計を求める

複数の条件を満たすデータの合計を求めるには、SUMIFS 関数を使います。行と列に見出しを配置した集計表を作成する場合に利用できます。ここでは、商品名がセル B2（ウォータータンク）で、販売形態がセル C1（ネット通販）の売上金額を求め、式をコピーして販売形態別、商品別の売上金額の表を作成してみましょう。（Sample ➡05-02-02.xlsx）

書式 SUMIFS

=SUMIFS（サムイフエス）(合計範囲, 条件範囲1, 条件1, [条件範囲2, 条件2], …)

[条件範囲] 内で [条件] に一致する値を探し、見つかった行の [合計範囲] にある値を合計する。[条件範囲] と [条件] のセットを増やした場合は、すべての条件を満たした場合のみ合計される。

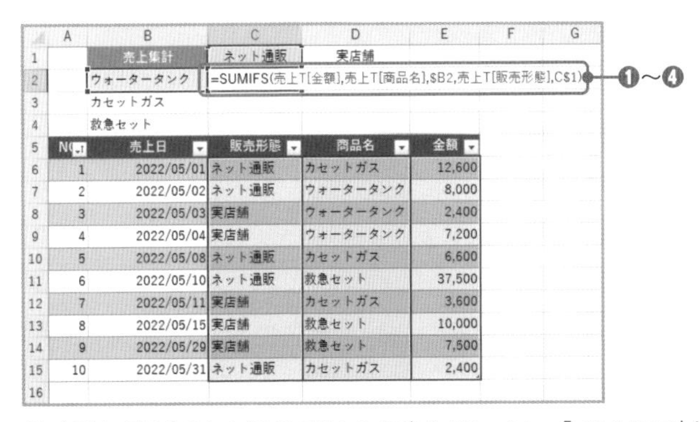

❶ 合計を表示するセル（ここではセルC2）をクリックし、「=SUMIFS(」と入力
❷ 合計する列を指定し（ここでは［売上T］テーブルの［金額］列）、「,」（カンマ）を入力
❸ 検索値が含まれる列を指定し（ここでは［売上T］テーブルの［商品名］列）、「,」（カンマ）を入力して、検索値となる値を指定（ここではセル「$B2」）したら、「,」（カンマ）を入力
❹ 以降同様に、検索値が含まれる列（ここでは［販売形態］列）、検索値となる値（ここではセル「C$1」）を指定したら、Enter キーを押して確定

Memo

手順❸、❹の検索値のセル参照ですが、「$B2」とすることで列のみ固定、「C$1」とすることで行のみ固定にできます。こうすることで式をコピーしても行や列がずれることを防ぎます。

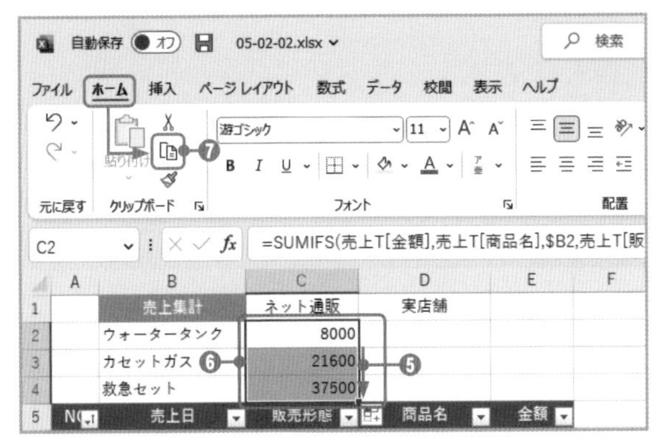

❺ セルC2の関数をセルC3～C4にオートフィルでコピーして他の商品の売上金額を求める
❻ セルC2～C4を選択
❼ ［ホーム］タブ→［コピー］をクリック

Memo

セルC2～C4の式をセルD2～D4にコピーする場合、オートフィルでコピーすると、構造化参照の列がずれてしまうため、コピー、貼り付けを使います。

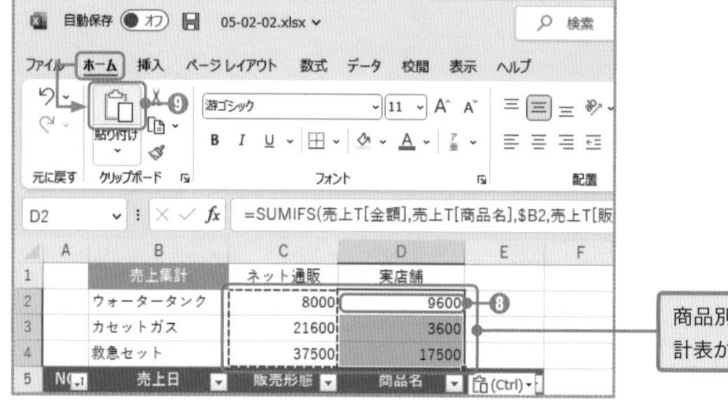

❽ セルD2をクリック

❾ [ホーム] タブ→ [貼り付け] をクリック

Column

SUMIF関数やSUMIFS関数の検索条件の設定方法

SUMIF関数やSUMIFS関数など、検索条件を設定する際にセルの値を参照する場合は、「C1」のようにセル番地を指定することができますが、文字列を直接指定する場合は、「"」(ダブルクォーテーション)で囲みます。また、比較演算子やワイルドカード文字を使用した条件を設定することもできます。

● **検索条件の設定例**

検索条件	意味
C1	セルC1の値と等しい
10	数値の10と等しい
"<>0"	「0」ではない
">=100"	「100」以上
"<2022/12/5"	「2022/12/5」より前
">="&C1	セルC1の値以上
"苺*"	「苺」で始まる
"*セット"	「セット」で終わる
"*チーズ*"	「チーズ」を含む
"*"&C1&"*"	セルC1の値を含む
"<>*"&C1&"*"	セルC1の値を含まない

Data shaping and data aggregation with function

03 いろいろな条件で平均値を求める

ある条件を満たす場合の平均値を求めたい場合は、AVERAGEIF 関数、AVERAGEIFS 関数を使います。全データの中から 0 を除いた平均値を求めるとか、曜日別に平均売上を求めるといった計算ができます。

AVERAGEIF 関数で0 を除いた平均値を求める

1 つの条件を満たすデータの平均を求めるには、AVERAGEIF 関数を使います。ここでは、国語の平均点を0 を除いて求めてみましょう。
(Sample ➡05-03-01.xlsx)

書式 AVERAGEIF

=AVERAGEIF(範囲, 検索条件, [平均範囲])（アベレージイフ）

指定した [範囲] 内で、[検索条件] に一致する値を探し、見つかった行の [平均範囲] の平均値を求める。[平均範囲] を省略した場合は、[範囲] にある数値が平均される。[検索条件] の設定方法は p.172 のコラムを参照。

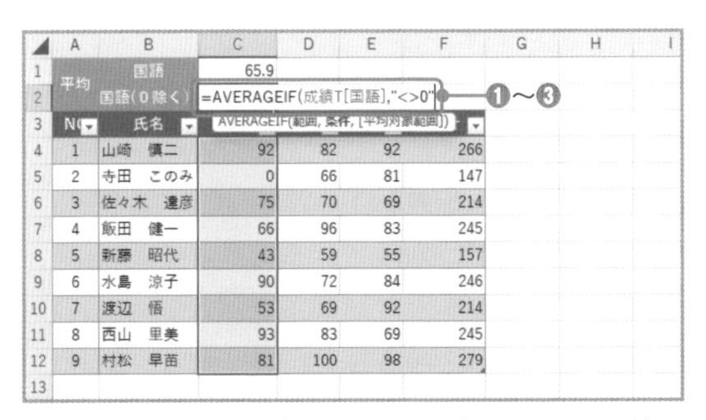

	A	B	C	D	E	F
1	平均	国語	65.9			
2		国語（0 除く）	=AVERAGEIF(成績T[国語],"<>0"			
3	No	氏名				
4	1	山崎　慎二	92	82	92	266
5	2	寺田　このみ	0	66	81	147
6	3	佐々木　達彦	75	70	69	214
7	4	飯田　健一	66	96	83	245
8	5	新藤　昭代	43	59	55	157
9	6	水島　涼子	90	72	84	246
10	7	渡辺　悟	53	69	92	214
11	8	西山　里美	93	83	69	245
12	9	村松　早苗	81	100	98	279
13						

❶ 平均を表示するセル（ここではセルC2）をクリックし、「=AVERAGEIF(」と入力
❷ 検索条件の値が含まれる列を指定（ここでは [成績T] テーブルの [国語] 列）し、カンマ「,」を入力
❸ 検索値となる条件式を指定（ここでは0以外なので「"<>0"」）したら、Enter キーを押して確定

Memo
検索条件の列と平均範囲の列が同じであるため、第3引数は省略しています。

C2　=AVERAGEIF(成績T[国語],"<>0")

	A	B	C	D	E	F
1	平均	国語	65.9			
2		国語(0除く)	74.1			
3	NO	氏名	国語	英語	数学	合計
4	1	山崎　慎二	92	82	92	266
5	2	寺田　このみ	0	66	81	147
6	3	佐々木　達彦	75	70	69	214
7	4	飯田　健一	66	96	83	245
8	5	新藤　昭代	43	59	55	157
9	6	水島　涼子	90	72	84	246
10	7	渡辺　悟	53	69	92	214
11	8	西山　里美	93	83	69	245
12	9	村松　早苗	81	100	98	279
13						

0を除いた国語の平均点が求められた。構造化参照であるため、データに増減があっても正しく計算される

Memo

セルC1には、AVERAGE関数「=AVERAGE(成績T[国語])」が設定されており、[国語]列のすべてのデータをもとに平均値を求めています。

AVERAGEIFS関数で複数の条件に一致した値の平均値を求める

複数の条件を満たすデータの平均を求めるには、AVERAGEIFS関数を使います。ここでは、曜日がセルB2（日）で、販売形態がセルC1（実店舗）の売上平均を求めます。（Sample ➡05-03-02.xlsx）

書式　**AVERAGEIFS**

=AVERAGEIFS（アベレージイフエス）(平均範囲, 条件範囲1, 条件1, [条件範囲2, 条件2], …)

[条件範囲]内で、[条件]に一致する値を探し、見つかった行の[平均範囲]にある値の平均値を求める。[条件範囲]と[条件]のセットを増やした場合は、すべての条件を満たした場合のみ実行される。

	A	B	C	D	E	F
1		売上平均	実店舗			
2		日	=AVERAGEIFS(売上T[金額],売上T[曜日],B2,売上T[販売形態],C1)			
3	NO	売上日	曜日	販売形態	商品名	金額
4	1	2022/12/03	土	ネット通販	ウォータータンク	8,000
5	2	2022/12/03	土	ネット通販	非常用持ち出し袋	20,000
6	3	2022/12/03	土	実店舗	カセットガス	66,000
7	4	2022/12/04	日	実店舗	消火器	32,000
8	5	2022/12/04	日	ネット通販	防災ヘルメット	22,500
9	6	2022/12/10	土	ネット通販	非常用持ち出し袋	44,000
10	7	2022/12/10	土	実店舗	ウォータータンク	2,400
11	8	2022/12/10	土	ネット通販	消火器	64,000
12	9	2022/12/11	日	実店舗	防災ヘルメット	54,000
13	10	2022/12/11	日	実店舗	ウォータータンク	40,000

❶ 合計を表示するセル（ここではセルC2）をクリックし、「=AVERAGEIFS(」と入力

❷ 平均を求める列を指定し（ここでは［売上T］テーブルの［金額］列）、「,」（カンマ）を入力

❸ 検索値が含まれる列を指定し（ここでは［売上T］テーブルの［曜日］列）、「,」（カンマ）を入力して、検索値となる値を指定したら（ここではセルB2）、「,」（カンマ）を入力

❹ 以降同様に、検索値が含まれる列（ここでは［売上T］テーブルの［販売形態］列）、検索値となる値（ここではセルC1）を指定したら、Enter キーを押して確定

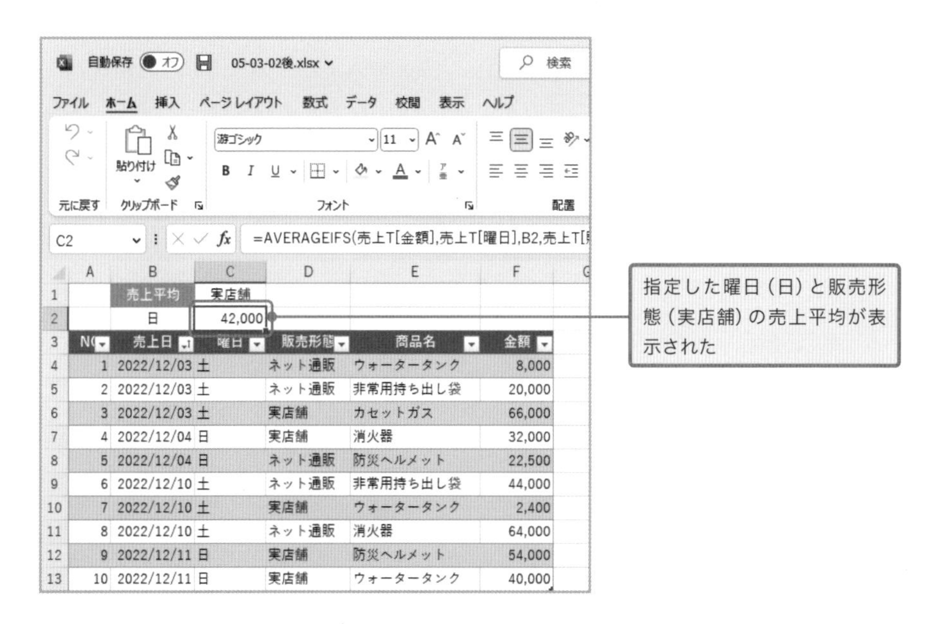

	A	B	C	D	E	F
1		売上平均	実店舗			
2		日	42,000			
3	NO	売上日	曜日	販売形態	商品名	金額
4	1	2022/12/03	土	ネット通販	ウォータータンク	8,000
5	2	2022/12/03	土	ネット通販	非常用持ち出し袋	20,000
6	3	2022/12/03	土	実店舗	カセットガス	66,000
7	4	2022/12/04	日	実店舗	消火器	32,000
8	5	2022/12/04	日	ネット通販	防災ヘルメット	22,500
9	6	2022/12/10	土	ネット通販	非常用持ち出し袋	44,000
10	7	2022/12/10	土	実店舗	ウォータータンク	2,400
11	8	2022/12/10	土	ネット通販	消火器	64,000
12	9	2022/12/11	日	実店舗	防災ヘルメット	54,000
13	10	2022/12/11	日	実店舗	ウォータータンク	40,000

Memo

セルB2で曜日、セルC1で販売形態をリストで選択できるように、データの入力規則 (p.33) を設定しておくと、簡単に条件の変更ができ、それぞれの条件で平均値を求められます。

Data shaping and data aggregation with function

04 関数を使ってデータの傾向を調べる

データの傾向を表す数値の中で、平均値、中央値、最頻値の3つを「代表値」といいます。ここでは、代表値に加えてデータの傾向を調べる場合によく使用される関数を紹介します。

MEDIAN 関数で中央値を求める

MEDIAN 関数は**中央値を求めます**。中央値とは、**指定した数値を小さい順に並べたときに中央に位置する値**のことです。ここでは、[成績 T] テーブルの国語と数学の中央値を求めてみましょう。(Sample ➡05-04-01.xlsx)

書式 MEDIAN

=MEDIAN(数値1, [数値2], …)

[数値] で指定した範囲に含まれる数値の中央値を返す。数値の数が偶数の場合は、中央の２つの数値の平均値を返す。

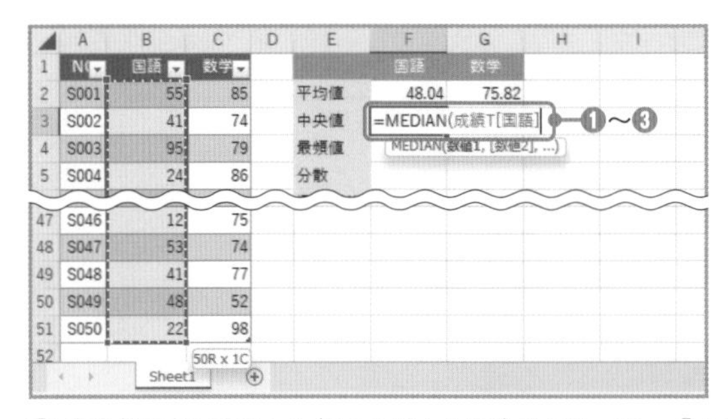

❶ 中央値を表示するセル(ここではセルF3)をクリックし、「=MEDIAN(」と入力

❷ 中央値を求める範囲(ここでは [成績T] テーブルの [国語] 列)をドラッグして選択すると、構造化参照「テーブル名[列名]」の形式で範囲が表示される

❸ Enter キーを押して式を確定

Memo

手順❷で１レコード目をクリックし、Ctrl + Shift + ↓ キーを押すと一気に列全体を選択できます。

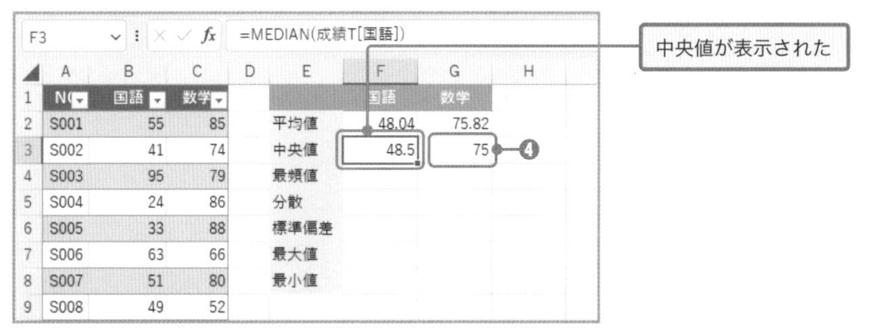

④ 同様にしてセルG3に数学の中央値を求めておく(=MEDIAN(成績T[数学]))

Memo

セル F2、F3 では AVERAGE 関数で平均値を求めています (p.165)。

Column

平均値と中央値

平均値は全データの数値を合計し、全データの個数で割った値です。例えば、4つの数値「10,15,20,25」の平均値は「17.5」になります。しかし、これに「100」を加えた5つの数値の平均値は「34」となり、全体の傾向から離れた値になってしまいます。このように平均値は、極端に大きい数値や小さい数値(外れ値)の影響を受けてしまうというデメリットがあります。

一方、中央値は、数値を小さい順に並べたときの中央に位置する値となります。データ数が奇数の場合はそのまま中央の数値ですが、偶数の場合は中央の2つの数値の平均値になります。例えば、4つの数値「10,15,20,25」の中央値は、中央の「15,20」の平均値となるため、「17.5」になります。4つの数値に「100」を加えた場合、中央値は「20」になります。中央値の場合は、外れ値の影響をあまり受けないという特徴があります。

そのため、データの傾向を見る場合は、平均値と中央値の両方を求め、2つの値に間に大きな隔たりがあれば、極端な数値が含まれている可能性があると考えられます。

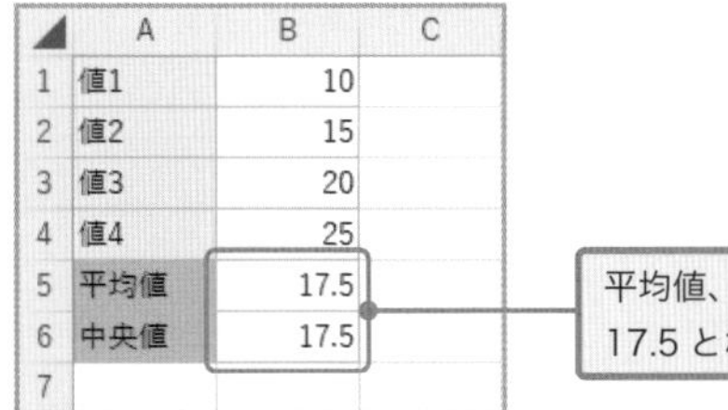

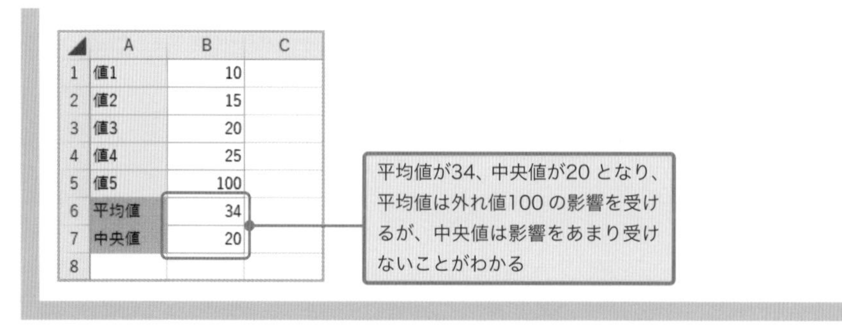

MODE.SNGL 関数で最頻値を求める

MODE.SNGL 関数は、指定した数値の中で最も多く出現する数値を求めます。例えば、アンケート調査のような決められた項目の中で一番回答数が多い項目を調べ、データの傾向を知るのに役立ちます。

書式 MODE.SNGL

=MODE.SNGL(数値1, [数値2], …)

[数値] で指定した範囲に含まれる数値の中で、最頻値を返す。最頻値が複数あった場合は、最初に見つかった最頻値を１つだけ返す。

ここでは、[成績 T] テーブルの [国語] 列と [数学] 列の最頻値を求めます。(Sample ➡05-04-02.xlsx)

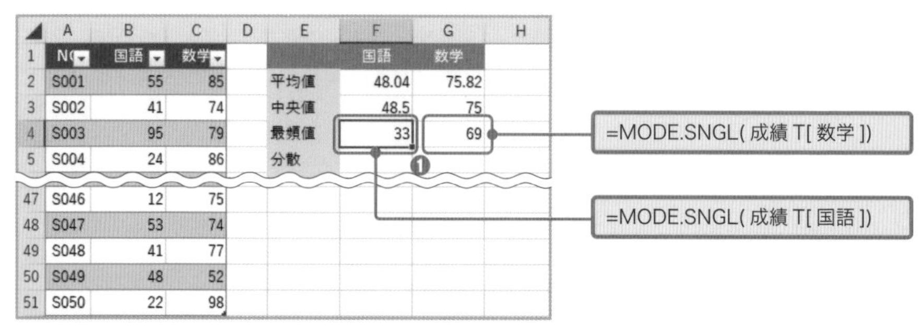

❶ 最頻値を表示するセル（ここではセルF4、セルG4）に、p.164の手順を参照し、MODE.SNGL関数を設定して国語と数学の最頻値を求める

すべての最頻値を求める

MODE.SNGL 関数は、**最頻値が複数ある場合、最初に見つかった最頻値を1つのみ返します**。すべての最頻値を求める場合は、**MODE.MULT 関数**を使います。MODE.MULT 関数は複数の結果（配列）を返すため、Excel 2019 以前の場合は、あらかじめ結果を表示するセル範囲を選択してから MODE.MULT 関数を入力し、式を確定するときに Ctrl + Shift + Enter キーを押します。このように入力すると配列数式が設定され、結果を表示するセルに同じ数式が中カッコ「{ }」で囲まれて表示されます。選択したセル範囲より結果の数が少ない場合は、セルにエラー値「#N/A」が表示されます。

また、Excel 2021、Microsoft 365 では、**スピル機能**により、先頭のセルに MODE.MULT 関数を入力するだけで、必要な範囲の連続したセルに結果が表示されます。

☑Excel 2019 以前の場合

	A	B	C	D	E	F
1	値	結果		最頻値		
2	値1	10		=MODE.MULT(B2:B9)		
3	値2	20				
4	値3	20				
5	値4	35				
6	値5	15				
7	値6	40				
8	値7	10				
9	値8	45				
10						

❶ 結果を表示するセル範囲を選択（ここではセルD2～D4）

❷「=MODE.MULT(B2:B9)」と入力したら、Ctrl + Shift + Enter キーを押す

Memo

配列数式を設定する場合は、テーブルの列を参照する場合でも構造化参照にならず通常のセル参照になります。

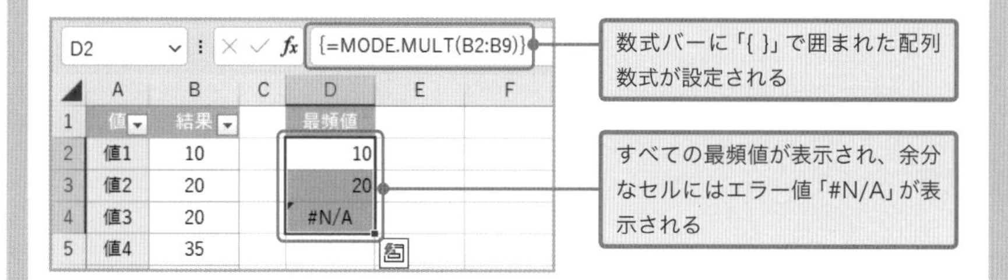

☑Excel 2021、Microsoft 365 の場合

	A	B	C	D	E	F
1	値	結果		最頻値		
2	値1	10		=MODE.MULT(結果T[結果])		
3	値2	20				
4	値3	20				
5	値4	35				
6	値5	15				
7	値6	40				
8	値7	10				
9	値8	45				
10						

❶ 結果を表示する先頭のセルに「=MODE.MULT(結果T[結果])」と入力し Enter キーを押す

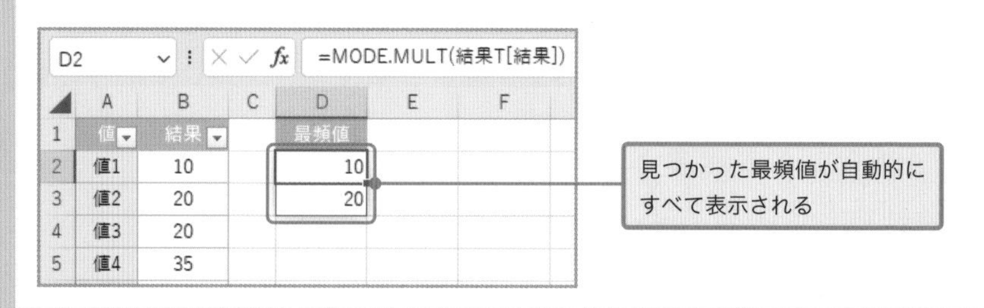

VAR.S 関数で分散を求める

VAR.S 関数は、**分散を求める**関数です。**分散とは、データのばらつきを表す指標です**。各データが平均値からどのくらい離れているかを調べることで、ばらつき具合を求めます。各データを x、平均値を μ、個数を n とすると以下の公式になります。

$$\frac{\Sigma (x-\mu)^2}{n-1}$$

書式 **VAR.S**

=VAR.S(数値1, [数値2]…)

（ルビ：VAR＝バリアンス、S＝エス）

[数値] で指定したデータを正規母集団の標本とみなし、標本に基づいて母集団の分散の推定値（不偏分散）を求める。

ここでは、[成績T]テーブルの[国語]列、[数学]列の分散を求めます。
(Sample ➡05-04-03.xlsx)

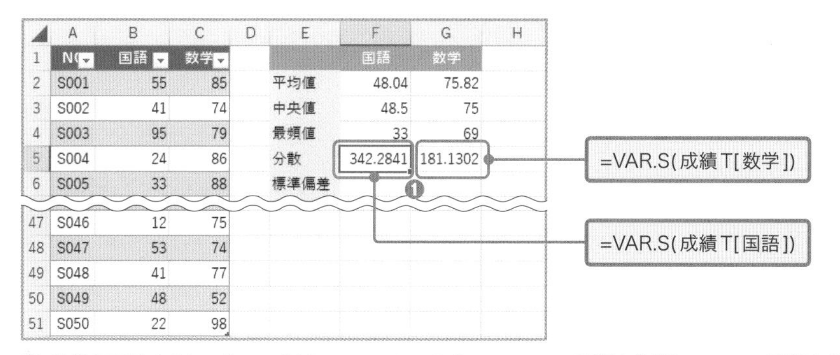

	A	B	C	D	E	F	G	H
1	No	国語	数学			国語	数学	
2	S001	55	85		平均値	48.04	75.82	
3	S002	41	74		中央値	48.5	75	
4	S003	95	79		最頻値	33	69	
5	S004	24	86		分散	342.2841	181.1302	
6	S005	33	88		標準偏差			
47	S046	12	75					
48	S047	53	74					
49	S048	41	77					
50	S049	48	52					
51	S050	22	98					

❶ 分散を表示するセル(ここではセルF5、セルG5)に、p.164の手順を参照し、VAR.S関数を入力して国語と数学の分散を求める

Memo

分散は、平均とデータの差を2乗した値を合計し、データ個数で割っています。数値を見てもわかりづらいかもしれませんが、ばらつきが大きいほど数値が大きく、ばらつきが小さいほど数値が小さくなります。

STDEV.S 関数で標準偏差を求める

STDEV.S 関数は、標準偏差を求める関数です。標準偏差とは、ある値が平均値からどの程度離れているかを総合的に表す数値です。特に偏差値を求めるときに使用します。標準偏差と分散は「標準偏差$=\sqrt{分散}$」の関係にあり、各データをx、平均値をμ、個数をnとすると以下の公式になります。

$$\sqrt{\frac{\Sigma(x-\mu)^2}{n-1}}$$

書式 **STDEV.S**

=STDEV.S(数値1, [数値2]…)
(スタンダードディビエーション エス)

[数値]で指定したデータを正規母集団の標本とみなし、標本に基づいて母集団の標準偏差の推定値(不偏標準偏差)を求める。

ここでは、[成績T]テーブルの[国語]列、[数学]列の標準偏差を求めます。
(Sample ➡05-04-04.xlsx)

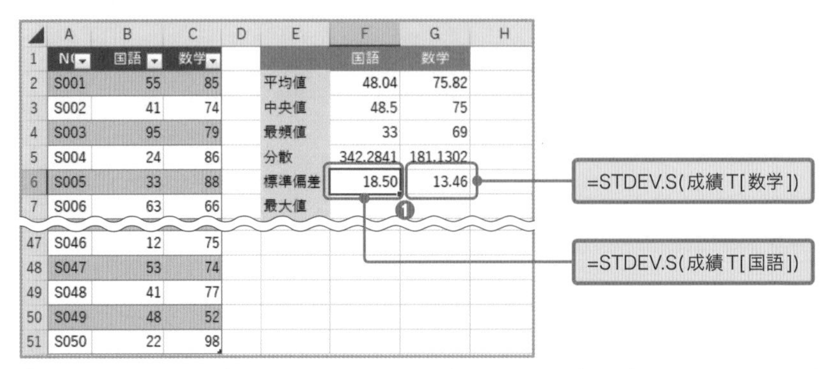

	A	B	C	D	E	F	G	H
1	NO	国語	数学			国語	数学	
2	S001	55	85		平均値	48.04	75.82	
3	S002	41	74		中央値	48.5	75	
4	S003	95	79		最頻値	33	69	
5	S004	24	86		分散	342.2841	181.1302	
6	S005	33	88		標準偏差	18.50	13.46	
7	S006	63	66		最大値			
47	S046	12	75					
48	S047	53	74					
49	S048	41	77					
50	S049	48	52					
51	S050	22	98					

❶ 分散を表示するセル(ここではセルF6、セルG6)に、p.164の手順を参照し、STDEV.S関数を入力して国語と数学の標準偏差を求める

Memo

セルF6、セルG6を選択し、[ホーム]タブ→[小数点以下の表示桁数を減らす](.00→.0)をクリックして、表示形式を小数点以下第2位までにしています。

Column

標準偏差から偏差値を求める

偏差値とは、平均点を偏差値50になるように変換し、その基準と比べて点数がどれくらい高い、もしくは低いかを表したもので、「(点数－平均点)÷標準偏差×10＋50」という式で求められます。点数が平均点と同じ場合は、偏差値は50になり、偏差値が高いほど成績が良いということになります。

	A	B	C	D	E	F
1	NO	数学	偏差値		平均値	75.82
2	S001	85	56.82		標準偏差	13.46
3	S002	74	48.65			
4	S003	79	52.36			
5	S004	86	57.56			
6	S005	88	59.05			
7	S006	66	42.70			
8	S007	80	53.11			
9	S008	52	32.30			
10	S009	90	60.54			

=([@ 数学]-$F$1)/$F$2*10+50

MIN関数・MAXで最小値・最大値を求める

MIN関数は数値の最小値を返し、MAX関数は数値の最大値を返します。データの最小値と最大値を求めることでデータの範囲がわかるため、データ全体の傾向をつかむのに役立ちます。

書式 MIN

=MIN(数値1, [数値2], …)（ミニマム）

[数値]で指定した範囲の中で最小の数値を返す。

書式 MAX

=MAX(数値1, [数値2], …)（マックス）

[数値]で指定した範囲の中で最大の数値を返す。

ここでは、[成績T]テーブルの[国語]列の最大値、最小値を求めます。(Sample ➡05-04-05.xlsx)

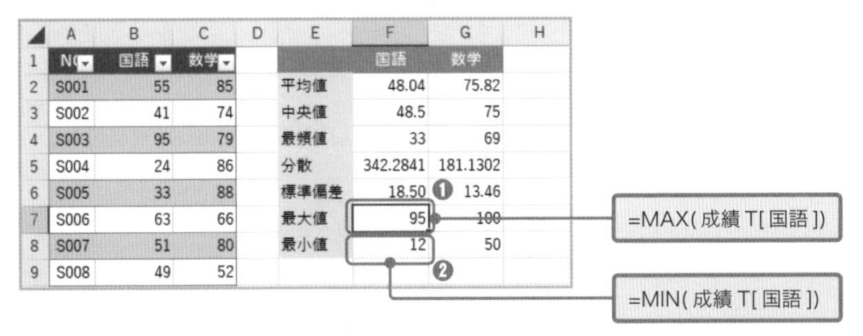

	A	B	C	D	E	F	G	H
1	NO	国語	数学			国語	数学	
2	S001	55	85		平均値	48.04	75.82	
3	S002	41	74		中央値	48.5	75	
4	S003	95	79		最頻値	33	69	
5	S004	24	86		分散	342.2841	181.1302	
6	S005	33	88		標準偏差	18.50	13.46	
7	S006	63	66		最大値	95	100	
8	S007	51	80		最小値	12	50	
9	S008	49	52					

❶ 最大値を表示するセル(ここではセルF7)に、p.164の手順を参照し、MAX関数を入力して国語の最大値を求める

❷ 同様の手順で、最小値を表示するセル(ここではセルF8)にMIN関数を設定する

Column

データの統計に利用できる関数

Excel には、データの統計に利用できる関数が100 以上あります。ここでは、本章で解説していない主な統計関数をまとめます。

関数	説明
COUNT(値 1,[値 2],…)	数値の個数を求める
COUNTBLANK(範囲)	空白セルの個数を求める
COUNTIF(範囲 , 検索条件)	条件を満たすデータの個数を求める
COUNTIFS(条件範囲 1, 条件 1,[条件範囲 2, 条件 2],…)	複数の条件に一致するデータの個数を求める
FREQUENCY(データ配列 , 区間配列)	度数分布を求める
MINIFS(最小範囲 , 条件範囲 1, 条件 1,[条件範囲 2, 条件 2],…)	複数の条件で最小値を求める
MAXIFS(最大範囲 , 条件範囲 1, 条件 1,[条件範囲 2, 条件 2],…)	複数の条件で最大値を求める
GEOMEAN(数値 1,[数値 2],…)	相乗平均 (幾何平均) を求める
HARMEAN(数値 1,[数値 2],…)	調和平均を求める
TRIMMEAN(配列 , 割合)	極端なデータを除いた平均を求める
RANK.EQ(数値 , 範囲 ,[順序])	順位を求める
SMALL(範囲 , 順位)	小さい方から指定した順位にある値を求める
LARGE(範囲 , 順位)	大きい方から指定した順位にある値を求める
PERCENTRANK.INC(配列 ,x,[有効桁数]) PERCENTRANK.EXC(配列 ,x,[有効桁数])	百分率の順位を求める
PERCENTILE.INC(配列 , 率) PERCENTILE.EXC(配列 , 率)	百分位数を求める
QUARATILE.INC(配列 , 戻り値) QUARATILE.EXC(配列 , 戻り値)	四分位数を求める
VAR.P(数値 1,[数値 2],…)	母集団の分散 (標本分散) を求める
STDEV.P(数値 1,[数値 2],…)	母集団の標準偏差を求める
SKEW(数値 1,[数値 2],…)	歪度を求める
KURT(数値 1,[数値 2],…)	尖度を求める
SQRT(数値)	平方根を求める

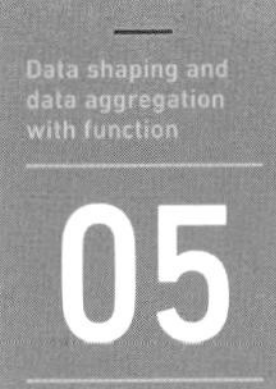

分析ツールを使って データの傾向を求める

Excelには[分析ツール]が用意されており、集めたデータに対してさまざまな角度から分析する機能を使うことができます。その中の[基本統計量]を使うと、データの平均、中央値、最頻値などの情報を、関数を使うことなく簡単に求めることができます。

[分析ツール]を追加する

[分析ツール]は、アドイン(Excelの拡張機能)なので、標準の状態では使用することができません。まずは、[分析ツール]アドインを追加しましょう。

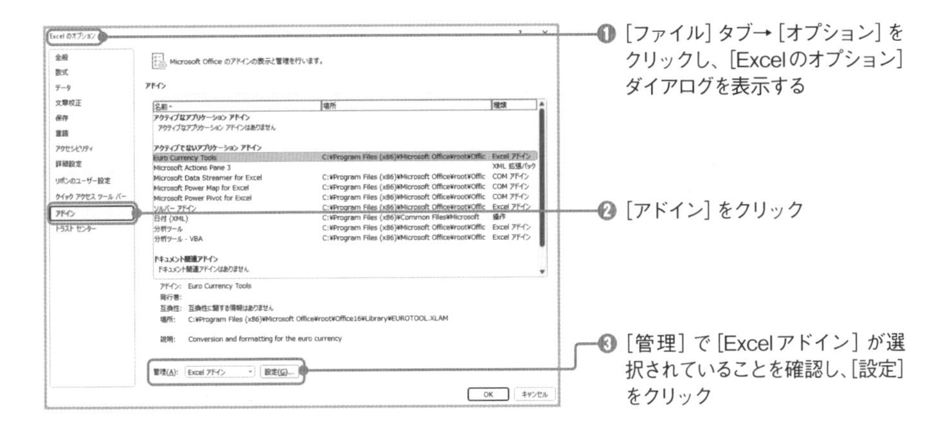

Memo

環境によっては、手順❶で[ファイル]タブ→[その他]→[オプション]をクリックして[Excelのオプション]ダイアログを表示してください。

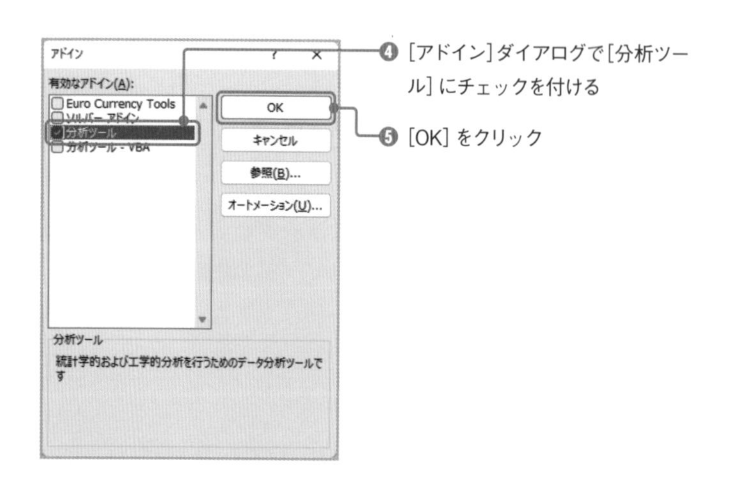

分析ツールを使用する

実際に分析ツールを使って、国語と数学のテスト結果についての基本統計量を求めてみましょう。(Sample ➡05-05-01.xlsx)

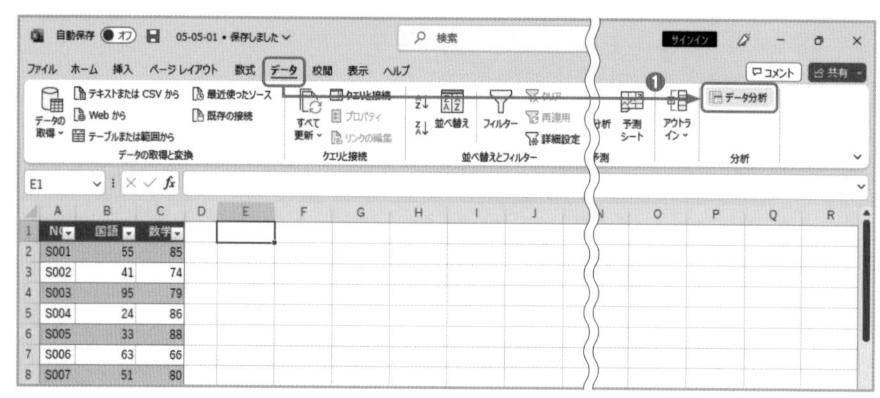

❶ [データ] タブ→ [データ分析] をクリック

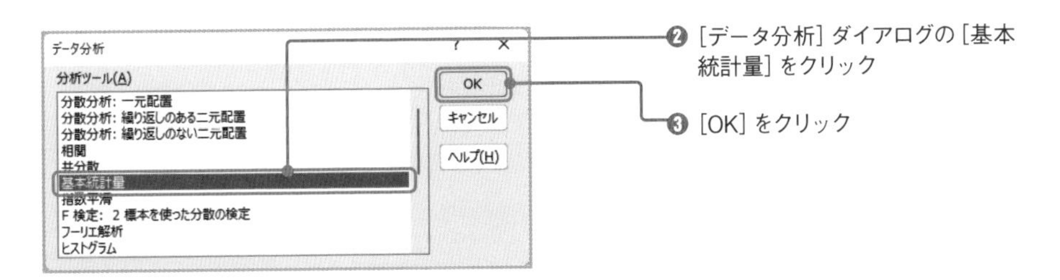

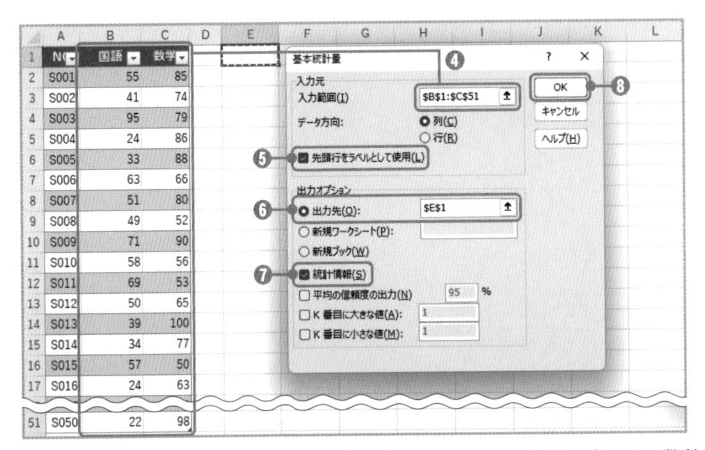

❹ [基本統計量] ダイアログの [入力範囲] をクリックし、統計を求めたい数値の範囲（ここではセルB1～C51）を選択

❺ [先頭行をラベルとして使用] にチェックを付ける

❻ [出力先] をクリックし、出力先となるセルをクリック（ここではセルE1）

❼ [統計情報] にチェックを付ける

❽ [OK] をクリック

	A	B	C	D	E	F	G	H
1	N	国語	数学		国語		数学	
2	S001	55	85					
3	S002	41	74		平均	48.04	平均	75.82
4	S003	95	79		標準誤差	2.616425354	標準誤差	1.903313973
5	S004	24	86		中央値（メジアン）	48.5	中央値（メジアン）	75
6	S005	33	88		最頻値（モード）	33	最頻値（モード）	69
7	S006	63	66		標準偏差	18.5009211	標準偏差	13.45846217
8	S007	51	80		分散	342.2840816	分散	181.1302041
9	S008	49	52		尖度	-0.244349033	尖度	-0.688863299
10	S009	71	90		歪度	0.396413755	歪度	-0.086839764
11	S010	58	56		範囲	83	範囲	50
12	S011	69	53		最小	12	最小	50
13	S012	50	65		最大	95	最大	100
14	S013	39	100		合計	2402	合計	3791
15	S014	34	77		データの個数	50	データの個数	50
16	S015	57	50					
17	S016	24	63					

❾ 基本統計量が出力された。データがすべて見えるように必要に応じて列幅を広げておく

Memo

統計結果のセルには、結果の数値が表示されているため、データに変更があっても更新されません。データに変更があった場合は、再度分析ツールで基本統計量を求める必要があります。

Column

基本統計量に対応する数式

［分析ツール］の［基本統計量］には、平均、中央値、最頻値などの値が出力されます。それぞれの項目に対応する関数や計算式は以下のとおりです。

項目	関数名・計算式
平均	AVERAGE
標準誤差	STDEV.S/SQRT(COUNT)
中央値	MEDIAN
最頻値	MODE.SNGL
標準偏差	STDEV.S
分散	VAR.S
尖度	KURT
歪度	SKEW
範囲	MAX − MIN
最小	MIN
最大	MAX
合計	SUM
データ（数値）の個数	COUNT

Chapter

06

ピボットテーブルを使ってデータを集計・分析する

集めたデータを集計するには、ピボットテーブルを作成するのが便利です。ここでは、ピボットテーブルの作成方法やいろいろな集計方法をマスターしましょう。

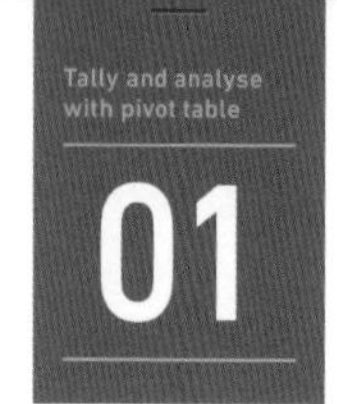

ピボットテーブルの基礎

ピボットテーブルは、データベース形式の表のフィールド（列）を行や列に配置して作成する集計表です。テーブルもデータベース形式の表なので、テーブルをもとにピボットテーブルを作成することもできます。

ピボットテーブルとは

データベース形式の表（テーブル）のデータを分析するには、ピボットテーブルを作成するのが便利です。ピボットテーブルは、フィールドを行や列に配置するだけで作成できる上、後からフィールドの追加や削除も簡単にできるため、時間をかけることなく集計表が作成できます。集計表を作成する時間を短縮し、データ分析に時間をかけることができます。

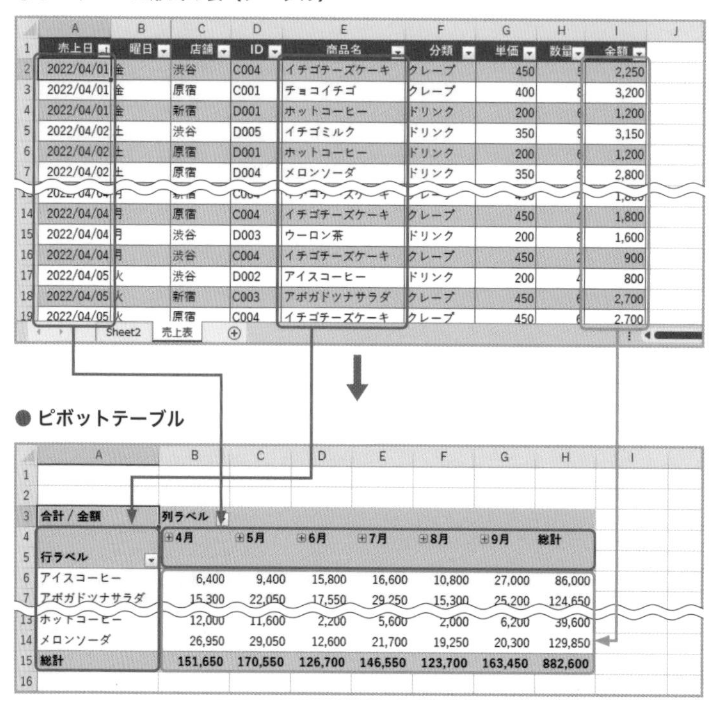

● データベース形式の表（テーブル）

	A	B	C	D	E	F	G	H	I
1	売上日	曜日	店舗	ID	商品名	分類	単価	数量	金額
2	2022/04/01	金	渋谷	C004	イチゴチーズケーキ	クレープ	450	5	2,250
3	2022/04/01	金	原宿	C001	チョコイチゴ	クレープ	400	8	3,200
4	2022/04/01	金	新宿	D001	ホットコーヒー	ドリンク	200	6	1,200
5	2022/04/02	土	渋谷	D005	イチゴミルク	ドリンク	350	9	3,150
6	2022/04/02	土	原宿	D001	ホットコーヒー	ドリンク	200	6	1,200
7	2022/04/02	土	原宿	D004	メロンソーダ	ドリンク	350	8	2,800
14	2022/04/04	月	原宿	C004	イチゴチーズケーキ	クレープ	450	4	1,800
15	2022/04/04	月	渋谷	D003	ウーロン茶	ドリンク	200	8	1,600
16	2022/04/04	月	渋谷	C004	イチゴチーズケーキ	クレープ	450	2	900
17	2022/04/05	火	渋谷	D002	アイスコーヒー	ドリンク	200	4	800
18	2022/04/05	火	新宿	C003	アボガドツナサラダ	クレープ	450	6	2,700
19	2022/04/05	火	原宿	C004	イチゴチーズケーキ	クレープ	450	6	2,700

Sheet2　売上表

● ピボットテーブル

	A	B	C	D	E	F	G	H
3	合計 / 金額	列ラベル						
4		⊞4月	⊞5月	⊞6月	⊞7月	⊞8月	⊞9月	総計
5	行ラベル							
6	アイスコーヒー	6,400	9,400	15,800	16,600	10,800	27,000	86,000
7	アボガドツナサラダ	15,300	22,050	17,550	29,250	15,300	25,200	124,650
13	ホットコーヒー	12,000	11,600	2,200	5,600	2,000	6,200	39,600
14	メロンソーダ	26,950	29,050	12,600	21,700	19,250	20,300	129,850
15	総計	151,650	170,550	126,700	146,550	123,700	163,450	882,600

ピボットテーブルを使って集計表を作成する

ピボットテーブルを作成するには、もとになる表の列見出し（フィールド名）をピボットテーブルの［行］エリア、［列］エリア、［値］エリアに配置するだけです。ここでは、商品別、月別の売上金額の集計表の作成を例に手順を確認しましょう。(Sample ➡06-01-01.xlsx)

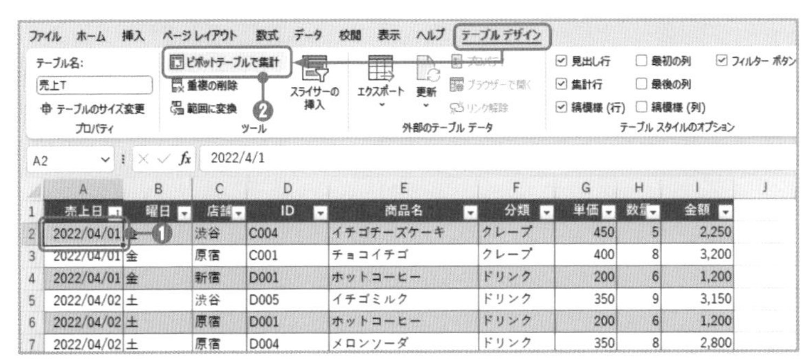

❶ テーブル内（ここでは［売上T］テーブル）をクリック

❷［テーブルデザイン］タブ→［ピボットテーブルで集計］をクリック

Memo

［挿入］タブ→［ピボットテーブル］をクリックしても同様に作成できます。

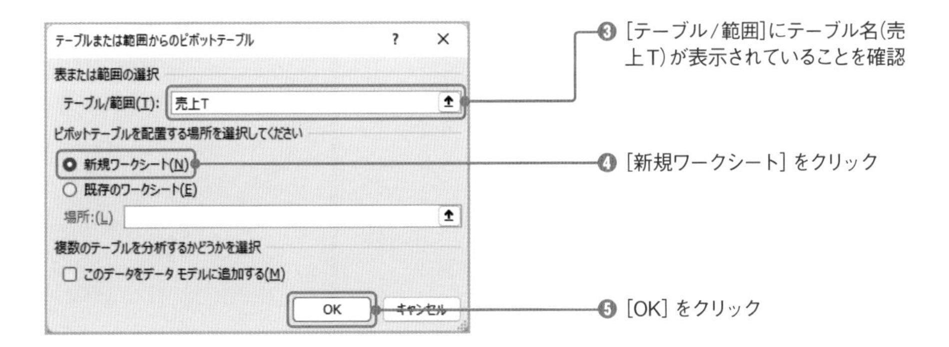

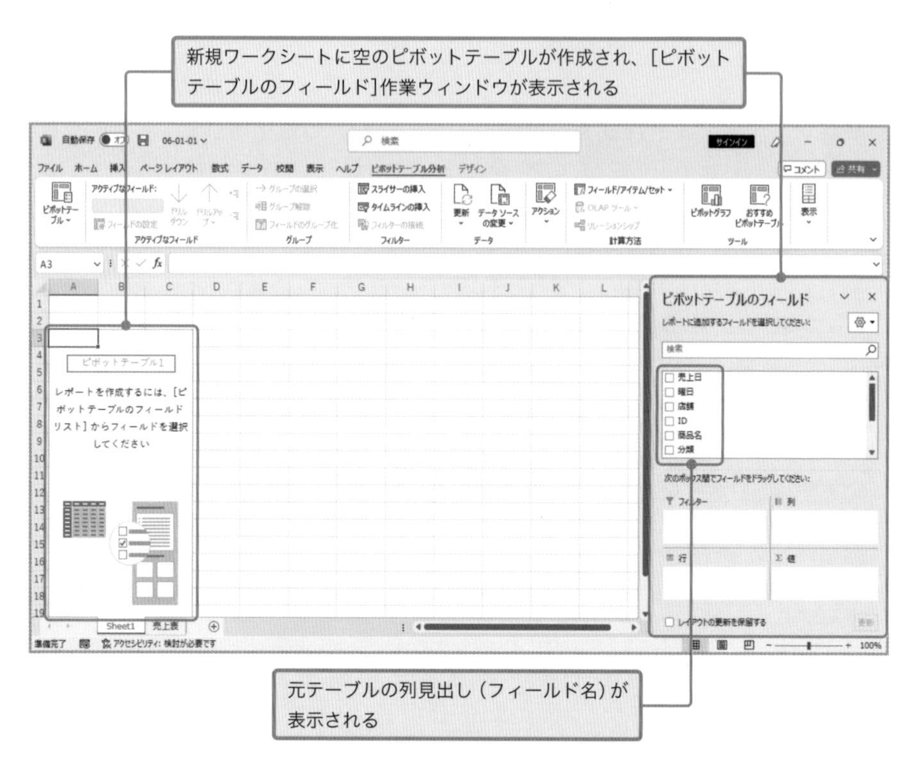

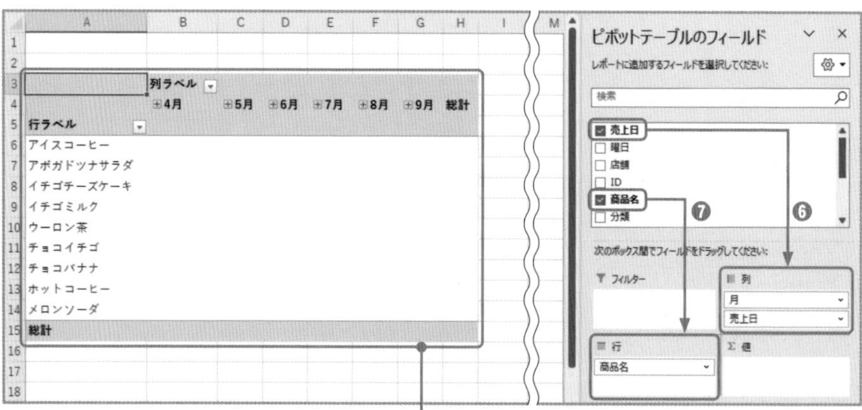

❻ [売上日] を [列] エリアにドラッグ
❼ [商品名] を [行] エリアにドラッグ

ワークシートに売上月が列方向、商品名が行方向に配置された

Memo

日付のフィールドを [行] エリアまたは [列] エリアに追加すると、自動的に月単位でグループ化されます。グループ化の詳細は p.204 を参照してください。

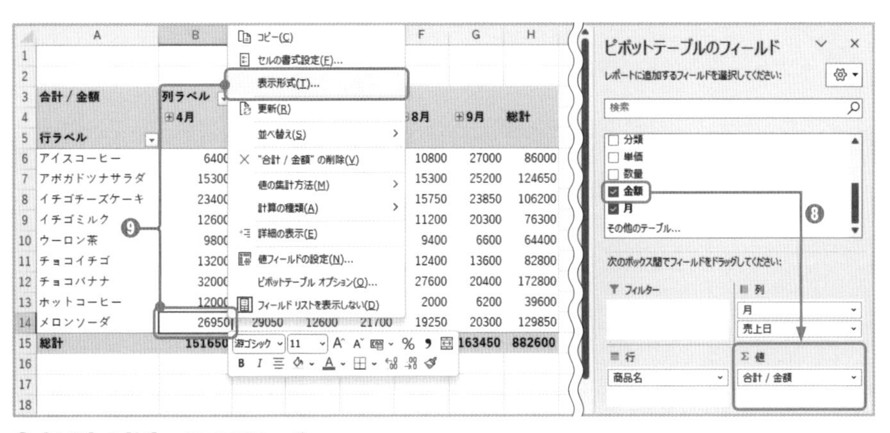

❽ [金額] を [値] エリアにドラッグ

❾ 集計結果の任意の数値のセルを右クリックし、[表示形式] をクリック

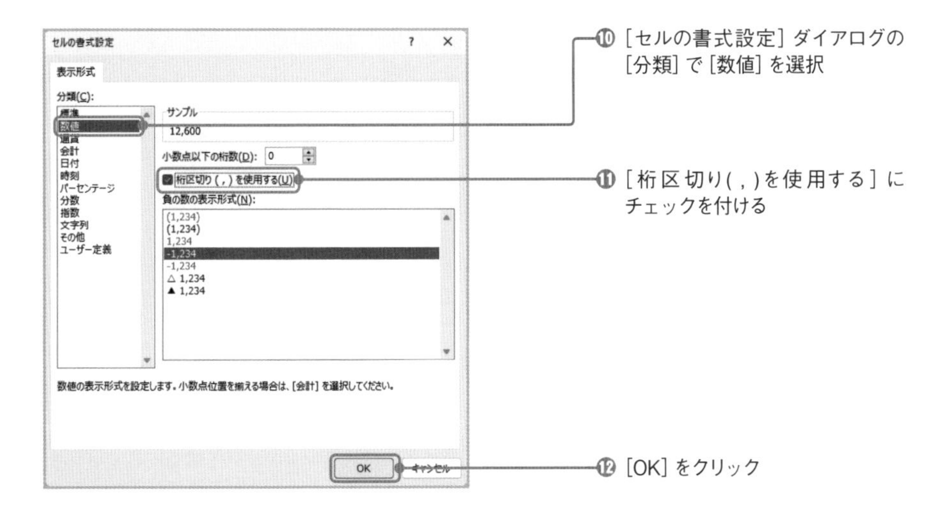

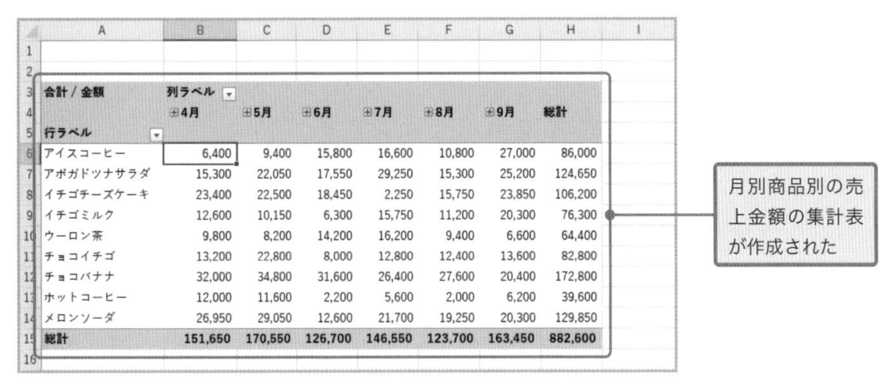

合計 / 金額	列ラベル						
	⊞4月	⊞5月	⊞6月	⊞7月	⊞8月	⊞9月	総計
行ラベル							
アイスコーヒー	6,400	9,400	15,800	16,600	10,800	27,000	86,000
アボガドツナサラダ	15,300	22,050	17,550	29,250	15,300	25,200	124,650
イチゴチーズケーキ	23,400	22,500	18,450	2,250	15,750	23,850	106,200
イチゴミルク	12,600	10,150	6,300	15,750	11,200	20,300	76,300
ウーロン茶	9,800	8,200	14,200	16,200	9,400	6,600	64,400
チョコイチゴ	13,200	22,800	8,000	12,800	12,400	13,600	82,800
チョコバナナ	32,000	34,800	31,600	26,400	27,600	20,400	172,800
ホットコーヒー	12,000	11,600	2,200	5,600	2,000	6,200	39,600
メロンソーダ	26,950	29,050	12,600	21,700	19,250	20,300	129,850
総計	151,650	170,550	126,700	146,550	123,700	163,450	882,600

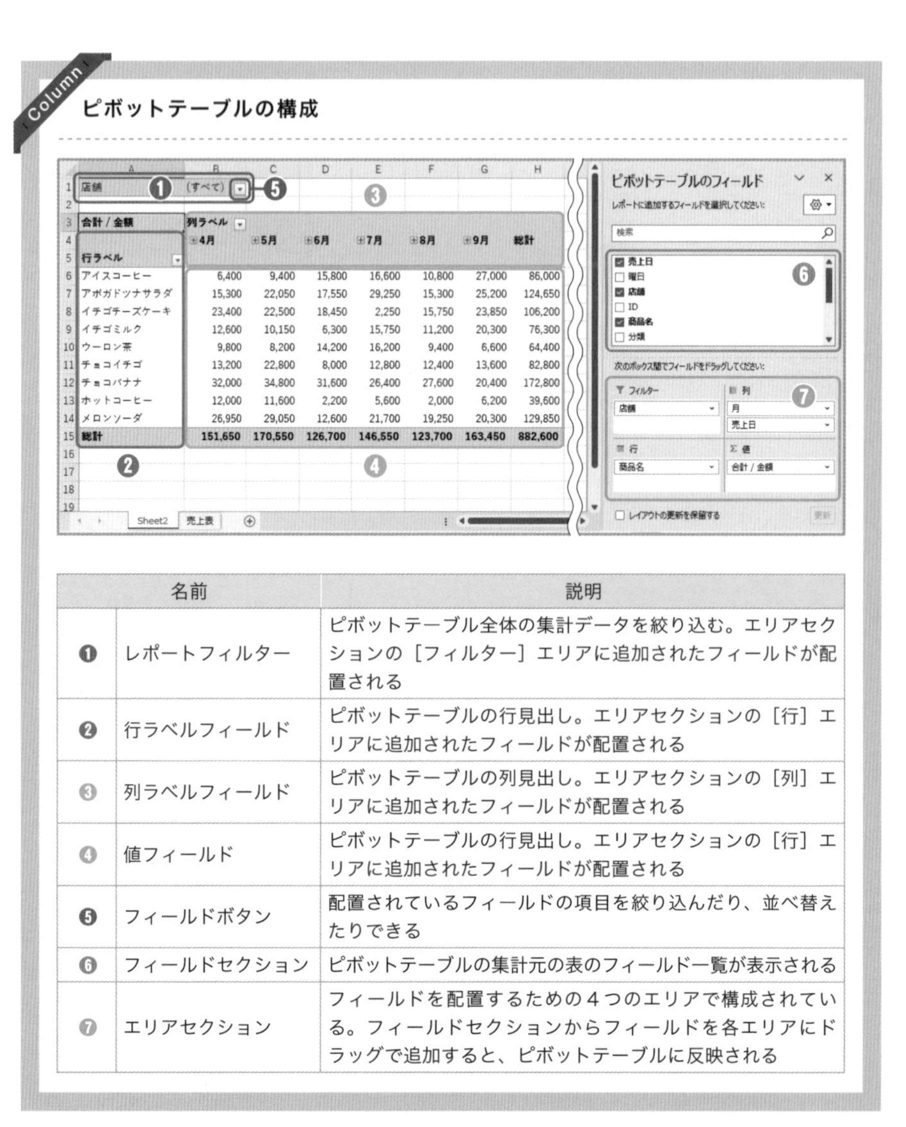

ピボットテーブルの構成

名前		説明
❶	レポートフィルター	ピボットテーブル全体の集計データを絞り込む。エリアセクションの［フィルター］エリアに追加されたフィールドが配置される
❷	行ラベルフィールド	ピボットテーブルの行見出し。エリアセクションの［行］エリアに追加されたフィールドが配置される
❸	列ラベルフィールド	ピボットテーブルの列見出し。エリアセクションの［列］エリアに追加されたフィールドが配置される
❹	値フィールド	ピボットテーブルの行見出し。エリアセクションの［行］エリアに追加されたフィールドが配置される
❺	フィールドボタン	配置されているフィールドの項目を絞り込んだり、並べ替えたりできる
❻	フィールドセクション	ピボットテーブルの集計元の表のフィールド一覧が表示される
❼	エリアセクション	フィールドを配置するための４つのエリアで構成されている。フィールドセクションからフィールドを各エリアにドラッグで追加すると、ピボットテーブルに反映される

フィールドを入れ替えて視点を変更する

ピボットテーブルは、フィールドを自由に追加、削除、移動できるため、簡単に集計表の形を変更でき、視点を変えたデータ分析ができます。
(Sample ➡06-01-02.xlsx)

☑フィールドを追加する

ここでは、[分類]を追加して、商品を分類別に区分します。

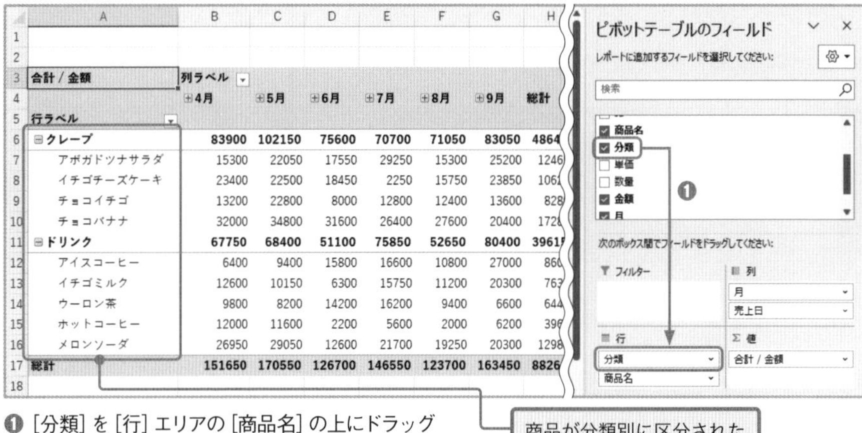

合計 / 金額	列ラベル						
行ラベル	⊞4月	⊞5月	⊞6月	⊞7月	⊞8月	⊞9月	総計
⊟クレープ	83900	102150	75600	70700	71050	83050	4864
アボガドツナサラダ	15300	22050	17550	29250	15300	25200	1246
イチゴチーズケーキ	23400	22500	18450	2250	15750	23850	106
チョコイチゴ	13200	22800	8000	12800	12400	13600	828
チョコバナナ	32000	34800	31600	26400	27600	20400	172
⊟ドリンク	67750	68400	51100	75850	52650	80400	3961
アイスコーヒー	6400	9400	15800	16600	10800	27000	86
イチゴミルク	12600	10150	6300	15750	11200	20300	76
ウーロン茶	9800	8200	14200	16200	9400	6600	644
ホットコーヒー	12000	11600	2200	5600	2000	6200	39
メロンソーダ	26950	29050	12600	21700	19250	20300	1298
総計	151650	170550	126700	146550	123700	163450	8826

❶ [分類] を [行] エリアの [商品名] の上にドラッグ

商品が分類別に区分された

Memo

[列ラベル]の月名の左にある [+]をクリックすると詳細データ（ここでは [売上日]）が表示され、[行ラベル]の分類名の左にある [−]をクリックすると詳細データ（ここでは [商品名]）が非表示になります。

☑フィールドを削除する

続けて、[商品名]を削除して分類別、月別の集計表に変更します。

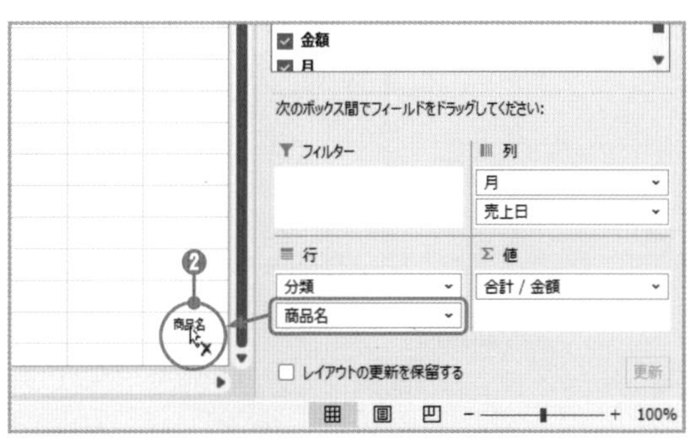

❷ [行] エリアの [商品名] を枠外にドラッグ

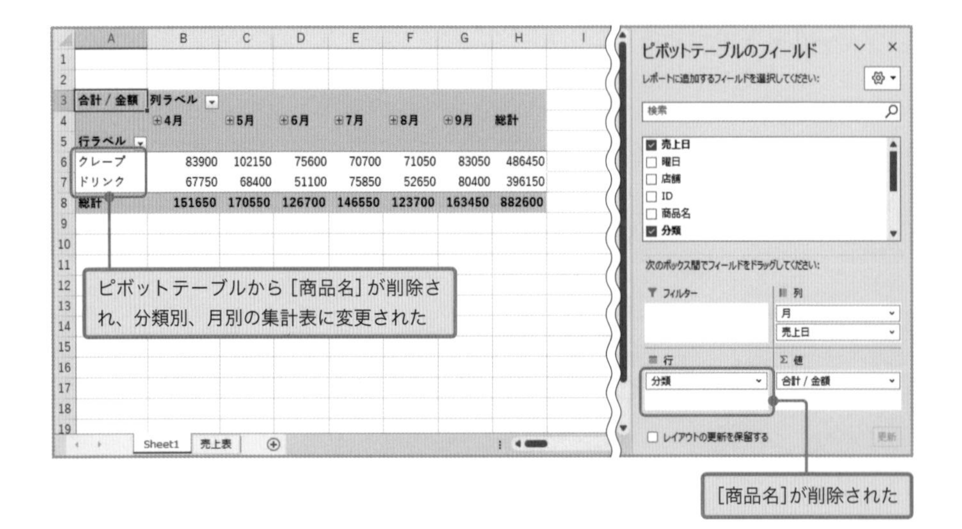

合計 / 金額	列ラベル						
	4月	5月	6月	7月	8月	9月	総計
行ラベル							
クレープ	83900	102150	75600	70700	71050	83050	486450
ドリンク	67750	68400	51100	75850	52650	80400	396150
総計	151650	170550	126700	146550	123700	163450	882600

☑フィールドを移動する

ここでは、[売上日]フィールドを削除し、[月]フィールドを[行]エリアに移動して、分類別、月別の売上表を作成します。

行ラベル	合計 / 金額
クレープ	486450
4月	83900
5月	102150
6月	75600
7月	70700
8月	71050
9月	83050
ドリンク	396150
4月	67750
5月	68400
6月	51100
7月	75850
8月	52650
9月	80400
総計	882600

❸ p.195を参考にして[売上日]を枠外にドラッグして削除しておく

❹ [月]を[行]エリアの[分類]の下に移動

Memo

行ラベル、列ラベルに表示されるフィルターボタン[▼]をクリックして、並べ替え、フィルターによる抽出ができます。

Column

ピボットテーブルの編集

ピボットテーブル内をクリックしてアクティブセルを移動すると、コンテキストタブの［ピボットテーブル分析］タブと［デザイン］タブが表示されます（Excel 2019 以前は［ピボットテーブルツール］の［分析］タブと［デザイン］タブ）。ピボットテーブルの設定や見栄えを変更する際にこれらのタブにある機能を使います。

ここでは、ピボットテーブルのその他の基本操作についてまとめておきます。

☑［ピボットテーブル分析］タブ

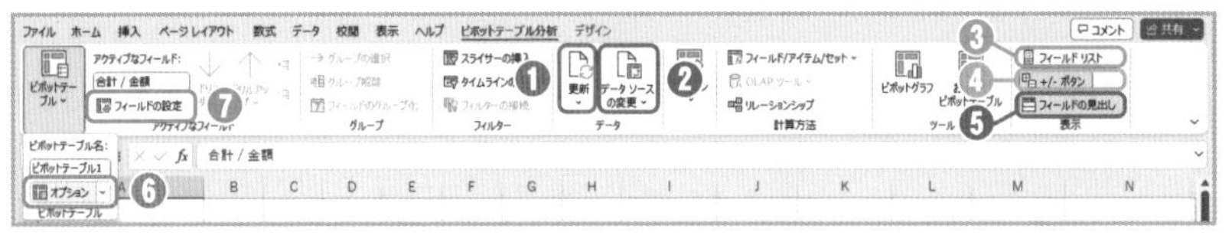

	ボタン名	機能
❶	更新	元データの数値に変更があった場合、最新データに更新する
❷	データソースの変更	［ピボットテーブルのデータソースの変更］ダイアログを表示。ピボットテーブルの元データを設定し直す
❸	フィールドリスト	［ピボットテーブルのフィールド］作業ウィンドウの表示／非表示
❹	＋ / －ボタン	［＋］［－］ボタンの表示／非表示
❺	フィールドの見出し	ピボットテーブルに表示される「行ラベル」「列ラベル」という文字列の表示／非表示。なお、表示されている文字列は、別の文字列に自由に変更できる
❻	オプション	［ピボットテーブルオプション］ダイアログを表示（※ 1）。ピボットテーブル全体の詳細設定ができる
❼	フィールドの設定	ピボットテーブル内で選択されているフィールドの値に対する詳細設定のダイアログを表示。例えば、数値が選択されていれば、［値フィールドの設定］ダイアログが表示される（※ 2）

※1 ［ピボットテーブルオプション］ダイアログ

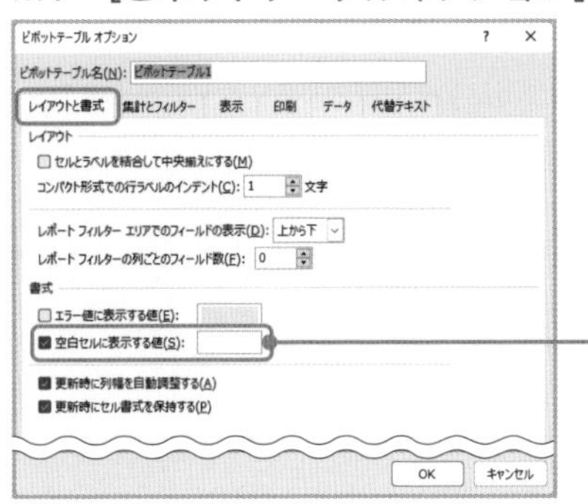

［レイアウトと書式］タブの［書式］→［空白セルに表示する値］を「0」と指定すれば、集計に該当する値がない場合、空欄ではなく0が表示される

※2　[値フィールドの設定]ダイアログ

　ラベルに表示する文字列を変更したり、計算方法を変更したりできます。[表示形式]をクリックすると［セルの書式設定］ダイアログが表示され、数値の表示形式を設定できます。

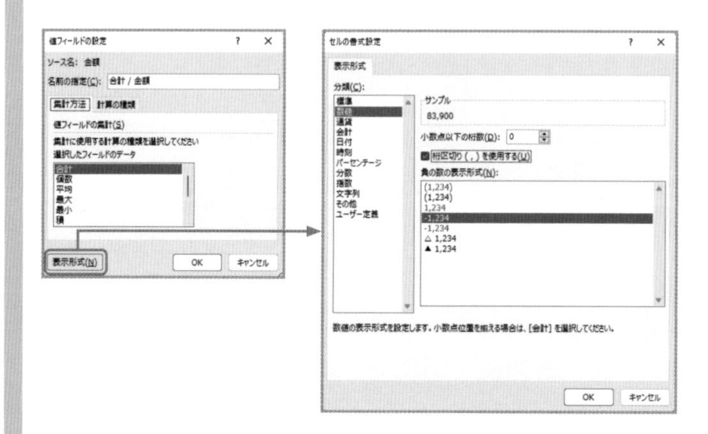

☑[デザイン]タブ

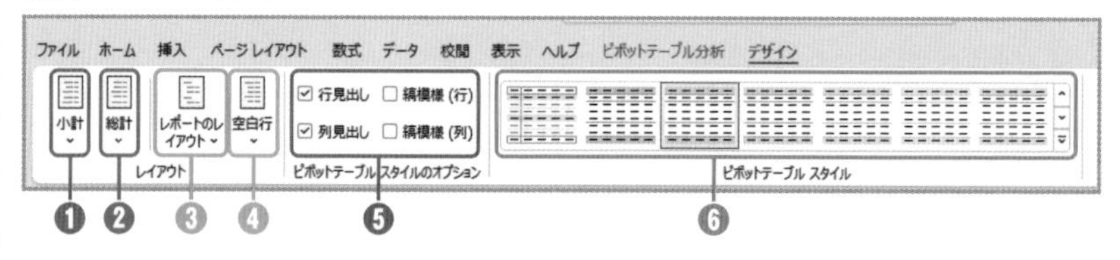

ボタン名		機能
❶	小計	小計の表示・非表示の指定。行または列エリアに複数のフィールドを配置しているときに使用
❷	総計	総計の表示／非表示の指定
❸	レポートのレイアウト	ピボットテーブルのレイアウトをコンパクト、アウトライン、表形式のいずれかに指定。標準はコンパクト（※3）
❹	空白行	空白行の扱いを指定。行または列エリアに複数のフィールドを配置しているときに使用
❺	ピボットテーブルスタイルのオプション	ピボットテーブルの指定した位置にスタイルを適用するかどうかを選択
❻	ピボットテーブルスタイル	ピボットテーブル全体のスタイルのテンプレート

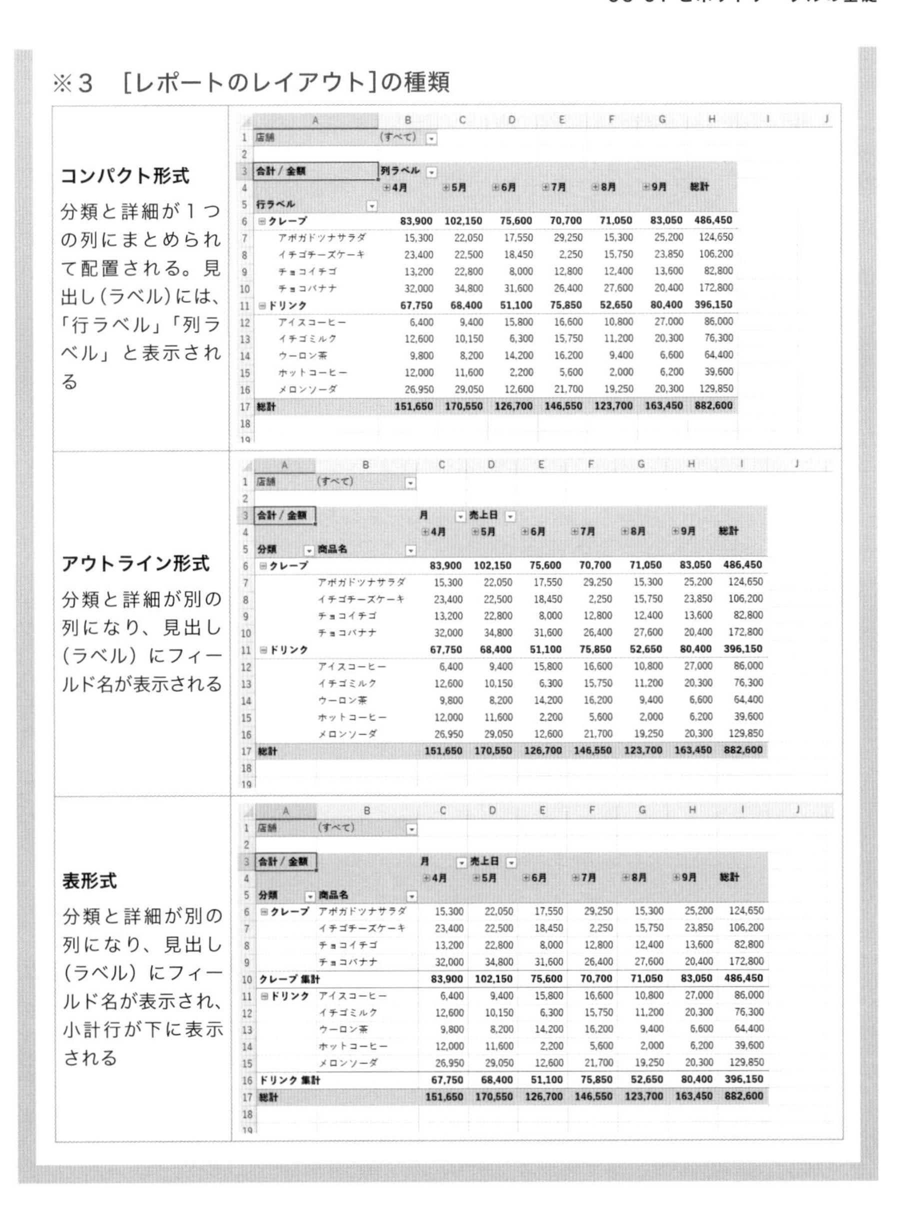

※3 [レポートのレイアウト]の種類

コンパクト形式

分類と詳細が1つの列にまとめられて配置される。見出し(ラベル)には、「行ラベル」「列ラベル」と表示される

店舗 (すべて)

合計 / 金額 行ラベル	列ラベル ⊞4月	⊞5月	⊞6月	⊞7月	⊞8月	⊞9月	総計
⊟クレープ	83,900	102,150	75,600	70,700	71,050	83,050	486,450
アボガドツナサラダ	15,300	22,050	17,550	29,250	15,300	25,200	124,650
イチゴチーズケーキ	23,400	22,500	18,450	2,250	15,750	23,850	106,200
チョコイチゴ	13,200	22,800	8,000	12,800	12,400	13,600	82,800
チョコバナナ	32,000	34,800	31,600	26,400	27,600	20,400	172,800
⊟ドリンク	67,750	68,400	51,100	75,850	52,650	80,400	396,150
アイスコーヒー	6,400	9,400	15,800	16,600	10,800	27,000	86,000
イチゴミルク	12,600	10,150	6,300	15,750	11,200	20,300	76,300
ウーロン茶	9,800	8,200	14,200	16,200	9,400	6,600	64,400
ホットコーヒー	12,000	11,600	2,200	5,600	2,000	6,200	39,600
メロンソーダ	26,950	29,050	12,600	21,700	19,250	20,300	129,850
総計	151,650	170,550	126,700	146,550	123,700	163,450	882,600

アウトライン形式

分類と詳細が別の列になり、見出し(ラベル)にフィールド名が表示される

店舗 (すべて)

合計 / 金額 分類	商品名	月 売上日 ⊞4月	⊞5月	⊞6月	⊞7月	⊞8月	⊞9月	総計
⊟クレープ		83,900	102,150	75,600	70,700	71,050	83,050	486,450
	アボガドツナサラダ	15,300	22,050	17,550	29,250	15,300	25,200	124,650
	イチゴチーズケーキ	23,400	22,500	18,450	2,250	15,750	23,850	106,200
	チョコイチゴ	13,200	22,800	8,000	12,800	12,400	13,600	82,800
	チョコバナナ	32,000	34,800	31,600	26,400	27,600	20,400	172,800
⊟ドリンク		67,750	68,400	51,100	75,850	52,650	80,400	396,150
	アイスコーヒー	6,400	9,400	15,800	16,600	10,800	27,000	86,000
	イチゴミルク	12,600	10,150	6,300	15,750	11,200	20,300	76,300
	ウーロン茶	9,800	8,200	14,200	16,200	9,400	6,600	64,400
	ホットコーヒー	12,000	11,600	2,200	5,600	2,000	6,200	39,600
	メロンソーダ	26,950	29,050	12,600	21,700	19,250	20,300	129,850
総計		151,650	170,550	126,700	146,550	123,700	163,450	882,600

表形式

分類と詳細が別の列になり、見出し(ラベル)にフィールド名が表示され、小計行が下に表示される

店舗 (すべて)

合計 / 金額 分類	商品名	月 売上日 ⊞4月	⊞5月	⊞6月	⊞7月	⊞8月	⊞9月	総計
⊟クレープ	アボガドツナサラダ	15,300	22,050	17,550	29,250	15,300	25,200	124,650
	イチゴチーズケーキ	23,400	22,500	18,450	2,250	15,750	23,850	106,200
	チョコイチゴ	13,200	22,800	8,000	12,800	12,400	13,600	82,800
	チョコバナナ	32,000	34,800	31,600	26,400	27,600	20,400	172,800
クレープ 集計		83,900	102,150	75,600	70,700	71,050	83,050	486,450
⊟ドリンク	アイスコーヒー	6,400	9,400	15,800	16,600	10,800	27,000	86,000
	イチゴミルク	12,600	10,150	6,300	15,750	11,200	20,300	76,300
	ウーロン茶	9,800	8,200	14,200	16,200	9,400	6,600	64,400
	ホットコーヒー	12,000	11,600	2,200	5,600	2,000	6,200	39,600
	メロンソーダ	26,950	29,050	12,600	21,700	19,250	20,300	129,850
ドリンク 集計		67,750	68,400	51,100	75,850	52,650	80,400	396,150
総計		151,650	170,550	126,700	146,550	123,700	163,450	882,600

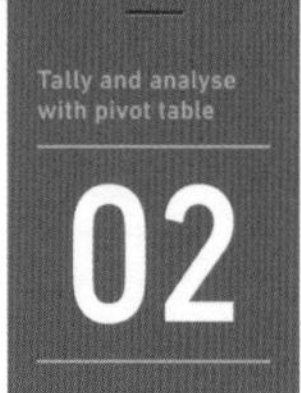

集計対象を切り替える

ピボットテーブルのレポートフィルターにフィールドを配置すると、集計表を店舗別や曜日別などで集計結果を切り替えることができます。

レポートフィルターに店舗を追加する

レポートフィルターに［店舗］を追加するには、［ピボットテーブルのフィールド］作業ウィンドウで［店舗］フィールドを［フィルター］エリアにドラッグします。(Sample ➡06-02-01.xlsx)

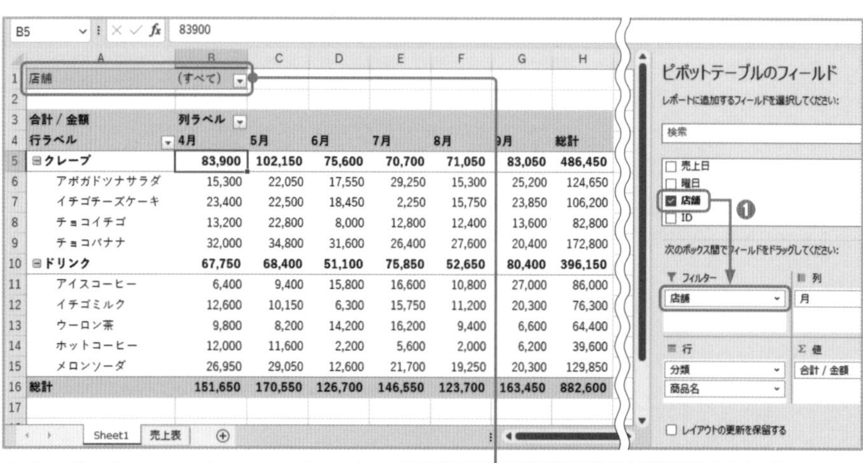

店舗	(すべて)					
合計 / 金額	列ラベル					
行ラベル	4月	5月	6月	7月	8月	9月	総計
⊟クレープ	83,900	102,150	75,600	70,700	71,050	83,050	486,450
アボガドツナサラダ	15,300	22,050	17,550	29,250	15,300	25,200	124,650
イチゴチーズケーキ	23,400	22,500	18,450	2,250	15,750	23,850	106,200
チョコイチゴ	13,200	22,800	8,000	12,800	12,400	13,600	82,800
チョコバナナ	32,000	34,800	31,600	26,400	27,600	20,400	172,800
⊟ドリンク	67,750	68,400	51,100	75,850	52,650	80,400	396,150
アイスコーヒー	6,400	9,400	15,800	16,600	10,800	27,000	86,000
イチゴミルク	12,600	10,150	6,300	15,750	11,200	20,300	76,300
ウーロン茶	9,800	8,200	14,200	16,200	9,400	6,600	64,400
ホットコーヒー	12,000	11,600	2,200	5,600	2,000	6,200	39,600
メロンソーダ	26,950	29,050	12,600	21,700	19,250	20,300	129,850
総計	151,650	170,550	126,700	146,550	123,700	163,450	882,600

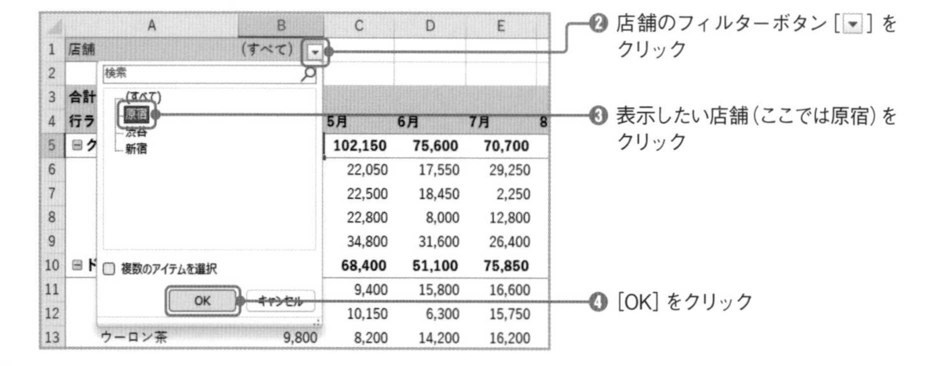

原宿店の集計結果が表示された

	A	B	C	D	E	F	G	H
1	店舗	原宿						
2								
3	合計 / 金額	列ラベル						
4	行ラベル	4月	5月	6月	7月	8月	9月	総計
5	⊟クレープ	54,400	51,450	36,100	38,650	42,350	33,250	256,200
6	アボガドツナサラダ	3,600	7,650	9,000	7,200	9,000	1,800	38,250
7	イチゴチーズケーキ	14,400	12,600	6,300	2,250	8,550	13,050	57,150
8	チョコイチゴ	10,400	13,200	4,000	5,600	8,800	7,200	49,200
9	チョコバナナ	26,000	18,000	16,800	23,600	16,000	11,200	111,600
10	⊟ドリンク	15,500	23,500	16,650	22,800	17,400	36,300	132,150
11	アイスコーヒー	1,600	1,800	3,600	5,600		8,000	20,600
12	イチゴミルク	5,250	4,200		7,000	2,800	11,200	30,450
13	ウーロン茶	2,800	1,400	5,600	2,400		1,000	13,200
14	ホットコーヒー	2,000	2,800	800	800	600	2,800	9,800
15	メロンソーダ	3,850	13,300	6,650	7,000	14,000	13,300	58,100
16	総計	69,900	74,950	52,750	61,450	59,750	69,550	388,350
17								

店舗別の集計表をワークシート別に展開する

レポートフィルターにフィールドを配置すると、そのフィールドの各要素の集計結果を別々のワークシートに展開することができます。ここでは、各店舗の集計表をそれぞれのワークシートに作成してみましょう。(Sample ➡06-02-02.xlsx)

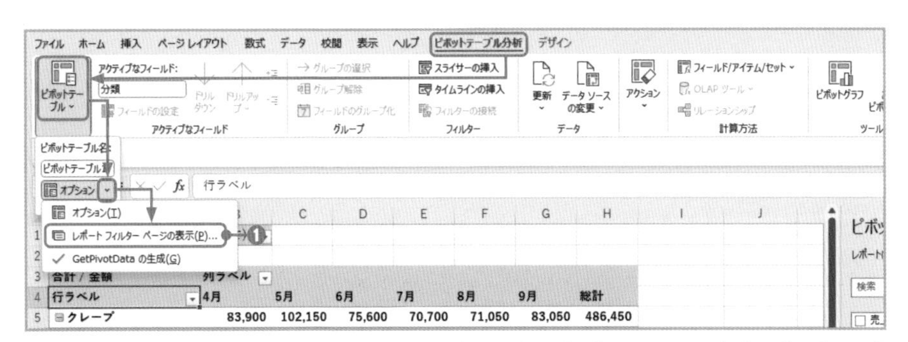

❶ ピボットテーブル内でクリックし、[ピボットテーブル分析] タブ→ [ピボットテーブル] → [オプション] の [⌄] → [レポートフィルターページの表示] をクリック

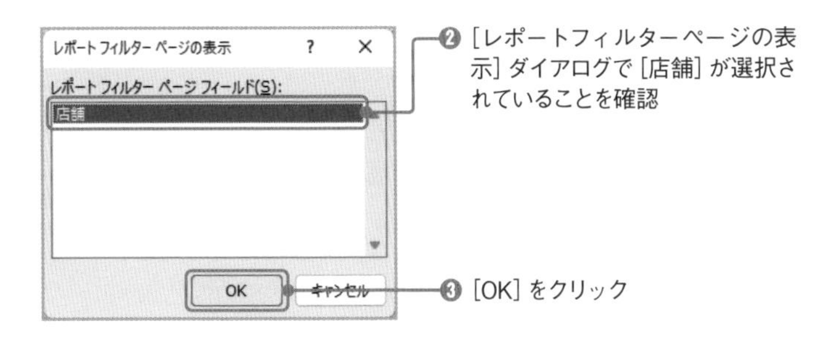

❷ [レポートフィルターページの表示] ダイアログで [店舗] が選択されていることを確認

❸ [OK] をクリック

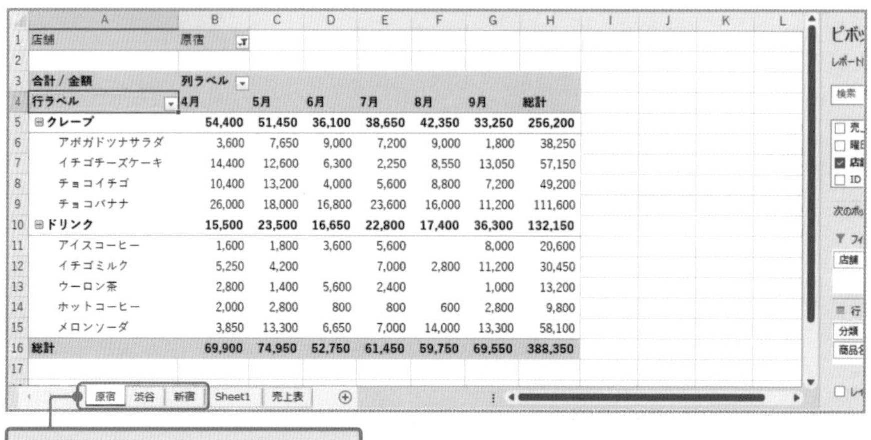

店舗 原宿

合計 / 金額 列ラベル

行ラベル	4月	5月	6月	7月	8月	9月	総計
⊟クレープ	54,400	51,450	36,100	38,650	42,350	33,250	256,200
アボガドツナサラダ	3,600	7,650	9,000	7,200	9,000	1,800	38,250
イチゴチーズケーキ	14,400	12,600	6,300	2,250	8,550	13,050	57,150
チョコイチゴ	10,400	13,200	4,000	5,600	8,800	7,200	49,200
チョコバナナ	26,000	18,000	16,800	23,600	16,000	11,200	111,600
⊟ドリンク	15,500	23,500	16,650	22,800	17,400	36,300	132,150
アイスコーヒー	1,600	1,800	3,600	5,600		8,000	20,600
イチゴミルク	5,250	4,200		7,000	2,800	11,200	30,450
ウーロン茶	2,800	1,400	5,600	2,400		1,000	13,200
ホットコーヒー	2,000	2,800	800	800	600	2,800	9,800
メロンソーダ	3,850	13,300	6,650	7,000	14,000	13,300	58,100
総計	69,900	74,950	52,750	61,450	59,750	69,550	388,350

スライサーを使って集計項目を切り替える

スライサーを使うと、ボタンをクリックするだけで、集計項目を素早く簡単に切り替えることができます。(Sample ➡06-02-03.xlsx)

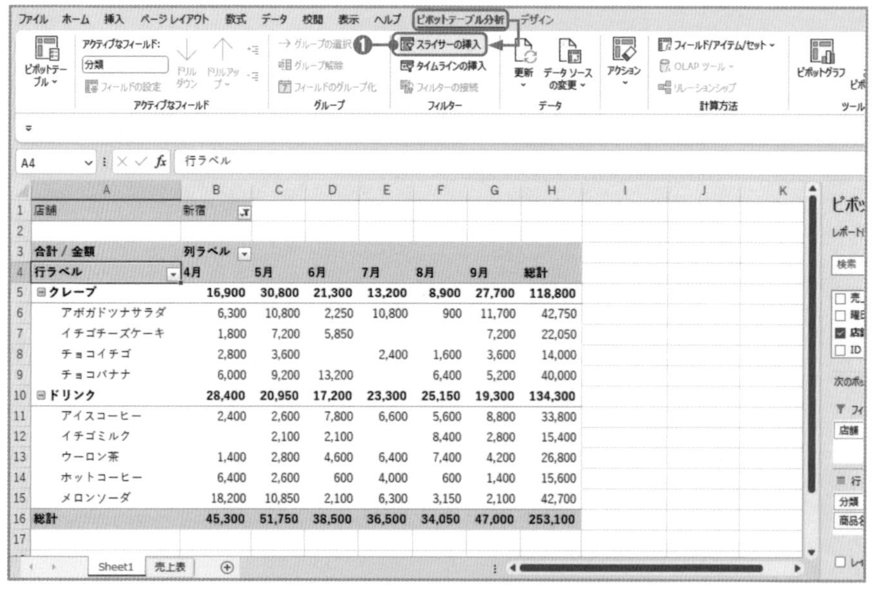

店舗 新宿

合計 / 金額 列ラベル

行ラベル	4月	5月	6月	7月	8月	9月	総計
⊟クレープ	16,900	30,800	21,300	13,200	8,900	27,700	118,800
アボガドツナサラダ	6,300	10,800	2,250	10,800	900	11,700	42,750
イチゴチーズケーキ	1,800	7,200	5,850			7,200	22,050
チョコイチゴ	2,800	3,600		2,400	1,600	3,600	14,000
チョコバナナ	6,000	9,200	13,200		6,400	5,200	40,000
⊟ドリンク	28,400	20,950	17,200	23,300	25,150	19,300	134,300
アイスコーヒー	2,400	2,600	7,800	6,600	5,600	8,800	33,800
イチゴミルク		2,100	2,100		8,400	2,800	15,400
ウーロン茶	1,400	2,800	4,600	6,400	7,400	4,200	26,800
ホットコーヒー	6,400	2,600	600	4,000	600	1,400	15,600
メロンソーダ	18,200	10,850	2,100	6,300	3,150	2,100	42,700
総計	45,300	51,750	38,500	36,500	34,050	47,000	253,100

❶ ピボットテーブル内でクリックし、[ピボットテーブル分析] タブ→ [スライサーの挿入] をクリック

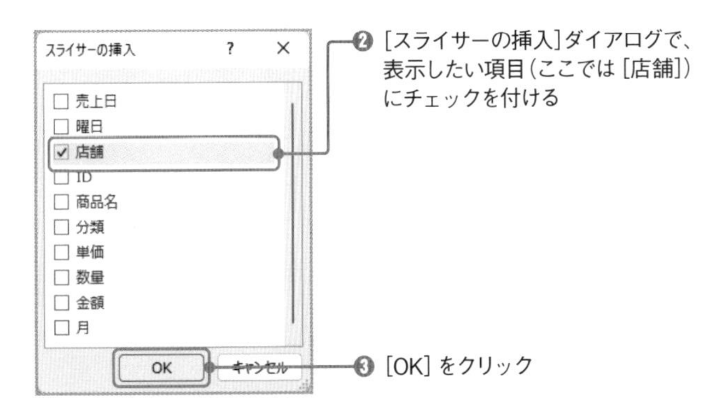

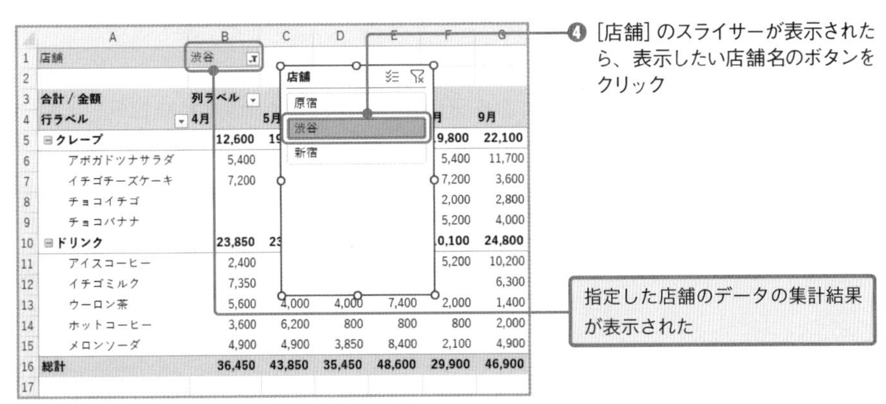

Memo

スライサーのタイトルバーの右側にある［複数選択］（ ）をクリックしてオンにすると、複数のボタンを選択できます。［フィルターのクリア］（ ）をクリックすると、フィルターを解除します。また、不要な場合は、スライサーを選択し、周囲に白いハンドルが表示されている状態で Delete キーを押します。また、この状態でタイトルバーをドラッグして移動、白いハンドルをドラッグしてサイズ変更ができます。

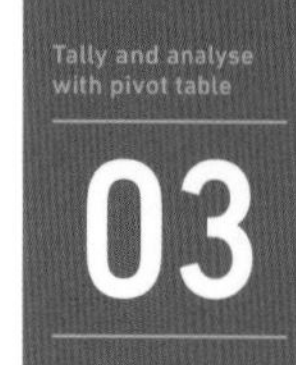

日付や数値をグループ化して集計間隔を調整する

行や列に配置した数値データを指定した区間でまとめてグループ単位で集計できます。また、日付を配置すると、日付の内容によって自動的に月単位や年単位でグループ分けされてピボットテーブルに表示されます。ここではグループ分けの単位を変更、削除する方法を覚えましょう。

日付をグループ化する

ピボットテーブルの元データにある**日付のフィールドの表示単位を日付、月、四半期、年といろいろな単位でグループ化して集計表を作成できます。**日付をグループ化するには、行または列に配置された日付のデータをクリックし、[グループ化]ダイアログを表示します。

ここでは「2022/1/1」から「2022/12/31」までの日付を四半期別にグループ化します。(Sample ➡06-03-01.xlsx)

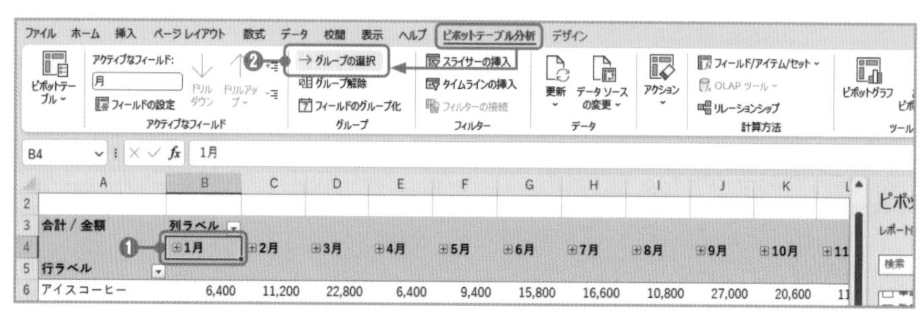

❶ ピボットテーブルの行または列にある日付のセル(ここでは「1月」)をクリック

❷ [ピボットテーブル分析] タブ→ [グループの選択] をクリック

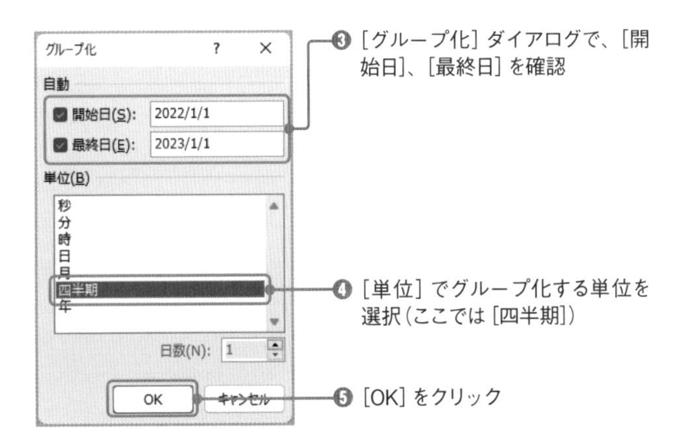

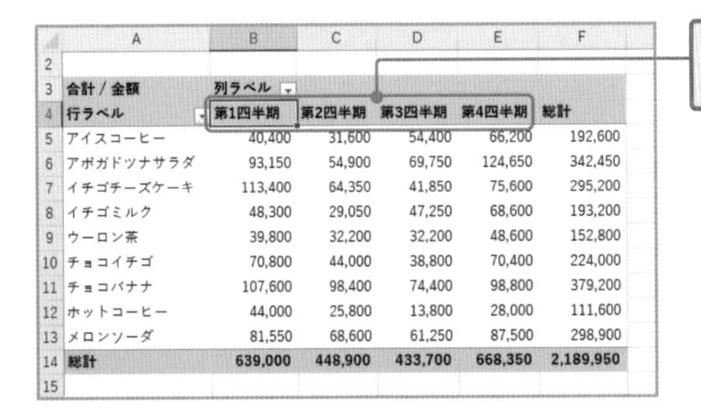

	A	B	C	D	E	F
2						
3	合計 / 金額	列ラベル				
4	行ラベル	第1四半期	第2四半期	第3四半期	第4四半期	総計
5	アイスコーヒー	40,400	31,600	54,400	66,200	192,600
6	アボガドツナサラダ	93,150	54,900	69,750	124,650	342,450
7	イチゴチーズケーキ	113,400	64,350	41,850	75,600	295,200
8	イチゴミルク	48,300	29,050	47,250	68,600	193,200
9	ウーロン茶	39,800	32,200	32,200	48,600	152,800
10	チョコイチゴ	70,800	44,000	38,800	70,400	224,000
11	チョコバナナ	107,600	98,400	74,400	98,800	379,200
12	ホットコーヒー	44,000	25,800	13,800	28,000	111,600
13	メロンソーダ	81,550	68,600	61,250	87,500	298,900
14	総計	639,000	448,900	433,700	668,350	2,189,950
15						

Column

決算月が3月の場合に四半期と年度を区切る

四半期のグループ分けは、既定で1月～3月が第1四半期、4月～6月が第2四半期、7月～9月が第3四半期、11月～12月が第4四半期としてまとめられます。会社によっては、4月から第1四半期が始まる場合があります。これに対応するには、ピボットテーブルの元テーブルに [四半期] 列を作成し、実務に合わせた四半期の値が表示されるように計算式を設定します。同様に年度についても4月から新しい年度が始まるため、[年度]列を追加し計算式を設定して対応します。

☑ 4月から第1四半期とする計算式

4月から第1四半期とする四半期は、4月～6月が第1四半期、7月～9月が第2四半期、10月～12月が第3四半期、1月～3月が第4四半期となります。これを踏まえて作成する数式は、日付から月を取り出し、月が10以上なら「第3四半期」、7以上なら「第2四半期」、4以上なら「第1四半期」、それ以外なら「第4四半期」ということになります。下図のように、IF関数とMONTH関数を使い、IF関数をネストして順番に判定する式を設定して求めることができます。
(Sample ➡06-03-01_コラム.xlsx)

=IF(MONTH(日付)>=10,"第3四半期",IF(MONTH(日付)>=7,"第2四半期",IF(MONTH(日付)>=4,"第1四半期","第4四半期")))											
MONTH>=10			MONTH>=7			MONTH>=4			それ以外		
第3四半期			第2四半期			第1四半期			第4四半期		
12	11	10	9	8	7	6	5	4	3	2	1

C2　=IF(MONTH([@売上日])>=10,"第3四半期",IF(MONTH([@売上日])>=7,"第2四半期",IF(MONTH([@売上日])>=4,"第1四半期","第4四半期")))

	A	B	C	D	E	F	G	H	I	J	K	L	M
1	売上日	年度	四半期	曜日	店舗	ID	商品名	分類	単価	数量	金額		
2	2022/04/01	2022年度	第1四半期	金	渋谷	C004	イチゴチーズケーキ	クレープ	450	5	2,250		
3	2022/04/01	2022年度	第1四半期	金	原宿	C001	チョコイチゴ	クレープ	400	8	3,200		

☑4月から新年度となる計算式

4月から新しい年度となる場合、その年の1月〜3月は前年度となります。日付から月を取り出して3以下の場合は、日付から取り出した年から1を引いた年の年度とし、そうでない場合は、日付から取り出した年を年度とします。

=IF(MONTH(日付)<=3,(YEAR(日付)-1)&"年度",YEAR(日付)&"年度")											
MONTH<=3			それ以外								
前年度(YEAR-1)			今年度(YEAR)								
1	2	3	4	5	6	7	8	9	10	11	12

B2　=IF(MONTH([@売上日])<=3,(YEAR([@売上日])-1)&"年度",YEAR([@売上日])&"年度")

	A	B	C	D	E	F	G	H	I	J	K	L	M
1	売上日	年度	四半期	曜日	店舗	ID	商品名	分類	単価	数量	金額		
2	2022/04/0	2022年度	第1四半期	金	渋谷	C004	イチゴチーズケーキ	クレープ	450	5	2,250		
3	2022/04/01	2022年度	第1四半期	金	原宿	C001	チョコイチゴ	クレープ	400	8	3,200		

☑年度別、四半期別に集計したピボットテーブル

テーブルに[年度]列と[四半期]列を追加したら、ピボットテーブルを作成します。[ピボットテーブルのフィールド]作業ウィンドウで[列]エリアに[年度]、[四半期]、[売上日]の順で追加し、[行]エリア、[値]エリアにそれぞれフィールドを配置します。次に、[売上日]は[月]でグループ化されるので、p.204の手順で[グループ化]ダイアログを表示し、[月]以外のグループ化を解除して、標準で作成される[年]と[四半期]が表示されないようにします。

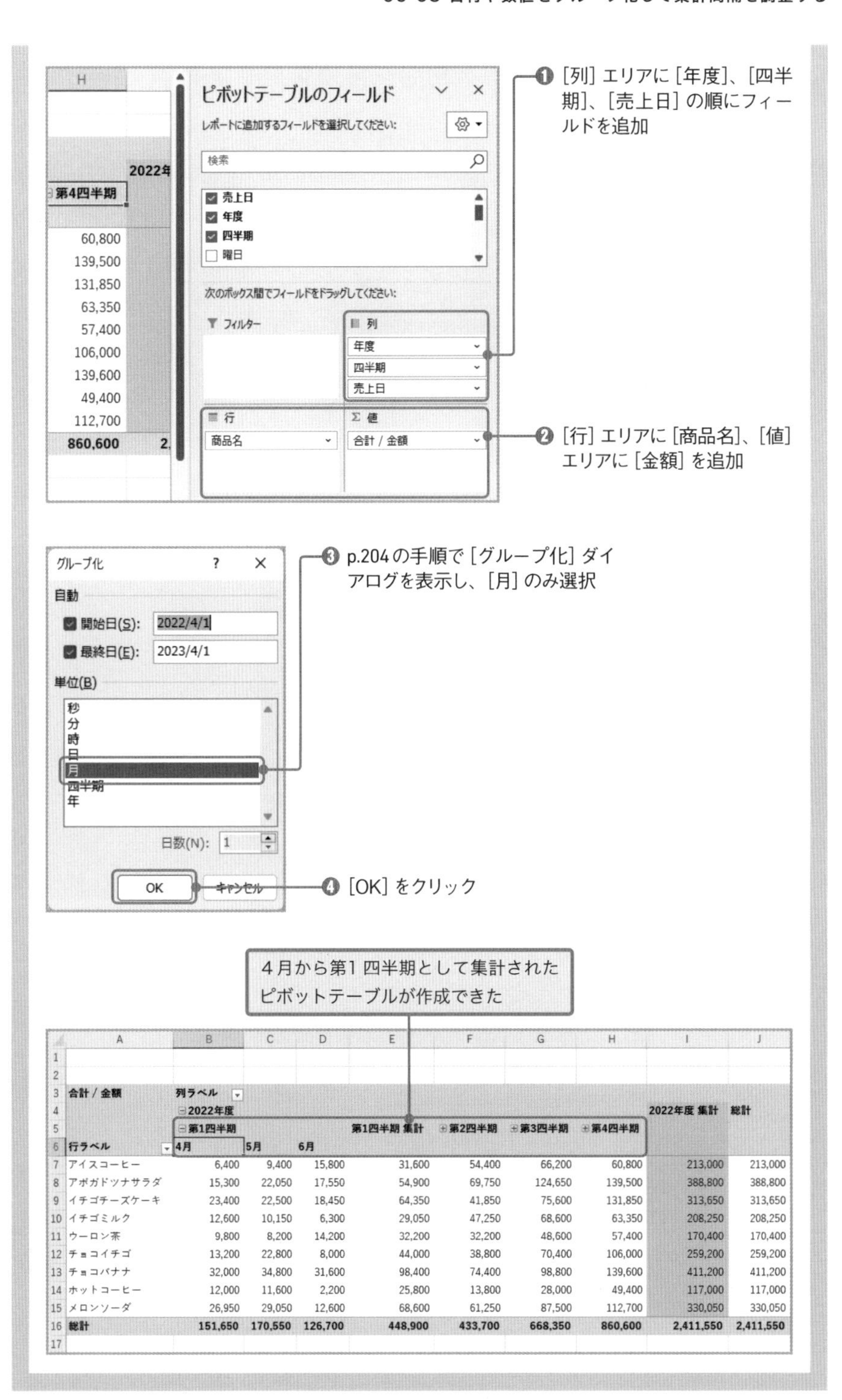

合計 / 金額	列ラベル								
	2022年度							2022年度 集計	総計
	第1四半期			第1四半期 集計	第2四半期	第3四半期	第4四半期		
行ラベル	4月	5月	6月						
アイスコーヒー	6,400	9,400	15,800	31,600	54,400	66,200	60,800	213,000	213,000
アボガドツナサラダ	15,300	22,050	17,550	54,900	69,750	124,650	139,500	388,800	388,800
イチゴチーズケーキ	23,400	22,500	18,450	64,350	41,850	75,600	131,850	313,650	313,650
イチゴミルク	12,600	10,150	6,300	29,050	47,250	68,600	63,350	208,250	208,250
ウーロン茶	9,800	8,200	14,200	32,200	32,200	48,600	57,400	170,400	170,400
チョコイチゴ	13,200	22,800	8,000	44,000	38,800	70,400	106,000	259,200	259,200
チョコバナナ	32,000	34,800	31,600	98,400	74,400	98,800	139,600	411,200	411,200
ホットコーヒー	12,000	11,600	2,200	25,800	13,800	28,000	49,400	117,000	117,000
メロンソーダ	26,950	29,050	12,600	68,600	61,250	87,500	112,700	330,050	330,050
総計	151,650	170,550	126,700	448,900	433,700	668,350	860,600	2,411,550	2,411,550

タイムラインを使って集計期間を自由に変更する

タイムラインを使うと、集計期間を自由に変更してみることができます。例えば、「過去3か月」「1週間」など、簡単に必要な期間で集計することができます。(Sample ➡06-03-02.xlsx)

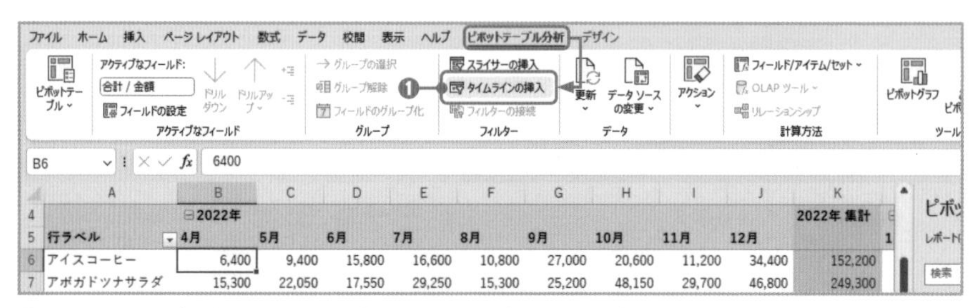

❶ ピボットテーブル内でクリックし、[ピボットテーブル分析] タブ➡ [タイムラインの挿入] をクリック

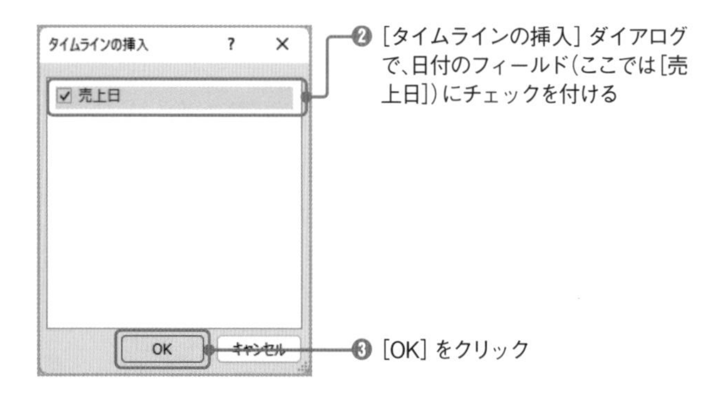

❷ [タイムラインの挿入] ダイアログで、日付のフィールド(ここでは[売上日])にチェックを付ける

❸ [OK] をクリック

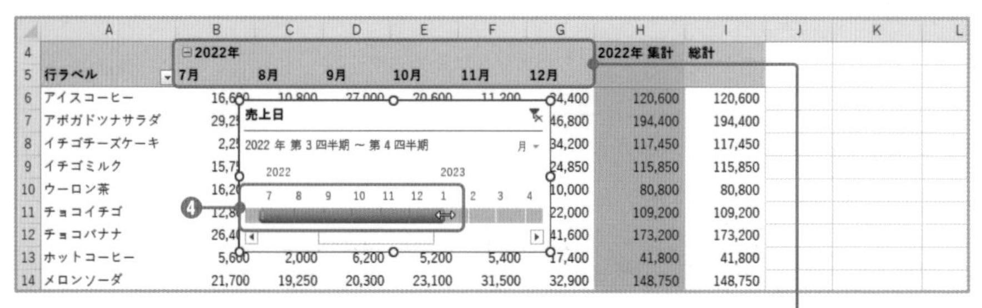

❹ [売上日] のタイムラインが表示されたら、バーをドラッグして期間を変更

指定した期間の集計結果が表示された

Column

タイムラインの集計単位を変更する

タイムラインの右端にある[月]の[▾]をクリックし、集計単位を変更できます。日単位で細かく期間指定したり、年単位で期間指定したり、必要に応じて変更してください。また、右上角にある[⊠]をクリックすると、フィルターが解除され、集計期間が全期間に戻ります。

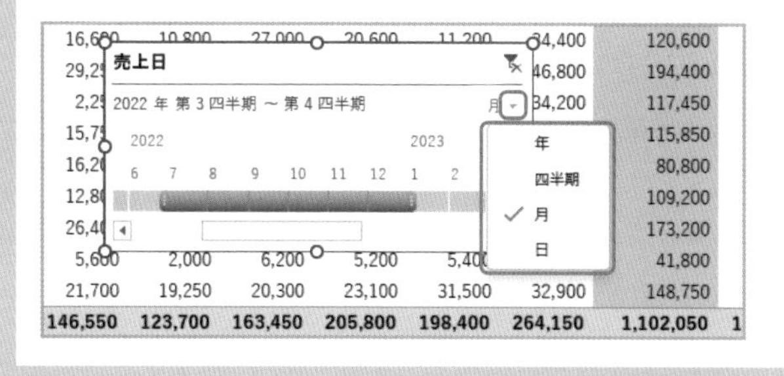

年齢をグループ化する

ピボットテーブルの数値データをグループ化する場合も、[グループ化]ダイアログで設定できます。ここでは、[年齢]フィールドを10代、20代、…のように10歳単位でグループ化してみましょう。[行]エリアに追加された年齢を年代別にグループ化します。(Sample ➡06-03-03.xlsx)

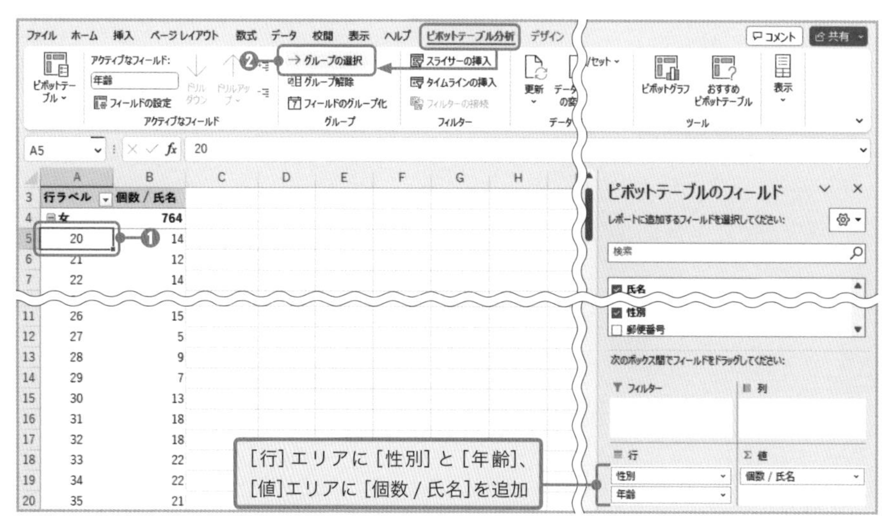

❶ ピボットテーブルの行にある年齢のセル(ここではセルA5)をクリック
❷ [ピボットテーブル分析]タブ→[グループの選択]をクリック

Memo

[値]エリアに数値ではなく、[氏名]のような文字列のフィールドを配置すると個数が計算されるため、人数の集計ができます。

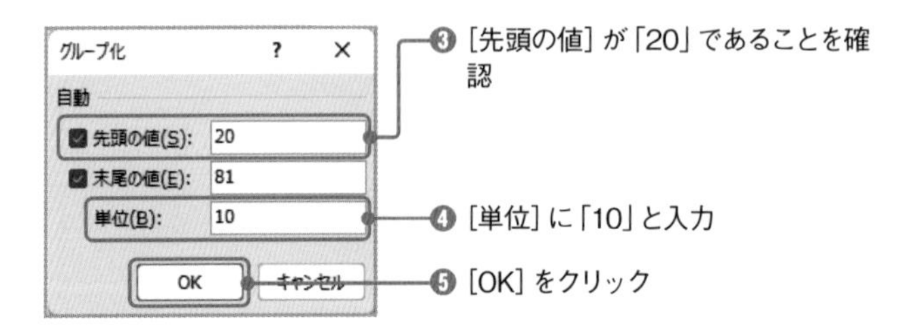

Memo

[先頭の値]が「18」のような中途半端な数値だった場合、先頭の値に「10」と入力して、10から10単位でグループ化します。

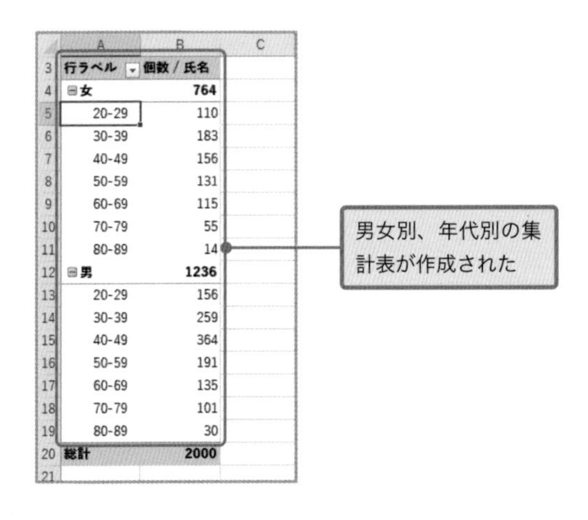

行ラベル	個数 / 氏名
⊟女	764
20-29	110
30-39	183
40-49	156
50-59	131
60-69	115
70-79	55
80-89	14
⊟男	1236
20-29	156
30-39	259
40-49	364
50-59	191
60-69	135
70-79	101
80-89	30
総計	2000

計算の種類を変更して構成比・順位・差分・伸び率などを表示する

ピボットテーブルでは、[値]エリアに追加したフィールドの値を合計したり、個数を数えたりして集計します。ピボットテーブルでは、このような集計だけでなく、総合計に対する割合や順位、累計などの計算の種類を選択して表示することもできます。

商品の売上構成比を表示する

売上総合計と各商品の売上金額から商品の売上構成比を表示してみましょう。あらかじめ、[商品名]を[行]エリア、[金額]を[値]エリアに2つ追加しておきます。[金額]の1つは合計金額を表示し、もう1つは計算方法を[総計に対する比率]に変更して、構成比を表示します。(Sample ➡06-04-01.xlsx)

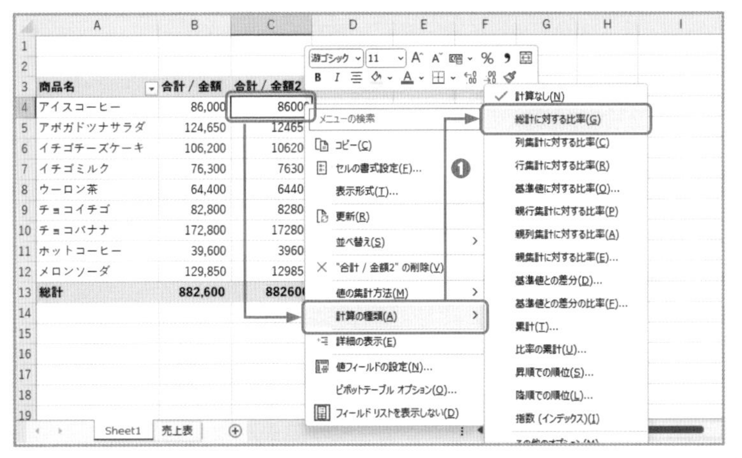

❶ 2つ目の[合計 / 金額]の列内で右クリックし、[計算の種類]→[総計に対する比率]をクリック

Memo

手順❶で、[ピボットテーブル分析]タブ→[フィールドの設定]をクリックして[値フィールドの設定]ダイアログを表示し(p.198)、[計算の種類]タブで、計算方法を選択して設定することもできます。また[集計方法]タブで合計、個数、平均、最大、最小といった計算方法を選択できます。

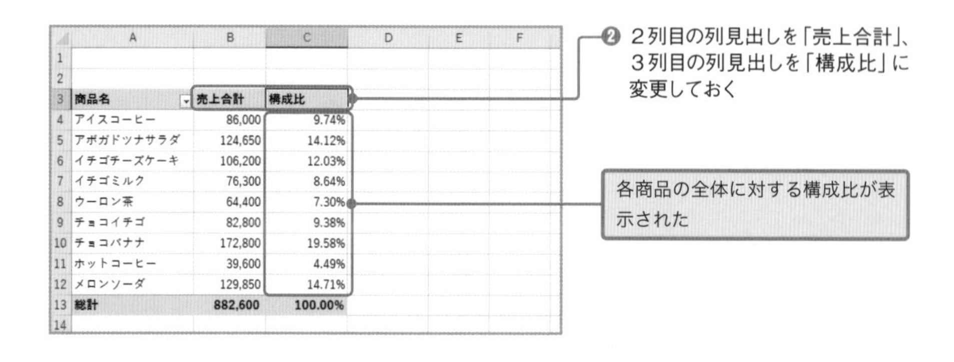

商品の売上累計比率を表示する

各商品の売上金額を大きい順に並べ替え、商品の累積比率を表示してみましょう。これは、パレート図を作成するときに使えます (p.263)。あらかじめ、[商品名]を[行]エリア、[金額]を[値]エリアに2つ追加しておきます。[金額]の1つは合計金額を表示し、もう1つは計算方法を[比率の累計]に変更して累計比率を表示します。(Sample ➡06-04-02.xlsx)

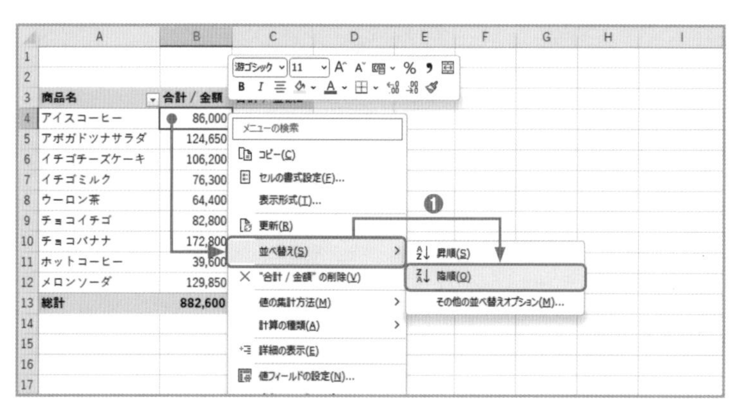

❶ 1つ目の [合計 / 金額] の列内で右クリックし、[並べ替え] → [降順] をクリック

Memo

[行]エリアの商品名は、行見出しのフィルターボタン [▾]をクリックして、メニューから [昇順]、[降順]のクリックで並べ替えられます。

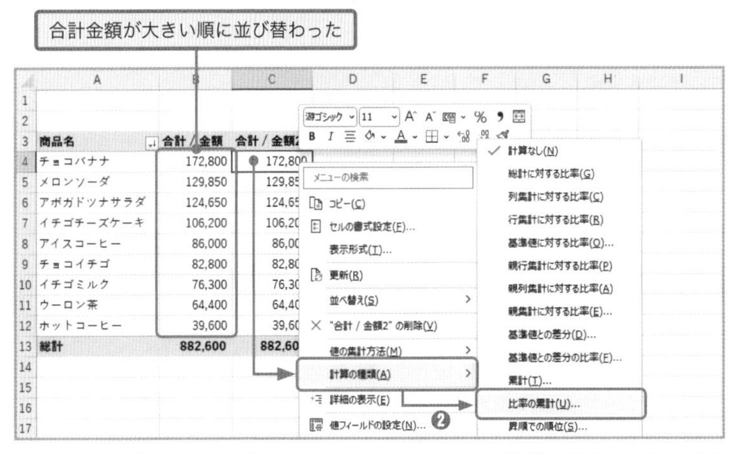

❷ 2つ目の［合計 / 金額］の列内で右クリックし、［計算の種類］→［比率の累計］をクリック

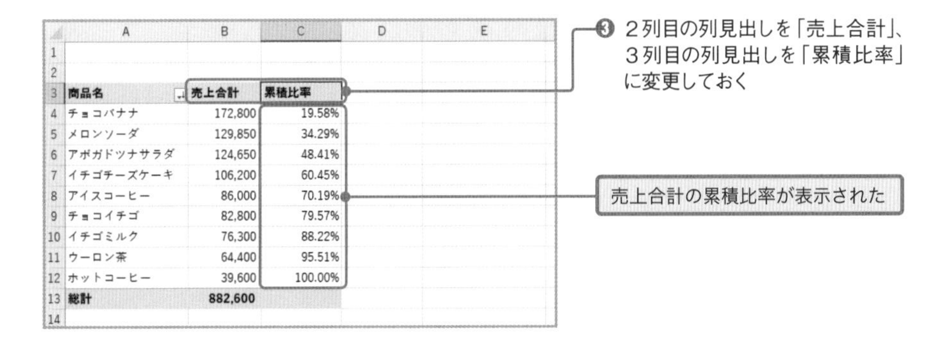

商品名	売上合計	累積比率
チョコバナナ	172,800	19.58%
メロンソーダ	129,850	34.29%
アボガドツナサラダ	124,650	48.41%
イチゴチーズケーキ	106,200	60.45%
アイスコーヒー	86,000	70.19%
チョコイチゴ	82,800	79.57%
イチゴミルク	76,300	88.22%
ウーロン茶	64,400	95.51%
ホットコーヒー	39,600	100.00%
総計	882,600	

商品の売上順位を表示する

各商品の売上金額から売上順位を表示してみましょう。ここでも、あらかじめ［商品名］を［行］エリア、［金額］を［値］エリアに2つ追加しておきます。［金額］の1つは合計金額を表示し、もう1つは計算方法を順位に変更していきます。
(Sample ➡06-04-03.xlsx)

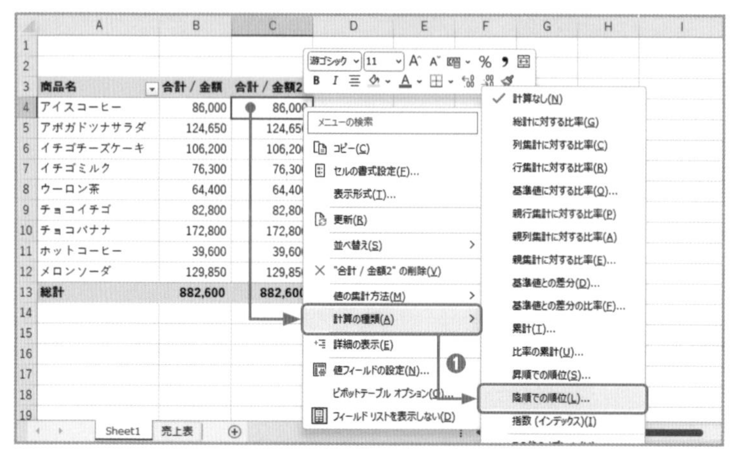

❶ 2つ目の［合計 / 金額］の列内で右クリックし、［計算の種類］→［降順での順位］をクリック

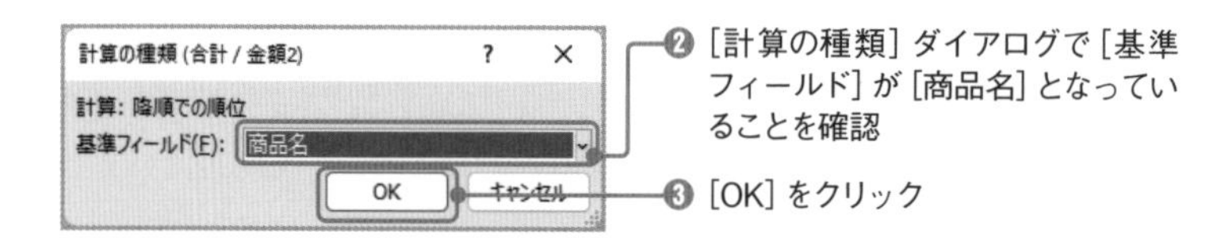

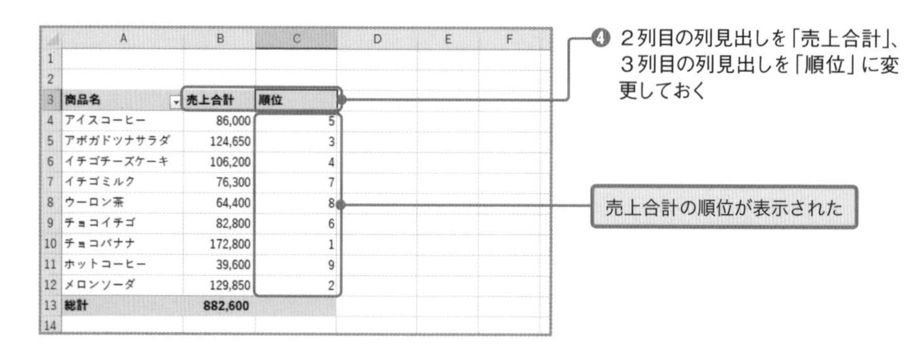

Memo

降順は数字が大きい順、昇順は数値が小さい順に並び替わります。

前月との差分を求める

各商品の月別売上数から前月との差分を表示してみましょう。前月との差分は、基準値（前月）との差分で求められます。

ここでは、あらかじめ[商品名]を[行]エリア、[月]を[列]エリア、[数量]を[値]エリアに2つ追加しておきます。[数量]の1つは合計数量を表示し、もう1つは計算方法を基準値との差分に変更していきます。(Sample ➡06-04-04.xlsx)

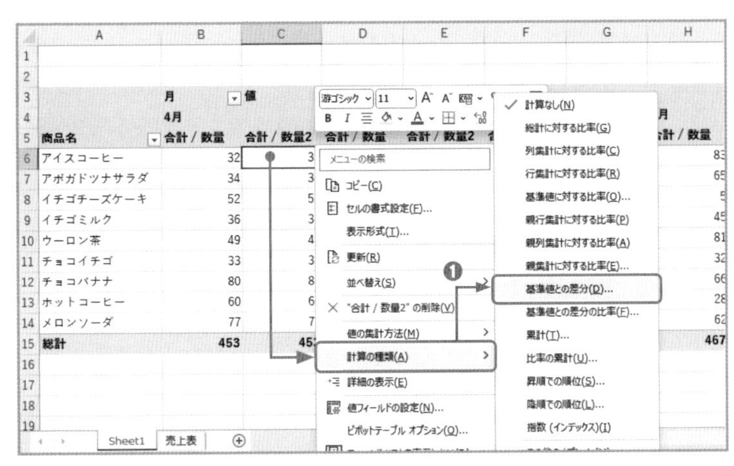

❶ 2つ目の[合計/数量]の列内で右クリックし、[計算の種類]→[基準値のとの差分]をクリック

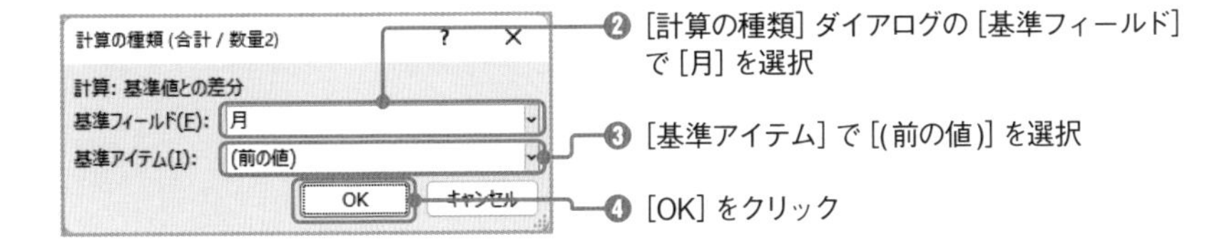

前月との差分が各月ごとに表示された

商品名	4月 売上合計	前月差分	5月 売上合計	前月差分	6月 売上合計	前月差分	7月 売上合計	前月差分	8月 売上合計	前月差分	9月 売上合計	前月差分
アイスコーヒー	32		47	15	79	32	83	4	54	-29	135	81
アボガドツナサラダ	34		49	15	39	-10	65	26	34	-31	56	22
イチゴチーズケーキ	52		50	-2	41	-9	5	-36	35	30	53	18
イチゴミルク	36		29	-7	18	-11	45	27	32	-13	58	26
ウーロン茶	49		41	-8	71	30	81	10	47	-34	33	-14
チョコイチゴ	33		57	24	20	-37	32	12	31	-1	34	3
チョコバナナ	80		87	7	79	-8	66	-13	69	3	51	-18
ホットコーヒー	60		58	-2	11	-47	28	17	10	-18	31	21
メロンソーダ	77		83	6	36	-47	62	26	55	-7	58	3
総計	453		501	48	394	-107	467	73	367	-100	509	142

❺ 2列目の列見出しを「売上合計」、3列目の列見出しを「前月差分」に変更しおく(1か所変更すれば他の列は自動的に変更される)

Memo

先頭の月(ここでは4月)は前月がないので、差分の列は空欄になります。表示する必要がないので、列を非表示にしておくといいでしょう。列番号(ここでは[C]列)を右クリックして[非表示]をクリックします。

前月からの伸び率を表示する

各商品の月別売上数から、前月と比較したときの伸び率を表示してみましょう。月が［列］エリアに設定されている場合は、前月からの伸び率は基準値（前月）に対する比率で求められます。ここでは、あらかじめ［商品名］を［行］エリア、［月］を［列］エリア、［数量］を［値］エリアに2つ追加しておきます。［数量］の1つは合計数量を表示し、もう1つは計算方法を列の［基準値に対する比率］に変更していきます。（Sample ➡06-04-05.xlsx）

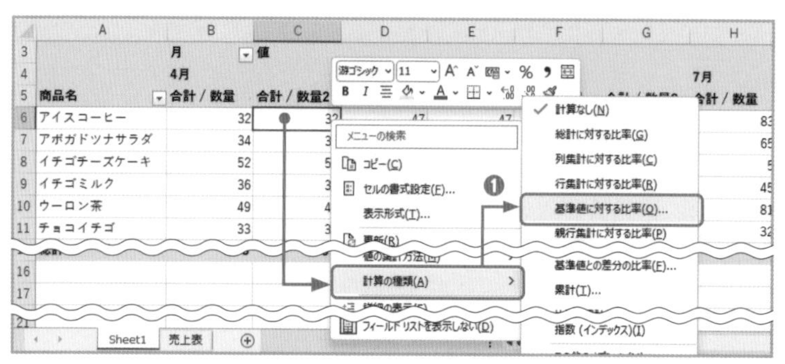

❶ 2つ目の［合計/数量］の列内で右クリックし、［計算の種類］→［基準値に対する比率］をクリック

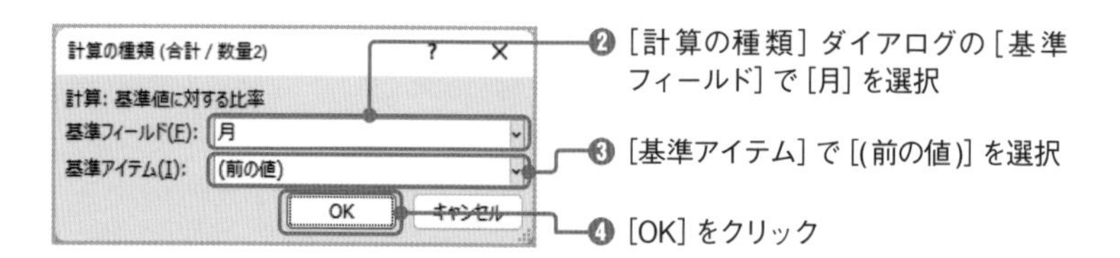

Memo

前月との伸び率の計算式は、「(今月売上高－前月売上高)÷前月売上高」となります。［基準値に対する比率］を選択するだけで自動計算されます。

前月との伸び率が各月ごとに表示された

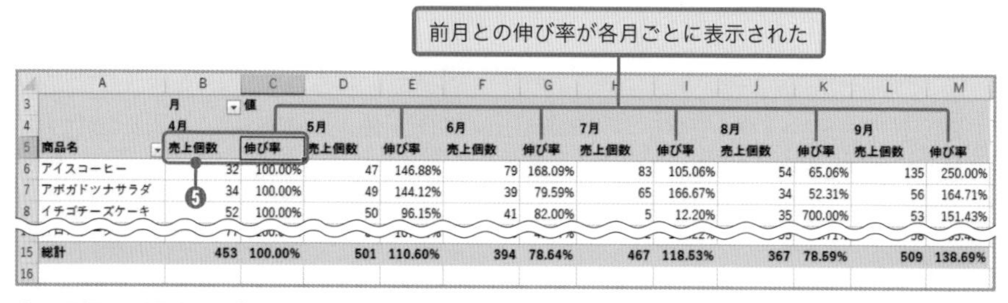

	A	B	C	D	E	F	G	H	I	J	K	L	M
3		月	値										
4		4月		5月		6月		7月		8月		9月	
5	商品名	売上個数	伸び率	売上個数	伸び率	売上個数	伸び率	売上個数	伸び率	売上個数	伸び率	売上個数	伸び率
6	アイスコーヒー	32	100.00%	47	146.88%	79	168.09%	83	105.06%	54	65.06%	135	250.00%
7	アボガドツナサラダ	34	100.00%	49	144.12%	39	79.59%	65	166.67%	34	52.31%	56	164.71%
8	イチゴチーズケーキ	52	100.00%	50	96.15%	41	82.00%	5	12.20%	35	700.00%	53	151.43%
15	総計	453	100.00%	501	110.60%	394	78.64%	467	118.53%	367	78.59%	509	138.69%
16													

❺ 2列目の列見出しを「売上個数」、3列目の列見出しを「伸び率」に変更しおく（1か所変更すれば他の列は自動的に変更される）

Column

条件付き書式で伸び率が100%に満たないセルに色を付ける

集計結果で注目したいセルを強調するには、条件付き書式を設定すると便利です。例えば、伸び率が100%に満たないセルを強調したい場合は、次のように設定します。(Sample ➡06-04-06.xlsx)

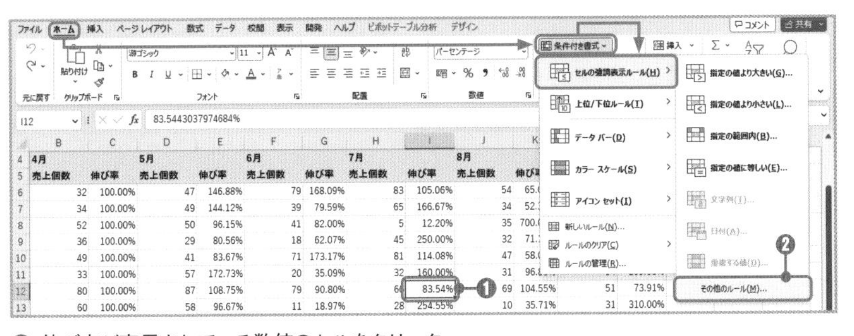

❶ 伸び率が表示されている数値のセルをクリック

❷ [ホーム] タブ→ [条件付き書式] → [セルの強調表示ルール] → [その他のルール] をクリック

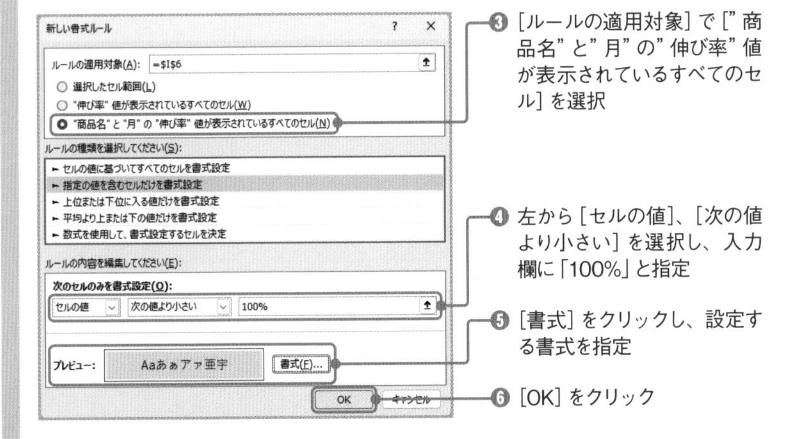

	B	C	D	E	F	G	H	I	J	K	L	M
4	4月		5月		6月		7月		8月		9月	
5	売上個数	伸び率	売上個数	伸び率	売上個数	伸び率	売上個数	伸び率	売上個数	伸び率	売上個数	伸び率
6	32	100.00%	47	146.88%	79	168.09%	83	105.06%	54	65.06%	135	250.00%
7	34	100.00%	49	144.12%	39	79.59%	65	166.67%	34	52.31%	56	164.71%
8	52	100.00%	50	96.15%	41	82.00%	5	12.20%	35	700.00%	53	151.43%
9	36	100.00%	29	80.56%	18	62.07%	45	250.00%	32	71.11%	58	181.25%
10	49	100.00%	41	83.67%	71	173.17%	81	114.08%	47	58.02%	33	70.21%
11	33	100.00%	57	172.73%	20	35.09%	32	160.00%	31	96.88%	34	109.68%
12	80	100.00%	87	108.75%	79	90.80%	66	83.54%	69	104.55%	51	73.91%
13	60	100.00%	58	96.67%	11	18.97%	28	254.55%	10	35.71%	31	310.00%
14	77	100.00%	83	107.79%	36	43.37%	62	172.22%	55	88.71%	58	105.45%
15	453	100.00%	501	110.60%	394	78.54%	467	118.53%	367	78.59%	509	138.69%
16												

伸び率が100%に満たないセルに色が付いた

集計フィールドを追加してオリジナルの計算式を設定する

例えば、実績の1.2倍を目標額にする列を追加する、実績と目標で達成率の列を追加するなど、計算式を設定してフィールドを追加したい場合は、集計フィールドを追加します。

今年度の実績から目標値のフィールドを追加する

2022年の売上額の1.2倍を次年度の目標とする［目標］フィールドを追加する手順を例に、［集計フィールド］を追加してみましょう。ここでは、あらかじめ［商品名］を［行］エリア、［売上日］を［列］エリア、［金額］を［値］エリアに配置し、［売上日］を年でグループ化しておきます。（Sample ➡06-05-01.xlsx）

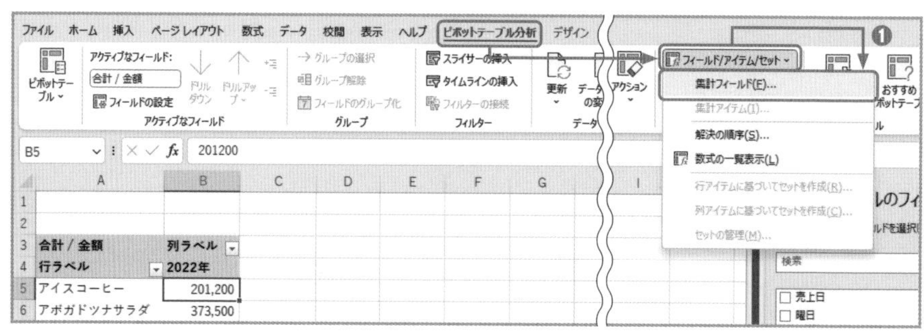

❶ ピボットテーブル内でクリックし、［ピボットテーブル分析］タブ→［フィールド / アイテム / セット］→［集計フィールド］をクリック

> **Memo**
>
> ここでは、コンテキストタブの［デザイン］タブ→［総計］→［列のみ集計を行う］をクリックし、行の総計を非表示にしています。

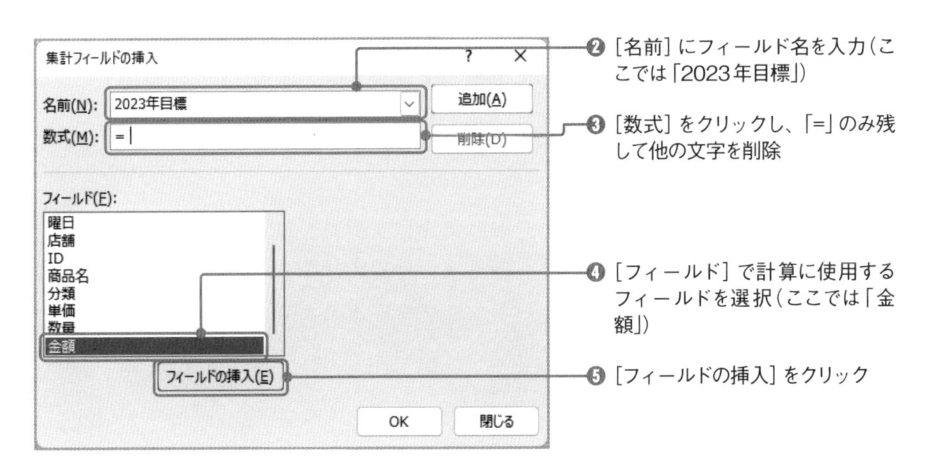

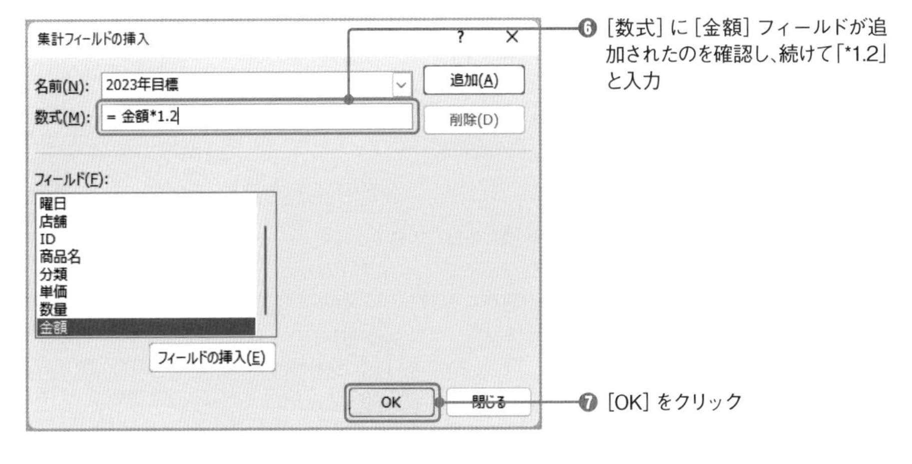

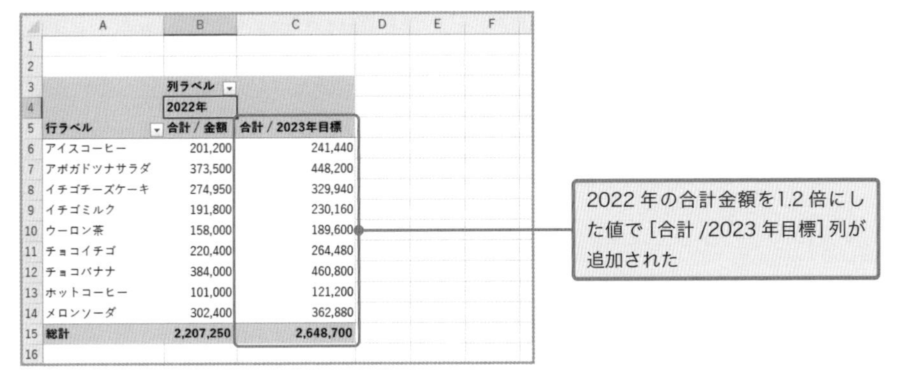

	A	B	C
3		列ラベル	
4		2022年	
5	行ラベル	合計 / 金額	合計 / 2023年目標
6	アイスコーヒー	201,200	241,440
7	アボガドツナサラダ	373,500	448,200
8	イチゴチーズケーキ	274,950	329,940
9	イチゴミルク	191,800	230,160
10	ウーロン茶	158,000	189,600
11	チョコイチゴ	220,400	264,480
12	チョコバナナ	384,000	460,800
13	ホットコーヒー	101,000	121,200
14	メロンソーダ	302,400	362,880
15	総計	2,207,250	2,648,700

条件付き書式を使って傾向を見やすくする

ピボットテーブルで作成した集計表に条件付き書式を設定すると、データの傾向をコンパクトに視覚化できます。例えば、セル内に棒グラフを作成して数値の大小を比較したり、色の濃淡でヒートマップを作成したりできます。

セル内にミニグラフを表示する

条件付き書式の**データバー**を使うと、**セル内に棒グラフを表示**できます。数値と重ねて表示することもできますが、数値を非表示にしてデータバーだけ見えるようにすることもできます。

ここでは、曜日別の売上金額の合計を比較する棒グラフを表示してみましょう。あらかじめ［曜日］を［行］エリア、［金額］を［値］エリアに２つ追加しておきます。［金額］の1つは合計金額を表示し、もう1つは条件付き書式のデータバーだけを表示してみましょう。(Sample ➡06-06-01.xlsx)

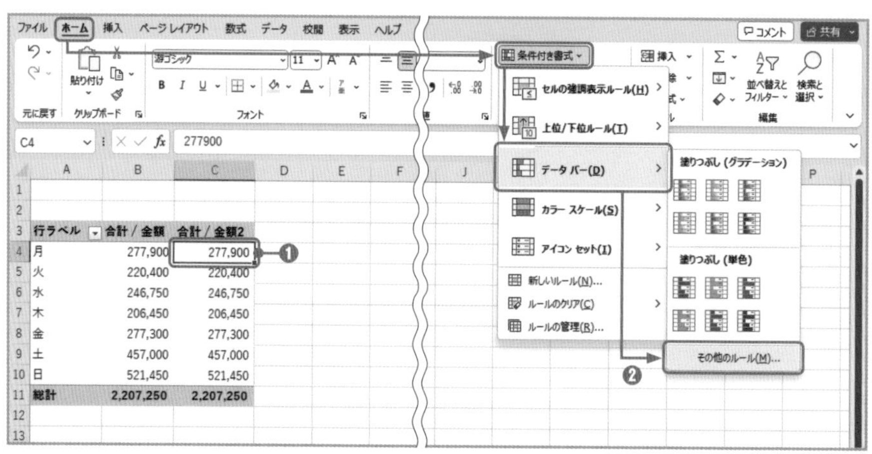

❶ データバーを表示したいセル内でクリック（ここでは［合計／金額2］列）

❷ ［ホーム］タブ→［条件付き書式］→［データバー］→［その他のルール］をクリック

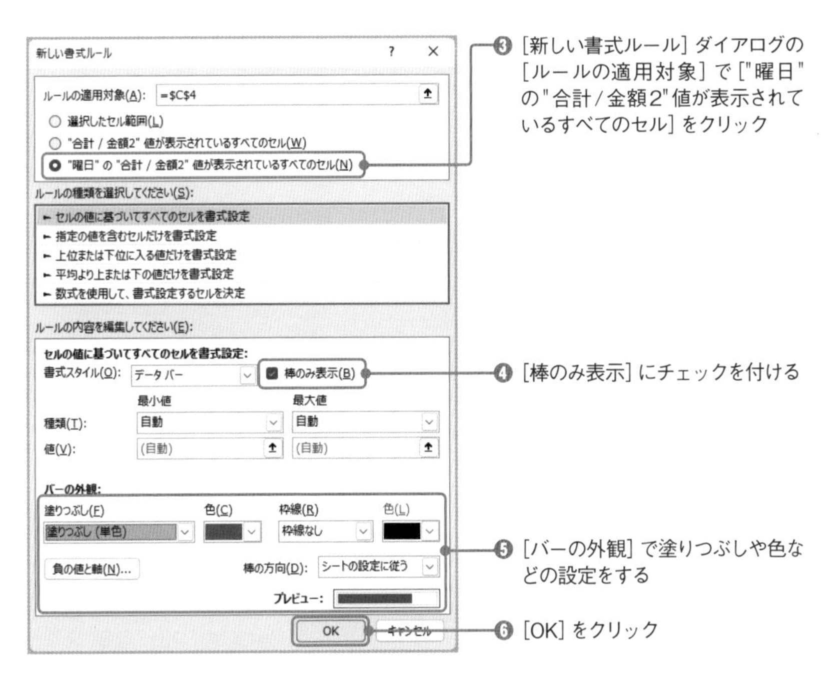

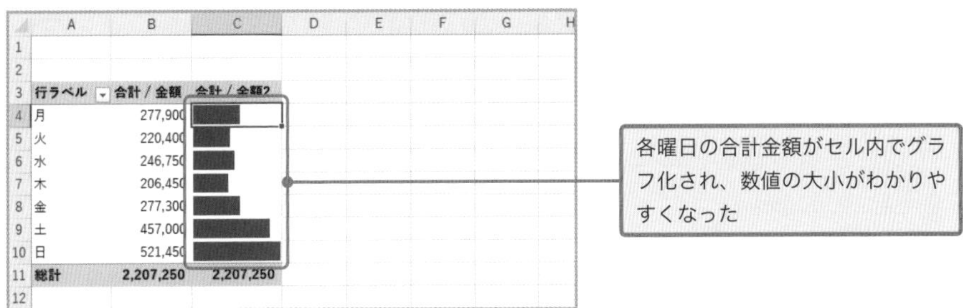

Memo

条件付き書式を解除する場合は、ピボットテーブル内でクリックし、[ホーム]タブ→[条件付き書式]→[ルールのクリア]→[このピボットテーブルからルールをクリア]をクリックします。

曜日別の売上数をヒートマップで分析する

条件付き書式の**カラースケール**を使うと、**数値の大小によってセル内に塗りつぶしの色を濃淡で分けてヒートマップとして表示**できます。

ここでは、商品別、曜日別の売上数の集計表で、ヒートマップを表示してみましょう。あらかじめ[商品名]を[行]エリア、[曜日]を[列]エリア、[数量]を[値]エリアに追加しておきます。(Sample ➡06-06-02.xlsx)

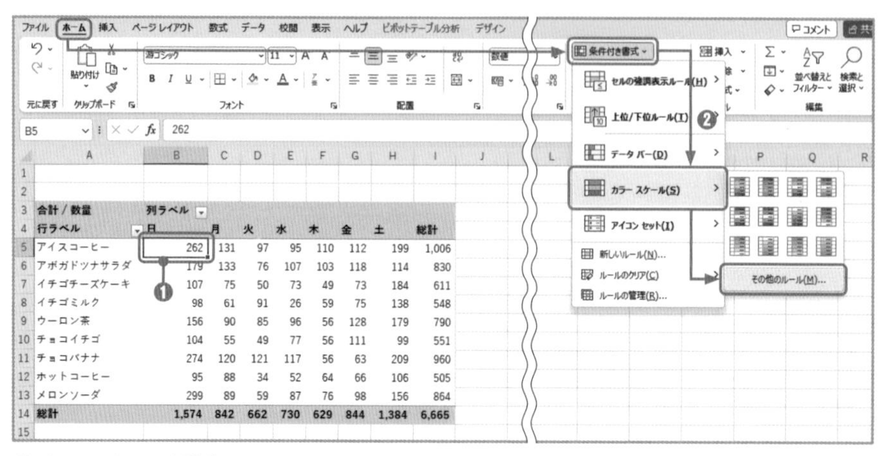

❶ カラースケールを設定したいセルをクリック

❷ [ホーム] タブ→ [条件付き書式] → [カラースケール] → [その他のルール] をクリック

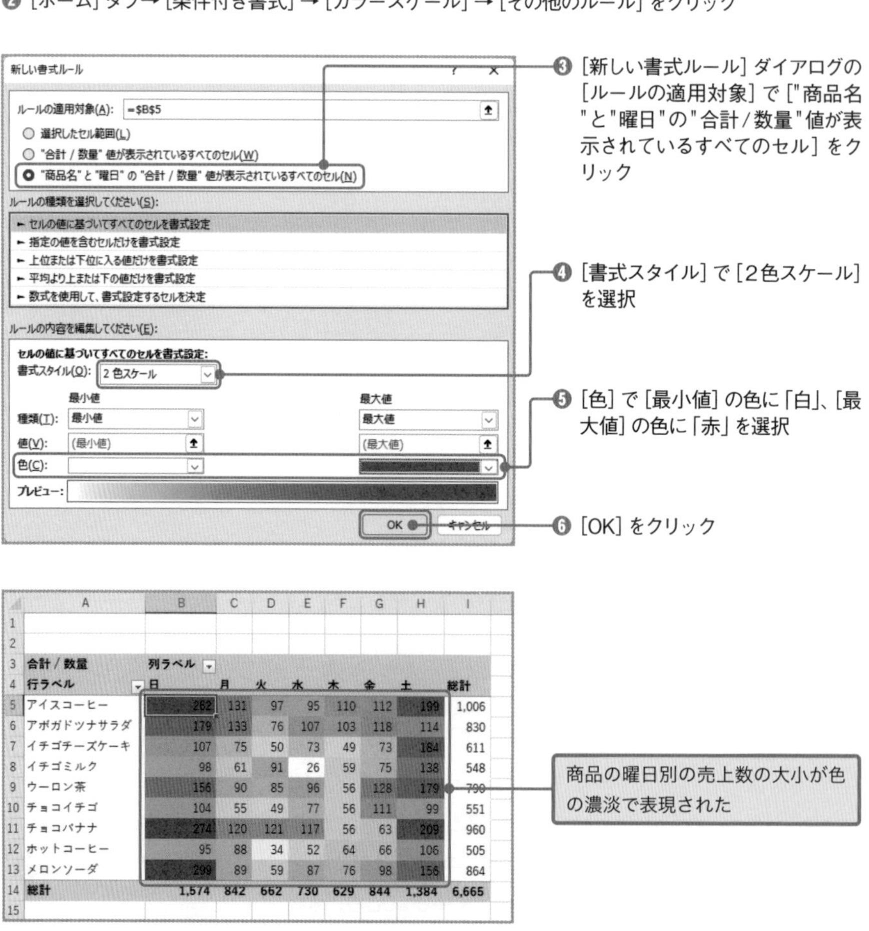

❸ [新しい書式ルール] ダイアログの [ルールの適用対象] で ["商品名"と"曜日"の"合計/数量"値が表示されているすべてのセル] をクリック

❹ [書式スタイル] で [2色スケール] を選択

❺ [色] で [最小値] の色に「白」、[最大値] の色に「赤」を選択

❻ [OK] をクリック

商品の曜日別の売上数の大小が色の濃淡で表現された

Column

行や列の項目の順番を入れ替える

ピボットテーブル内の行や列の順番を入れ替えたい場合、ドラッグだけで簡単に入れ替えられます。例えば、以下の表で［日］の列を［土］の列の右に移動したい場合は、［日］列を選択し、境界線上にマウスポインターを合わせてドラッグします。列単位で移動することができます。行についても同様です。なお、行ラベルまたは列ラベルにあるフィルターボタン［▾］をクリックし、表示されるメニューで［昇順］または［降順］を選択して小さい順／大きい順に並べ替えられます。（Sample ➡06-06-01 コラム.xlsx）

☑任意の順番に入れ替え

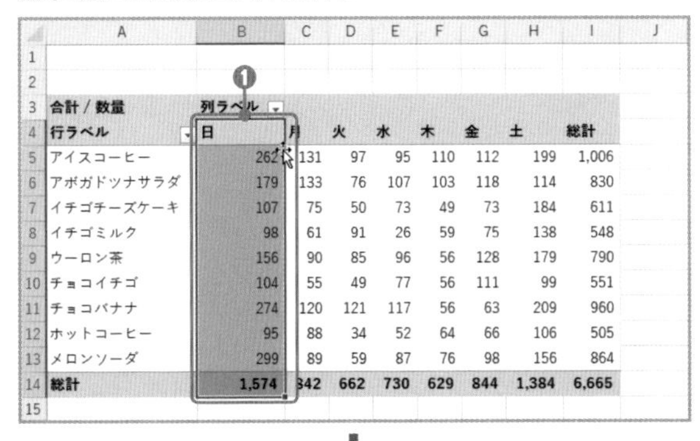

合計 / 数量	列ラベル							
行ラベル	日	月	火	水	木	金	土	総計
アイスコーヒー	262	131	97	95	110	112	199	1,006
アボガドツナサラダ	179	133	76	107	103	118	114	830
イチゴチーズケーキ	107	75	50	73	49	73	184	611
イチゴミルク	98	61	91	26	59	75	138	548
ウーロン茶	156	90	85	96	56	128	179	790
チョコイチゴ	104	55	49	77	56	111	99	551
チョコバナナ	274	120	121	117	56	63	209	960
ホットコーヒー	95	88	34	52	64	66	106	505
メロンソーダ	299	89	59	87	76	98	156	864
総計	1,574	842	662	730	629	844	1,384	6,665

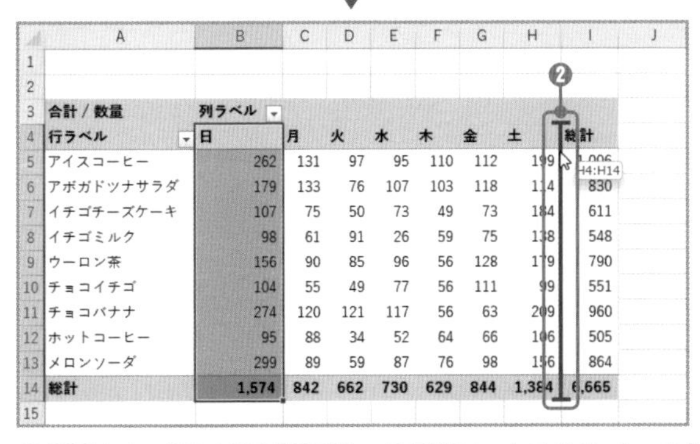

合計 / 数量	列ラベル							
行ラベル	日	月	火	水	木	金	土	総計
アイスコーヒー	262	131	97	95	110	112	199	1,006
アボガドツナサラダ	179	133	76	107	103	118	114	830
イチゴチーズケーキ	107	75	50	73	49	73	184	611
イチゴミルク	98	61	91	26	59	75	138	548
ウーロン茶	156	90	85	96	56	128	179	790
チョコイチゴ	104	55	49	77	56	111	99	551
チョコバナナ	274	120	121	117	56	63	209	960
ホットコーヒー	95	88	34	52	64	66	106	505
メロンソーダ	299	89	59	87	76	98	156	864
総計	1,574	842	662	730	629	844	1,384	6,665

❶ 移動したい行または列を選択し、境界線にマウスポインターを合わせ、ドラッグを開始する

❷ 緑色のバーが移動先に表示されたらマウスのボタンを離す

スパークラインを使って、１つのセルに折れ線グラフを表示する

スパークラインを使うと、列方向の複数の値を比較するグラフを作成できます。

例えば、１月～４月までの売上合計を１つのセルにスパークラインの折れ線グラフで表示すれば、売上の時系列の動向を見ることができます。スパークラインには、折れ線以外に、縦棒と勝敗が用意されています。(Sample ➡06-06-02 コラム.xlsx)

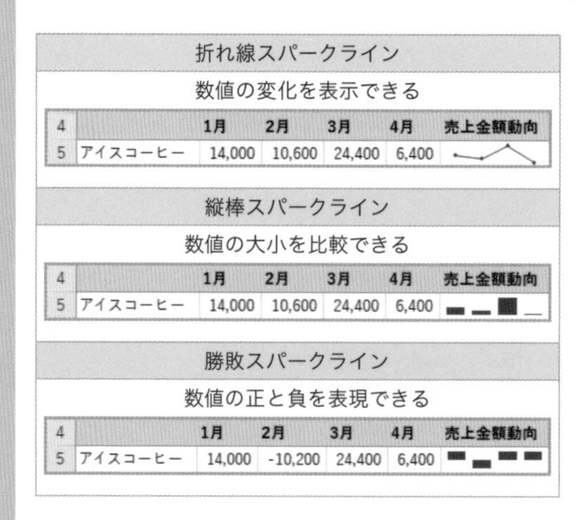

折れ線スパークライン

数値の変化を表示できる

4		1月	2月	3月	4月	売上金額動向
5	アイスコーヒー	14,000	10,600	24,400	6,400	

縦棒スパークライン

数値の大小を比較できる

4		1月	2月	3月	4月	売上金額動向
5	アイスコーヒー	14,000	10,600	24,400	6,400	

勝敗スパークライン

数値の正と負を表現できる

4		1月	2月	3月	4月	売上金額動向
5	アイスコーヒー	14,000	-10,200	24,400	6,400	

	A	B	C	D	E	F	G	H	I
3	合計 / 数量	曜日							
4	商品名	月	火	水	木	金	土	日	売上動向
5	アイスコーヒー	131	97	95	110	112	199	262	
6	アボガドツナサラダ	133	76	107	103	118	114	179	
7	イチゴチーズケーキ	75	50	73	49	73	184	107	
8	イチゴミルク	61	91	26	59	75	138	98	
9	ウーロン茶	90	85	96	56	128	179	156	
10	チョコイチゴ	55	49	77	56	111	99	104	
11	チョコバナナ	120	121	117	56	63	209	274	
12	ホットコーヒー	88	34	52	64	66	106	95	
13	メロンソーダ	89	59	87	76	98	156	299	
14									

❶ スパークラインにしたい数値の範囲を選択（ここではセルB5～H13）

❷ [挿入] タブをクリックし、作成するスパークライン（ここでは [縦棒]）をクリック

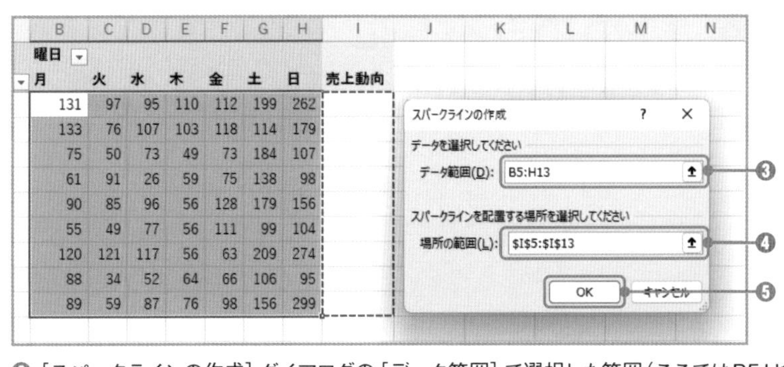

曜日							
月	火	水	木	金	土	日	売上動向
131	97	95	110	112	199	262	
133	76	107	103	118	114	179	
75	50	73	49	73	184	107	
61	91	26	59	75	138	98	
90	85	96	56	128	179	156	
55	49	77	56	111	99	104	
120	121	117	56	63	209	274	
88	34	52	64	66	106	95	
89	59	87	76	98	156	299	

❸ [スパークラインの作成] ダイアログの [データ範囲] で選択した範囲(ここではB5:H13) が表示されていることを確認

❹ [場所の範囲] をクリックし、スパークラインを表示する範囲(ここでは $I$5:$I$13) をドラッグして選択

❺ [OK] をクリック

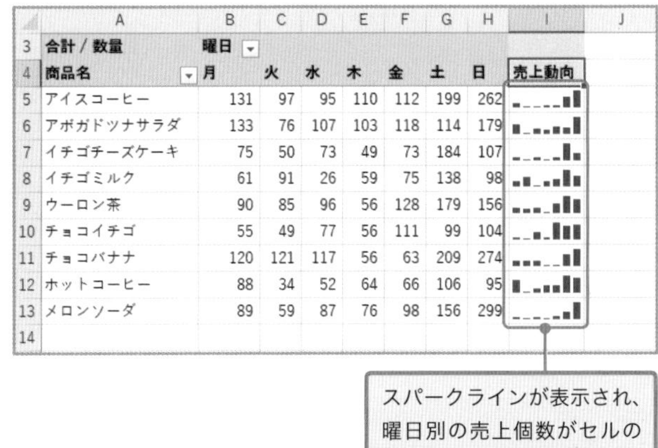

合計 / 数量	曜日							
商品名	月	火	水	木	金	土	日	売上動向
アイスコーヒー	131	97	95	110	112	199	262	
アボガドツナサラダ	133	76	107	103	118	114	179	
イチゴチーズケーキ	75	50	73	49	73	184	107	
イチゴミルク	61	91	26	59	75	138	98	
ウーロン茶	90	85	96	56	128	179	156	
チョコイチゴ	55	49	77	56	111	99	104	
チョコバナナ	120	121	117	56	63	209	274	
ホットコーヒー	88	34	52	64	66	106	95	
メロンソーダ	89	59	87	76	98	156	299	

1つのシートに 複数のピボットテーブルを並べる

ピボットテーブルを使えば、いろいろな角度で集計表を作成することができますが、1つのワークシートに複数のピボットテーブルを並べて配置した方が、集計結果を分析しやすい場合もありますし、報告書として印刷したいときにも便利です。

既存のワークシートにピボットテーブルを作成する

ピボットテーブルを作成する場所を既存のワークシートに指定すれば、**1つのワークシートに複数のピボットテーブルを配置**できます。

ここでは、[売上T]テーブルをもとに[集計]シートに複数のピボットテーブルを作成します。(Sample ➡06-07-01.xlsx)

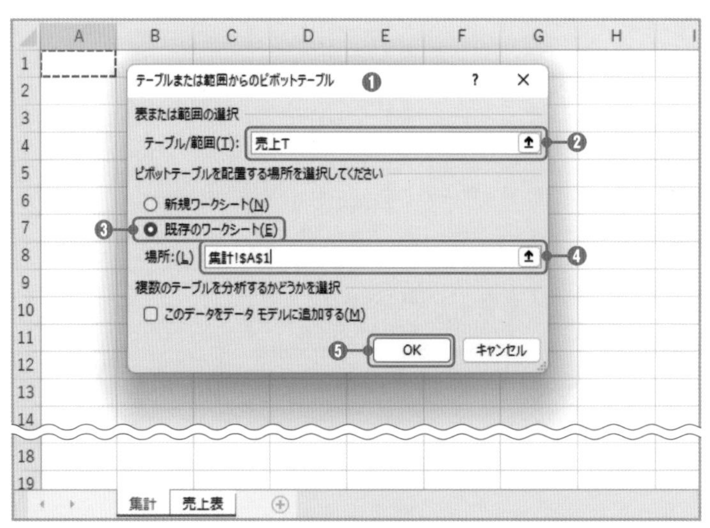

❶ p.191を参考に[テーブルデザイン]タブ→[ピボットテーブルで集計]をクリックし、[テーブルまたは範囲からのピボットテーブル]ダイアログを表示
❷ [テーブル/範囲]が[売上T]であることを確認
❸ [既存のワークシート]をクリック
❹ [場所]にカーソルが表示されたら、[集計]シートのセルA1をクリック
❺ [OK]をクリック

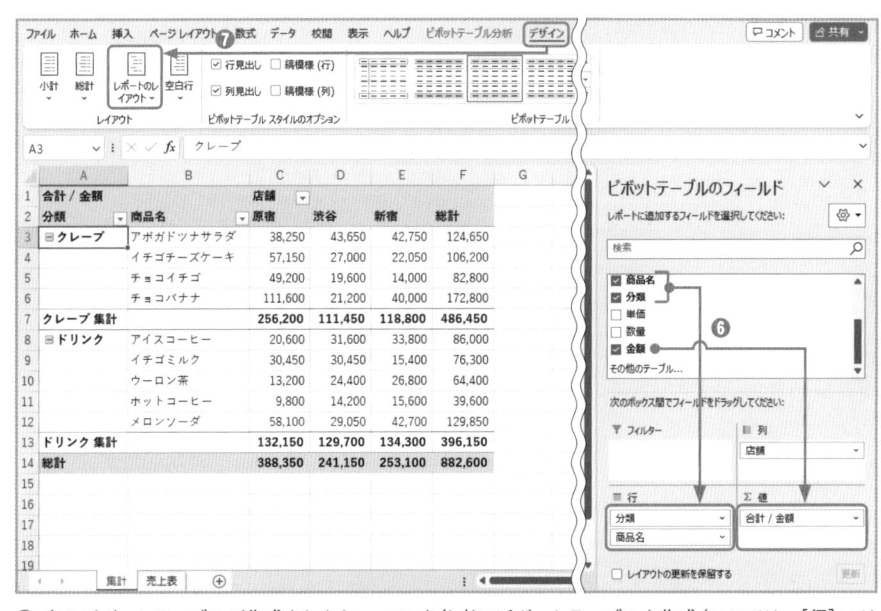

合計 / 金額		店舗			
分類	商品名	原宿	渋谷	新宿	総計
クレープ	アボガドツナサラダ	38,250	43,650	42,750	124,650
	イチゴチーズケーキ	57,150	27,000	22,050	106,200
	チョコイチゴ	49,200	19,600	14,000	82,800
	チョコバナナ	111,600	21,200	40,000	172,800
クレープ 集計		256,200	111,450	118,800	486,450
ドリンク	アイスコーヒー	20,600	31,600	33,800	86,000
	イチゴミルク	30,450	30,450	15,400	76,300
	ウーロン茶	13,200	24,400	26,800	64,400
	ホットコーヒー	9,800	14,200	15,600	39,600
	メロンソーダ	58,100	29,050	42,700	129,850
ドリンク 集計		132,150	129,700	134,300	396,150
総計		388,350	241,150	253,100	882,600

❻ 空のピボットテーブルが作成されたら、p.191を参考にピボットテーブルを作成（ここでは、[行] エリアに [分類] と [商品名]、[列] エリアに [店舗]、[値] エリアに [金額] を追加）

❼ ピボットテーブルのレイアウトを [デザイン] タブ→[レポートのレイアウト]→[表形式で表示] をクリックして表形式に変更 (p.199)

Memo

桁区切りカンマを表示する場合は数値内で右クリックし、[表示形式] をクリックして [セルの書式設定] ダイアログで [数値] を選択し、[桁区切り (,) を使用する] にチェックを付けます (p.193)。

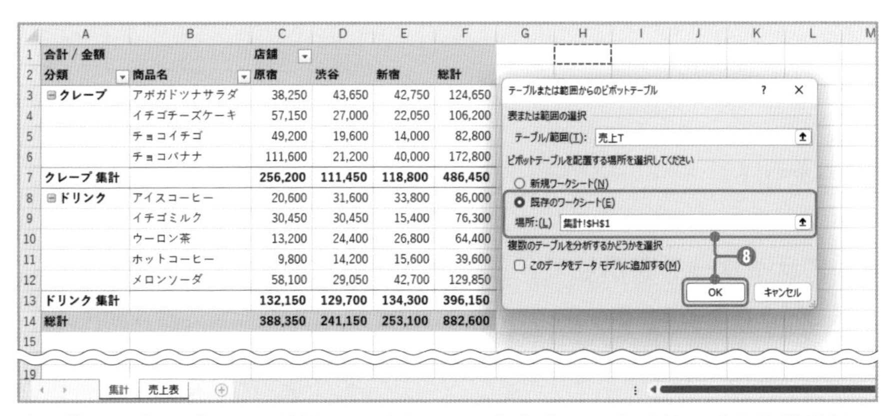

❽ 同様にして [テーブルまたは範囲からのピボットテーブル] ダイアログを表示し、場所を [集計] シートのセルH1を先頭にして [OK] をクリック

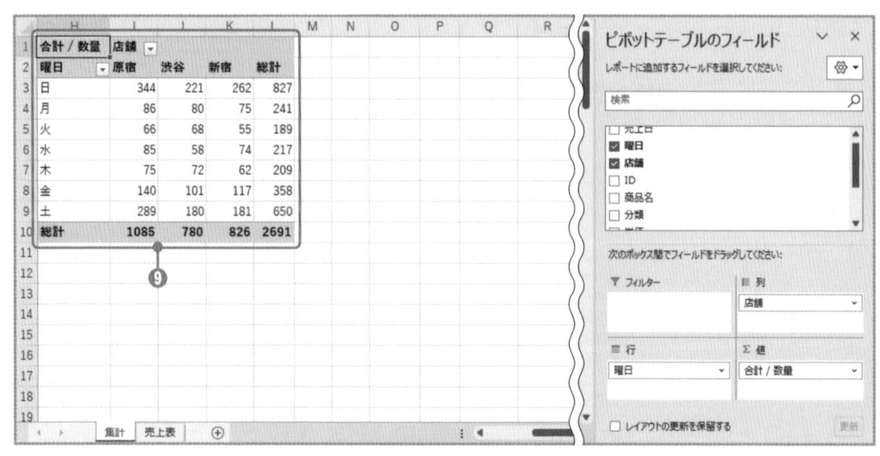

合計 / 数量	店舗			
曜日	原宿	渋谷	新宿	総計
日	344	221	262	827
月	86	80	75	241
火	66	68	55	189
水	85	58	74	217
木	75	72	62	209
金	140	101	117	358
土	289	180	181	650
総計	1085	780	826	2691

⑨ ピボットテーブルを作成（ここでは、[行] エリアに [曜日]、[列] エリアに [店舗]、[値] エリアに [数量] を追加し、ピボットテーブルのレイアウトを表形式に変更）

合計 / 金額		店舗			
分類	商品名	原宿	渋谷	新宿	総計
⊟クレープ	アボガドツナサラダ	38,250	43,650	42,750	124,650
	イチゴチーズケーキ	57,150	27,000	22,050	106,200
	チョコイチゴ	49,200	19,600	14,000	82,800
	チョコバナナ	111,600	21,200	40,000	172,800
クレープ 集計		256,200	111,450	118,800	486,450
⊟ドリンク	アイスコーヒー	20,600	31,600	33,800	86,000
	イチゴミルク	30,450	30,450	15,400	76,300
	ウーロン茶	13,200	24,400	26,800	64,400
	ホットコーヒー	9,800	14,200	15,600	39,600
	メロンソーダ	58,100	29,050	42,700	129,850
ドリンク 集計		132,150	129,700	134,300	396,150
総計		388,350	241,150	253,100	882,600

合計 / 数量	店舗			
曜日	原宿	渋谷	新宿	総計
日	344	221	262	827
月	86	80	75	241
火	66	68	55	189
水	85	58	74	217
木	75	72	62	209
金	140	101	117	358
土	289	180	181	650
総計	1085	780	826	2691

Memo

左側にあるピボットテーブルは列を展開して広げられないことに注意してください。

スライサーを表示して、ピボットテーブルを連携させる

ピボットテーブルを並べて、複数の集計結果を1画面で確認できるようになったら、スライサーで複数のピボットテーブルの接続設定を行い、シート上のピボットテーブルのフィルターを連携させることにより、集計対象の切り替えがまとめてできるようになります。（Sample ➡06-07-02.xlsx）

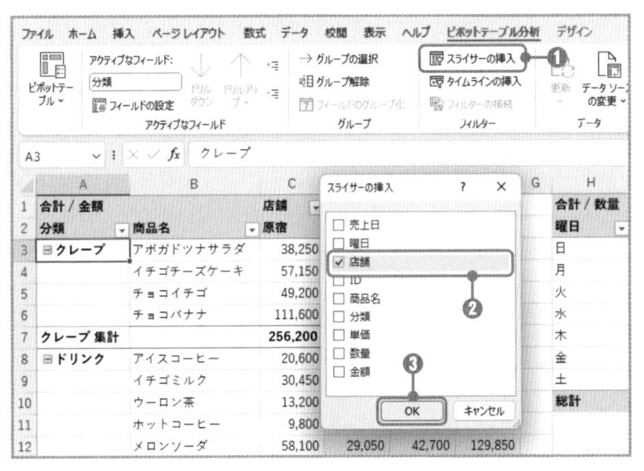

❶ 1つ目のピボットテーブル(ピボットテーブル1)内でクリックし、[ピボットテーブル分析] タブ→ [スライサーの挿入] をクリック

❷ [スライサーの挿入] ダイアログでスライサーで表示したいフィールド(ここでは [店舗])にチェックを付ける

❸ [OK] をクリック

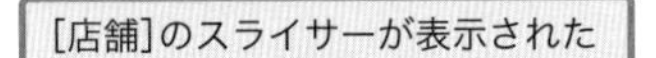

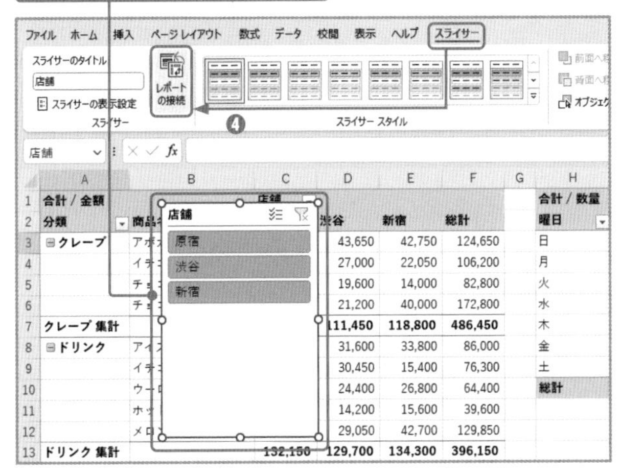

❹ [スライサー] タブ→ [レポートの接続] をクリック

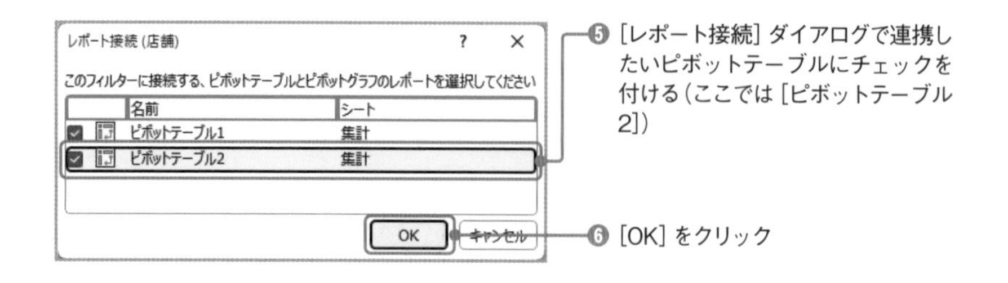

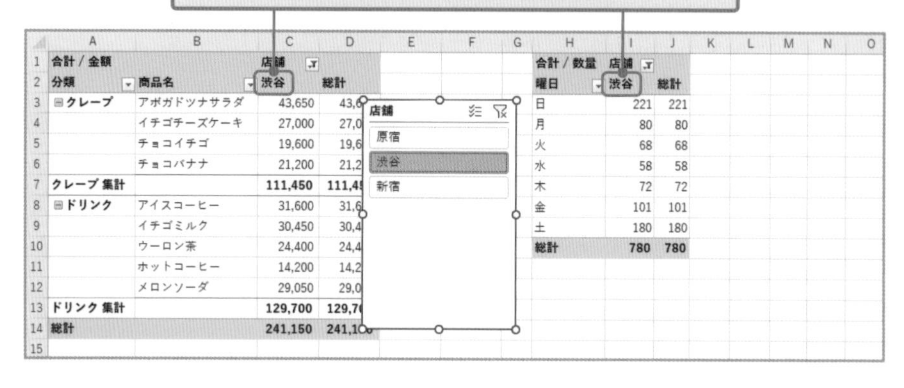

Memo

左側にあるピボットテーブルは列を展開して広げられないことに注意してください。

Chapter

07

グラフを使って集計結果を視覚的に分析する

本章では、データの集計結果をグラフにして可視化したり、データのばらつきや経過、相関関係など、さらなる情報を引き出す方法を紹介します。

Visually analyze aggregated results with graph

01 グラフとデータ分析

データベースに集めたデータから、ピボットテーブルを使って作成した集計表の数値をより視覚的に分析するには、**グラフ**が有効です。データの種類や内容にあったグラフを作成することで、データ分析に役立てることができます。

グラフの種類

Excelでは、非常に多くの種類のグラフを作成することができます。ピボットテーブルで集計した結果を分析する際、グラフは大きな役割を果たします。ここでは、統計データの分析によく使われるグラフを紹介します。

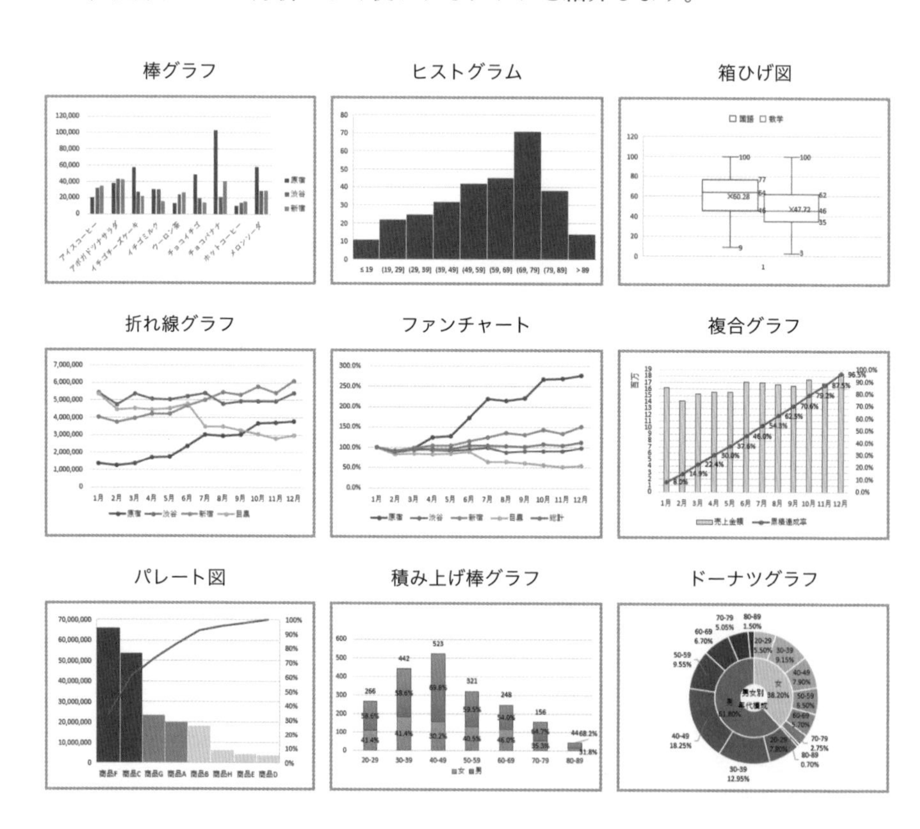

散布図と近似曲線

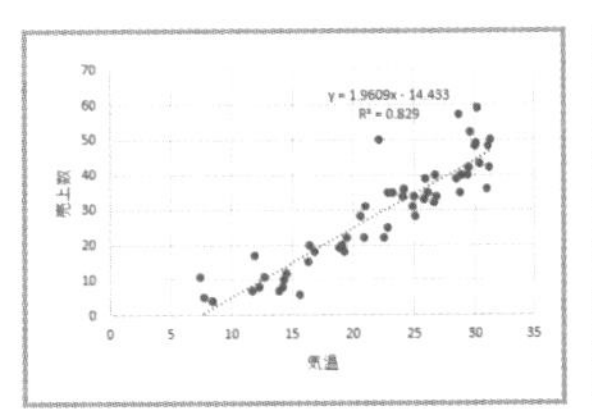

バブルチャート

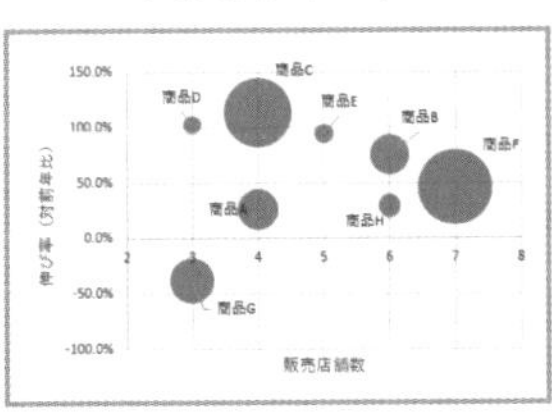

Memo

p.300 では、アンケート結果を分析する CS ポートフォリオの散布図を作成しています。

ピボットテーブルからピボットグラフを作成

ピボットグラフは、ピボットテーブルをもとに作成するグラフです。作成したピボットテーブルの集計結果をすぐにグラフ化できるため便利です。ピボットグラフは、ピボットテーブルと連動しており、**ピボットグラフのフィールドの配置を変更すると、ピボットテーブルも変更されます。同様にピボットテーブルを変更すると、それをもとに作成したピボットグラフも変更されます。**

(Sample ➡07-01-01.xlsx)

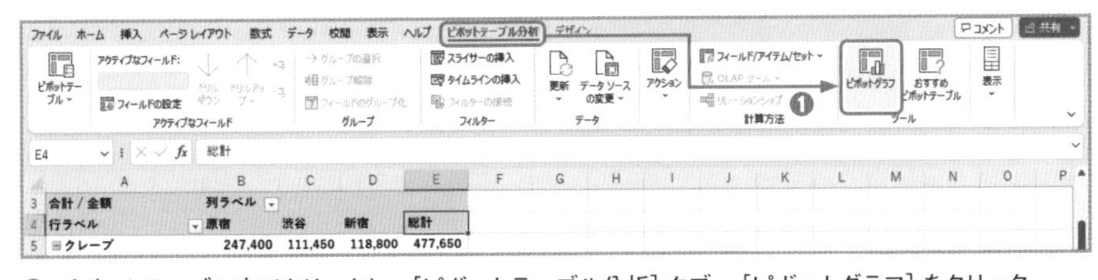

❶ ピボットテーブル内でクリックし、[ピボットテーブル分析] タブ→ [ピボットグラフ] をクリック

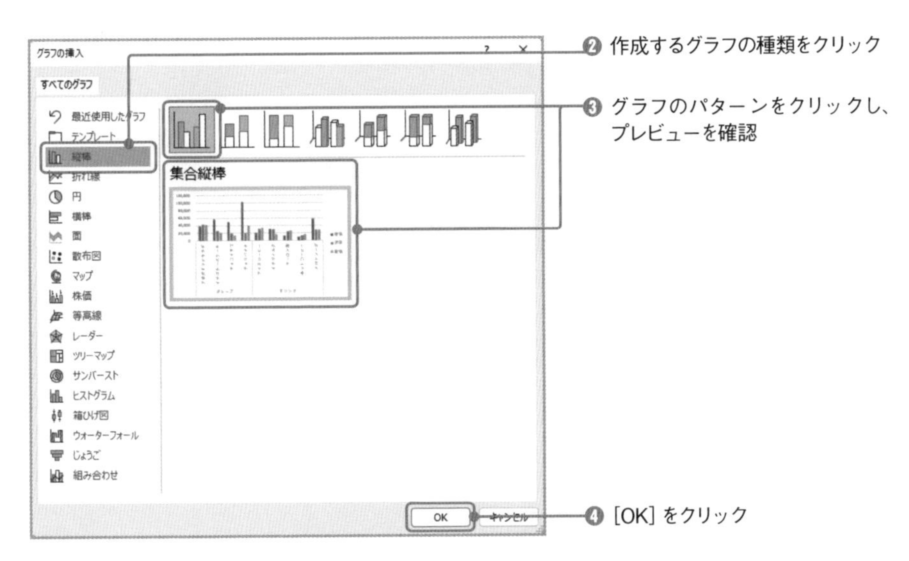

❷ 作成するグラフの種類をクリック

❸ グラフのパターンをクリックし、プレビューを確認

❹ [OK] をクリック

Memo

ヒストグラムなどグラフの種類によっては、ピボットグラフで作成できないものがあります。

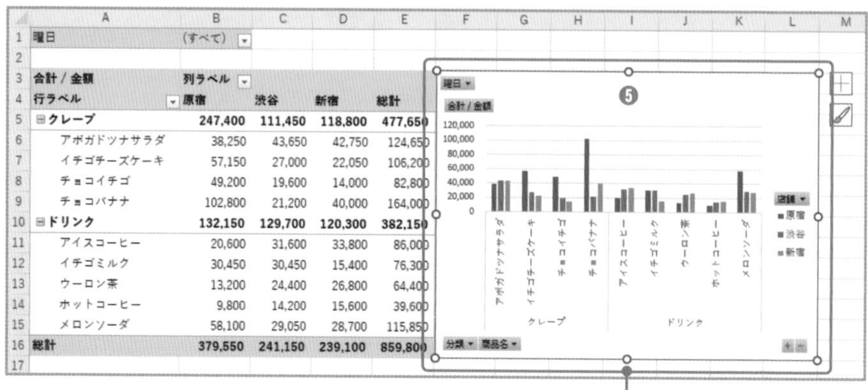

	曜日	(すべて)			
	合計 / 金額	列ラベル			
	行ラベル	原宿	渋谷	新宿	総計
⊟	クレープ	247,400	111,450	118,800	477,650
	アボガドツナサラダ	38,250	43,650	42,750	124,650
	イチゴチーズケーキ	57,150	27,000	22,050	106,200
	チョコイチゴ	49,200	19,600	14,000	82,800
	チョコバナナ	102,800	21,200	40,000	164,000
⊟	ドリンク	132,150	129,700	120,300	382,150
	アイスコーヒー	20,600	31,600	33,800	86,000
	イチゴミルク	30,450	30,450	15,400	76,300
	ウーロン茶	13,200	24,400	26,800	64,400
	ホットコーヒー	9,800	14,200	15,600	39,600
	メロンソーダ	58,100	29,050	28,700	115,850
	総計	379,550	241,150	239,100	859,800

❺ グラフの位置とサイズを調整しておく

Memo

グラフを削除するには、グラフ内の何もないところ（グラフエリア）をクリックしてグラフを選択し、グラフの周囲に白いハンドルが表示された状態で Delete キーを押します。また、グラフの移動はグラフが選択された状態で、グラフエリアでマウスポインターが［ ］の形になったらドラッグします。サイズ変更は、グラフの周囲の白いハンドルにマウスポインターを合わせ［ ］の形になったらドラッグします。

Column

ピボットグラフの構成要素と編集方法

ピボットグラフは作成後、ピボットテーブルと同様にフィールドを入れ替えてグラフの形を変えることができ、データをさまざまな角度から見ることができます。なお、ピボットテーブルの一部を選択して、グラフ化することはできません。ピボットグラフは、ピボットテーブル全体をグラフ範囲として作成されます。

☑ピボットグラフの構成要素

グラフの基本的な構成要素は、p.240のコラムを参照してください。ここでは、ピボットグラフ特有の構成をまとめます。

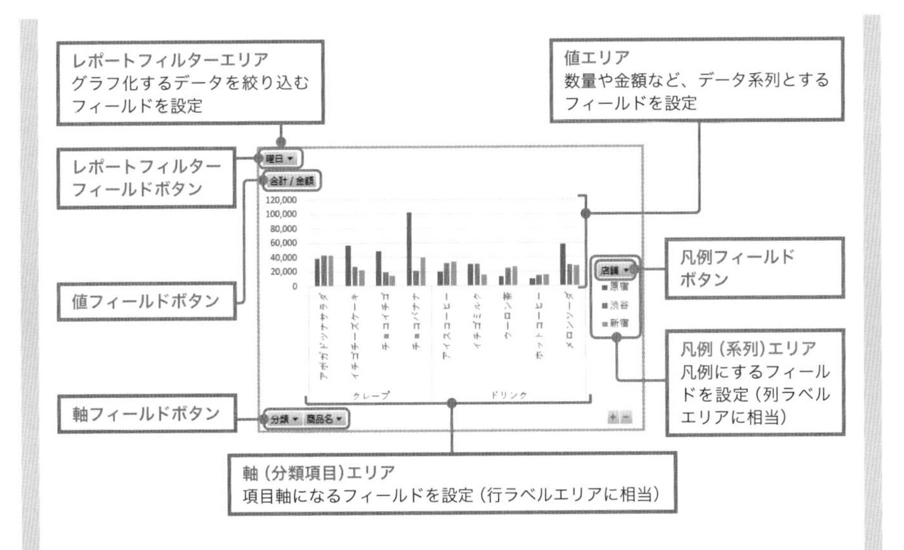

☑ピボットグラフの編集

グラフの種類を変更したり、書式を変更したりするのは、通常のグラフと同じですが、フィールドを入れ替えたり、表示する項目を絞り込んだりする手順は、ピボットテーブルと同じです。[ピボットグラフのフィールド] 作業ウィンドウやグラフ内の各エリアにあるフィールドボタンを使って設定できます。（Sample ➡07-01-02.xlsx）

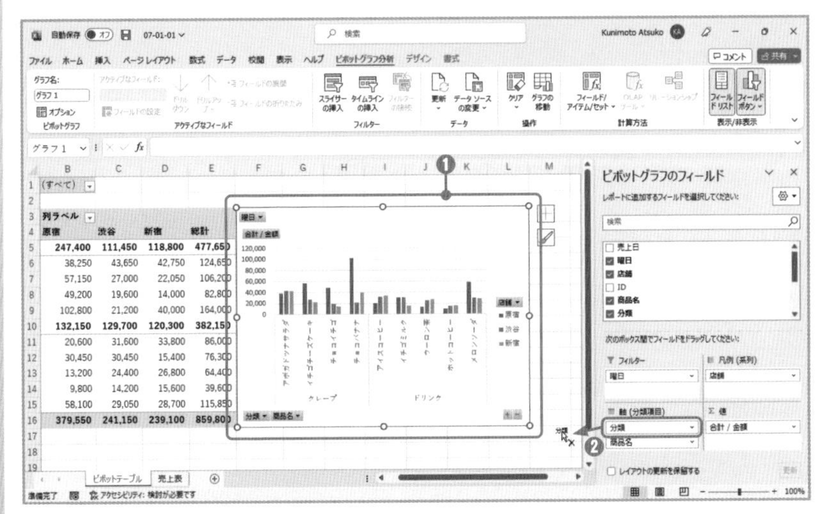

❶ ピボットグラフ内の何もないところ（グラフエリア）でクリック

❷ [ピボットグラフのフィールド] 作業ウィンドウでフィールドをドラッグして移動（ここでは、[分類] を外にドラッグして削除）

> **Memo**
>
> 手順❶の後［ピボットグラフのフィールド］作業ウィンドウが表示されない場合は、［ピボットグラフ分析］タブ→［フィールドリスト］をクリックします。

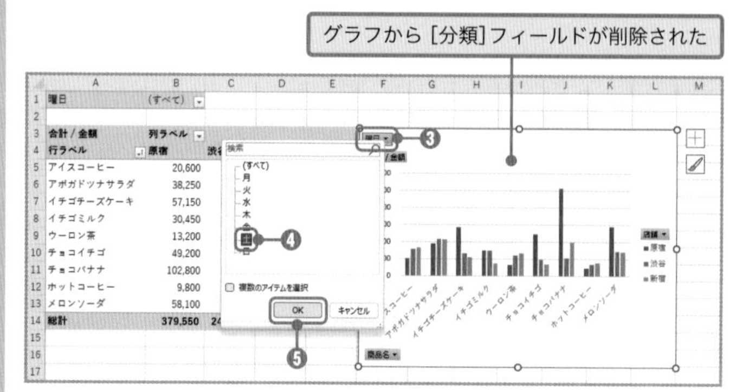

❸ レポートフィルターフィールドの［曜日］をクリック

❹ 表示したいアイテム（ここでは［土］）をクリックして選択

❺ ［OK］をクリック

> **Memo**
>
> ［複数のアイテムを選択］にチェックを付けると各アイテムにチェックボックスが表示され、複数のアイテムが選択できるようになります。

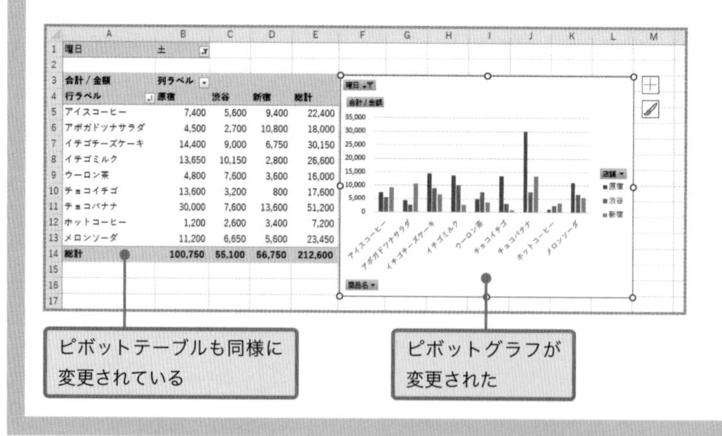

ピボットテーブルを別シートにコピーしてグラフを作成

ピボットグラフは、ピボットテーブルの一部分をグラフ範囲としてグラフ化できません。ピボットグラフを変更すると、ピボットテーブルも同様に変更してしまうため、ピボットテーブルの形を変えたくない場合は、不便に思うことがあります。また、グラフの種類によっては、ピボットグラフでは作成できないものがあります。

このような問題を解決するには、**ピボットテーブルの表を別の場所にコピーして、コピーをもとにグラフを作成**してください。ピボットテーブル内の必要な部分だけ範囲選択してコピー／貼り付けをすると、値と書式がコピーされます。また、**元データに変更の可能性がある場合は、データを貼り付けるときにリンク貼り付けしておく**と変更に対応するため便利です。なお、ピボットテーブルで行数や列数が変更され、形が変わった場合は、リンク貼り付けをやり直す必要があることも忘れないでください。

ここでは、ピボットテーブルの必要な部分をコピー／リンク貼り付けした表を作成し、それをもとにグラフを作成する手順を紹介します。

☑ピボットテーブルのデータとリンクした表を別シートにコピー

(Sample ➡07-01-03.xlsx)

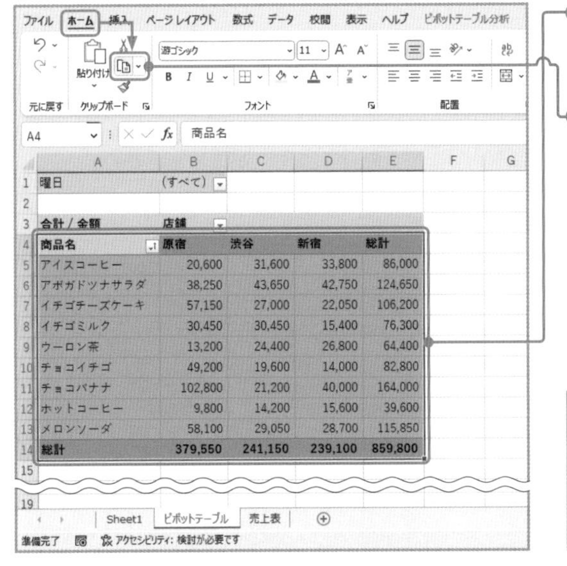

❶ ピボットテーブルの必要な部分を範囲選択(ここではセルA4～E14)

❷ [ホーム] タブ→ [コピー] をクリック

Memo

ここで使用しているピボットテーブルは、[デザイン]タブの [レポートのレイアウト]で[表形式で表示]を選択し、表形式にしています。

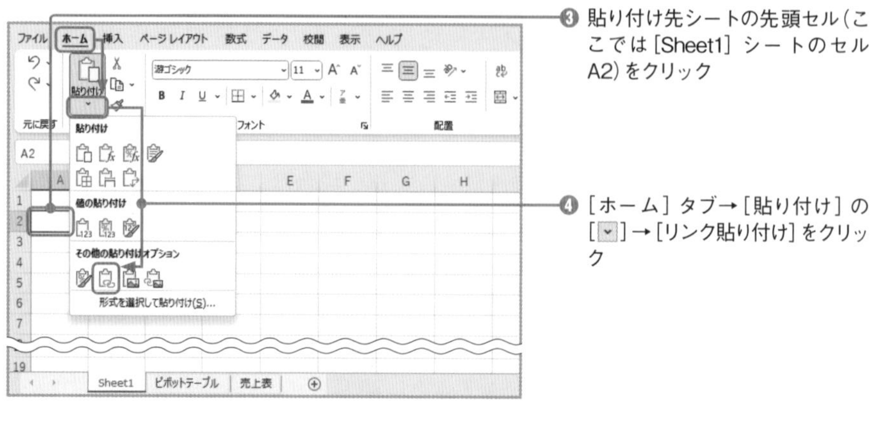

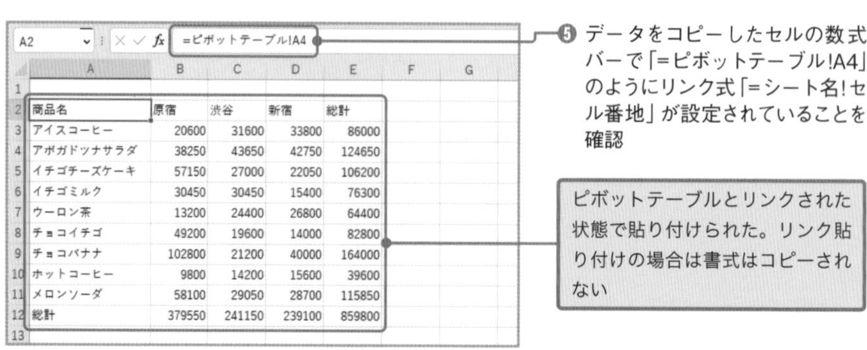

商品名	原宿	渋谷	新宿	総計
アイスコーヒー	20600	31600	33800	86000
アボガドッナサラダ	38250	43650	42750	124650
イチゴチーズケーキ	57150	27000	22050	106200
イチゴミルク	30450	30450	15400	76300
ウーロン茶	13200	24400	26800	64400
チョコイチゴ	49200	19600	14000	82800
チョコバナナ	102800	21200	40000	164000
ホットコーヒー	9800	14200	15600	39600
メロンソーダ	58100	29050	28700	115850
総計	379550	241150	239100	859800

☑グラフを作成

(Sample ➡07-01-04.xlsx)

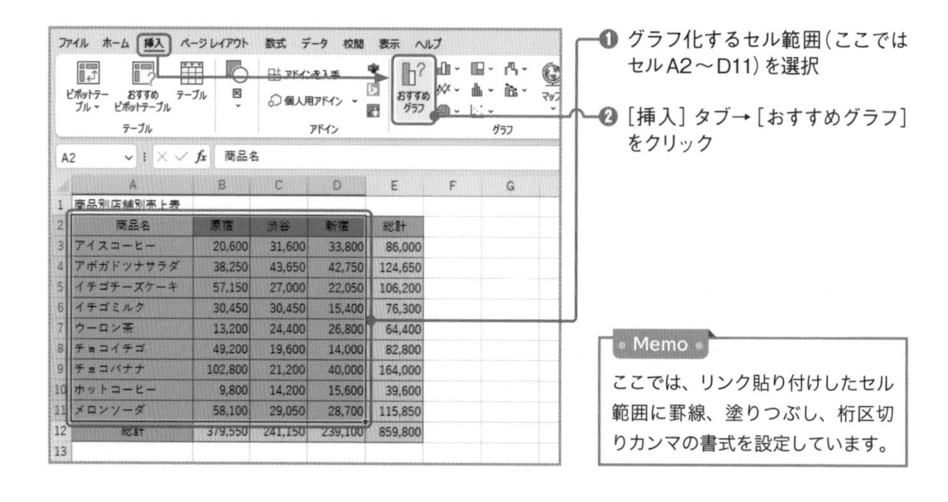

商品名	原宿	渋谷	新宿	総計
アイスコーヒー	20,600	31,600	33,800	86,000
アボガドッナサラダ	38,250	43,650	42,750	124,650
イチゴチーズケーキ	57,150	27,000	22,050	106,200
イチゴミルク	30,450	30,450	15,400	76,300
ウーロン茶	13,200	24,400	26,800	64,400
チョコイチゴ	49,200	19,600	14,000	82,800
チョコバナナ	102,800	21,200	40,000	164,000
ホットコーヒー	9,800	14,200	15,600	39,600
メロンソーダ	58,100	29,050	28,700	115,850
総計	379,550	241,150	239,100	859,800

Memo

ここでは、リンク貼り付けしたセル範囲に罫線、塗りつぶし、桁区切りカンマの書式を設定しています。

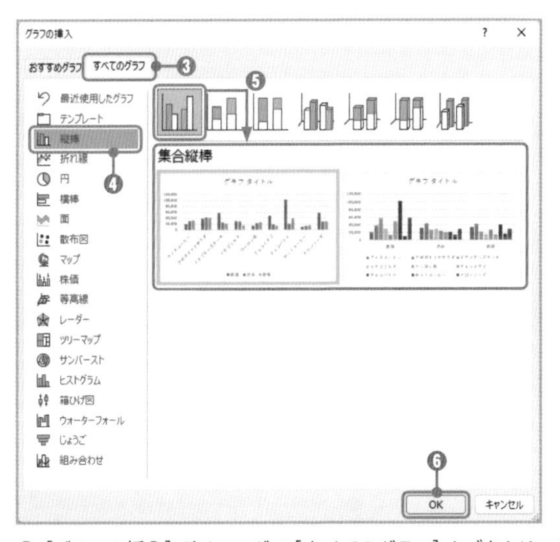

> **Memo**
> 手順❷で棒グラフや折れ線グラフなどグラフの種類を直接選択して作成することもできます。

❸ [グラフの挿入] ダイアログで [すべてのグラフ] タブをクリック

❹ グラフの種類をクリック

❺ グラフのパターンをクリックし、イメージを確認

❻ [OK] をクリック

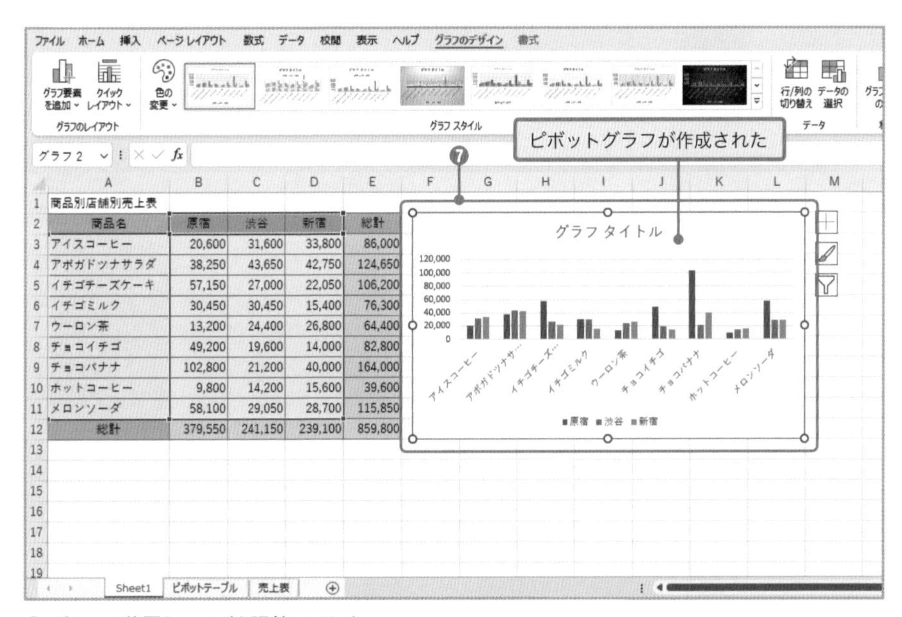

商品名	原宿	渋谷	新宿	総計
アイスコーヒー	20,600	31,600	33,800	86,000
アボガドツナサラダ	38,250	43,650	42,750	124,650
イチゴチーズケーキ	57,150	27,000	22,050	106,200
イチゴミルク	30,450	30,450	15,400	76,300
ウーロン茶	13,200	24,400	26,800	64,400
チョコイチゴ	49,200	19,600	14,000	82,800
チョコバナナ	102,800	21,200	40,000	164,000
ホットコーヒー	9,800	14,200	15,600	39,600
メロンソーダ	58,100	29,050	28,700	115,850
総計	379,550	241,150	239,100	859,800

❼ グラフの位置とサイズを調整しておく

Column

グラフの構成要素

グラフを編集する場合は、まず対象となるグラフの要素を選択します。グラフ上で各要素にマウスポインターを合わせると要素名が表示されます。表示された箇所でダブルクリックするか、右クリックして［(要素名)の書式設定］をクリックすると作業ウィンドウが表示され、編集が行えます。また、グラフの要素は必要に応じて表示／非表示を切り替えたり、位置を変更したりできます。

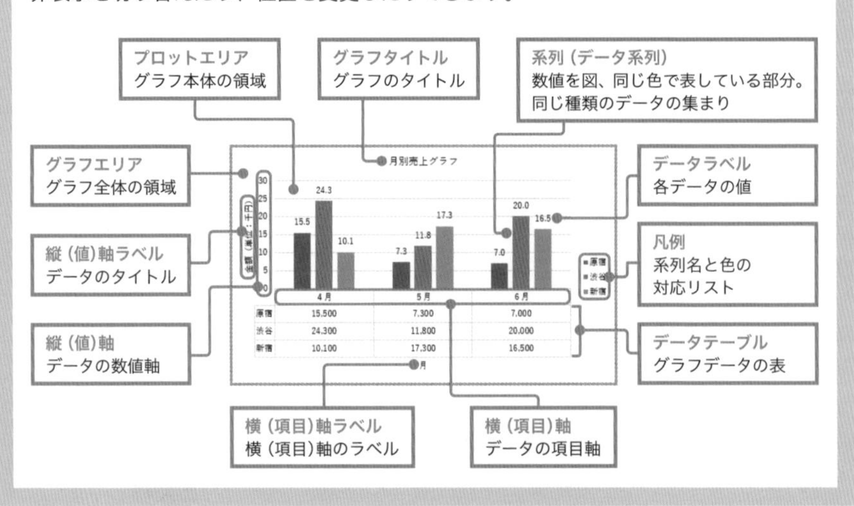

Column

グラフの編集

グラフを編集するには、グラフ内の何もないところ（グラフエリア）でクリックしてグラフを選択し、コンテキストタブの［グラフのデザイン］タブと［書式］タブを表示します（Excel 2019以前は［グラフツール］の［グラフのデザイン］タブと［書式］タブ）。［グラフのデザイン］タブでグラフのスタイルや設定変更、［書式］タブで図形の挿入や選択している要素のスタイルを変更できるボタンが用意されています。また、グラフを選択した際に右に表示されるショートカットツール（[⊞]、[🖌]、[▽]）には、グラフの編集に便利な機能がまとめられています。

なお、より詳細な設定変更は各グラフ要素の作業ウィンドウを表示して行います。

☑[グラフのデザイン]タブ

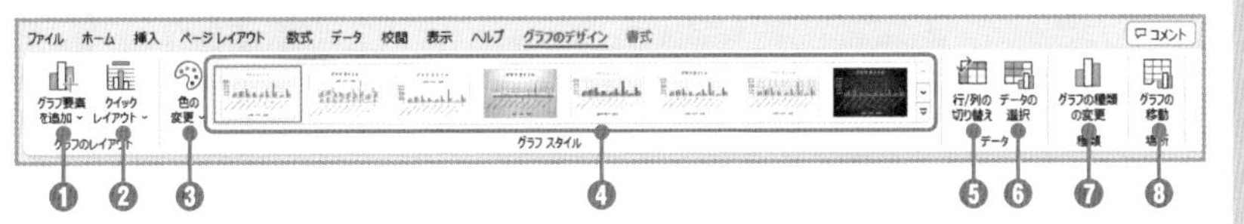

	ボタン名	機能
❶	グラフ要素を追加	グラフの要素を追加
❷	クイックレイアウト	グラフのレイアウト全体を変更
❸	色の変更	グラフの色合いを変更
❹	グラフスタイル	グラフ全体の視覚的なスタイルを変更
❺	行 / 列の切り替え	軸のデータを入れ替える
❻	データの選択	グラフの対象となるセル範囲、凡例や軸ラベルなどの設定を変更
❼	グラフの種類の変更	グラフの種類を変更
❽	グラフの移動	グラフをグラフシート、埋め込みグラフ（オブジェクト）のどちらかに移動

☑ショートカットツール

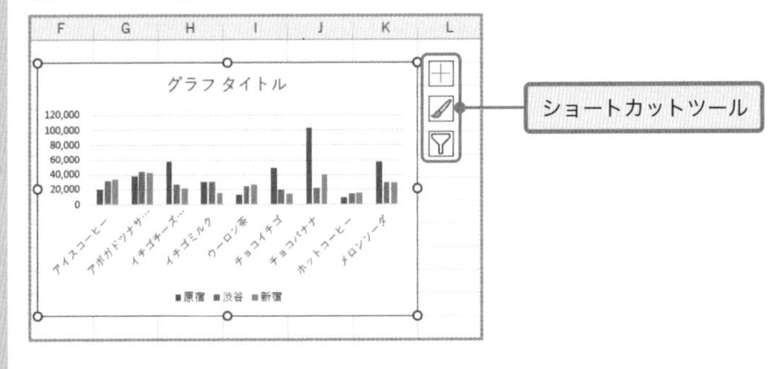

ボタン名		機能
	グラフ要素	グラフに表示する要素と表示位置を指定。作業ウィンドウを表示
	グラフスタイル	グラフのスタイルや配色を変更
	グラフフィルター	グラフに表示する項目を指定

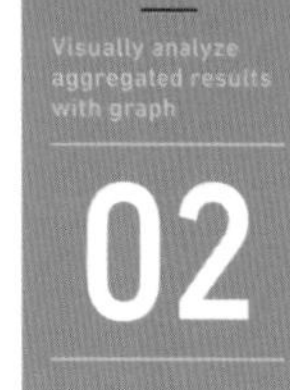

データのばらつきを視覚化する

テストの結果で、指定した点数の範囲内に何人いるのか調べたいとき、ヒストグラムを作成すると人数分布を見ることができます。また、全体的なばらつき具合を見るには、箱ひげ図が便利です。ここでは、ヒストグラムと箱ひげ図の作成方法を確認しましょう。

ヒストグラムを使ってテストの点数ごとのばらつきを見る

ヒストグラムは、10点台、20点台など指定した範囲内にデータがどれだけ含まれるかをグラフ化したもので、**データのばらつきや傾向を見る**のに役立ちます。ここでは、国語のテスト結果をヒストグラムにする手順を例に作成してみましょう。ヒストグラムはピボットテーブルをもとに作成することはできません。データベース形式のデータ（テーブル）をそのままグラフ範囲に指定して作成できます。（Sample ➡07-02-01.xlsx）

☑ヒストグラムを作成する

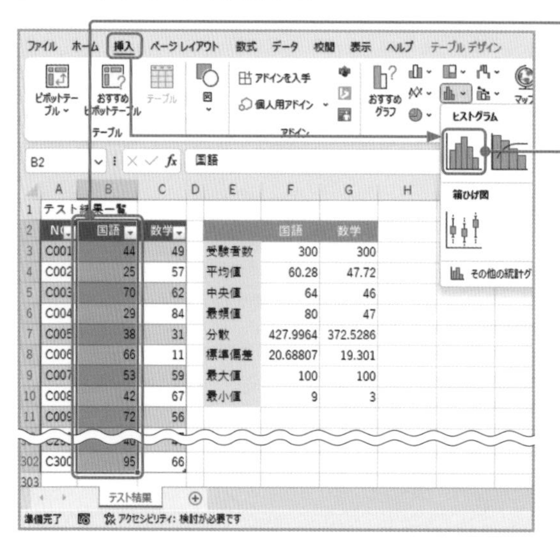

❶ ヒストグラムにするデータ部分を選択（ここではセルB2～B302）

❷ ［挿入］タブ→［統計グラフの挿入］→［ヒストグラム］をクリック

> **Memo**
> グラフは、現在表示されている位置に作成されます。そのため、範囲選択したらスクロールバーを上にドラッグして画面を上に移動しておくといいでしょう。

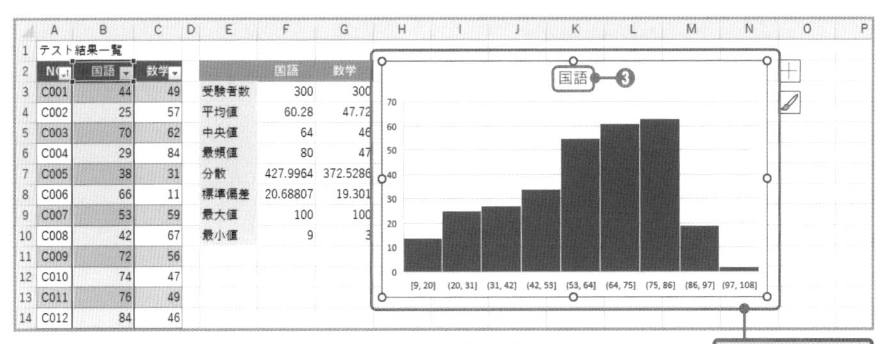

❸ グラフのサイズと位置を調整し、グラフタイトルを「国語」に変更しておく

ヒストグラムの横軸（x 軸）の数値の区間幅を変更する

ヒストグラムの区間幅は[ビンの幅]、区間の開始値は[ビンのアンダーフロー]、区間の終了値は[ビンのオーバーフロー]で指定できます。ヒストグラム作成時では、区間幅は自動的に設定されるため、変更したい場合は次の手順で操作してください。（Sample ➡07-02-02.xlsx）

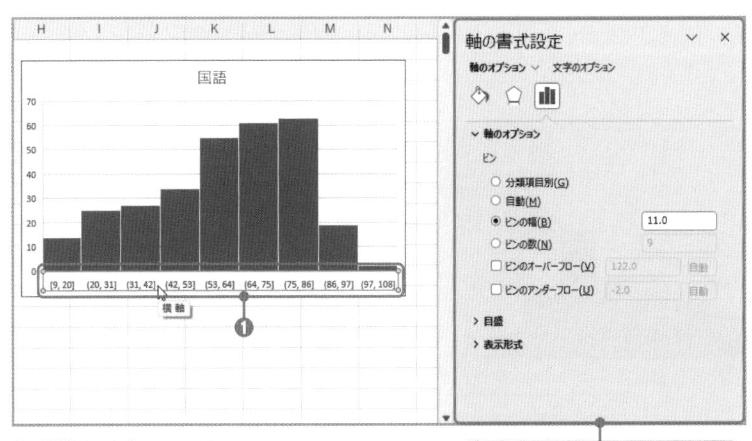

❶ 横軸をダブルクリック

Memo

手順❶で横軸を右クリックし、ショートカットメニューで［軸の書式設定］をクリックしても［軸の書式設定］作業ウィンドウを表示できます。

ここでは、間隔を10、区間開始の値を19より大きく、区間終了の値を89以下に指定します。

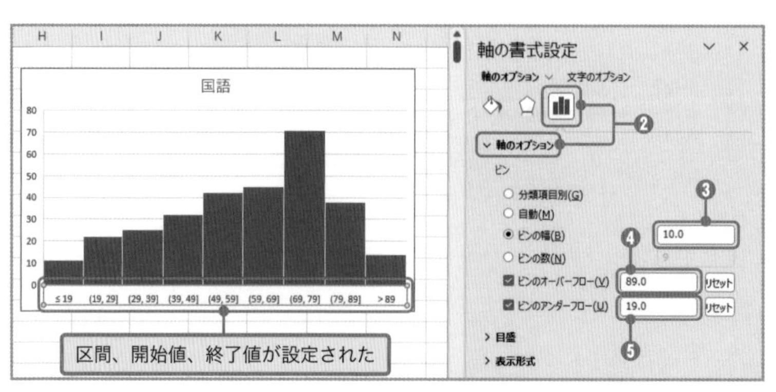

❷［軸のオプション］の［軸のオプション］をクリックして展開
❸［ビンの幅］をクリックし入力欄に区間（ここでは「10」）を入力
❹［ビンのオーバーフロー］にチェックを付け、区間終了値（ここでは「89」）を入力
❺［ビンのアンダーフロー］にチェックを付け、区間開始値（ここでは「19」）を入力

Memo

19より大きい値から区間が開始され、89まで10単位で区間が設定されます。横軸に表示される区間「{19,29}」は、「19より大きく、29以下」を意味し、20～29までの20点台で区分しています。これにより、得点の区分ごとにそれぞれの人数の分布がわかります。

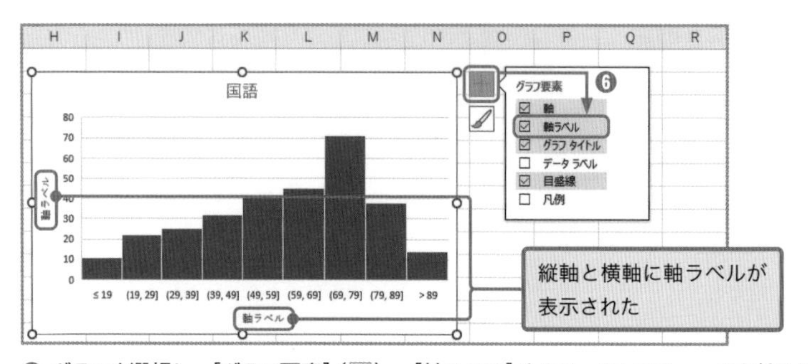

❻ グラフを選択し、［グラフ要素］（⊞）→［軸ラベル］をクリックしてチェックを付ける

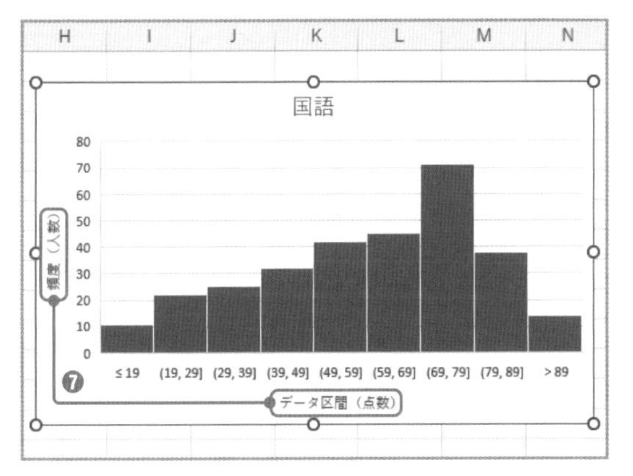

❼ 軸ラベルを2回ゆっくりクリックしてカーソルを表示し、縦軸は「頻度(人数)」、横軸は「データ区間(点数)」に変更しておく

> **Memo**
>
> 軸ラベルを１回クリックすると選択され、もう１回クリックするとカーソルが表示されて文字列を編集できます。

> **Memo**
>
> ヒストグラムは、ビンの幅（データ区間）の指定方法によって形がかなり変わってしまいます。データ区間の決め方を、見たい内容に合わせて指定してください。

箱ひげ図を使ってデータのばらつき具合を見る

ヒストグラムを使うと、指定した区間内に含まれるデータ数をグラフで見ることができますが、**データのばらつきの範囲、平均値、中央値、最小値、最大値といった基本的な統計結果を視覚化**したい場合は、**箱ひげ図**が便利です。箱ひげ図はピボットテーブルをもとに作成することはできません。データベース形式のデータ(テーブル)をそのままグラフ範囲に指定して作成できます。

ここでは、国語と数学のテスト結果のそれぞれの箱ひげ図を作成して、科目ごとの統計結果を視覚化してみましょう。(Sample ➡07-02-03.xlsx)

☑箱ひげ図を作成

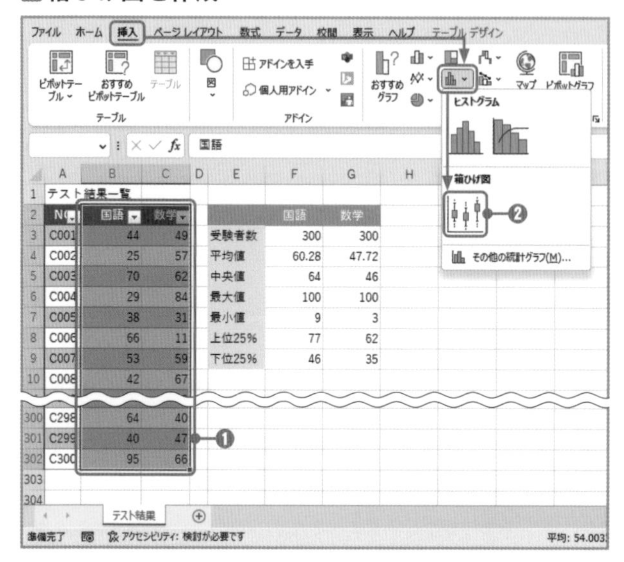

❶ グラフ化するセル範囲を選択（ここではセルB2～C302）

❷ ［挿入］タブ→［統計グラフの挿入］→［箱ひげ図］をクリック

箱ひげ図が作成された

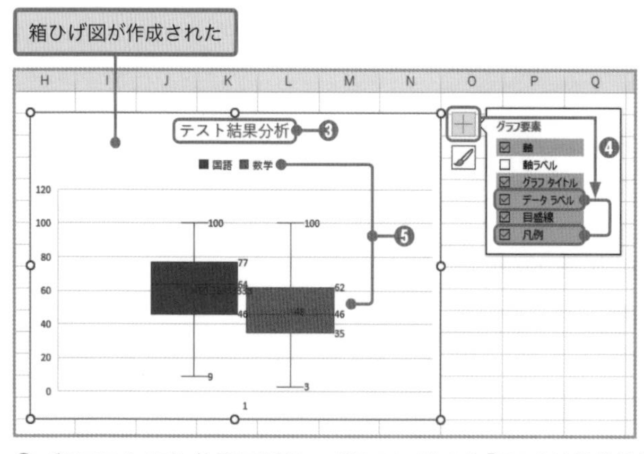

❸ グラフのサイズと位置を調整し、グラフタイトルを「テスト結果分析」に変更しておく

❹ ［グラフ要素］（⊞）をクリックし、［データラベル］と［凡例］のチェックを付ける

❺ 凡例とデータラベルが表示されたことを確認

☑スタイルを変更

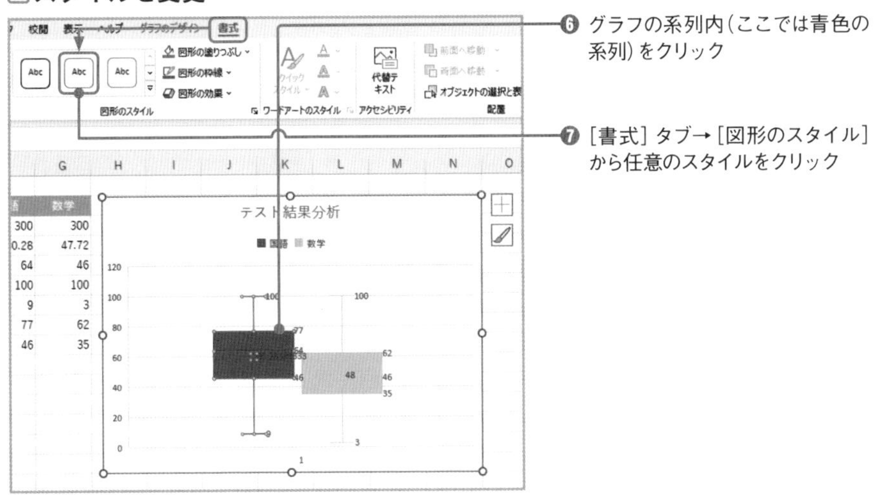

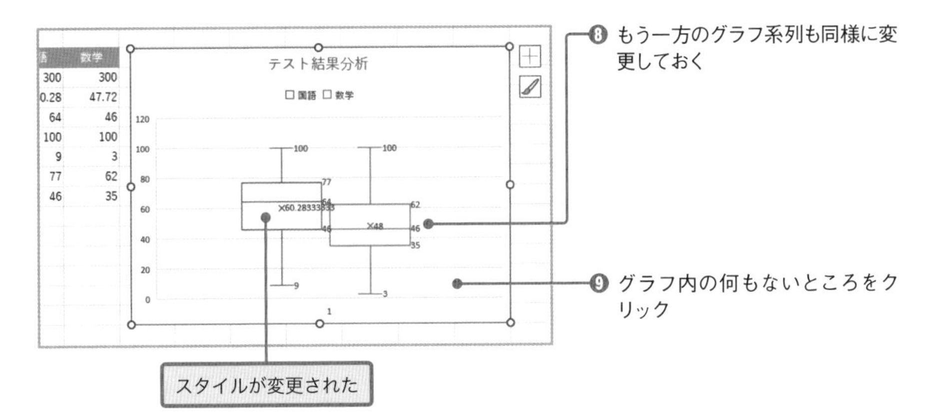

Memo

グラフの色や枠線の色を個別に変更したい場合は、[書式] タブ→ [図形の塗りつぶし] または [図形の枠線] でそれぞれ色を選択します。

☑平均値の表示形式を変更

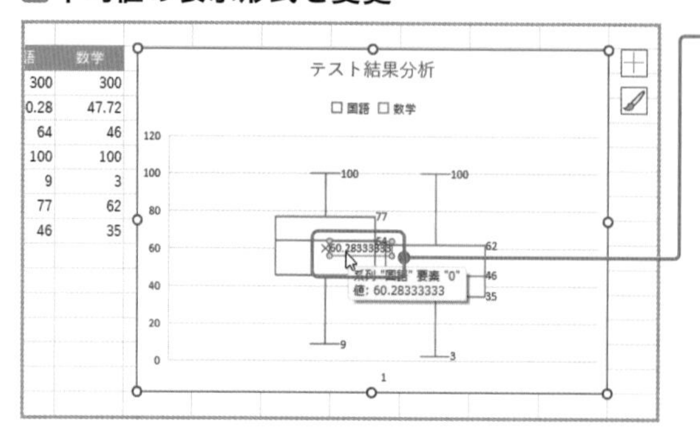

⑩ グラフ内で平均値のラベルを2回クリックしてそのラベルだけを選択したら、選択したラベルをダブルクリック

Memo

箱ひげ図の箱内にある［×］は平均値を示しています。

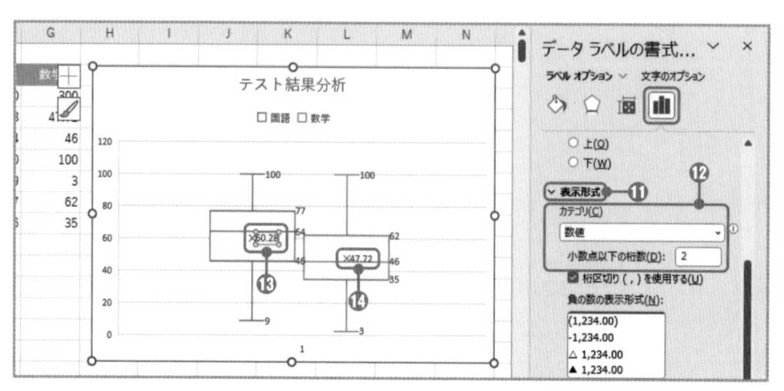

⑪ ［データラベルの書式設定］作業ウィンドウの［ラベルオプション］の［表示形式］をクリックして設定画面を表示

⑫ ［カテゴリ］で［数値］を選択、［小数点以下の桁数］に「2」と入力

⑬ 平均点が小数点以下第2位まで表示されたことを確認

⑭ もう1つのラベルも同様に変更しておく

Column

箱ひげ図の概要

箱ひげ図は、データのばらつき具合を「箱」と「ひげ」を使って表現したグラフです。箱ひげ図の見方は下図のとおりです。

箱ひげ図では、四分位数を使います。四分位数とは、データを小さい順で並べ替えて、4等分した場合の区切りの値のことをいいます。最小値から25%の位置にある値が第1四分位数、50%の位置にある値が中央値、75%の位置にある値が第3四分位数となります。また、第1四分位数から第3四分位数の範囲を四分位範囲といい、ちょうど箱の部分になります。

☑箱ひげ図の構成

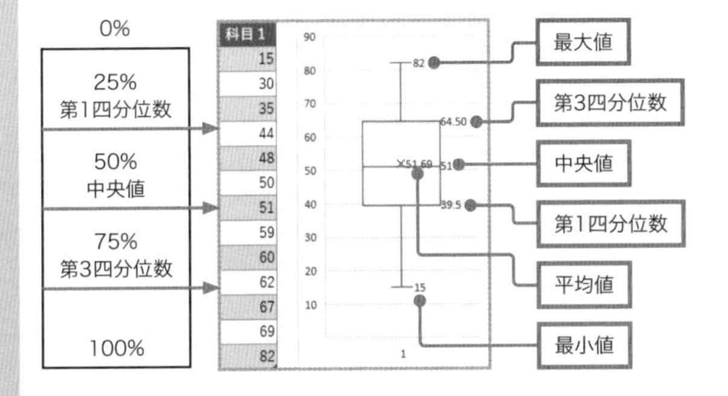

Memo

第1四分位数は、最小値から数えて25%の位置にある値で、「25パーセンタイル」ともいいます。パーセンタイルとは百分位数のことで、データを小さい順に並べ替えて最小値を0、最大値を100として100等分した場合の順位です。

☑外れ値

外れ値は、データの分布の中で、他のデータと大きく離れた位置にある値です。Excelの箱ひげ図では、四分位範囲の1.5倍を超えた位置にある値が外れ値として表示されます。

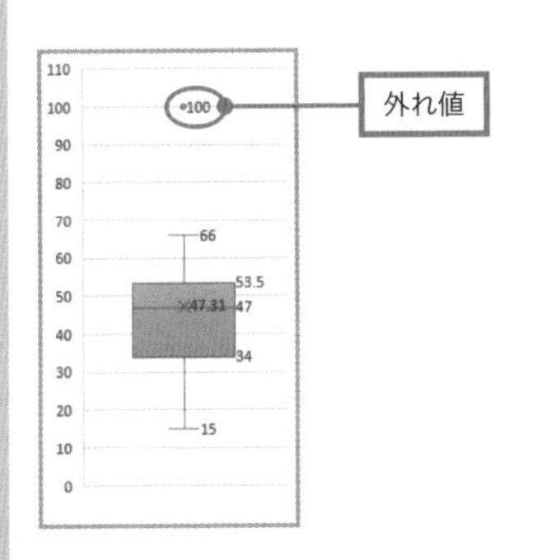

☑ [系列のオプション] の設定値

箱ひげ図のグラフ内で右クリックし、[データ系列の書式設定] をクリックすると表示される [データ系列の書式設定] 作業ウィンドウの [系列のオプション] で、箱ひげ図の表示についての確認と設定ができます。

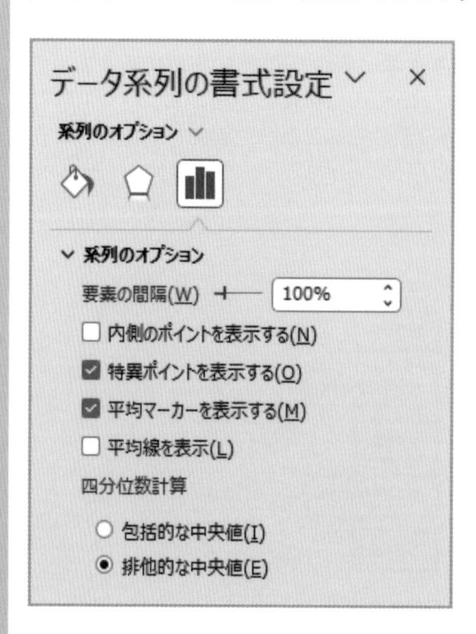

● [系列のオプション] の設定値

項目	内容
要素の間隔	データ系列の間隔を調整
内側のポイントを表示する	箱ひげ図の上と下のひげの間に位置するすべての点が表示される
特異ポイントを表示する	外れ値を表示する
平均マーカーを表示する	データ系列の平均値が [×] で表示される
平均線を表示	データ系列が複数ある場合、各データ系列の平均値をつないだ線を表示
四分位数計算	第 1 四分位数と第 3 四分位数の計算方法。中央値を除いて計算する場合は「排他的な中央値」、中央値を含めて計算する場合は、「包括的な中央値」を選択。排他的な中央値は、QUARTILE.EXC 関数に対応。内包的な中央値は、QUARTILE.INC 関数に対応している

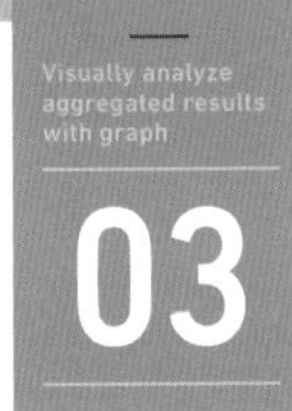

時系列でデータの経過を見る

時間の経過によるデータの経緯を視覚化するには、折れ線グラフが適しています。単純に数値の増減を見るだけでなく、ファンチャートを作成して伸び率を視覚化することもできます。

折れ線グラフを使って、時間の経過によるデータの動きを視覚化する

折れ線グラフは、値を線で結んで表すグラフで、**横軸に時間、縦軸に比較する値として、変動の傾向（トレンド）や増減の繰り返し（周期性）を視覚化するの**に役立ちます。店舗別の月別の売上金額を折れ線グラフにしてみましょう。

ここでは、売上データをもとに店舗別、月別の売上金額を集計するピボットテーブルを、表形式のレイアウトで作成し、別シートにリンク貼り付けした表をもとにグラフを作成しています（p.237）。詳細はサンプルを確認してください。

(Sample ➡07-03-01.xlsx)

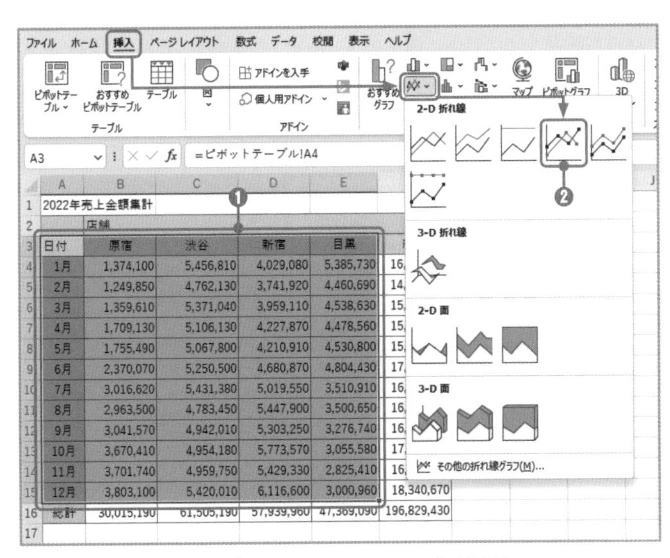

❶ グラフ化するセル範囲（ここではセルA3〜E15）を選択

❷ ［挿入］タブ→［折れ線/面グラフの挿入］をクリックし、折れ線のパターン（ここでは［マーカー付き折れ線］）をクリック

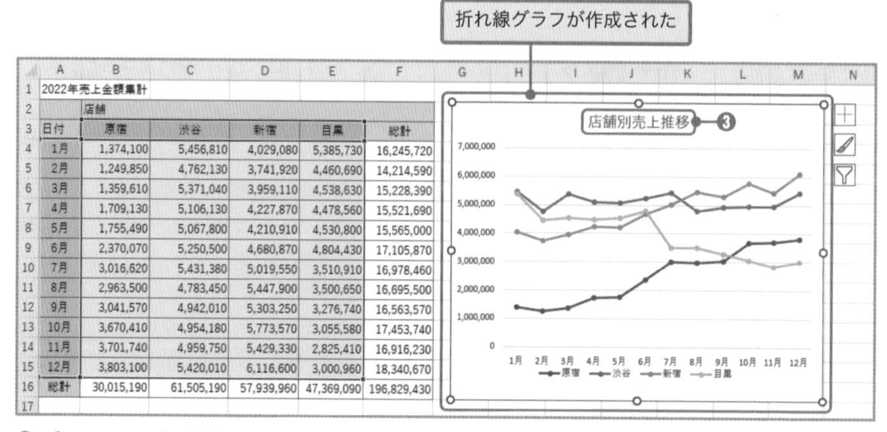

	A	B	C	D	E	F
1	2022年売上金額集計					
2		店舗				
3	日付	原宿	渋谷	新宿	目黒	総計
4	1月	1,374,100	5,456,810	4,029,080	5,385,730	16,245,720
5	2月	1,249,850	4,762,130	3,741,920	4,460,690	14,214,590
6	3月	1,359,610	5,371,040	3,959,110	4,538,630	15,228,390
7	4月	1,709,130	5,106,130	4,227,870	4,478,560	15,521,690
8	5月	1,755,490	5,067,800	4,210,910	4,530,800	15,565,000
9	6月	2,370,070	5,250,500	4,680,870	4,804,430	17,105,870
10	7月	3,016,620	5,431,380	5,019,550	3,510,910	16,978,460
11	8月	2,963,500	4,783,450	5,447,900	3,500,650	16,695,500
12	9月	3,041,570	4,942,010	5,303,250	3,276,740	16,563,570
13	10月	3,670,410	4,954,180	5,773,570	3,055,580	17,453,740
14	11月	3,701,740	4,959,750	5,429,330	2,825,410	16,916,230
15	12月	3,803,100	5,420,010	6,116,600	3,000,960	18,340,670
16	総計	30,015,190	61,505,190	57,939,960	47,369,090	196,829,430
17						

❸ グラフのサイズと位置を調整し、グラフタイトルを「店舗別売上推移」に変更しておく

ファンチャートを使って、データの伸び率を見る

ファンチャートとは、**ある時点を100%として、そこを基点にデータの推移を示した折れ線グラフ**です。数値の大小ではなく、パーセントで表すため、どの程度伸びているのか、落ち込んでいるのかがそのグラフの傾きで視覚化することができます。

ここでは、各店舗の1月の売上を100%として、それ以降の月を1月に対する百分率で表示します。先にグラフのもととなる伸び率の計算式を設定した表を用意し、次にグラフを作成していきます。(Sample ➡07-03-02.xlsx)

☑伸び率の表を作成

	A	B	C	D	E	F	G	H
1	2022年売上金額集計							
2		店舗					売上伸び率（1月基準	
3	日付	原宿	渋谷	新宿	目黒	総計	原宿	渋谷
4	1月	1,374,100	5,456,810	4,029,080	5,385,730	16,245,720	=B4/$B$4	
5	2月	1,249,850	4,762,130	3,741,920	4,460,690	14,214,590		

❶ 数式を設定するセル（ここではセルG4）に「＝B4/$B$4」と入力し Enter キーを押す

Memo

「$B$4」は、数式をコピーしてもセル参照が変更されないように絶対参照にしています。

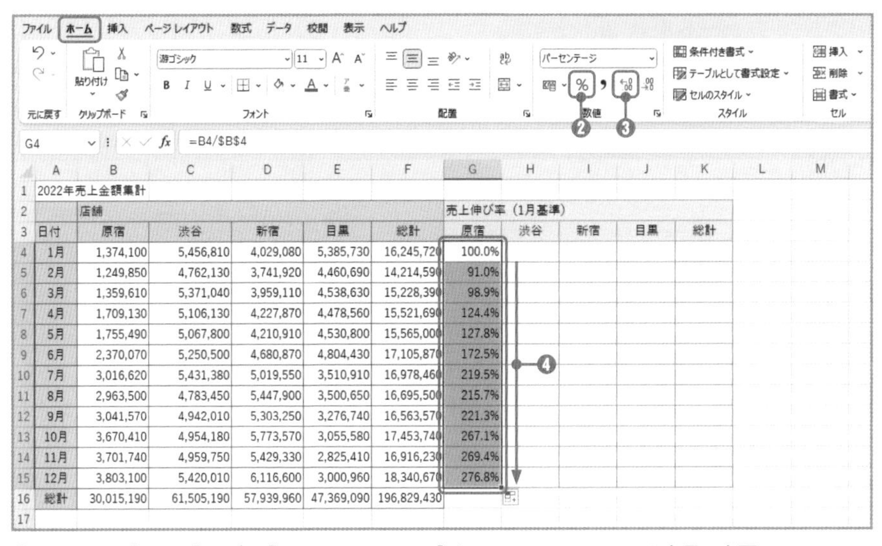

	A	B	C	D	E	F	G	H	I	J	K
1	2022年売上金額集計										
2		店舗					売上伸び率（1月基準）				
3	日付	原宿	渋谷	新宿	目黒	総計	原宿	渋谷	新宿	目黒	総計
4	1月	1,374,100	5,456,810	4,029,080	5,385,730	16,245,720	100.0%				
5	2月	1,249,850	4,762,130	3,741,920	4,460,690	14,214,590	91.0%				
6	3月	1,359,610	5,371,040	3,959,110	4,538,630	15,228,390	98.9%				
7	4月	1,709,130	5,106,130	4,227,870	4,478,560	15,521,690	124.4%				
8	5月	1,755,490	5,067,800	4,210,910	4,530,800	15,565,000	127.8%				
9	6月	2,370,070	5,250,500	4,680,870	4,804,430	17,105,870	172.5%				
10	7月	3,016,620	5,431,380	5,019,550	3,510,910	16,978,460	219.5%				
11	8月	2,963,500	4,783,450	5,447,900	3,500,650	16,695,500	215.7%				
12	9月	3,041,570	4,942,010	5,303,250	3,276,740	16,563,570	221.3%				
13	10月	3,670,410	4,954,180	5,773,570	3,055,580	17,453,740	267.1%				
14	11月	3,701,740	4,959,750	5,429,330	2,825,410	16,916,230	269.4%				
15	12月	3,803,100	5,420,010	6,116,600	3,000,960	18,340,670	276.8%				
16	総計	30,015,190	61,505,190	57,939,960	47,369,090	196,829,430					
17											

❷ セルG4に［ホーム］タブ→［パーセントスタイル］をクリックしてパーセント表示に変更

❸ 同様に［ホーム］タブ→［小数点以下の表示桁数を増やす］をクリックして小数点以下第1位までに表示を変更

❹ セルG4の数式をセルG15までオートフィルでコピー

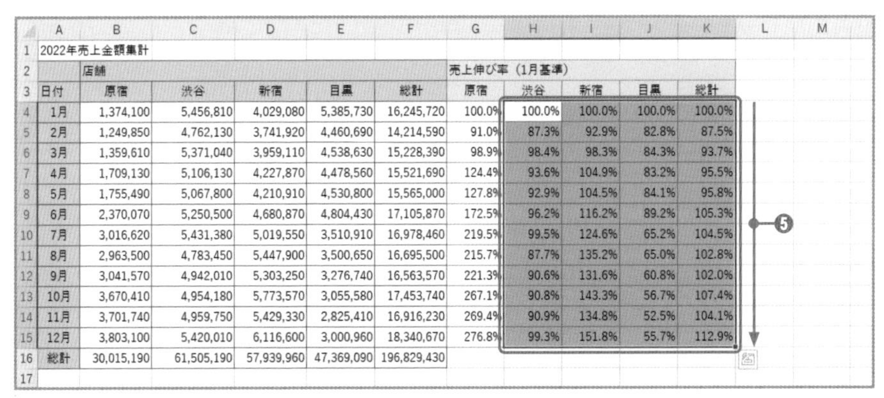

	A	B	C	D	E	F	G	H	I	J	K
1	2022年売上金額集計										
2		店舗					売上伸び率（1月基準）				
3	日付	原宿	渋谷	新宿	目黒	総計	原宿	渋谷	新宿	目黒	総計
4	1月	1,374,100	5,456,810	4,029,080	5,385,730	16,245,720	100.0%	100.0%	100.0%	100.0%	100.0%
5	2月	1,249,850	4,762,130	3,741,920	4,460,690	14,214,590	91.0%	87.3%	92.9%	82.8%	87.5%
6	3月	1,359,610	5,371,040	3,959,110	4,538,630	15,228,390	98.9%	98.4%	98.3%	84.3%	93.7%
7	4月	1,709,130	5,106,130	4,227,870	4,478,560	15,521,690	124.4%	93.6%	104.9%	83.2%	95.5%
8	5月	1,755,490	5,067,800	4,210,910	4,530,800	15,565,000	127.8%	92.9%	104.5%	84.1%	95.8%
9	6月	2,370,070	5,250,500	4,680,870	4,804,430	17,105,870	172.5%	96.2%	116.2%	89.2%	105.3%
10	7月	3,016,620	5,431,380	5,019,550	3,510,910	16,978,460	219.5%	99.5%	124.6%	65.2%	104.5%
11	8月	2,963,500	4,783,450	5,447,900	3,500,650	16,695,500	215.7%	87.7%	135.2%	65.0%	102.8%
12	9月	3,041,570	4,942,010	5,303,250	3,276,740	16,563,570	221.3%	90.6%	131.6%	60.8%	102.0%
13	10月	3,670,410	4,954,180	5,773,570	3,055,580	17,453,740	267.1%	90.8%	143.3%	56.7%	107.4%
14	11月	3,701,740	4,959,750	5,429,330	2,825,410	16,916,230	269.4%	90.9%	134.8%	52.5%	104.1%
15	12月	3,803,100	5,420,010	6,116,600	3,000,960	18,340,670	276.8%	99.3%	151.8%	55.7%	112.9%
16	総計	30,015,190	61,505,190	57,939,960	47,369,090	196,829,430					
17											

❺ セルH4に「=C4/$C$4」、セルI4に「=D4/$D$4」、セルJ4に「=E4/$E$4」、セルK4に「=F4/$F$4」と入力し、手順❷、❸と同じ表示形式を設定して、それぞれの数式をセルH15、セルI15、セルJ15、セルK15までコピー

☑ファンチャートを作成

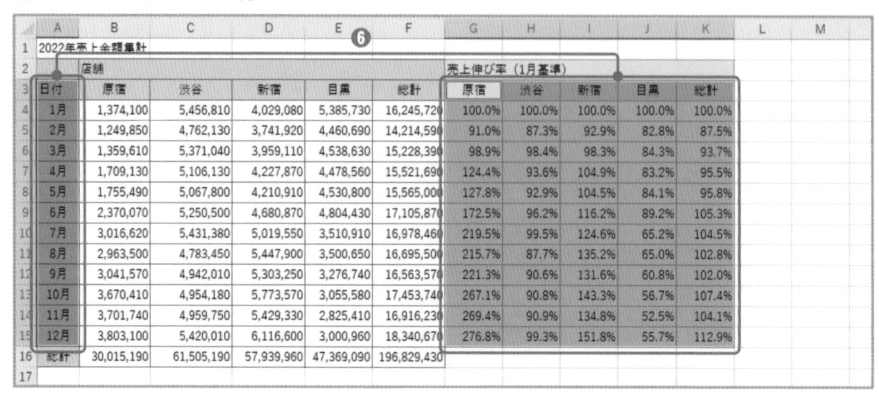

	A	B	C	D	E	F	G	H	I	J	K
1	2022年売上金額集計										
2		店舗					売上伸び率（1月基準）				
3	日付	原宿	渋谷	新宿	目黒	総計	原宿	渋谷	新宿	目黒	総計
4	1月	1,374,100	5,456,810	4,029,080	5,385,730	16,245,720	100.0%	100.0%	100.0%	100.0%	100.0%
5	2月	1,249,850	4,762,130	3,741,920	4,460,690	14,214,590	91.0%	87.3%	92.9%	82.8%	87.5%
6	3月	1,359,610	5,371,040	3,959,110	4,538,630	15,228,390	98.9%	98.4%	98.3%	84.3%	93.7%
7	4月	1,709,130	5,106,130	4,227,870	4,478,560	15,521,690	124.4%	93.6%	104.9%	83.2%	95.5%
8	5月	1,755,490	5,067,800	4,210,910	4,530,800	15,565,000	127.8%	92.9%	104.5%	84.1%	95.8%
9	6月	2,370,070	5,250,500	4,680,870	4,804,430	17,105,870	172.5%	96.2%	116.2%	89.2%	105.3%
10	7月	3,016,620	5,431,380	5,019,550	3,510,910	16,978,460	219.5%	99.5%	124.6%	65.2%	104.5%
11	8月	2,963,500	4,783,450	5,447,900	3,500,650	16,695,500	215.7%	87.7%	135.2%	65.0%	102.8%
12	9月	3,041,570	4,942,010	5,303,250	3,276,740	16,563,570	221.3%	90.6%	131.6%	60.8%	102.0%
13	10月	3,670,410	4,954,180	5,773,570	3,055,580	17,453,740	267.1%	90.8%	143.3%	56.7%	107.4%
14	11月	3,701,740	4,959,750	5,429,330	2,825,410	16,916,230	269.4%	90.9%	134.8%	52.5%	104.1%
15	12月	3,803,100	5,420,010	6,116,600	3,000,960	18,340,670	276.8%	99.3%	151.8%	55.7%	112.9%
16	総計	30,015,190	61,505,190	57,939,960	47,369,090	196,829,430					

❻ グラフ化するセル範囲（ここでは、セルA3～A15とセルG3～K15）を選択

Memo

離れた範囲を選択する場合は、1か所目（セルA3～A15）をドラッグして選択し、2か所目（セルG3～K15）は Ctrl キーを押しながらドラッグします。

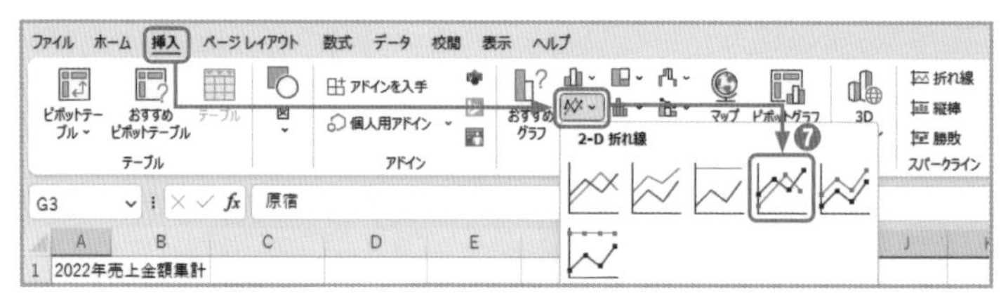

❼［挿入］タブ→［折れ線/面グラフの挿入］をクリックし、折れ線のパターン（ここでは［マーカー付き折れ線］）をクリック

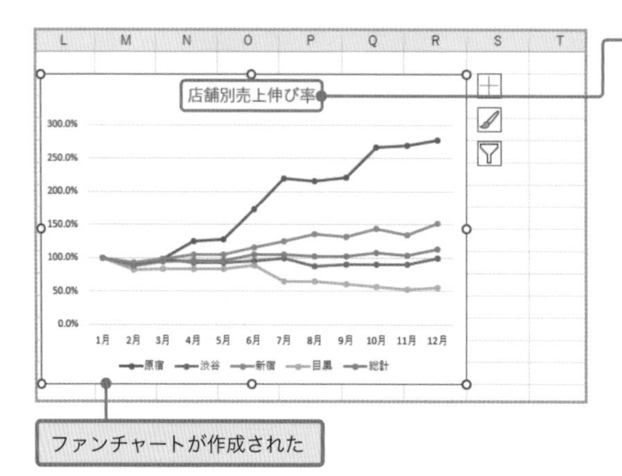

❽ グラフのサイズと位置を調整し、グラフタイトルを「店舗別売上伸び率」に変更しておく

☑軸の調整

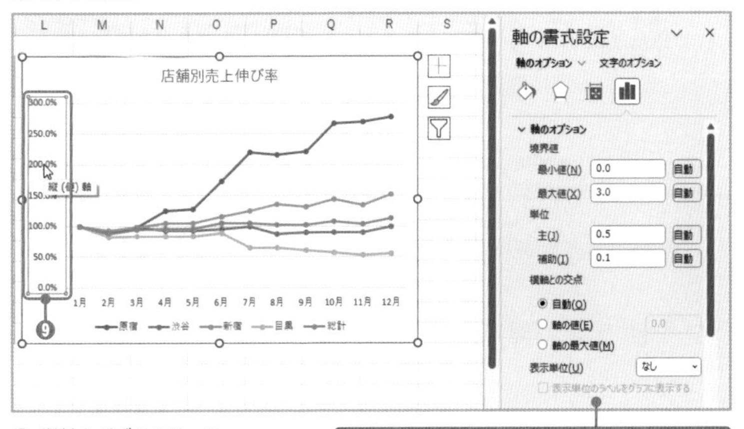

❾ 縦軸をダブルクリック

[軸の書式設定]作業ウィンドウが表示される

Memo

グラフの縦軸（値軸）の最大値は自動的に設定されますが、任意の値に変更できます。実際のデータ範囲に合わせることで、ファンチャートの扇部分の広がりをより強調できます。

最小値が0.0%、最大値が280.0%、軸目盛線が20% ごとに設定された

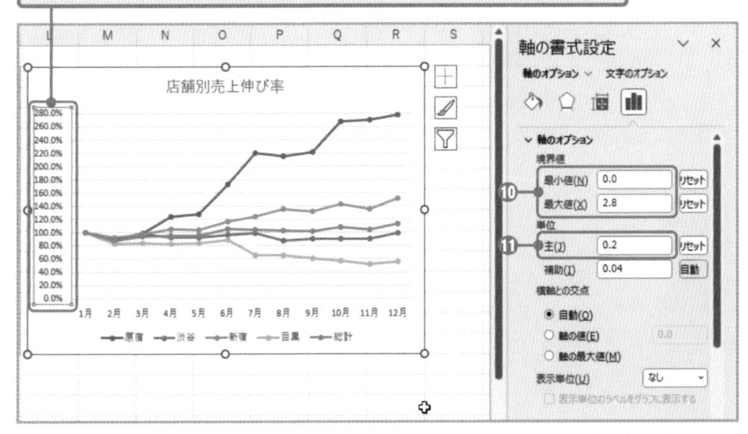

❿ [軸のオプション] の [境界値] にある [最大値] に「2.8」、[最小値] に「0.0」を入力

⓫ [単位] にある [主] に「0.2」を入力

Memo

ファンチャートの扇が多少広がり、目盛線が細かく設定されました。原宿の伸び率が約3 倍となっており、総計で見ると年間を通してほぼ横ばいとなっていることがわかります。

Visually analyze aggregated results with graph

04 異なるグラフを1つにまとめる

金額と数量のように数値の範囲が大きく異なっているとか、パーセントと数値のような異なる単位のデータを1つのグラフにまとめるには、複合グラフを使います。ここでは、複合グラフを作成してみましょう。

複合グラフを使って、異なる種類のグラフを1つにまとめる

売上金額を棒グラフ、目標金額を折れ線グラフとする複合グラフの作成を例に手順を確認しましょう。なお、ここでは月別の売上金額を集計したピボットテーブルをリンク貼り付けし、［目標金額］列、［達成率］列（売上金額 ÷ 目標金額）を追加した表を使っています。詳細はサンプルを参照してください。
(Sample ➡07-04-01.xlsx)

☑複合グラフの作成

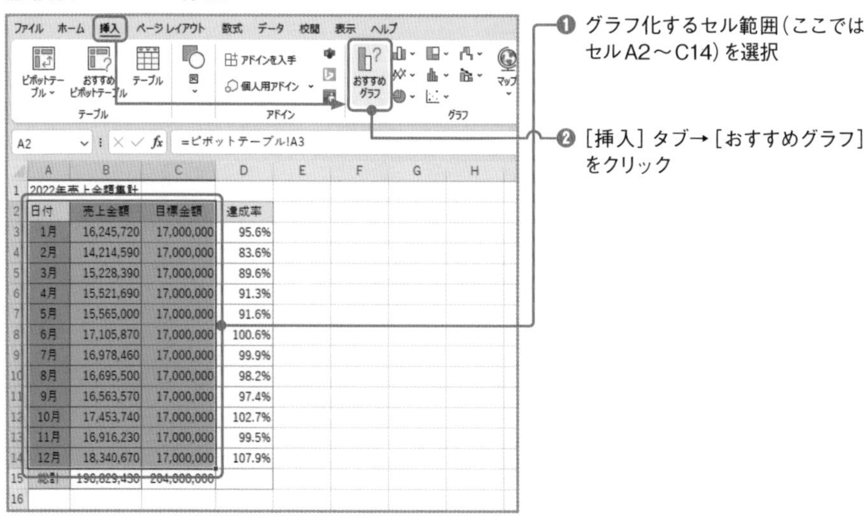

Memo

［挿入］タブ→［複合グラフの挿入］でも複合グラフを作成できますが、その場合、系列とグラフの種類は自動的に設定されます。

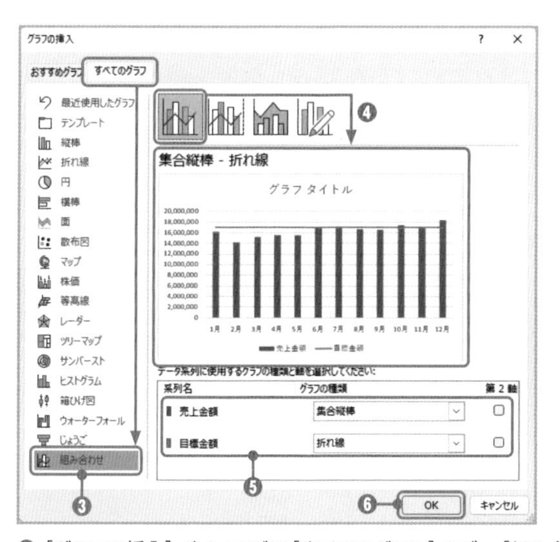

❸ [グラフの挿入] ダイアログで [すべてのグラフ] タブ→ [組み合わせ] をクリック
❹ グラフのパターンを選択し（ここでは [集合縦棒 - 折れ線]）、プレビューを確認
❺ 系列とグラフの種類と軸を確認（ここでは、[売上金額] は [集合縦棒]、[目標金額] は [折れ線]）
❻ [OK] をクリック

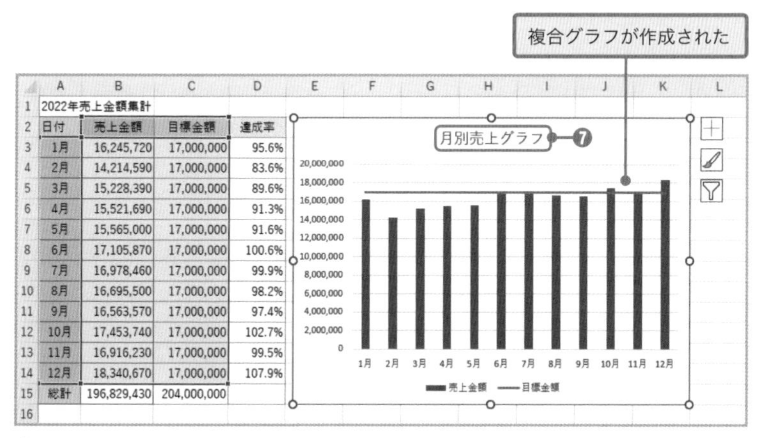

	A	B	C	D
1	2022年売上金額集計			
2	日付	売上金額	目標金額	達成率
3	1月	16,245,720	17,000,000	95.6%
4	2月	14,214,590	17,000,000	83.6%
5	3月	15,228,390	17,000,000	89.6%
6	4月	15,521,690	17,000,000	91.3%
7	5月	15,565,000	17,000,000	91.6%
8	6月	17,105,870	17,000,000	100.6%
9	7月	16,978,460	17,000,000	99.9%
10	8月	16,695,500	17,000,000	98.2%
11	9月	16,563,570	17,000,000	97.4%
12	10月	17,453,740	17,000,000	102.7%
13	11月	16,916,230	17,000,000	99.5%
14	12月	18,340,670	17,000,000	107.9%
15	総計	196,829,430	204,000,000	
16				

❼ グラフのサイズと位置を調整し、グラフタイトルを「月別売上グラフ」に変更しておく

Memo

目標金額を折れ線にすることで、各月の売上実績の目標金額への到達状況が見やすくなっています。

☑軸の調整

数値軸の最大値を「19000000」、目盛線を「1000000」単位、数値の桁数が大きいので、表示単位を「百万」に変更します。

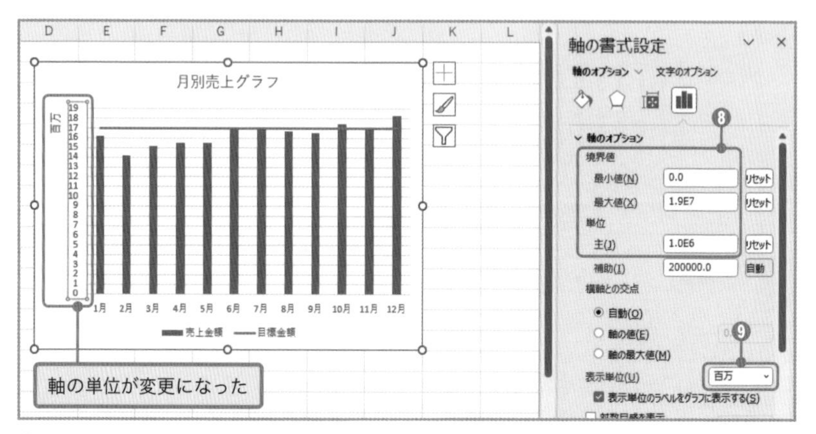

❽ p.255の手順を参考に縦軸をダブルクリックして[軸の書式設定]作業ウィンドウを表示して、[最大値]を「19000000」、[最小値]を「0」、[主]を「1000000」に変更

❾ [表示単位]で[百万]を選択

> **Memo**
>
> [最大値]に「19000000」と入力すると「1.9E7」、[主]に「1000000」と入力すると「1.0E6」と自動的に指数で表示されます。E7は10^7、E6は10^6を意味します。

☑データラベルの表示

売上実績の達成率を売上棒グラフのデータラベルに表示して、各月の達成状況を表示してみましょう。

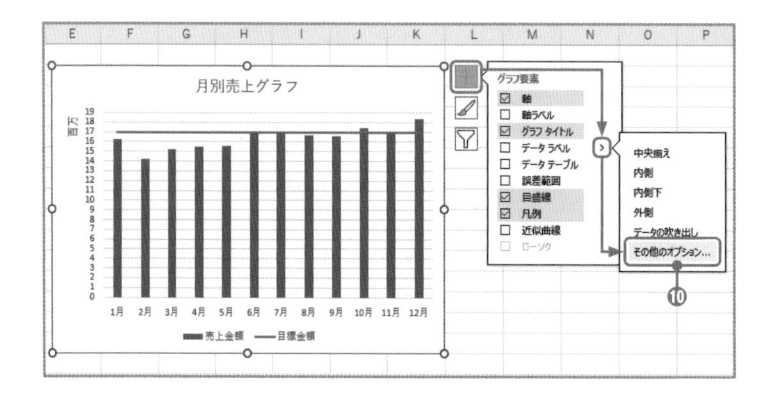

⑩ グラフを選択し、[グラフ要素]（⊞）→[データラベル]の[>]をクリックし、[その他のオプション]をクリック

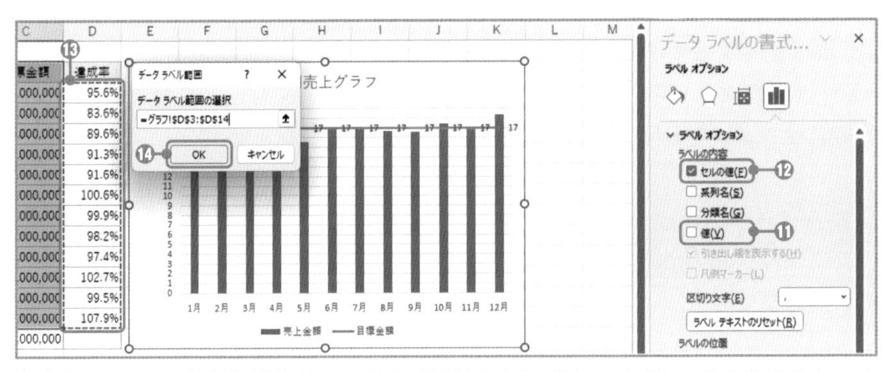

⑪ [データラベルの書式設定] 作業ウィンドウが表示されたら、[ラベルオプション] の [値] のチェックを外す

⑫ [セルの値] をクリック

⑬ [データラベル範囲] ダイアログが表示されたら、ラベルとして表示したいセル範囲（ここではセルD3～D14）をドラッグ

⑭ [データラベル範囲の選択] にセル範囲が表示されたことを確認し、[OK] をクリック

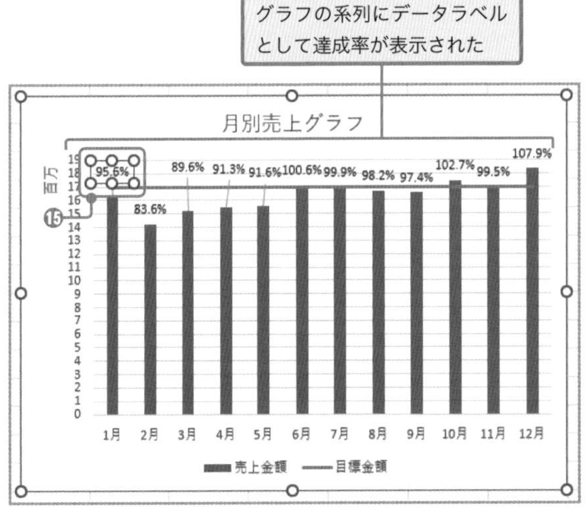

⑮ 折れ線グラフと重なり合って見づらいデータラベルを2回クリックしてそのラベルだけを選択し、ドラッグして位置を調整しておく

単位の異なるデータで複合グラフを作成する

売上金額と達成率のように、単位の異なるデータで複合グラフを作成する場合は、第2軸を使って単位を分けて表示します。ここでは、売上金額の［累積金額］列、［累積達成率］列（累積金額÷目標金額総計）を追加した表を使っています。詳細はサンプルを参照してください。（Sample ➡07-04-02.xlsx）

☑複合グラフの作成

ここでは、売上金額を棒グラフ、累積達成率を折れ線グラフとする複合グラフを作成します。

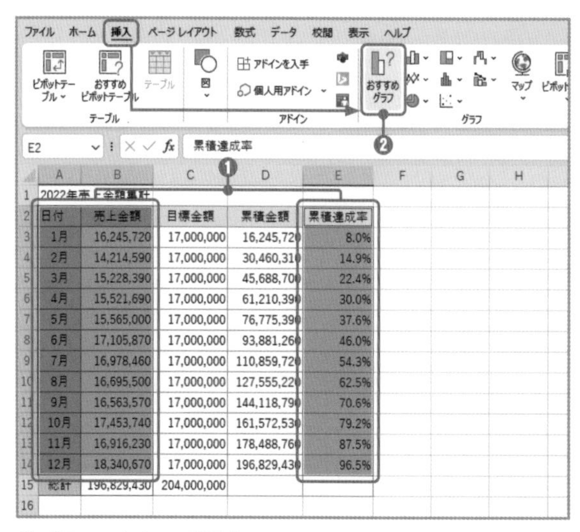

	A	B	C	D	E
1	2022年売上金額累計				
2	日付	売上金額	目標金額	累積金額	累積達成率
3	1月	16,245,720	17,000,000	16,245,720	8.0%
4	2月	14,214,590	17,000,000	30,460,310	14.9%
5	3月	15,228,390	17,000,000	45,688,700	22.4%
6	4月	15,521,690	17,000,000	61,210,390	30.0%
7	5月	15,565,000	17,000,000	76,775,390	37.6%
8	6月	17,105,870	17,000,000	93,881,260	46.0%
9	7月	16,978,460	17,000,000	110,859,720	54.3%
10	8月	16,695,500	17,000,000	127,555,220	62.5%
11	9月	16,563,570	17,000,000	144,118,790	70.6%
12	10月	17,453,740	17,000,000	161,572,530	79.2%
13	11月	16,916,230	17,000,000	178,488,760	87.5%
14	12月	18,340,670	17,000,000	196,829,430	96.5%
15	総計	196,829,430	204,000,000		
16					

❶ グラフにするセル範囲（ここではセルA2～B14とセルE2～E14）を選択
❷ ［挿入］タブ→［おすすめグラフ］をクリック

Memo

［累積金額］列のセルD3に「=SUM($B$3:B3)」とSUM関数の始点を絶対参照で入力し、D14までコピーすることで累積金額が表示されます。また［累積達成率］列のセルE3では「=D3/$C$15」と目標金額の総計のセルを絶対参照にすることで各月における累積達成率を求めています。

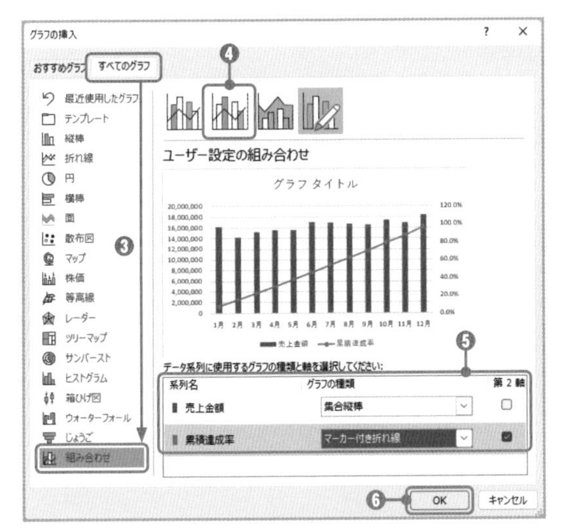

❸ [グラフの挿入] ダイアログで [すべてのグラフ] タブ→ [組み合わせ] をクリック

❹ グラフのパターン（ここでは [集合縦棒-第2軸の折れ線]）を選択

❺ [売上金額] が [集合縦棒] であることを確認し、[累積達成率] で [マーカー付き折れ線] を選択、第2軸にチェックが付いていることを確認

❻ [OK] をクリック

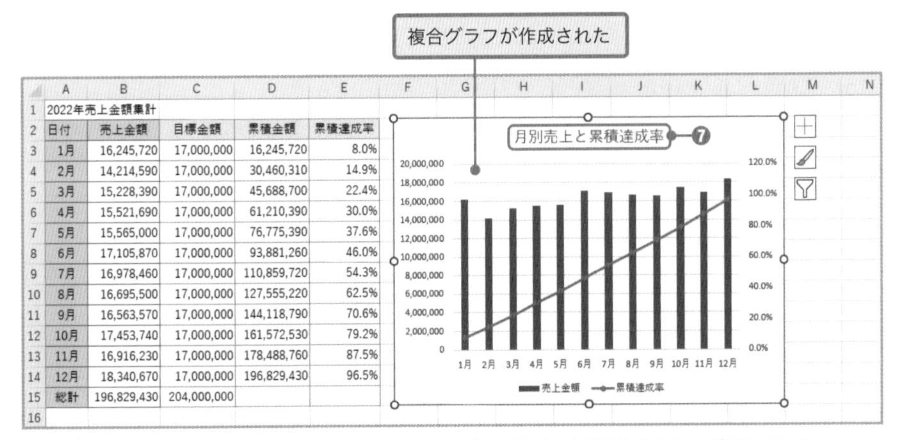

	A	B	C	D	E
1	2022年売上金額集計				
2	日付	売上金額	目標金額	累積金額	累積達成率
3	1月	16,245,720	17,000,000	16,245,720	8.0%
4	2月	14,214,590	17,000,000	30,460,310	14.9%
5	3月	15,228,390	17,000,000	45,688,700	22.4%
6	4月	15,521,690	17,000,000	61,210,390	30.0%
7	5月	15,565,000	17,000,000	76,775,390	37.6%
8	6月	17,105,870	17,000,000	93,881,260	46.0%
9	7月	16,978,460	17,000,000	110,859,720	54.3%
10	8月	16,695,500	17,000,000	127,555,220	62.5%
11	9月	16,563,570	17,000,000	144,118,790	70.6%
12	10月	17,453,740	17,000,000	161,572,530	79.2%
13	11月	16,916,230	17,000,000	178,488,760	87.5%
14	12月	18,340,670	17,000,000	196,829,430	96.5%
15	総計	196,829,430	204,000,000		
16					

❼ グラフのサイズと位置を調整し、グラフタイトルを「月別売上と累積達成率」に変更しておく

☑軸の調整

ここでは左側の第1縦軸を p.258 と同じように調整し、右側の第2縦軸の最大値を100%に調整します。

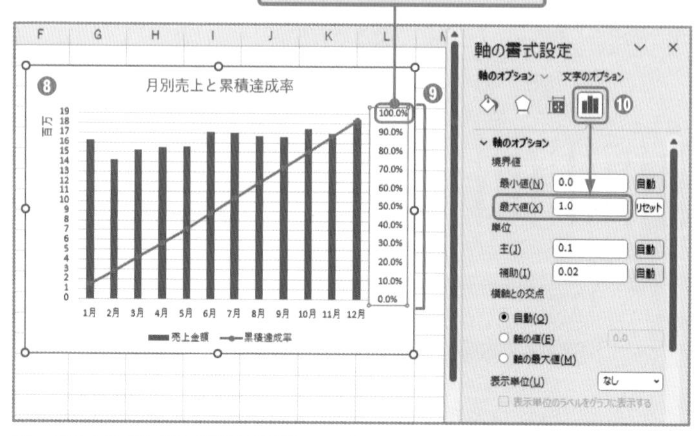

❽ p.258を参考に第1縦軸を調整しておく

❾ 第2縦軸をダブルクリックして［軸の書式設定］作業ウィンドウを表示

❿ ［軸のオプション］の［最大値］に「1」と入力

Memo

［最大値］に「1」と入力すると自動的に「1.0」と表示されます。

☑データラベルを表示

ここでは累積達成成率の値をラベルとして表示してみましょう。

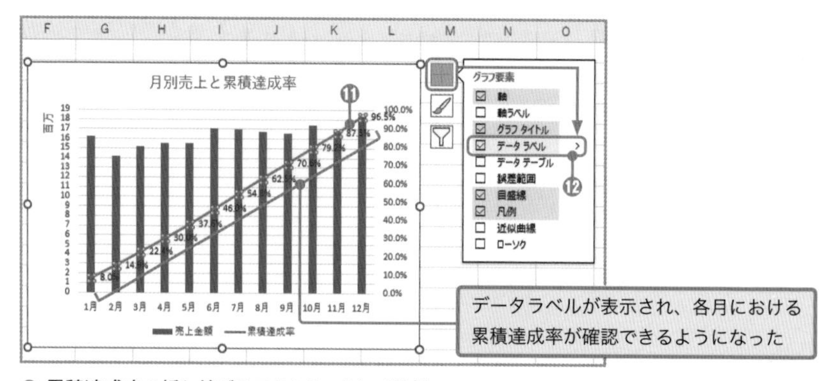

⓫ 累積達成率の折れ線グラフをクリックして選択

⓬ ［グラフ要素］（⊞）→［データラベル］にチェックを付ける

グラフ系列の色を調整

棒グラフの色を変更して、ラベルが見やすくなるように調整してみましょう。

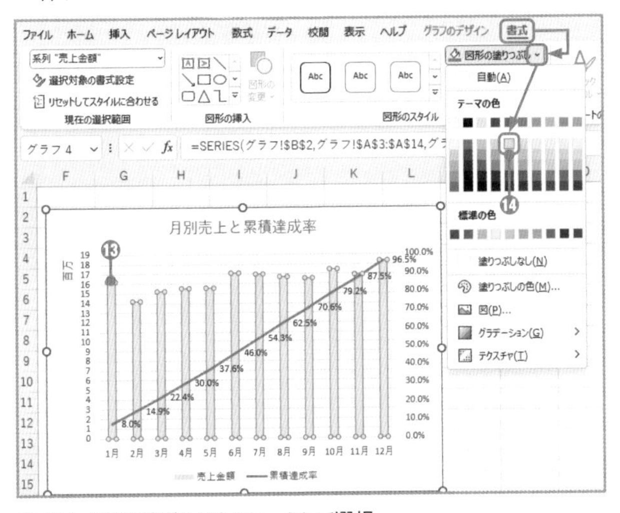

⑬ 売上金額の棒グラフをクリックして選択

⑭［書式］タブ→［図形の塗りつぶし］の［▾］をクリックし塗りつぶしの色を選択

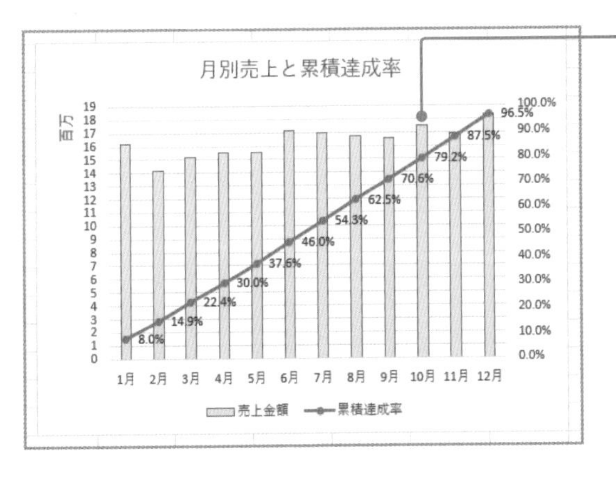

⑮ 同様に［書式］タブ→［図形の枠線］をクリックし、一覧から棒グラフの枠線に色を設定しておく

パレート図を使ってABC分析をする

パレート図とは、売上金額や売上数などの棒グラフを降順（大きい順）に並べ、累積比率を折れ線グラフにした複合グラフで、ABC分析を行う際に使われます。ABC分析とは、売上高や在庫など、管理対象となるデータを重要度にもとづいて分類する方法で、重要度順にA、B、Cとランク分けします。ランク分けは一般

的に、累積比率の上位70％までをA、70～90％までをB、90～100％までをCとします。

ランク分けすることにより、どの項目がどのランクに含まれるのかを明確にし、商品の販促活動、在庫管理、発注管理、販売手段などに役立てることができます。(Sample ➡07-04-03.xlsx)

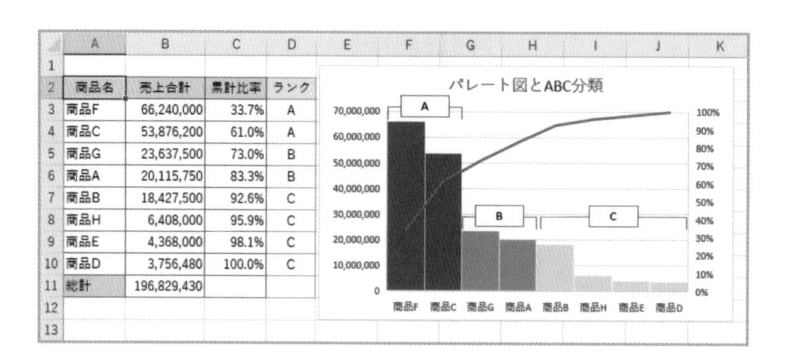

商品名	売上合計	累計比率	ランク
商品F	66,240,000	33.7%	A
商品C	53,876,200	61.0%	A
商品G	23,637,500	73.0%	B
商品A	20,115,750	83.3%	B
商品B	18,427,500	92.6%	C
商品H	6,408,000	95.9%	C
商品E	4,368,000	98.1%	C
商品D	3,756,480	100.0%	C
総計	196,829,430		

では、商品A～商品Hまでの売上額を使ってパレート図を作成し、ABC分析のもととなるランク分けをしてみましょう。ここでは商品別の売上金額、売上比率の累計のピボットテーブル (p.212) をリンク貼り付けした表を使っています。詳細はサンプルを参照してください。(Sample ➡07-04-03.xlsx)

☑ABCランク分けの表を用意

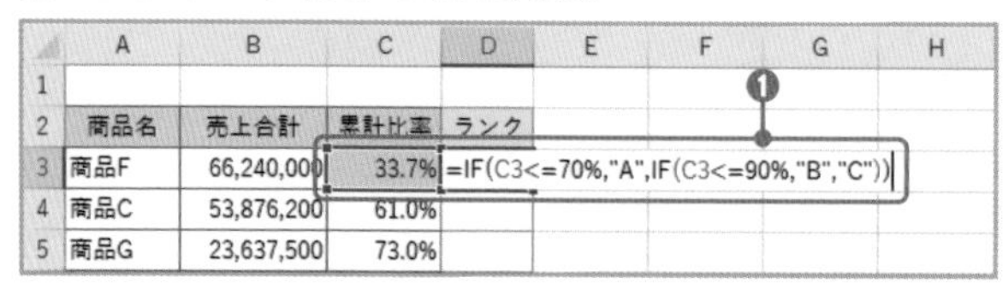

商品名	売上合計	累計比率	ランク
商品F	66,240,000	33.7%	=IF(C3<=70%,"A",IF(C3<=90%,"B","C"))
商品C	53,876,200	61.0%	
商品G	23,637,500	73.0%	

❶ セルD3に「=IF(C3<=70%,"A",IF(C3<=90%,"B","C"))」と入力し、Enter キーを押す

Memo

商品の売上合計が降順で並べ替えられている場合の累積比率により、商品が上位何%に含まれるかを調べることができます。セルD3の数式は、セルC3 (累計比率) が70%以下なら「A」、そうでない場合、セルC3が90%以下なら「B」、それ以外は「C」と表示するという意味です。上位70%までを「A」、90%までを「B」、残りを「C」となるように商品を分類しています。

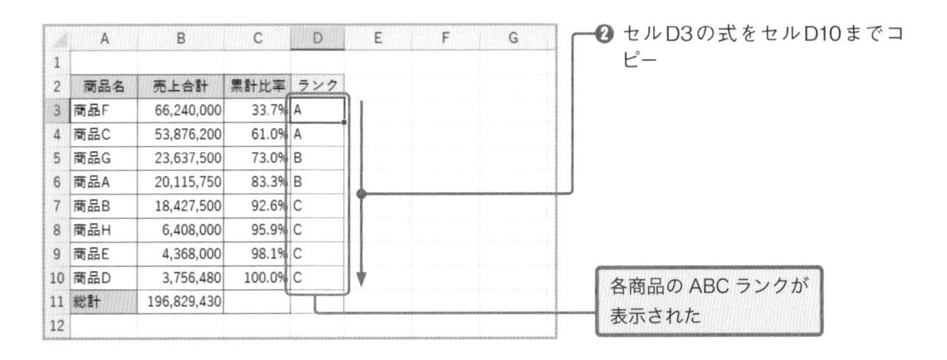

商品名	売上合計	累計比率	ランク
商品F	66,240,000	33.7%	A
商品C	53,876,200	61.0%	A
商品G	23,637,500	73.0%	B
商品A	20,115,750	83.3%	B
商品B	18,427,500	92.6%	C
商品H	6,408,000	95.9%	C
商品E	4,368,000	98.1%	C
商品D	3,756,480	100.0%	C
総計	196,829,430		

☑パレート図を作成

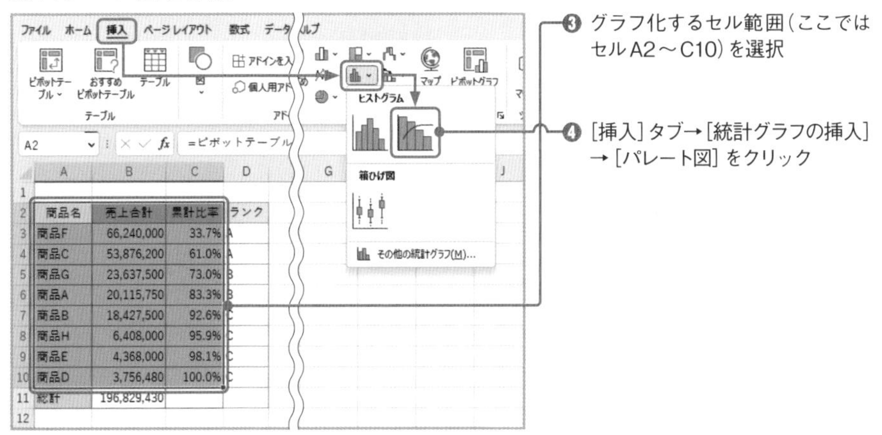

Memo

Excel では、売上金額を降順に並べ替えたり、累積比率の列を用意したりしなくても、商品名と売上合計の列だけを選択し、手順❹の［パレート図］を選択するだけでパレート図を作成できます。ここでは、ランクの列（D 列）を作成したかったので、上図のような表を用意しています。

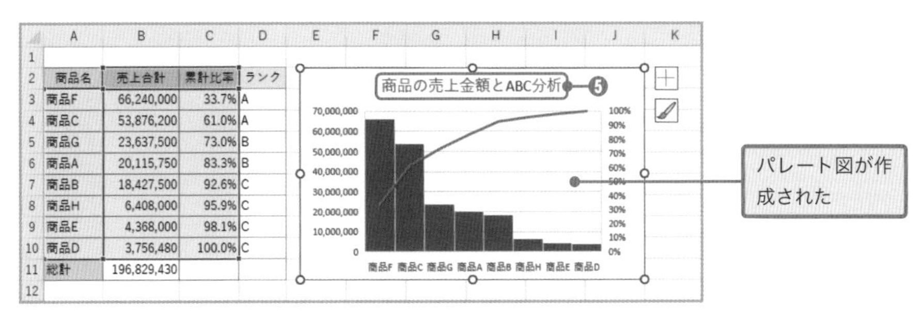

❺ グラフのサイズと位置を調整し、グラフタイトルを「商品の売上金額と ABC 分析」に変更しておく

Memo

パレート図として作成した場合は、折れ線グラフにデータラベルを表示するとか、データテーブルを表示することはできません。このような設定をしたい場合は、複合グラフ（p.256）を作成してください。

☑ABC でグラフを色分け

表の［ランク］列の値を参考に、対応するグラフを ABC 別に色分けします。ここでは、A ランクはそのままにして、B、C ランクの色を変更します。

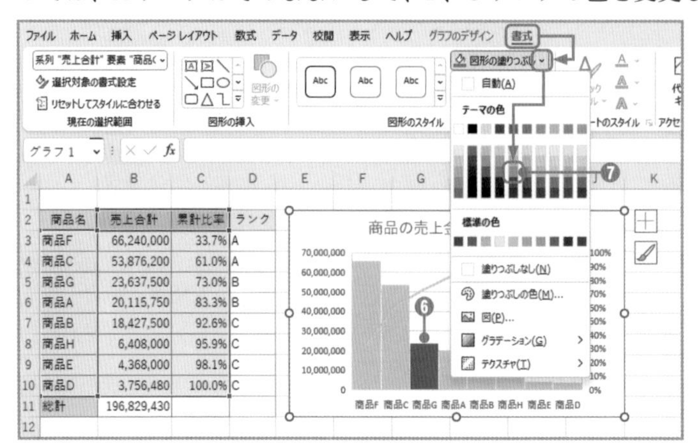

商品名	売上合計	累計比率	ランク
商品F	66,240,000	33.7%	A
商品C	53,876,200	61.0%	A
商品G	23,637,500	73.0%	B
商品A	20,115,750	83.3%	B
商品B	18,427,500	92.6%	C
商品H	6,408,000	95.9%	C
商品E	4,368,000	98.1%	C
商品D	3,756,480	100.0%	C
総計	196,829,430		

❻ B ランクの商品のグラフ系列（ここでは商品 G）を 2 回クリックして、その系列だけを選択

❼［書式］タブ→［図形の塗りつぶし］の［⌄］をクリックし色を選択

Memo

塗りつぶしの色を設定している状態では、グラフ系列は全体的に薄く表示されます。

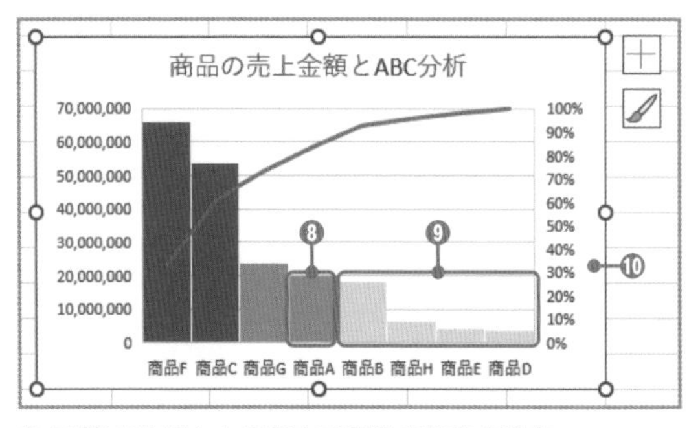

❽ 同様に同じランクの商品の系列に同じ色を設定

❾ C ランクの商品についても同様に色を設定

❿ グラフ内の何もないところ（グラフエリア）でクリックして選択を解除し、全体的に色を確認する

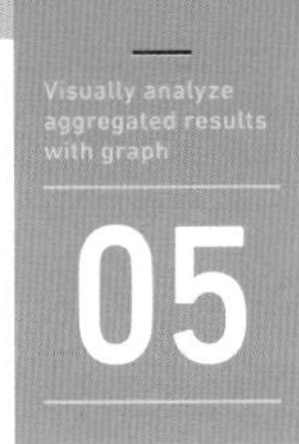

全体に対する各項目の構成比を表示する

全体に対する各項目の構成比をグラフ化するには、積み上げ棒グラフや円グラフが適しています。ここでは、それぞれを作成してみましょう。

積み上げ縦棒グラフで年代別の男女構成比を視覚化する

顧客の年代別に男女の構成比を視覚化したい場合は、年代別の棒グラフの中に男女の項目を含める積み重ね棒グラフにすると年代別の人数の比較と同時に、各年代での男女の比率を見ることができます。なお、ここでは男女別、年代別の集計ピボットテーブルをリンク貼り付けした表を使っています。詳細はサンプルを参照してください。(Sample ➡07-05-01.xlsx)

	A	B	C	D	E	F	G	H	I	J
1	●顧客男女別年代別集計表									
2	性別	20-29	30-39	40-49	50-59	60-69	70-79	80-89	総計	
3	女	110	183	158	130	114	55	14	764	
4	男	156	259	365	191	134	101	30	1236	
5	総計	266	442	523	321	248	156	44	2000	
6										

❶ グラフ化するセル範囲(ここではセルA2～H5)を選択

Memo

[総計]まで含んでいるのは、グラフに各年代の人数を表示するためです。手順❹以降で[総計]の系列を線グラフに変更し、ラベルを表示して、線を非表示にしていきます。

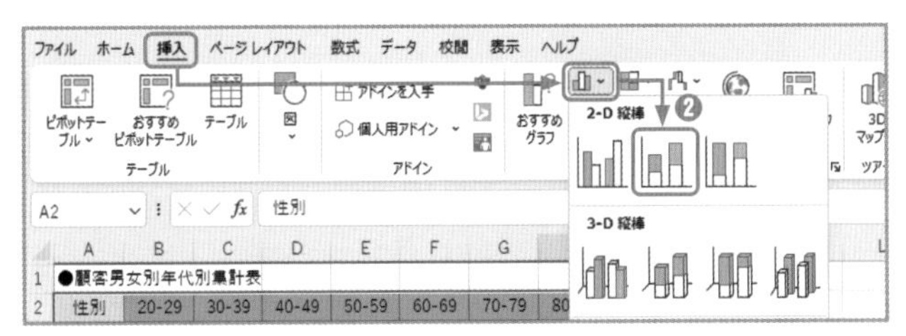

❷ [挿入] タブ→ [縦棒 / 横棒グラフの挿入] → [積み上げ縦棒グラフ] をクリック

Memo

[おすすめグラフ]をクリックして[グラフの挿入]ダイアログを表示し、[すべてのグラフ]タブの[縦棒]を選択すると、行列の方向を選択して作成できます。

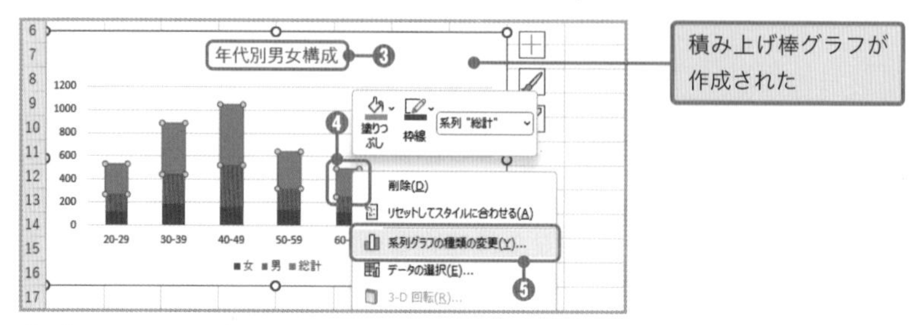

❸ グラフのサイズと位置を調整し、グラフタイトルを「年代別男女構成」に変更しておく
❹ [総計] の系列上（灰色の部分）で右クリック
❺ [系列グラフの種類の変更] をクリック

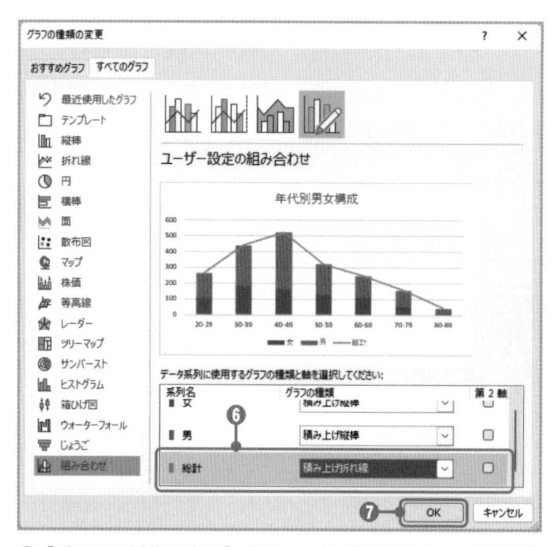

❻ [グラフの種類の変更] ダイアログが表示されたら、[総計] で [積み上げ折れ線] を選択
❼ [OK] をクリック

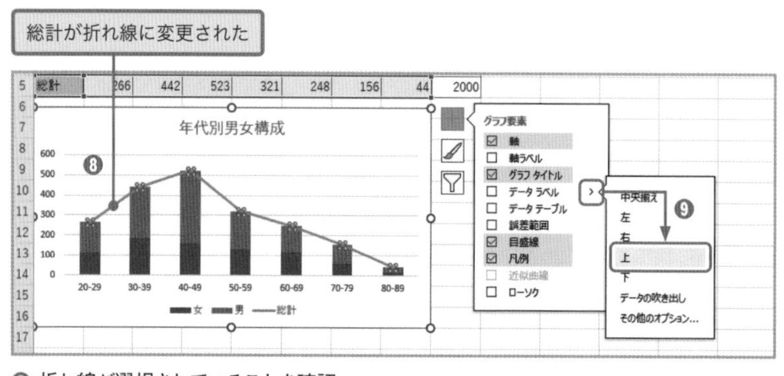

❽ 折れ線が選択されていることを確認
❾ [グラフ要素]（⊞）→ [データラベル] の [>] をクリックし、[上] をクリック

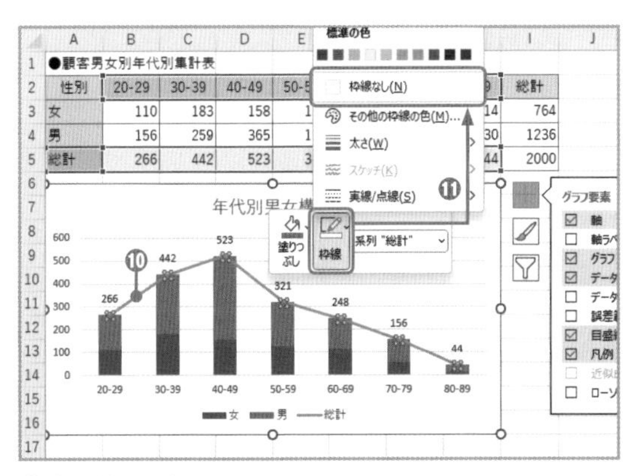

⑩ 折れ線上を右クリック

⑪ ミニツールバーの［枠線］→［枠線なし］をクリック

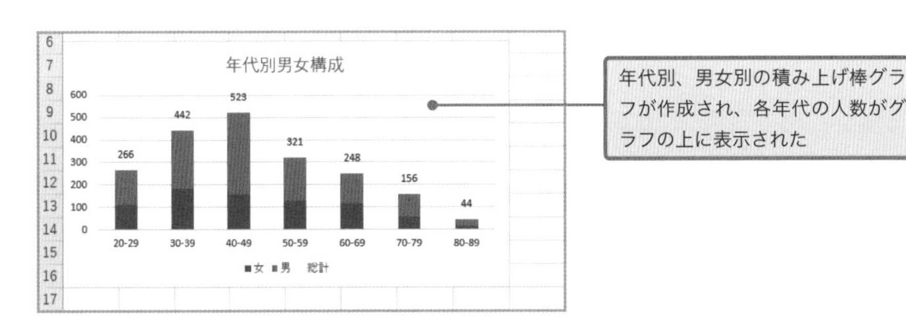

Memo

男女の系列の色を変更したい場合は、変更したい系列をクリックして選択し、［書式］タブの［図形のスタイル］または［図形の塗りつぶし］で色を変更してください。また、凡例の［総計］が不要な場合は、クリックして選択し、Delete キーで削除できます。

積み上げ棒グラフの各系列にパーセントを表示する

積み上げ棒グラフに各系列のパーセントを表示するには、別途パーセントを計算した表を用意し、そのセル範囲をグラフラベルに表示する設定をします。(Sample ➡07-05-02.xlsx)

☑男女構成比率の表を用意

はじめに男女構成比の式を入力します。

	A	B	C
1	●顧客男女別年代別集計表		
2	性別	20-29	30-39
3	女	110	183
4	男	156	259
5	総計	266	442
6	構成比：女	=B3/B5	
7	構成比：男		

❶ セルB6に「=B3/B5」と入力し、Enterキーを押す

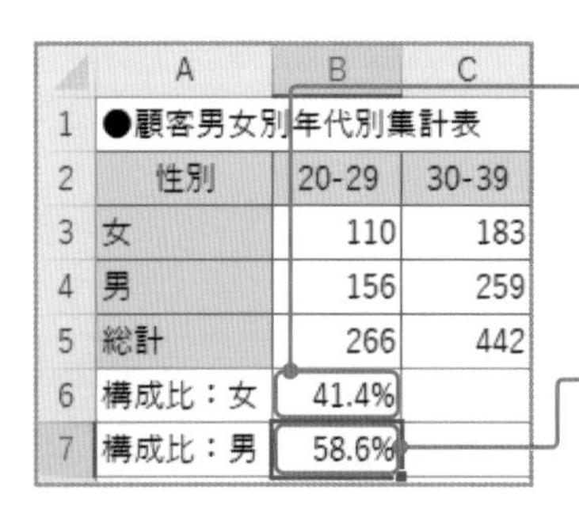

	A	B	C
1	●顧客男女別年代別集計表		
2	性別	20-29	30-39
3	女	110	183
4	男	156	259
5	総計	266	442
6	構成比：女	41.4%	
7	構成比：男	58.6%	

女性の構成比が表示された

❷ p.248を参照してパーセント表示、小数点以下第1位まで表示しておく

❸ セルB7に「=B4/B5」と入力し、同様に表示形式を設定

	A	B	C	D	E	F	G	H	I	J
1	●顧客男女別年代別集計表									
2	性別	20-29	30-39	40-49	50-59	60-69	70-79	80-89	総計	
3	女	110	183	158	130	114	55	14	764	
4	男	156	259	365	191	134	101	30	1236	
5	総計	266	442	523	321	248	156	44	2000	
6	構成比：女	41.4%	41.4%	30.2%	40.5%	46.0%	35.3%	31.8%	38.2%	
7	構成比：男	58.6%	58.6%	69.8%	59.5%	54.0%	64.7%	68.2%	61.8%	
8										

❹ セルB6の数式をセルC6～I6、セルB7の数式をセルC7～I7にコピーし、それぞれの年代ごとの男女構成比を表示する

☑構成比率をグラフラベルに表示

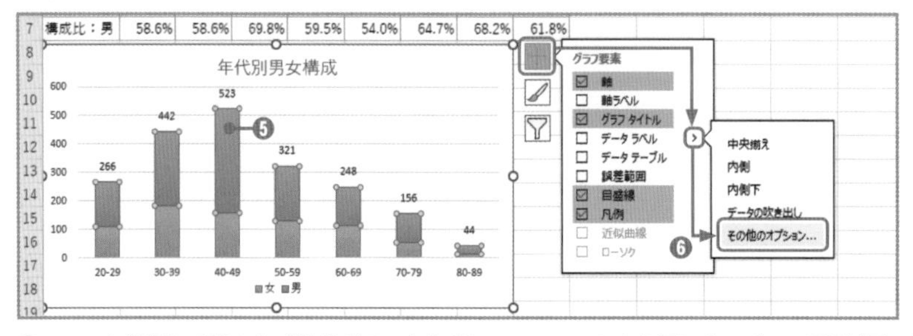

❺ p.267を参照して積み上げ縦棒グラフを作成し、パーセントを表示したいグラフ系列（男：薄青色）をクリックして選択

❻ ［グラフ要素］（⊞）→［データラベル］の［>］→［その他のオプション］をクリック

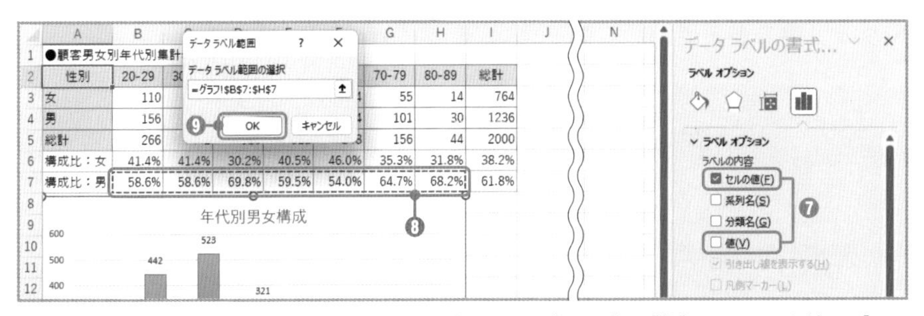

❼ [データラベルの書式設定] 作業ウィンドウで、[ラベルオプション] の [値] のチェックを外し、[セルの値] にチェックを付ける

❽ [データラベル範囲] ダイアログが表示されたら、表示するパーセントのセル範囲(ここではセルB7～H7)をドラッグ

❾ [OK] をクリック

Memo

値も表示したい場合は、[値]のチェックを付けておきます。

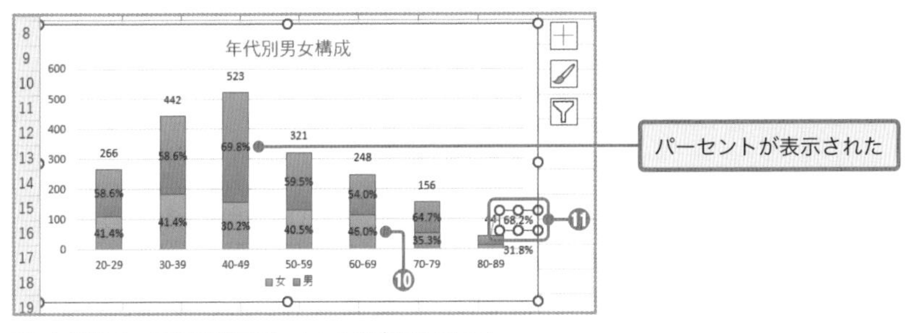

❿ 女性についても同様にパーセントを表示しておく

⓫ グラフと重なって文字が見づらい場合は、移動したいラベルを2回クリックしてそのラベルだけを選択し、境界線をドラッグして移動

二重のドーナツグラフを使って構成比を視覚化する

男性と女性それぞれのグラフにおける年代別の構成比を見るには、ドーナツグラフが適切です。

二重のドーナツグラフを作成する場合、もととなる表でドーナツの内側のデータと外側のデータを、列を分けて作成することがポイントです。

ここでは、性別、年代別の人数を示すドーナツグラフを作ります。ピボットテーブルで作成した集計表のデータをリンク貼り付けし、グラフ用に加工した表を用意しておきましょう。(Sample ➡07-05-03.xlsx)

☑グラフ用の表を用意

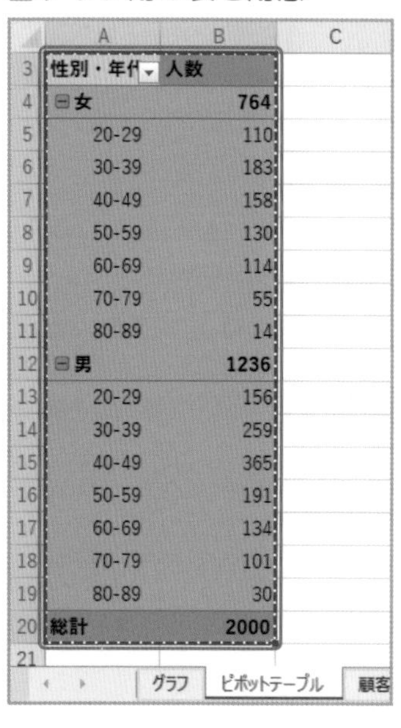

❶ ピボットテーブルでグラフに使用するセル範囲(ここではセルA3～B20)を選択し、Ctrl+Cキーを押してコピー

Memo

[ホーム]タブ→[コピー]をクリックしてもコピーできます。

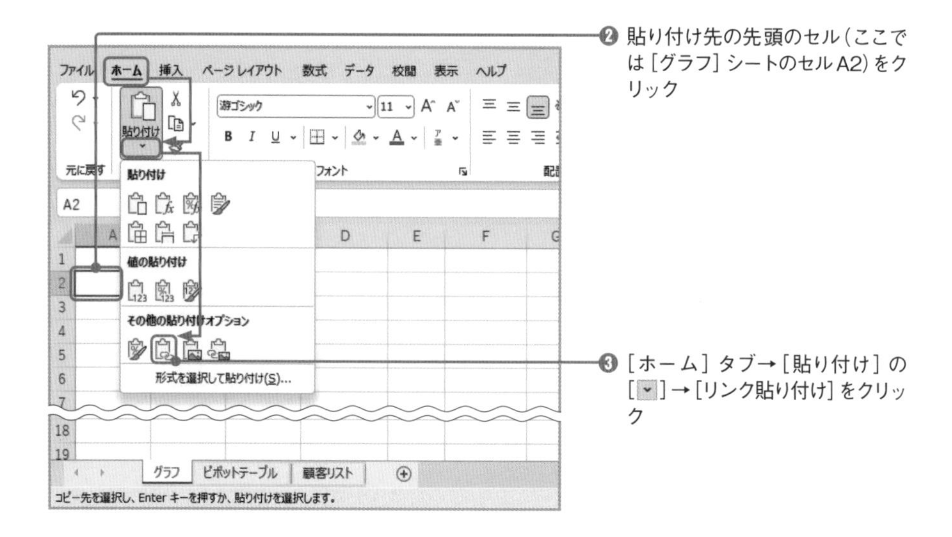

❷ 貼り付け先の先頭のセル(ここでは[グラフ]シートのセルA2)をクリック

❸ [ホーム]タブ→[貼り付け]の[⌄]→[リンク貼り付け]をクリック

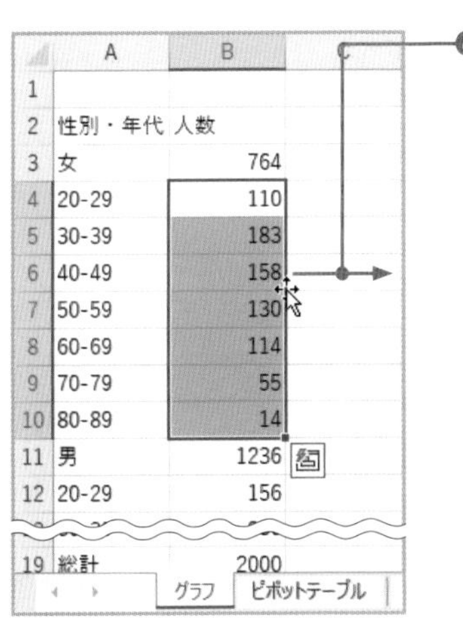

Memo

2重のドーナツグラフ用の表は、1列目に項目名、2列目に内側の円グラフの数値、3列目に外側の円グラフの数値となるように作成します。

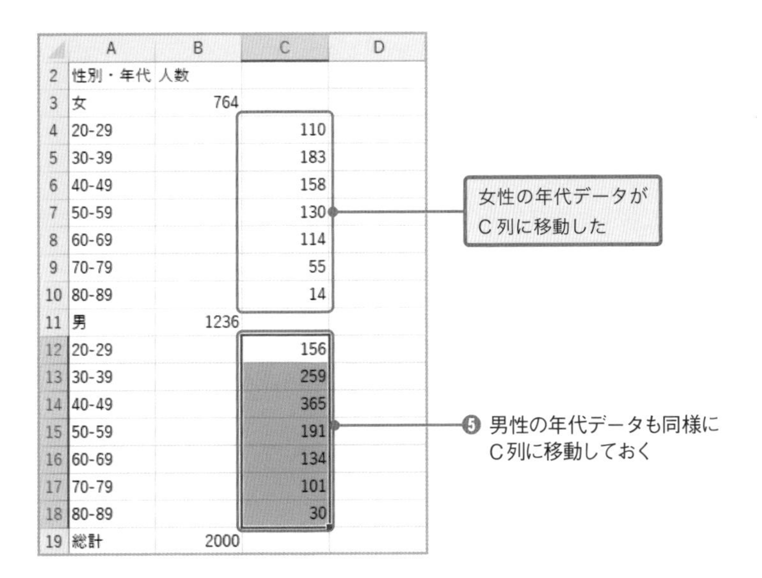

☑二重のドーナツグラフを作成

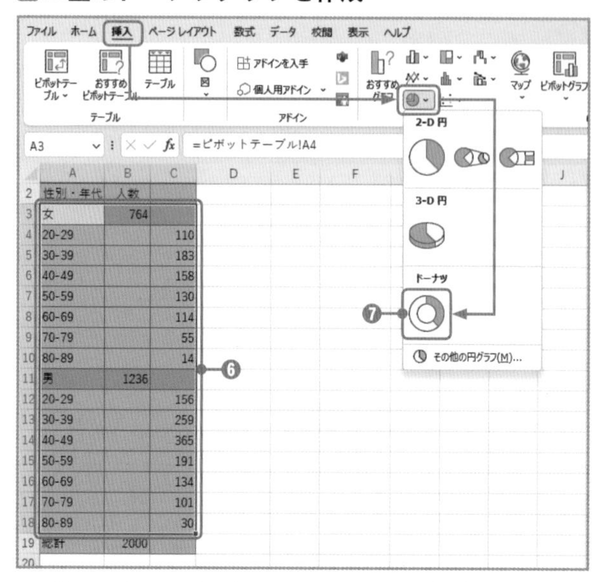

❻ グラフ化するセル範囲(ここではセルA3～C18)を選択

❼ [挿入] タブ→ [円またはドーナツグラフの挿入] → [ドーナツ] をクリック

Memo

図のように表に罫線、塗りつぶしなどの書式を設定し、表を整えておくとよいでしょう。なお、本書では、表の編集方法の詳細については割愛しています。

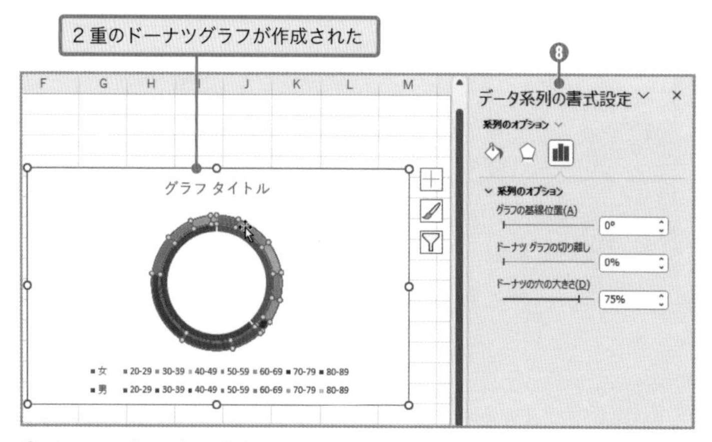

❽ ドーナツグラフ内でダブルクリックするか、右クリックして [データ系列の書式設定] をクリックし、[データ系列の書式設定] 作業ウィンドウを表示

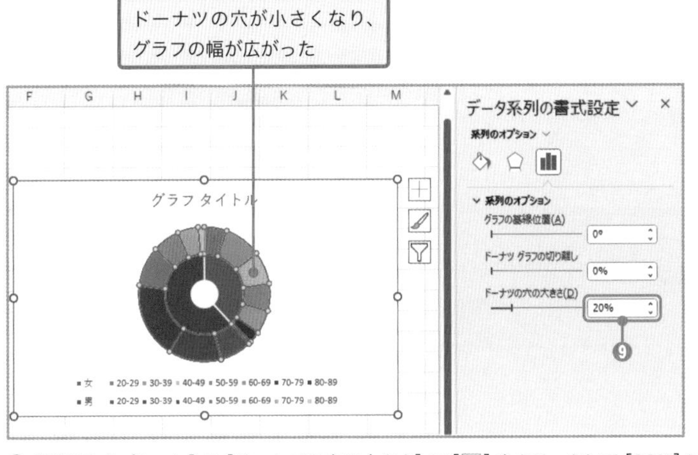

❾ [系列のオプション] の [ドーナツの穴の大きさ] で [▾] をクリックして [20%] に変更

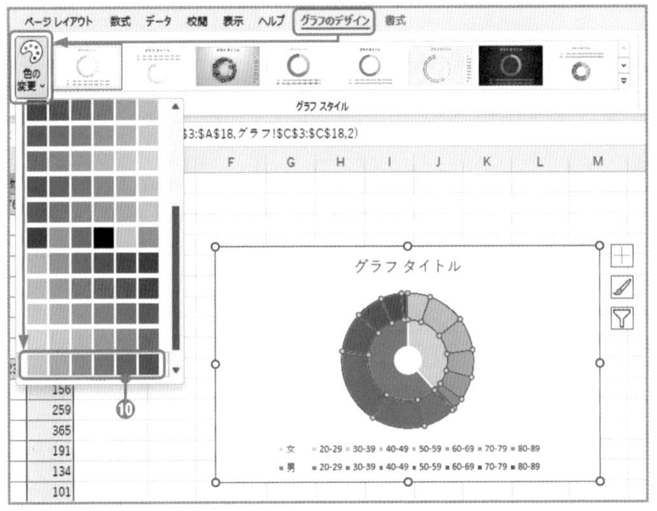

❿ グラフが選択されている状態で、[グラフのデザイン] タブ→ [色の変更] をクリックしパターン(ここでは、[モノクロパレット12]) を選択

Memo

ここでは、単色で色の濃淡の変化のパターンを選択していますが、[書式] タブの [図形の塗りつぶし] で個別に色を変更することもできます。

ドーナツグラフの中にデータラベルを表示して、グラフの内容をわかりやすくします。

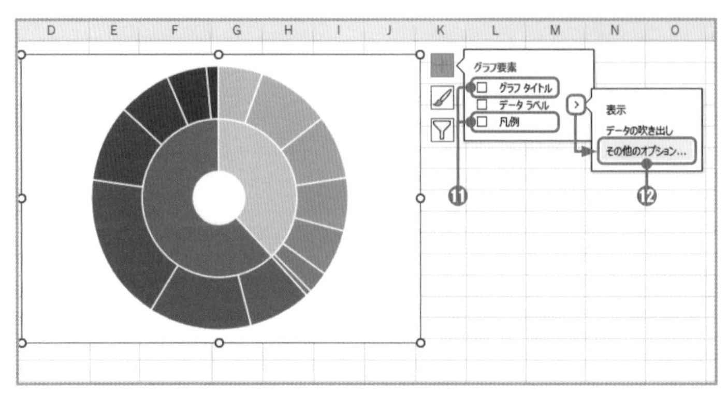

⑪ [グラフ要素]（⊞）をクリックし、[グラフタイトル] と [凡例] のチェックを外す
⑫ 続けて [データラベル] の [>] → [その他のオプション] をクリック

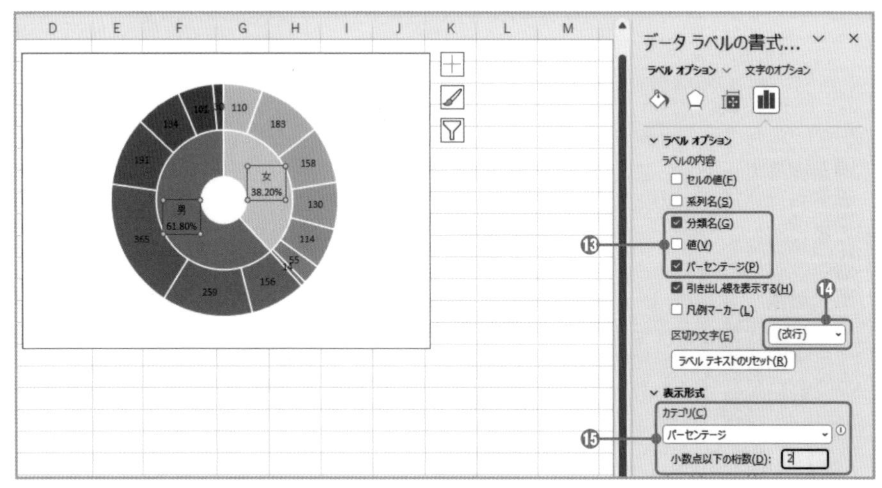

⑬ [データラベルの書式設定] 作業ウィンドウの [ラベルオプション] で [値] のチェックを外し、[分類名] と [パーセンテージ] にチェックを付ける
⑭ [区切り文字] で [(改行)] を選択
⑮ [表示形式] で [パーセンテージ] を選択し、[小数点以下の桁数] に「2」を入力

Memo

小数点以下の桁数が0の場合、各項目の割合は小数点以下第1位で四捨五入された結果が表示されるため、合計すると100%にならないことがあります。ここでは、表示形式で小数点以下の桁数を「2」とすることで合計が100%になります。

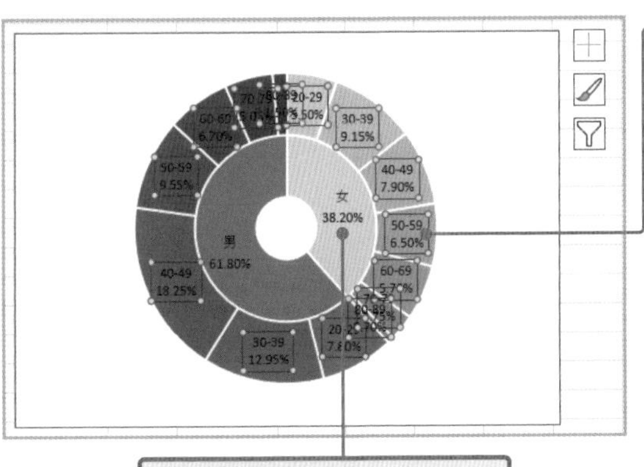

⑯ 外側のドーナツグラフのデータラベルを選択し、同様に設定

内側のドーナツグラフに分類名とパーセンテージが表示された

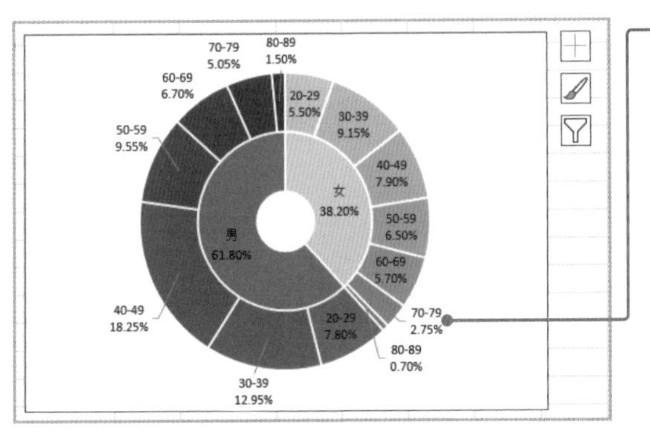

⑰ 見えづらいデータラベルを選択し、ドラッグで移動して位置を調整

Memo

タイトルとして、ドーナツグラフの中心に文字列を表示したい場合は、グラフを選択し、[書式]タブ→[テキストボックス]をクリックして、テキストボックスを中央に配置し、文字列を入力します。[書式]タブから図形を作成するとグラフの中に配置されるため、グラフと一緒に移動できます。

Visually analyze aggregated results with graph

06 相関関係をグラフにする

相関関係とは、２つのデータ群の間に、一方が増加するときに、他方が増加または減少する傾向が認められるという関連性を示すものです。相関関係を調べるには、散布図が適しています。また、散布図に近似曲線を追加すると、相関関係の有無や強さを見ることができます。

散布図を使って気温と飲料水の売上数の分布状況をグラフ化する

気温と飲料水の売上数を散布図にして、２つのデータ群の間に相関関係があるかどうかを調べてみましょう。散布図は、２つのデータ群のうち一方のデータ群（気温）をＸ軸、もう一方のデータ群（売上数量）をＹ軸にしてそれぞれの値の交点に点を配置し、分布状況を表します。

ここでは、気温と飲料水の売上数を集計したピボットテーブルをリンク貼り付けした表をもとに作成していきます。詳細は、サンプルを確認してください。(Sample ➡07-06-01.xlsx)

☑散布図を作成する

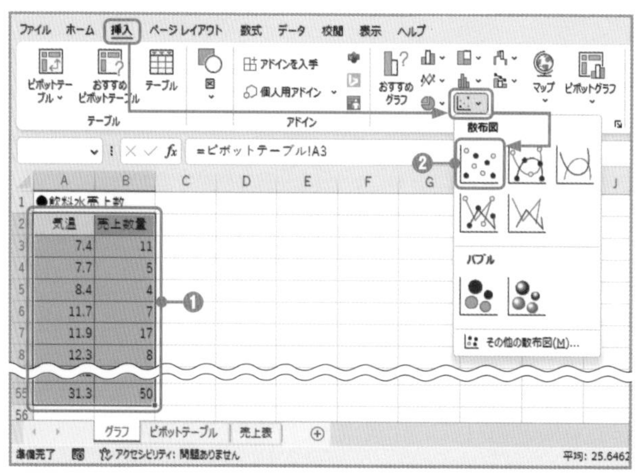

❶ グラフ化するセル範囲（ここではセルA2～B55）を選択

❷［挿入］タブ→［散布図(X,Y)またはバブルチャートの挿入］→［散布図］をクリック

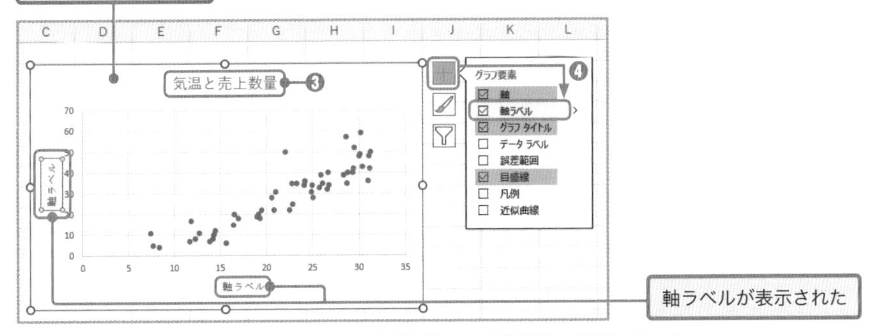

❸ 位置とサイズを調整し、グラフタイトルを「気温と売上数量」に変更しておく

❹ [グラフ要素]（⊞）をクリックし、[軸ラベル] にチェックを付ける

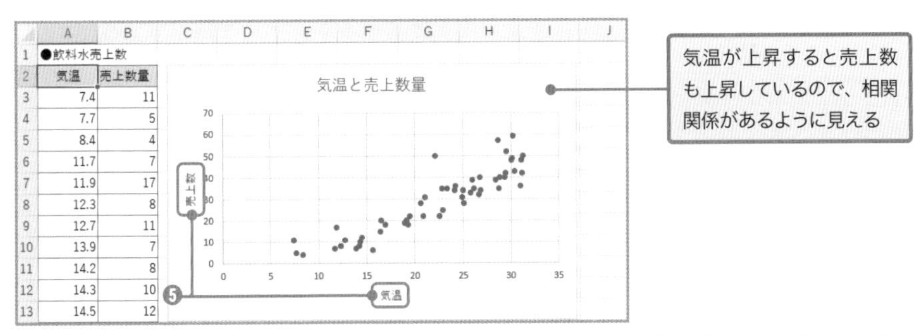

❺ 軸ラベルを２回ゆっくりクリックしてカーソルを表示し、縦軸は「売上数」、横軸は「気温」に変更しておく

相関係数で相関分析をする

２つのデータ群の相関関係には、**一方が増加するとき他方も増加する「正の相関」**と、**一方が増加するとき他方が減少する「負の相関」**があります。前項の気温と飲料水の売上数は正の相関があるといえます。この相関関係の強さを調べる方法として「相関係数」があります。相関係数は、**直線的な相関関係の強さを -1.0 ～ 1.0 の範囲の値で表す指標で、絶対値が1 に近いほど関連性が強く、0 に近いほど関連性が弱いとされます。**このように相関係数を使った分析方法を「相関分析」といいます。相関関係の強さは、相関係数を絶対値で表した場合、一般的に次表のようになります。

ただし、相関係数は直線的な相関関係を見るため、0 に近いからといって必ずしも相関関係がないとはいえません。散布図で何らかの関連が見られる場合もあることに注意しましょう。

相関係数	相関関係の強さ
0.7 以上	強い相関がある
0.4 以上 0.7 未満	相関がある
0.2 以上 0.4 未満	弱い相関がある
0.2 未満	ほとんど相関がない
0	無相関

● **正の相関**

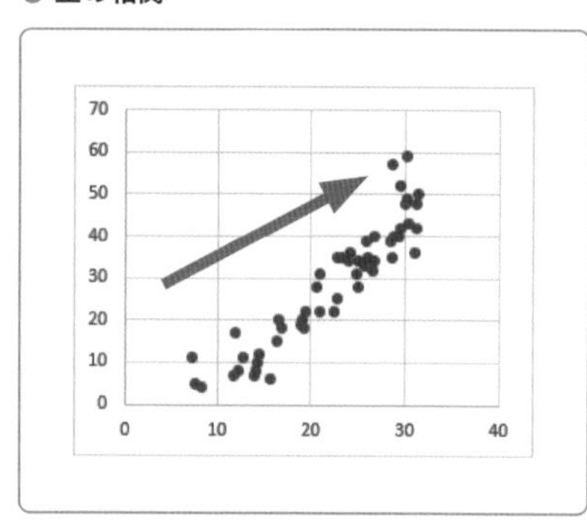

● **負の相関**

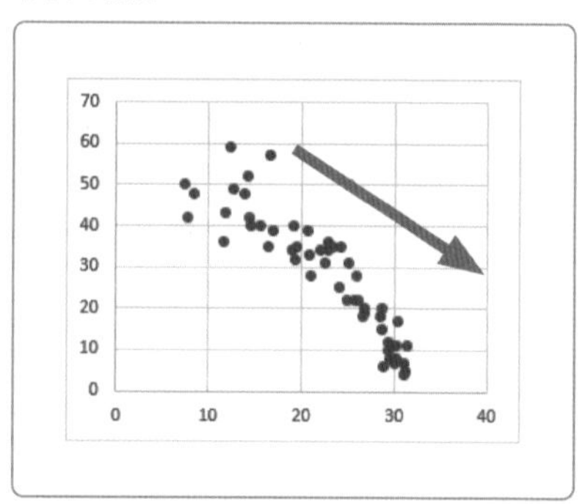

相関係数は、CORREL 関数を使って求めることができます。
(Sample ➡07-06-02.xlsx)

書 式 **CORREL**

=CORREL(配列1, 配列2)（CORREL：コリレーション）

[配列]には、相関関係を調べたいセル範囲を同じサイズで指定する。

前項の気温と飲料水の売上数の表を使って相関係数を求めてみましょう。

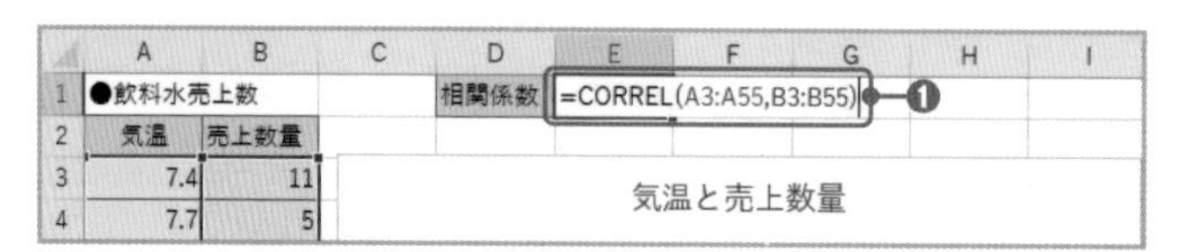

❶ 相関係数を表示するセル(ここではセルE1)に「=CORREL(A3:A55,B3:B55)」と入力し、Enter キーを押す

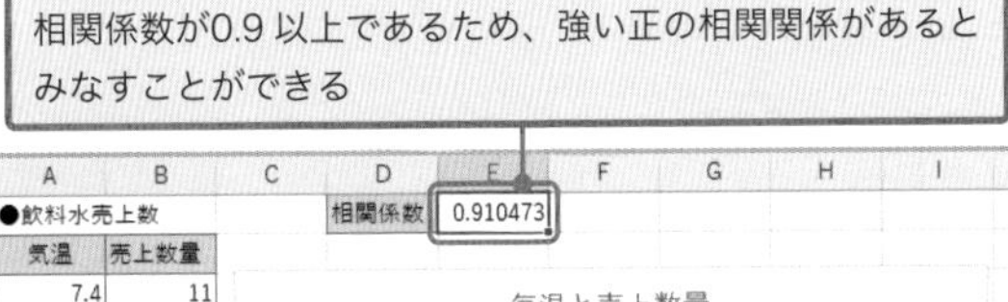

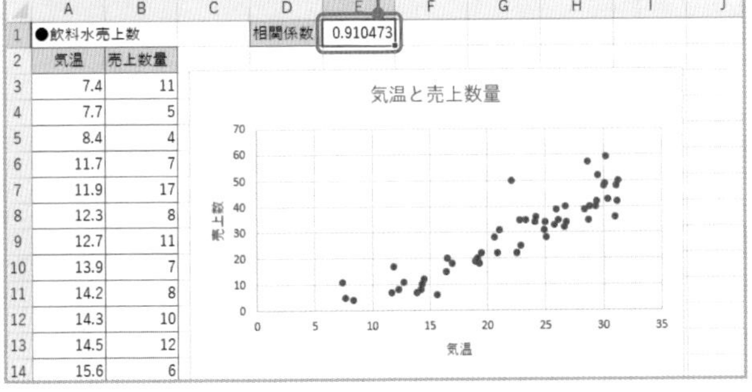

	A	B	C	D	E
1	●飲料水売上数			相関係数	0.910473
2	気温	売上数量			
3	7.4	11			
4	7.7	5			
5	8.4	4			
6	11.7	7			
7	11.9	17			
8	12.3	8			
9	12.7	11			
10	13.9	7			
11	14.2	8			
12	14.3	10			
13	14.5	12			
14	15.6	6			

> **Memo**
> PEARSON 関数を使っても相関係数を求められます。書式は、「PEARSON (配列1, 配列2)」で、CORREL 関数と同じ引数を設定します。

Column

相関分析と回帰分析

2つのデータ群の相関関係は、前ページのように相関係数を使って -1 ～ 1 の範囲で相関の強さを判定して調べます。このような分析の方法を「相関分析」といいます。相関分析には、p.280 のように CORREL 関数と散布図を使います。

また、相関関係を数式「y=ax+b」という 1 次関数の数式を使って、x の値がいくつのとき y の値がいくつになるのかという予測をするのが「**回帰分析**」で、相関関係を表す数式を「**回帰式**」といいます。回帰式は x の値が決まれば y の値が決まるので、x を「説明変数」、y を「目的変数」として扱います。以下の散布図では、x 軸の「気温」が説明変数、y 軸の「売上数」が目的変数になります。

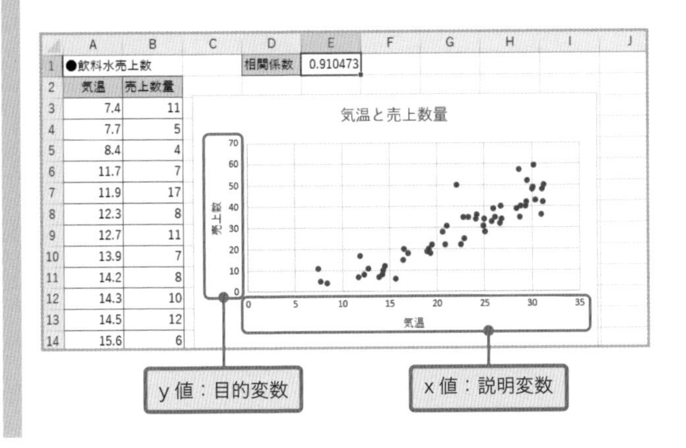

	A	B	C	D	E
1	●飲料水売上数			相関係数	0.910473
2	気温	売上数量			
3	7.4	11			
4	7.7	5			
5	8.4	4			
6	11.7	7			
7	11.9	17			
8	12.3	8			
9	12.7	11			
10	13.9	7			
11	14.2	8			
12	14.3	10			
13	14.5	12			
14	15.6	6			

Memo

変数 x は、説明変数のほかに、独立変数、原因変数とも呼ばれます。変数 y は、目的変数のほかに、従属変数、結果変数とも呼ばれます。
また、変数 x が1つで変数 y の値が決まる場合を単回帰分析といい、変数 x が複数で y の値が決まる場合を重回帰分析といいます（p.296）。

近似曲線を追加して回帰分析をする

近似曲線は、**作成したグラフにデータの傾向を直線や曲線で表す線**です。散布図に近似曲線を追加すれば、相関関係を線で表現することができます。グラフに近似曲線を追加するということは、そのもととなる数式（回帰式）があるということになります。この時点で回帰分析につながっているわけです。近似曲線のオプションを指定することで回帰式を表示したり、近似曲線のあてはまり具合を示すR2 乗値（p.284）を表示したりできます。

ここでは、気温と飲料水の売上数の散布図に近似曲線を追加してみましょう。（Sample ➡07-06-03.xlsx）

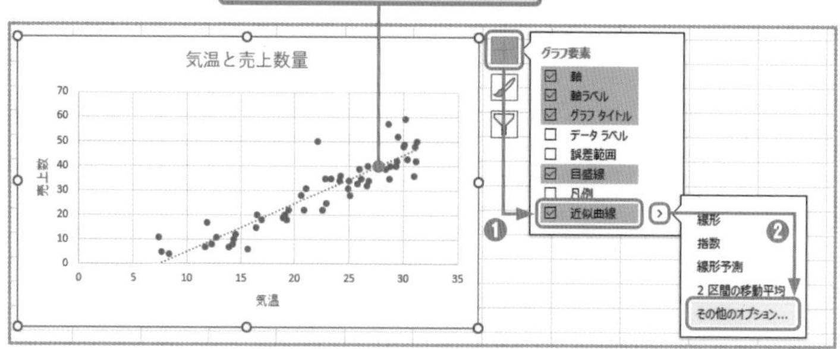

❶ グラフを選択し、［グラフ要素］（⊞）→［近似曲線］にチェックを付ける
❷ 続けて［近似曲線］の［>］→［その他のオプション］をクリック

Memo

［近似曲線］にチェックを付けると、標準で直線の近似曲線（線形近似）が追加されます。

Memo

近似曲線は、データの傾向を把握するのに適していますが、近似曲線の種類、切片の指定、外れ値（異常値）の扱いなど、検討する事項があります（p.283 コラム）。近似曲線の結果をそのまま鵜呑みにすることはせず、慎重に利用してください。

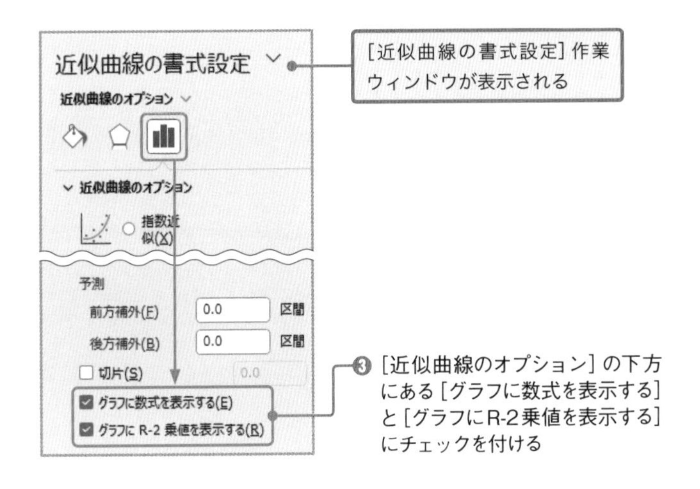

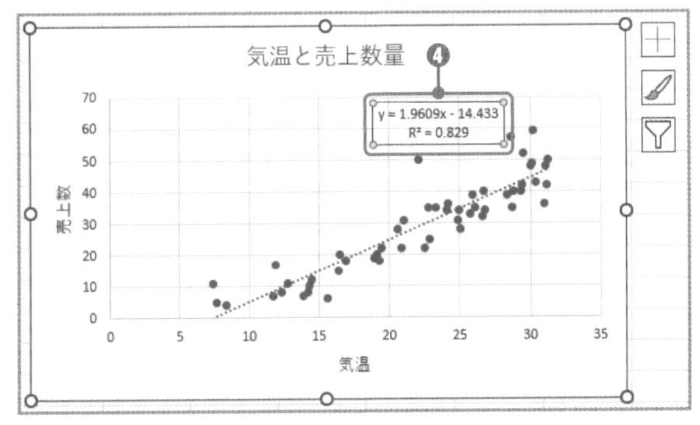

❹ 追加された近似曲線のもととなる数式とR2乗値が表示されたら、境界線をドラッグして見やすい位置に移動しておく

Column

近似曲線をもっと理解する

☑近似曲線の種類

近似曲線は、実測値との差が最小となるように引かれる線で、Excel では標準で直線の近似曲線（線形近似）が追加されます。しかし、直線の近似曲線が散布図の傾向と合致しないことがあります。その場合は、近似曲線の種類を変更して、散布図の傾向をより表すものを探してみてください。どの種類が適切かは、R2 乗値が参考になります。[近似曲線の書式設定] 作業ウィンドウの [近似曲線のオプション] で近似曲線の種類を確認、変更できます。なお、近似曲線は主に散布図に追加しますが、棒グラフなど別の種類のグラフに追加することもできます。

● 主な近似曲線の種類

近似曲線	内容
線形近似	変化する量がほぼ一定の場合に使用。「y=mx+b」（m は傾き、b は切片）の式で表される
指数近似	値の変化量が次第に増加していく場合に使用。「$y=ce^{bx}$」（e は自然対数の底、c と b は定数）の式で表される。負の値または 0 がデータに含まれている場合は選択できない
累乗近似	値の変化量が加速度的に増加していく場合に使用。「$y=cx^{b}$」（c と b は定数）の式で表される。負の値または 0 がデータに含まれている場合は選択できない
対数近似	値の変化量が急速に増加または減少し、徐々に変化量が減っていく場合に使用。「y=clnx+b」（ln は自然対数関数、c と b は定数）の式で表される
多項式近似	値の増減が繰り返される場合に使用。増減の数により次数を 2 次～ 6 次の範囲で指定できる。「$y=b+c_1x+c_2x^2+c_3x^3+\cdots+c_6x^6$」（b と $c_1 \cdots c_6$ は定数）の式で表される

☑近似曲線の数式と R2 乗値

前ページの手順❹のように、追加した近似曲線のもととなる数式（回帰式）を表示できます。数式の公式は上表を参照してください。また、R2 乗値は「決定係数」のことで、近似曲線のあてはまり具合を0 ～ 1 の範囲で示し、1 に近づくほど精度が高くなります。前ページでは「0.829」と表示されているため、近似曲線としては精度が高いことを意味します。

☑切片の指定

切片とは、y 軸との交点です。前ページの手順❹では、数式が「y=1.9609x-14.433」で切片は「-14.433」です。しかし、売上数は負の数になることはないので、切片を「0」としてみると、下図のように近似曲線が変わり、R2 乗値が「0.829」から「0.9479」になり、精度がより高くなったことがわかります。

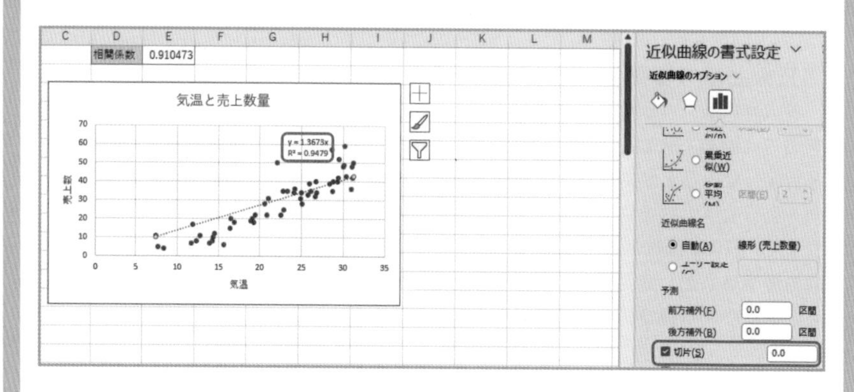

☑外れ値（異常値）の扱いによって近似曲線も変わる

散布図を見て、分布の傾向からかけ離れている点がある場合、これを外れ値として除外するかを検討することも必要です。外れ値によって、近似曲線の形も変わり、現実的な結果と異なる分析結果となってしまう場合があるためです。

例えば、下図の散布図で気温が「22.1」の場合、売上数が他の分布から離れた位置にあります。それほど大きな外れ値とは思われませんが、該当する値が入力ミスなのか、削除した場合はどうなるかということも併せて検討するようにしましょう。

（他のデータと大きく離れているデータを外れ値といい、その中でも原因がわかっているデータを異常値といいます。）

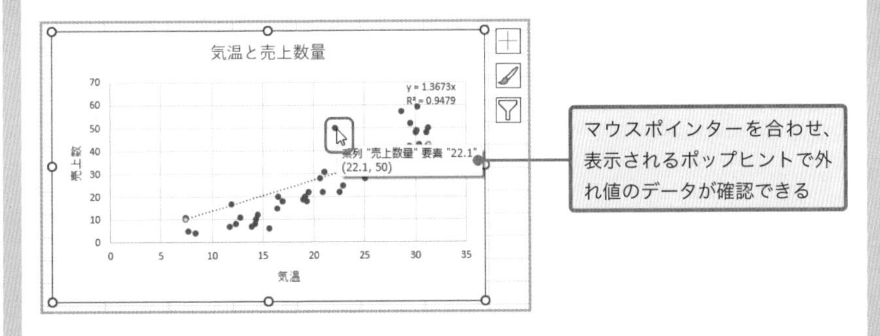

☑近似曲線から将来の値を予測する

近似曲線を伸ばすことでデータのない部分の値を予測することができます。［近似曲線の書式設定］作業ウィンドウの［前方補外］で前方の予測、［後方補外］で後方の予測を指定できます。例えば、［前方補外］に「5」と入力すると、近似曲線が延長され、気温が上昇した場合の売上数量の傾向を予測できます。また、数式「y=1.3673x」のxに35を代入すると「47.8555」が返り、気温が35度の場合は、売上数量が約48と予測することもできます。

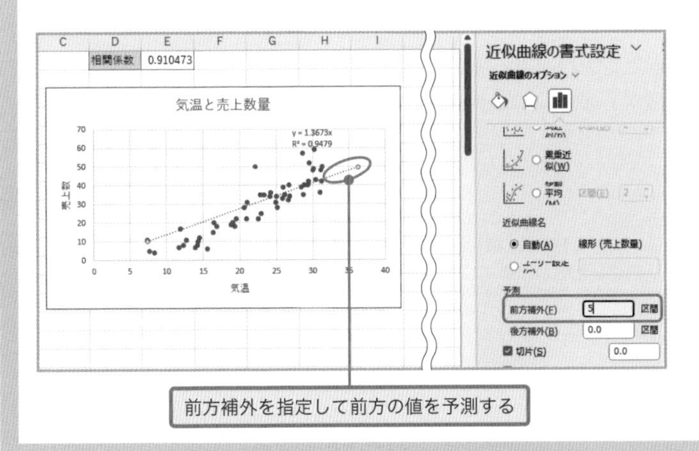

バブルチャートを使って3つのデータ群の相関関係をグラフ化する

バブルチャートとは、3つのデータ群の相関関係をグラフ化したものです。x軸(横軸)とy軸(縦軸)とバブルの大きさで表現します。商品の販売店舗数、販売伸び率(前年比)、売上合計を例にバブルチャートを作ってみましょう。なお、前年と比較した場合の伸び率(成長率)は、数式「(今年度売上高－前年度売上高)÷前年度売上高」で求められます。

ここでは、ピボットテーブルの商品別売上高の集計表をリンク貼り付けした表に[販売店舗数]、[伸び率]、[前年度売上]列を追加した表を使っています。詳細は、サンプルを参照してください。(Sample ➡07-06-04.xlsx)

☑バブルチャートの作成

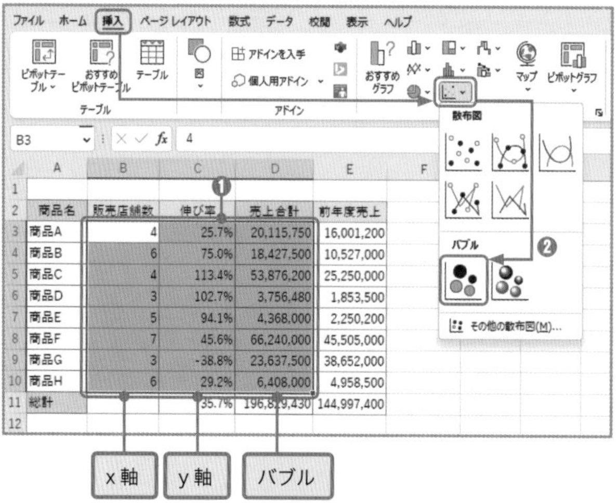

商品名	販売店舗数	伸び率	売上合計	前年度売上
商品A	4	25.7%	20,115,750	16,001,200
商品B	6	75.0%	18,427,500	10,527,000
商品C	4	113.4%	53,876,200	25,250,000
商品D	3	102.7%	3,756,480	1,853,500
商品E	5	94.1%	4,368,000	2,250,200
商品F	7	45.6%	66,240,000	45,505,000
商品G	3	-38.8%	23,637,500	38,652,000
商品H	6	29.2%	6,408,000	4,958,500
総計		35.7%	196,829,430	144,997,400

x軸　y軸　バブル

❶ グラフ化するセル範囲(ここではセルB3～D10)を選択

❷ [挿入]タブ→[散布図(X,Y)またはバブルチャートの挿入]をクリックし、作成するバブルチャートの種類を選択

Memo

グラフ化するセル範囲は、左から横軸(x軸)、縦軸(y軸)、バブルになります。列の並びがこの順番でない場合は、いったん作成したのち、修正してください(p.289)。

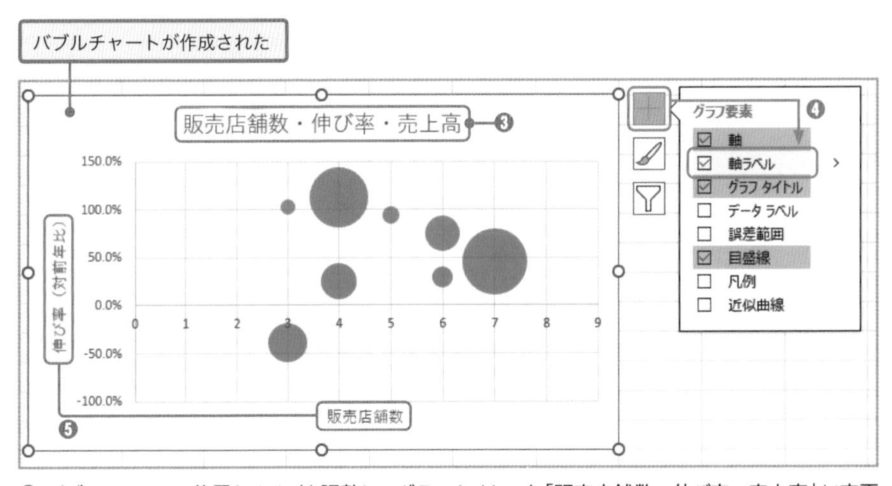

❸ バブルチャートの位置とサイズを調整し、グラフタイトルを「販売店舗数・伸び率・売上高」に変更しておく

❹ [グラフ要素]（⊞）をクリックし、[軸ラベル] にチェックを付ける

❺ 軸ラベルが表示されたら、y軸のラベルを「伸び率（対前年比）」、x軸のラベルを「販売店舗数」に変更しておく

☑商品名をデータラベルに表示

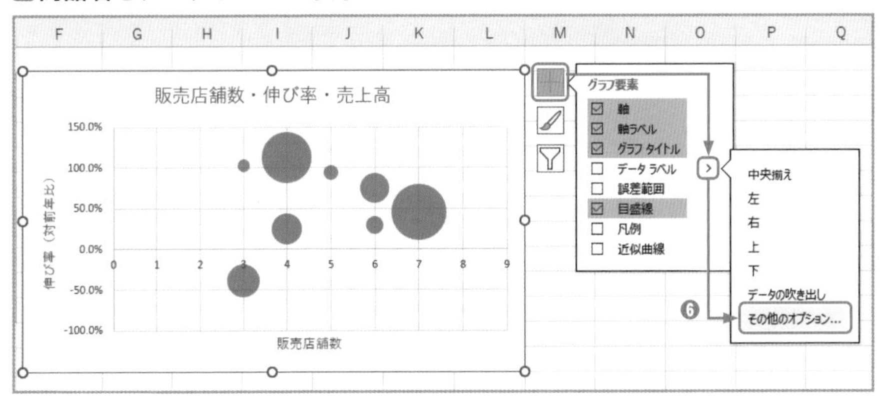

❻ [グラフ要素]（⊞）→ [データラベル] の [>] をクリックし、[その他のオプション] をクリック

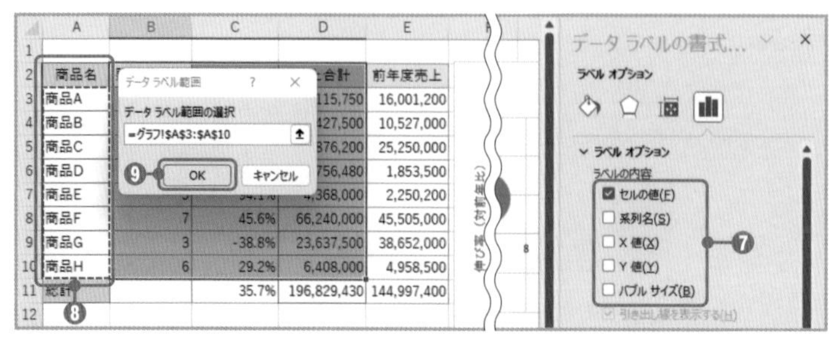

❼ [ラベルオプション] の [ラベルの内容] で [セルの値] だけにチェックを付ける

❽ [データラベル範囲] ダイアログが表示されたら、ラベルとして表示するセル範囲(ここではセルA3〜A10)をドラッグ

❾ [データラベル範囲の選択] にセル範囲が表示されたら [OK] をクリック

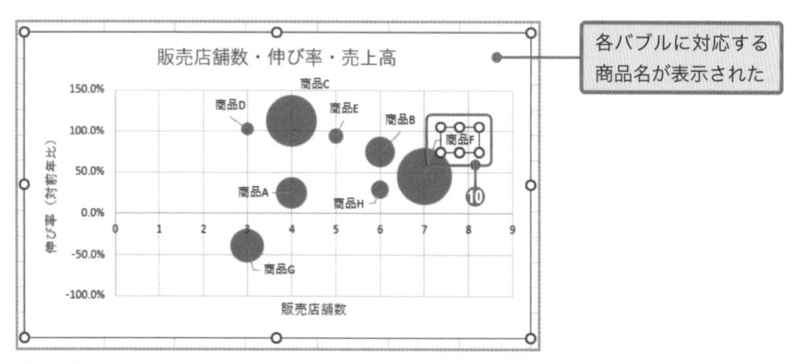

❿ 商品名ラベルをゆっくり2回クリックし、そのラベルだけを選択したら、境界線をドラッグして見やすい位置に移動しておく

Column

バブルチャートの編集

バブルチャートを作成した後で、バブルのサイズをもう少し大きくしたいとか、x軸、y軸、バブルに対応するデータを変更したいということがよくあります。
それぞれについて、設定方法を確認しておきましょう。

☑バブルサイズを調整する

バブルサイズは、[データ系列の書式設定] 作業ウィンドウで調整できます。バブルが重なり合っているとか、小さすぎて間隔が開きすぎてしまう場合にバブルの大きさを調整して見栄えを整えることができます。

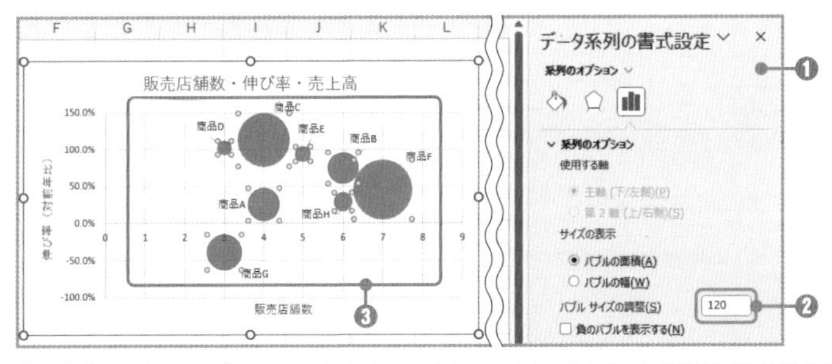

❶ バブルの中でダブルクリックするか、右クリックして［データ系列の書式設定］をクリックし、［データ系列の書式設定］作業ウィンドウを表示
❷ ［バブルサイズの調整］で数値を変更（ここでは「120」）
❸ バブルサイズが全体的に大きくなったことを確認

Memo

［バブルサイズの調整］の既定値は「100」です。数値を100より大きくするとバブルサイズが大きくなり、小さくするとバブルサイズが小さくなります。

☑x 軸、y 軸、バブルを入れ替える

バブルチャートを作成する場合、表が必ずしも x 軸、y 軸、バブルの順番に列が並んでいるとは限りません。また、後からバブルチャートの視点を変更したいということもあるでしょう。入れ替えを行うには、［データソースの選択］ダイアログから表示される［系列の編集］ダイアログで設定します。

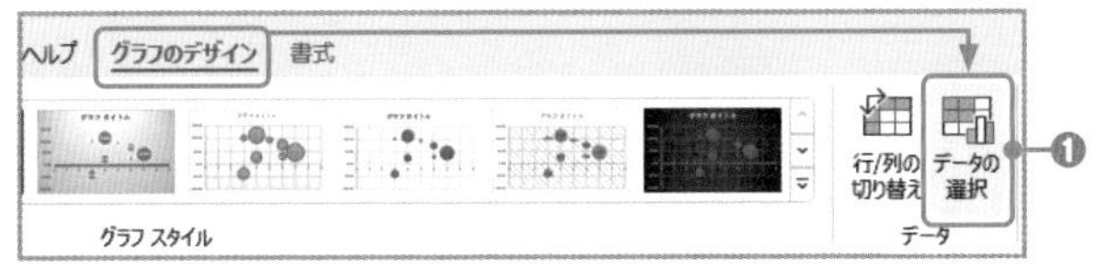

❶ グラフを選択し、［グラフのデザイン］タブ→［データの選択］をクリック

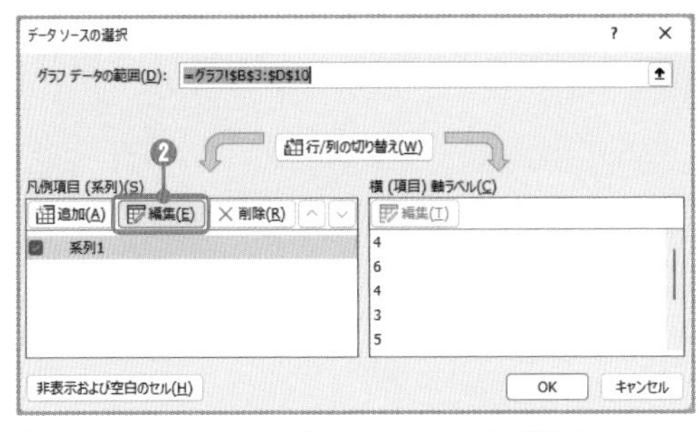

❷ ［データソースの選択］ダイアログで［編集］をクリック

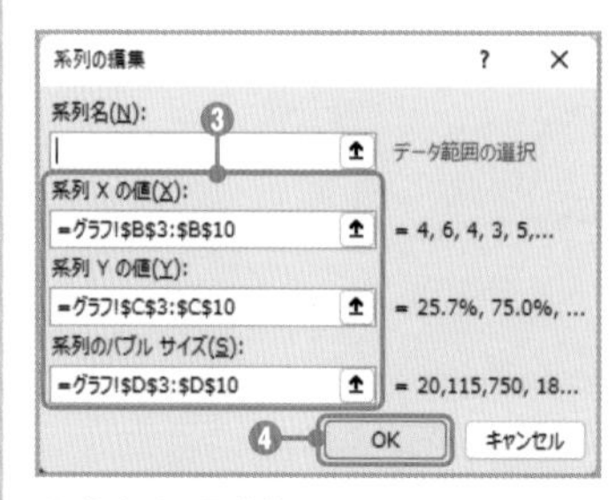

❸ [系列の編集] ダイアログで、変更したい系列のボックスをクリックして、表示されているセル範囲を削除後、セル範囲をドラッグし直す

❹ 修正できたら [OK] をクリック

項目	内容
系列名	グラフのタイトルとして表示したい文字列を入力するか、セルまたはセル範囲を指定できる
系列Xの値	x 軸（横軸）にするセル範囲を指定
系列Yの値	y 軸（縦軸）にするセル範囲を指定
系列のバブルサイズ	バブルにするセル範囲を指定

Chapter

08

その他の分析機能

Excel の分析ツールを使うと、より詳細な分析を行うことができます。本章では、回帰分析を行って分析結果を得たり、求める結果から逆算して、どの商品をどれだけ販売すればよいかを求めたりする方法を紹介します。

分析ツールを使って単回帰分析をする

分析ツールでは、回帰分析を行うこともできます。**単回帰分析とは、相関関係を数式「y=ax+b」という1次関数の数式を使って、xの値がいくつのときyの値がいくつになるのか、という予測をするもの**です。7章の散布図と近似曲線で回帰分析を行いましたが、分析ツールを使うことでより詳細な分析結果を得ることができます。

気温と売上数の関係を分析ツールを使って分析する

気温が売上数にどのように影響を与えているかを、分析ツールを使って分析してみましょう。ここでは、[気温]を説明変数、[売上数量]を目的変数とする単回帰分析を実行します。(Sample ➡08-01-01.xlsx)

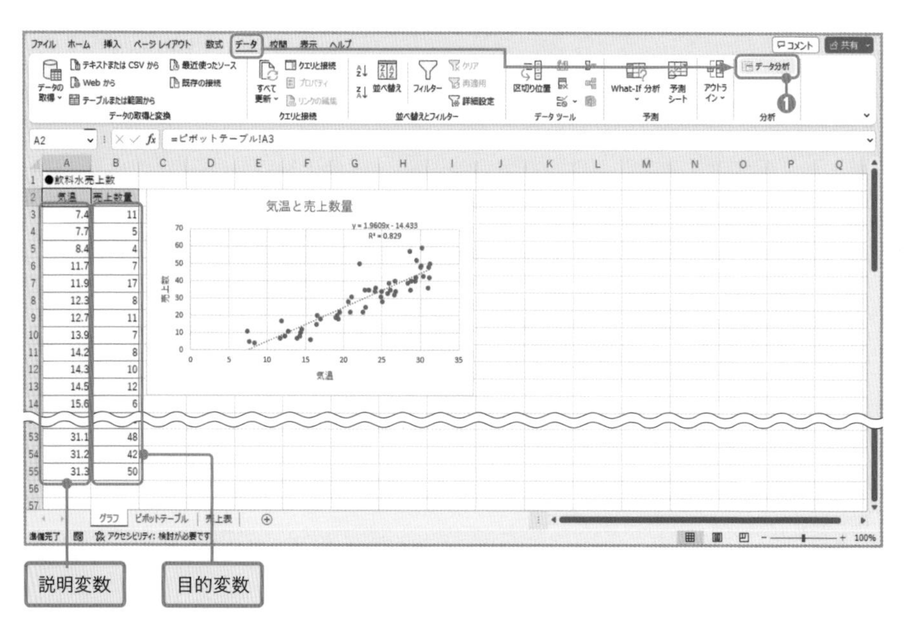

❶ [データ] タブ→ [データ分析] をクリック

Memo

[データ分析]が表示されていない場合は、p.185の手順で[分析ツール]を追加してください。

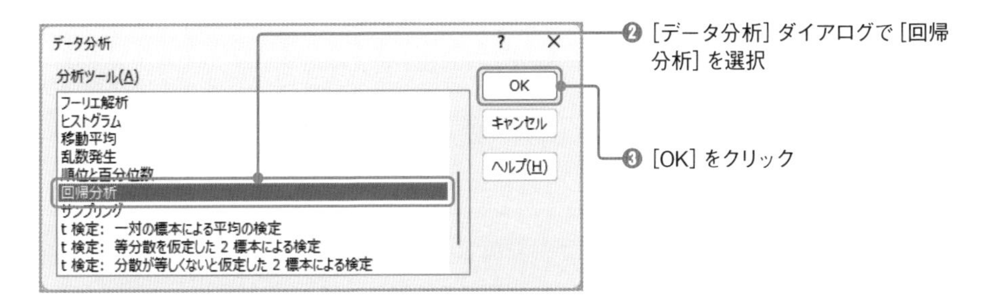

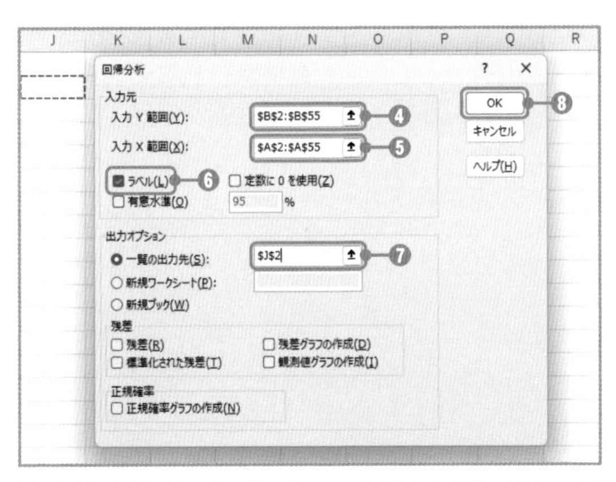

❹ [回帰分析] ダイアログで [入力Y範囲] をクリックし、目的変数となるセル範囲（ここではセルB2～B55）を選択

❺ [入力X範囲] をクリックし、説明変数となるセル範囲（ここではセルA2～A55）を選択

❻ [ラベル] にチェックを付ける

❼ [一覧の出力先] をクリックし、出力先の先頭セル（ここではセルJ2）をクリック

❽ [OK] をクリック

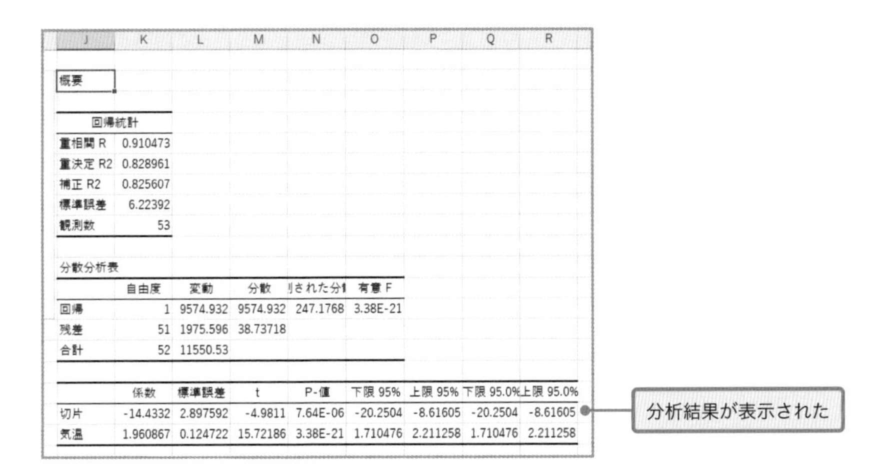

概要

回帰統計	
重相関 R	0.910473
重決定 R2	0.828961
補正 R2	0.825607
標準誤差	6.22392
観測数	53

分散分析表

	自由度	変動	分散	された分散	有意 F
回帰	1	9574.932	9574.932	247.1768	3.38E-21
残差	51	1975.596	38.73718		
合計	52	11550.53			

	係数	標準誤差	t	P-値	下限 95%	上限 95%	下限 95.0%	上限 95.0%
切片	-14.4332	2.897592	-4.9811	7.64E-06	-20.2504	-8.61605	-20.2504	-8.61605
気温	1.960867	0.124722	15.72186	3.38E-21	1.710476	2.211258	1.710476	2.211258

単回帰分析の結果を確認しよう

分析ツールを使って回帰分析した結果は、数値がいろいろあって、どこをどう見ていいのかわからないと感じる方が多いと思います。ここでは、押さえておきたいポイントを中心に説明します。

［気温］という説明変数が1つ、［売上数量］という目的変数が1つの単回帰分析は、回帰式が「y=ax+b」（aは傾き、bは切片）の式になります。分析ツールによって、この式にあてはまる傾きや切片を計算するだけでなく、統計上よく使われる値も計算されます。分析するのに最低限押さえておきたいのは、次の表にあるように、**重決定R2、係数の切片、気温（傾き）、P値**です。

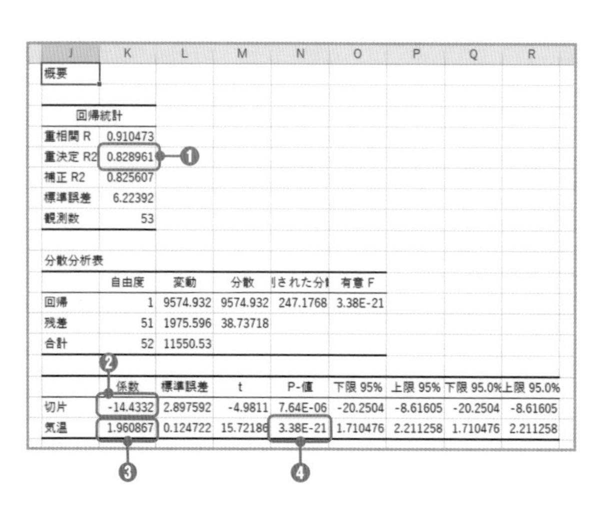

概要

回帰統計	
重相関 R	0.910473
重決定 R2	0.828961
補正 R2	0.825607
標準誤差	6.22392
観測数	53

分散分析表

	自由度	変動	分散	]された分	有意 F
回帰	1	9574.932	9574.932	247.1768	3.38E-21
残差	51	1975.596	38.73718		
合計	52	11550.53			

	係数	標準誤差	t	P-値	下限 95%	上限 95%	下限 95.0%	上限 95.0%
切片	-14.4332	2.897592	-4.9811	7.64E-06	-20.2504	-8.61605	-20.2504	-8.61605
気温	1.960867	0.124722	15.72186	3.38E-21	1.710476	2.211258	1.710476	2.211258

項目	説明
❶重決定 R2	決定係数のこと（寄与率ともいう）。0～1の間の値で、1に近いほど回帰数式と実際の値とのあてはまりがよい。重相関R（相関係数）の2乗値
❷係数：切片	回帰式のb（切片）の部分
❸係数：気温（傾き）	回帰式のa（傾き）の部分
❹P値	有意確率を示す。各説明変数が目的変数に対してどのぐらい影響があるかを表す指標で、0に近いほど偶然の可能性が低い。一般的に0.05未満であれば、説明変数が目的変数に影響を与えたと判断される。単回帰分析の場合は、有意FとP値は同じ値になる

では、実際の値を分析してみましょう。

☑係数：切片、気温（傾き）：❷、❸

切片「-14.4332」と傾き「1.960867」から回帰式は、「y=1.960867x-14.4332」となります。この数式を使って、説明変数xの値から、目的変数yの値を予測することができます。

☑重決定R2：❶

「0.828961」は、1に近いため回帰数式がかなりあてはまっているとみなすことができます。

☑P値：❹

「3.38E-21」のEは指数で「3.38×10^{-21}」のことです。表示形式を「数値」にし、[ホーム]タブ→[小数点以下の表示桁数を増やす]（）ボタンを数回クリックして小数点以下の桁数の表示を増やして確認できます(下図)。0.05を大きく下回っているため、説明変数の[気温]が[売上数量]に影響しているといえます。

J	K	L	M	N
	係数	標準誤差	t	P-値
切片	-14.4332	2.897592	-4.9811	7.63613E-06
気温	1.960867	0.124722	15.72186	0.00000000000000000003381

分析ツールを使って重回帰分析をする

２種類以上の説明変数ｘから１つの目的変数ｙを予測するものを重回帰分析といい、「y=a1x1+a2x2+…+b」で表すことができます。複数の要素のうちどれが結果に影響を与えているのか、また与えていないのかといったことを分析ツールを使って調べることができます。重回帰分析は、分析ツールで行います。

分析ツールを使ってアンケート結果を重回帰分析する

アンケート調査は、複数の設問について「１～５」の範囲で回答を求める形が一般的です。集めたアンケートを分析し、顧客のニーズに合わせるための改善点や戦略を立てることが必要です。分析方法の1つとして分析ツールを使った回帰分析があります。ここでは、アンケートの設問の中で「価格」「デザイン」「使いやすさ」「シリーズ展開」を説明変数、「総合評価」を目的変数として、重回帰分析を行ってみましょう。(Sample ➡08-02-01.xlsx)

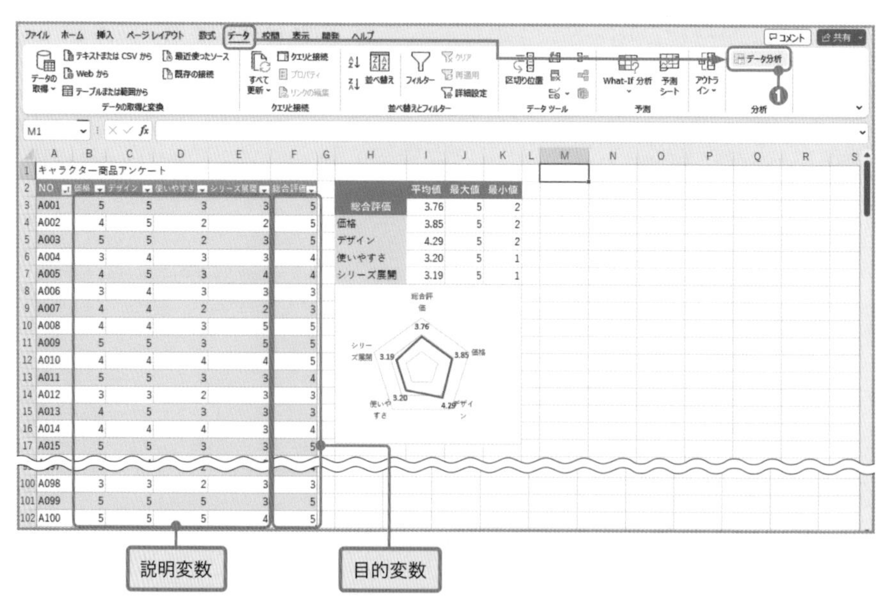

❶ [データ] タブ→ [データ分析] をクリック

Memo

ここでは、それぞれの列の平均値をセルI3～I7に求め、セルH2～I7をグラフ範囲として、レーダーチャートを作成しています。レーダーチャートは、[グラフの挿入]ダイアログの[すべてのグラフ]タブで[レーダー]を選択して作成できます。

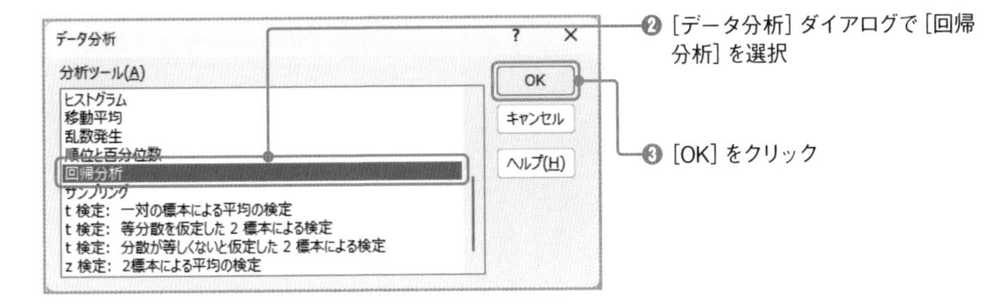

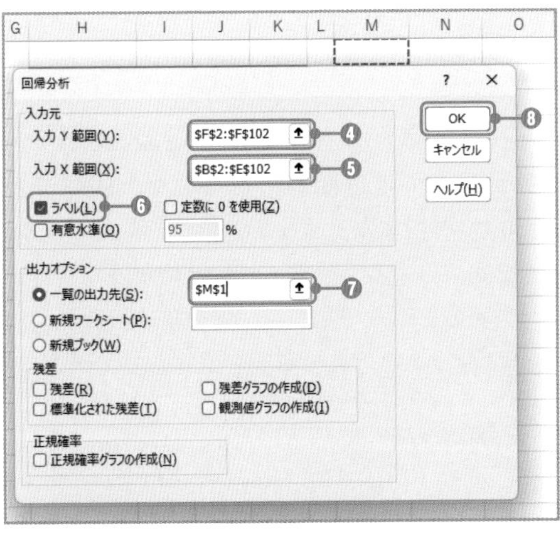

❹ [回帰分析] ダイアログで [入力Y範囲] をクリックし、目的変数となるセル範囲(ここではセルF2～F102)を選択

❺ [入力X範囲] をクリックし、説明変数となるセル範囲(ここではセルB2～E102)を選択

❻ [ラベル] にチェックを付ける

❼ [一覧の出力先] をクリックし、出力先の先頭セル(ここではセルM1)をクリック

❽ [OK] をクリック

Memo

ここでは、手順❼でデータと同じワークシート上に出力していますが、必要に応じて新規シートや新規ブックを選択してください。

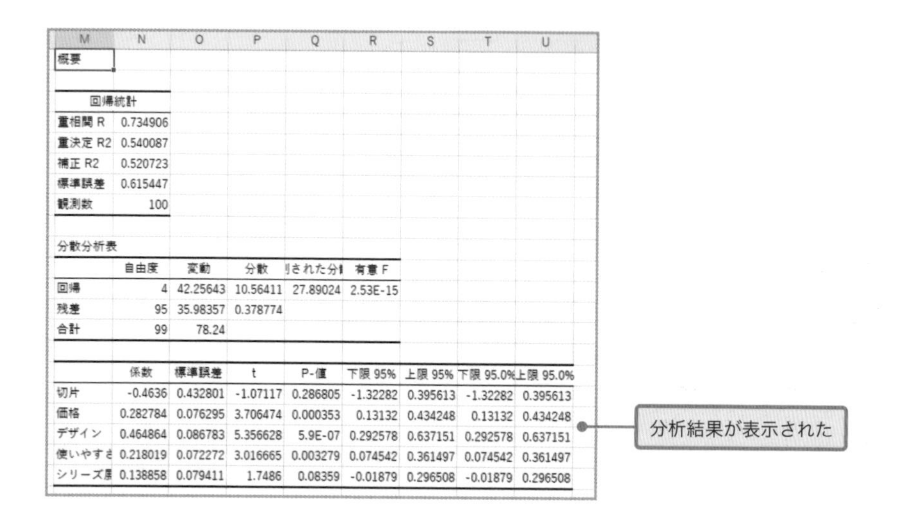

概要

回帰統計	
重相関 R	0.734906
重決定 R2	0.540087
補正 R2	0.520723
標準誤差	0.615447
観測数	100

分散分析表

	自由度	変動	分散	された分	有意 F
回帰	4	42.25643	10.56411	27.89024	2.53E-15
残差	95	35.98357	0.378774		
合計	99	78.24			

	係数	標準誤差	t	P-値	下限 95%	上限 95%	下限 95.0%	上限 95.0%
切片	-0.4636	0.432801	-1.07117	0.286805	-1.32282	0.395613	-1.32282	0.395613
価格	0.282784	0.076295	3.706474	0.000353	0.13132	0.434248	0.13132	0.434248
デザイン	0.464864	0.086783	5.356628	5.9E-07	0.292578	0.637151	0.292578	0.637151
使いやすさ	0.218019	0.072272	3.016665	0.003279	0.074542	0.361497	0.074542	0.361497
シリーズ展	0.138858	0.079411	1.7486	0.08359	-0.01879	0.296508	-0.01879	0.296508

重回帰分析の結果を確認しよう

ここでは、「価格」「デザイン」「使いやすさ」「シリーズ展開」と説明変数 x が 4 つ、「総合評価」という目的変数 y が 1 つの重回帰分析なので、回帰式が「y=a1x1+a2x2+…+b」（a は傾き、b は切片）になります。分析ツールによって、各説明変数にあてはまる傾きと切片を始めとするさまざまな統計値が計算されます。最低限押さえておきたいのは、次表のとおりです。重回帰分析の場合は、決定係数として重決定 R2 よりも補正 R2 を見るようにする点がポイントです。

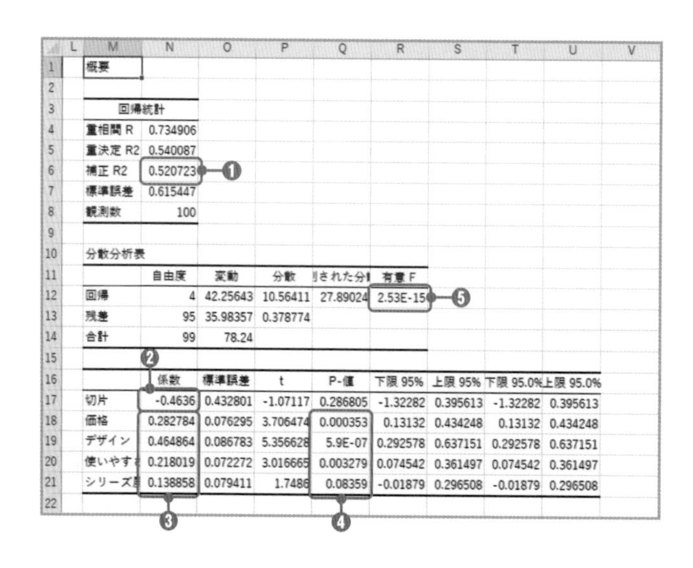

概要

回帰統計	
重相関 R	0.734906
重決定 R2	0.540087
補正 R2	0.520723 ❶
標準誤差	0.615447
観測数	100

分散分析表

	自由度	変動	分散	された分	有意 F
回帰	4	42.25643	10.56411	27.89024	2.53E-15 ❺
残差	95	35.98357	0.378774		
合計	99	78.24			

	係数 ❷❸	標準誤差	t	P-値 ❹	下限 95%	上限 95%	下限 95.0%	上限 95.0%
切片	-0.4636	0.432801	-1.07117	0.286805	-1.32282	0.395613	-1.32282	0.395613
価格	0.282784	0.076295	3.706474	0.000353	0.13132	0.434248	0.13132	0.434248
デザイン	0.464864	0.086783	5.356628	5.9E-07	0.292578	0.637151	0.292578	0.637151
使いやすさ	0.218019	0.072272	3.016665	0.003279	0.074542	0.361497	0.074542	0.361497
シリーズ展	0.138858	0.079411	1.7486	0.08359	-0.01879	0.296508	-0.01879	0.296508

項目	説明
❶補正 R2	自由度調整済み決定係数。説明変数が複数の場合の影響を取り除いているため、重回帰分析の場合は補正 R2 を決定係数として見る
❷係数：切片	回帰式の b（切片）の部分
❸係数：価格～シリーズ展開（傾き）	回帰式の a（傾き）の部分
❹P 値	有意確率を示す。各説明変数が目的変数に対してどのぐらい影響があるかを表す指標で、0 に近いほど偶然の可能性が低い。一般的に 0.05 未満であれば、説明変数が目的変数に影響を与えたと判断できる
❺有意 F	回帰式が統計的に意味があるかどうかを表す指標で、一般的に 0.05（より厳しくする場合は 0.01）未満であれば、回帰式が意味があると判断できる

では、実際の値を分析してみましょう。

☑係数：切片、価格～シリーズ展開（傾き）：❷、❸

「価格」「デザイン」「使いやすさ」「シリーズ展開」をぞれぞれ x1、x2、x3、x4 とした場合、回帰式は「y=0.282784x1+0.464864x2+0.218019x3+0.138858x4-0.4636」になります。この中で x2 のデザインの傾きが大きく、この評価を上げることで、総合評価の y の値を上げるのに大きな影響を与えるだろうと推測できます。

☑補正 R2：❶

重回帰分析の決定係数が「0.520723」であるため、求められた回帰式は約52%の精度という結果になります。

☑P 値：❹

価格が「0.000353」、デザインが「5.9E-07」、使いやすさが「0.003279」で0.05を下回っているため、説明変数の「価格」「デザイン」「使いやすさ」の評価が「総合評価」に影響しているといえます。特に「デザイン」が大きく下回っているので、かなりの影響があるといえるでしょう。なお指数表示を数値表示にするには、デザインの P 値のセル（ここではセル Q19）の表示形式を「数値」にし、［ホーム］タブ→［小数点以下の表示桁数を増やす］（ボタンアイコン）ボタンを数回クリックして小数点以下の桁数の表示を増やして確認できます（次図）。

Memo

数値の表示形式は、列幅による表示桁数の増減により変化します。

	係数	標準誤差	t	P-値
切片	-0.4636	0.432801	-1.07117	0.286805224
価格	0.282784	0.076295	3.706474	0.000353263
デザイン	0.464864	0.086783	5.356628	0.00000059
使いやすさ	0.218019	0.072272	3.016665	0.003279408

☑有意F：❺

有意Fが「2.53E-15」（数値表示は下図）となり、0.05未満であることから、回帰式は統計的に意味があると判断できます。

	自由度	変動	分散	観測された分散比	有意F
回帰	4	42.25643	10.56411	27.89023742	0.00000000000000253
残差	95	35.98357	0.378774		

Column

アンケート結果をもとにCSポートフォリオを作成する

アンケート調査の分析方法として、CSポートフォリオ分析があります。CSポートフォリオ分析とは、顧客を対象に商品やサービスの満足度を調査し、何を優先的に改善、維持すべきかを分析する手法です。縦軸を満足度、横軸を重要度（相関係数）にして4象限にデータを配置します。象限とは、座標平面を４つに区切ったそれぞれの領域のことで、右上から反時計回りに、第一象限、第二象限、第三象限、第四象限と呼びます。

☑CSポートフォリオ

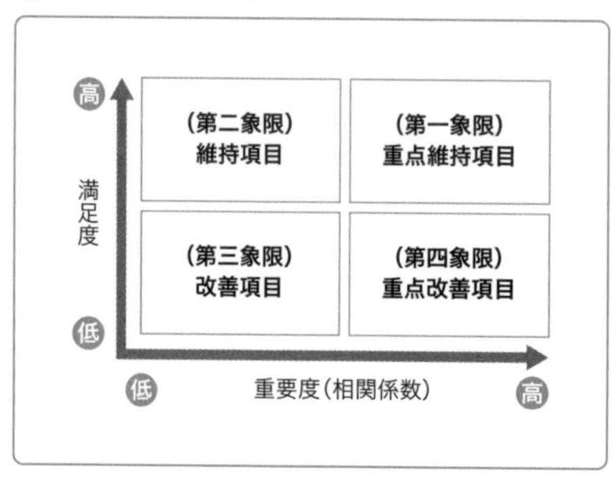

項目	内容
重点維持項目（第一象限）	重要度、満足度共に高いため、重点的に維持すべき項目。現状の「強み」とみなす
維持項目（第二象限）	重要度は低いが、満足度が高いため、現状維持すべき項目
改善項目（第三象限）	重要度、満足度共に低いため、改善は必要だが、優先度は低い項目
重点改善項目（第四象限）	重要度が高いにもかかわらず、満足度が低いため、最優先で改善すべき項目。現状の「弱み」とみなす

☑CS ポートフォリオの元表を作成する

CS ポートフォリオは、相関係数を横軸、平均値を縦軸とした散布図を作成するため、先に相関係数と平均値の表を用意しておきます。（Sample ➡08-02-02.xlsx）

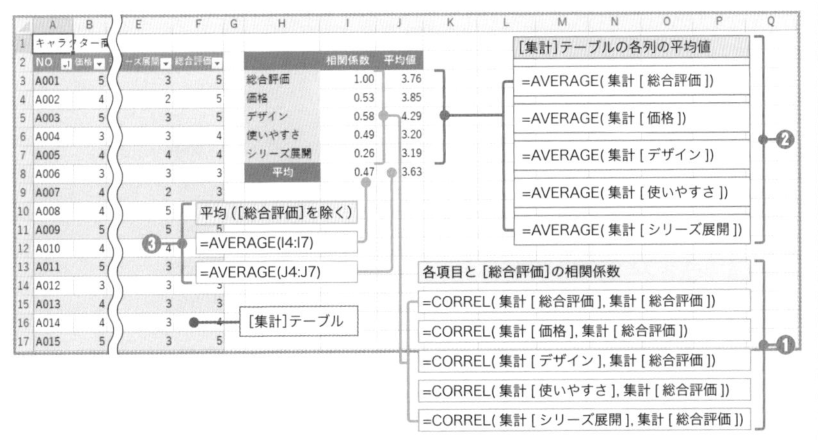

❶ [集計] テーブルの [総合評価] 列と各項目列との相関係数をCORREL関数（p.280）を使って求める

❷ [集計] テーブルの各列の平均値をAVERAGE関数（p.165）を使って求める

❸ [相関係数] と [平均値] について、[価格] から [シリーズ展開] までの平均値をAVERAGE関数を使って求める

☑散布図を作成する

CS ポートフォリオは、相関係数と各項目の平均値を散布図にして作成します。散布図にするのは、アンケートの各項目なので総合評価のセルを省き、8 行目の平均まで含めてグラフ範囲とする点がポイントです。平均まで含めるのは、散布図内の平均値の点を4 象限に分割する中心点とするためです。

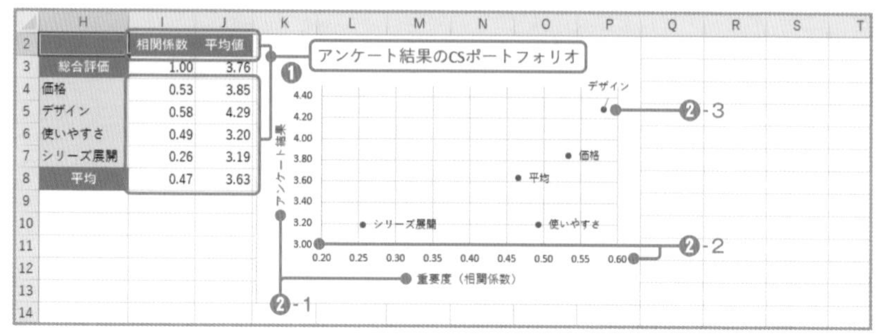

❶ グラフ範囲に「セルI2～J2」と「セルI4～J8」を選択して、散布図（p.278）を作成し、位置とサイズを調整し、グラフタイトルを「アンケート結果のCSポートフォリオ」に変更しておく

❷ 下表の設定で散布図を編集

	設定項目	設定内容
❷-1	軸ラベル（p.279）	縦軸：アンケート結果、横軸：重要度（相関係数）
❷-2	軸の書式設定（p.255）	縦軸：最小値「3.00」・最大値「4.50」、 横軸：最小値「0.20」・最大値「0.60」
❷-3	データラベルの書式設定（p.258）	ラベルオプション：セルの値「H4～H8」

☑平均値を交差する区分線を引く

散布図内の平均の点を通るように垂直、水平線を引き、4象限を作成します。

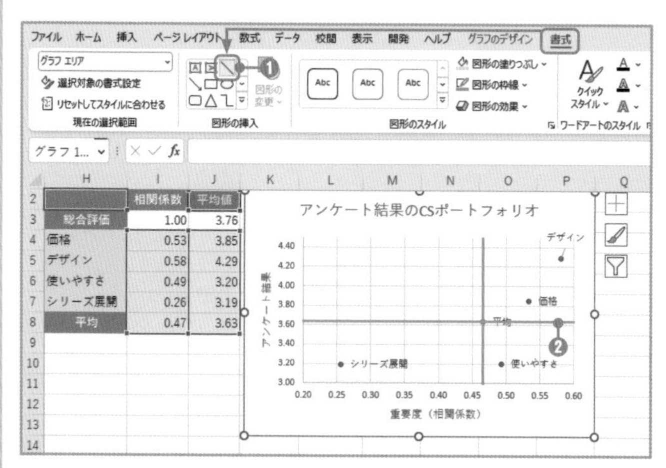

❶ グラフを選択し、［書式］タブ→［線］（▧）をクリック

❷ 平均値の点を交差する直線を引く

Memo

垂直／水平線を引くには、線を描画するときに Shift キーを押しながらドラッグします。また、直線は任意の太さと色に変更しておきます。

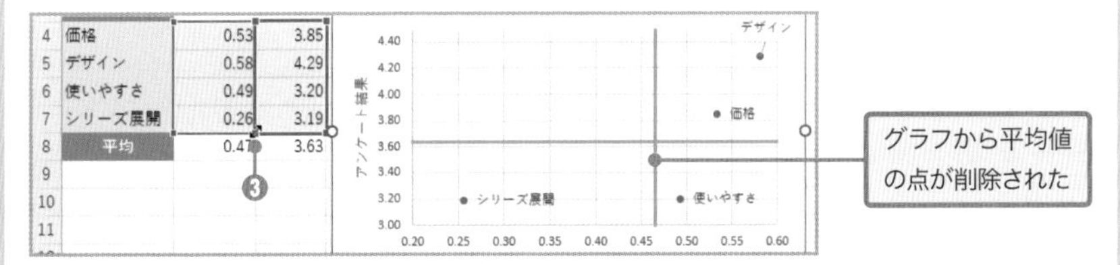

❸ グラフ範囲の色枠の■をドラッグして平均の行を除く

☑CS ポートフォリオ分析結果を考察する

CS ポートフォリオの［重要維持項目］では、「価格」と「デザイン」の重要度と満足度が高いため、商品の強みといえます。［重要改善項目］に「使いやすさ」があり、重要度が高いわりに満足度が低いということから、最優先で改善が必要だということがわかります。［改善項目］に「シリーズ展開」があり、重要度と満足度が低いことから、改善すべきではあるが現状維持でも問題ないだろうと判断できます。

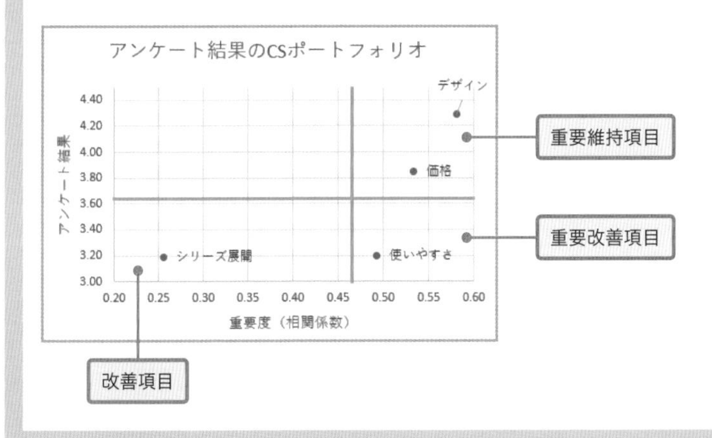

シミュレーション機能を使って最適値を見つけるには

「指定した目標金額を貯蓄するには、毎月いくら積み立てればいいのか」「指定した利益率にするには定価をいくらにすればいいのか」など、目的の結果を得るには「どの値がいくつになればいいのか」と、逆算したい場合があります。ここでは、最適値を見つけるためのシミュレーション機能であるゴールシークとソルバーについて説明します。

ゴールシークを使って指定した利益率を得るための価格を逆算する

ゴールシークとは、**指定した計算式の結果から値を逆算する機能**です。例えば、「目標金額を達成するには、商品をいくつ売ればいいのか」「目標の利益率に届くには、価格をいくらに設定すればいいのか」というような場面で最適値を導き出すことができます。ゴールシークでは、目標値となるセルには、計算式が設定されている必要があります。ここでは、利益率((定価－原価)÷原価)を45％にするには、定価をいくらに設定すればよいかを逆算してみましょう。
(Sample ➡08-03-01.xlsx)

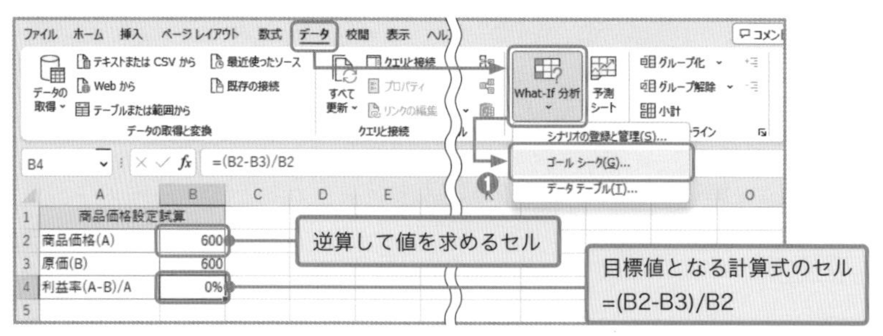

❶［データ］タブ→［What-If 分析］→［ゴールシーク］をクリック

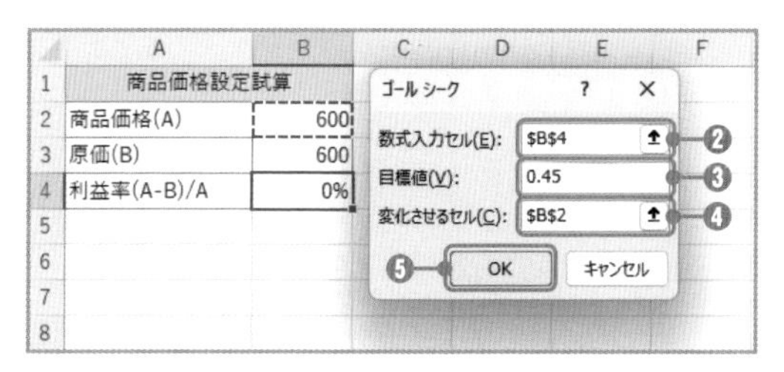

❷ [ゴールシーク] ダイアログの [数式入力セル] で目標値となる計算式が設定されているセル(ここではセルB4) をクリック
❸ [目標値] で目標となる値(ここでは「0.45」) を入力
❹ [変化させるセル] で逆算する値のセル(ここでは「セルB2」) をクリック
❺ [OK] をクリック

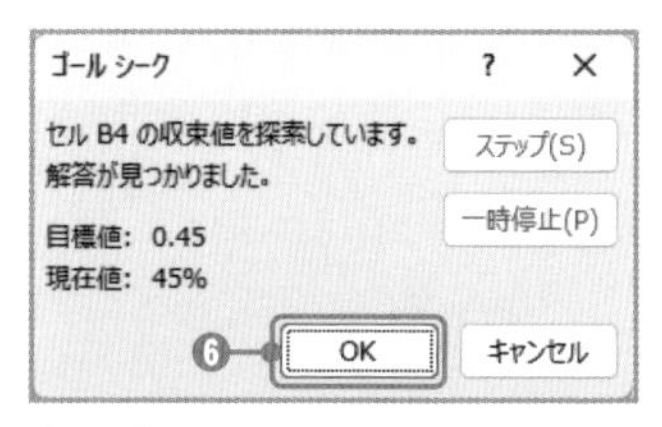

❻ 逆算が行われ、解答が見つかったと表示されたら [OK] をクリック

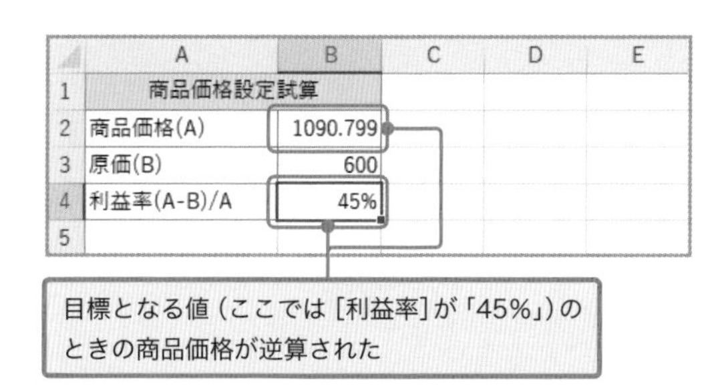

ソルバーを使って粗利率を最大にするため販売する商品数を逆算する

ゴールシークで逆算して求められる値が1つであるのに対して、ソルバーでは、**複数の値を逆算で求める**ことができます。また、個数が50以上とか、個数の数値は整数にするなど、制約条件を設定して逆算し、最適値を得ることができます。なお、ソルバーはアドインとして用意されているので、まずはソルバーを使えるようにすることが必要です。(Sample ➡08-03-02.xlsx)

☑ソルバーアドインを設定する

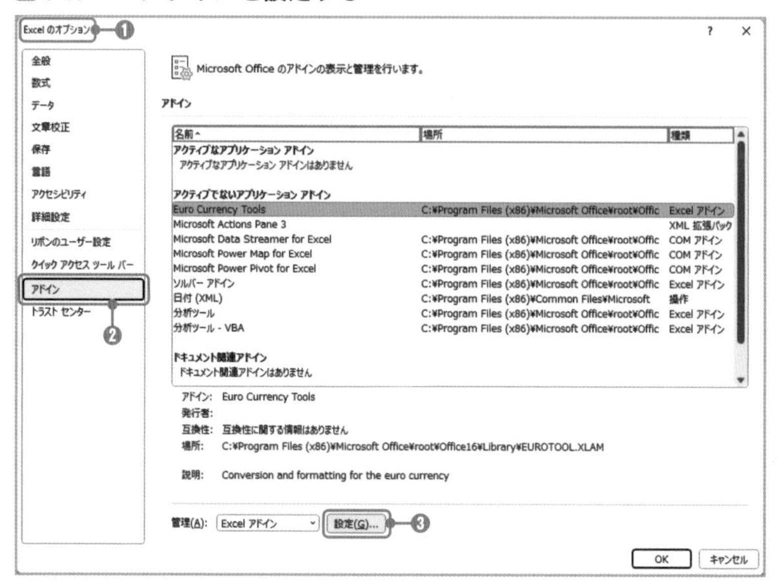

❶ [ファイル] タブ→ [オプション] をクリックし、[Excelのオプション] ダイアログを表示しておく

❷ [アドイン] をクリック

❸ [管理] で [Excelアドイン] が選択されていることを確認し、[設定] をクリック

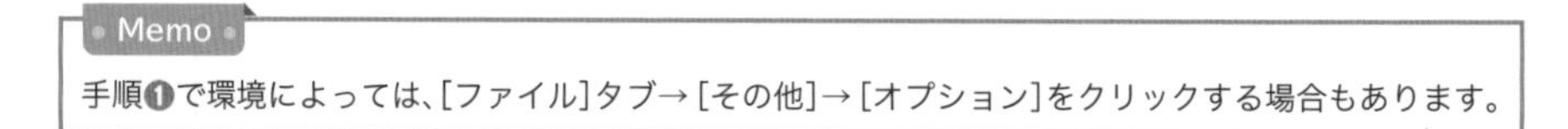
Memo

手順❶で環境によっては、[ファイル]タブ→ [その他]→ [オプション]をクリックする場合もあります。

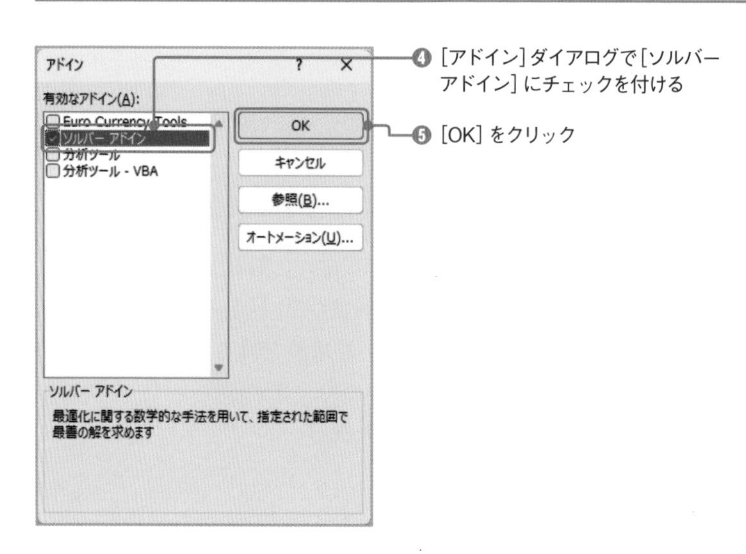

❹ [アドイン] ダイアログで [ソルバーアドイン] にチェックを付ける

❺ [OK] をクリック

Memo

[開発]タブが表示されている場合は、[開発]タブ→ [Excel アドイン]で [アドイン]ダイアログを表示することができます。

☑粗利率が最大値となるように、各商品の販売個数を逆算する

ここでは、セル H7 の粗利率が最大値となるように、各商品の販売個数を求めます。制約条件として、各商品の個数が50 以上、個数の合計が400 まで、目標とする売上高を400 万円とします。

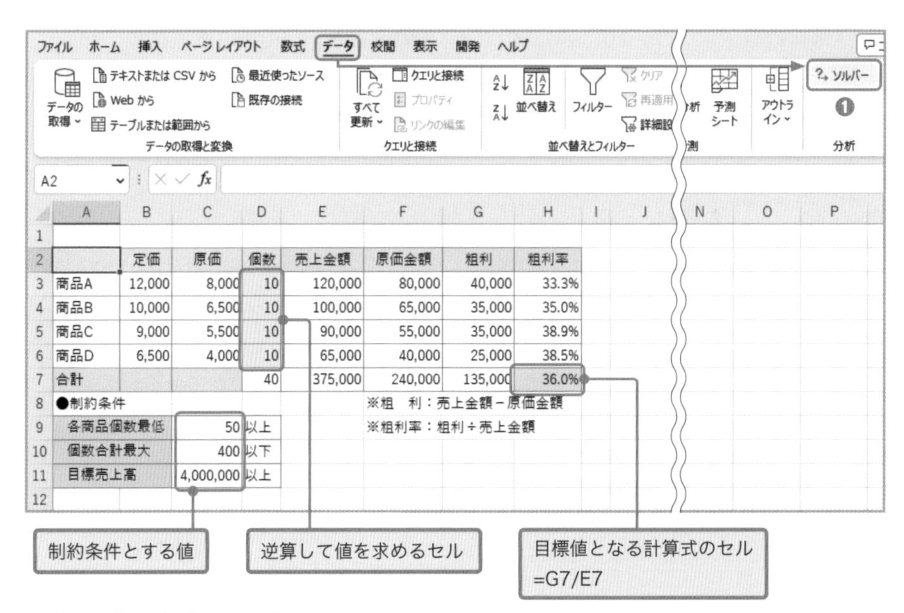

	A	B	C	D	E	F	G	H
1								
2		定価	原価	個数	売上金額	原価金額	粗利	粗利率
3	商品A	12,000	8,000	10	120,000	80,000	40,000	33.3%
4	商品B	10,000	6,500	10	100,000	65,000	35,000	35.0%
5	商品C	9,000	5,500	10	90,000	55,000	35,000	38.9%
6	商品D	6,500	4,000	10	65,000	40,000	25,000	38.5%
7	合計			40	375,000	240,000	135,000	36.0%
8	●制約条件				※粗　利：売上金額－原価金額			
9	各商品個数最低		50	以上	※粗利率：粗利÷売上金額			
10	個数合計最大		400	以下				
11	目標売上高		4,000,000	以上				
12								

❶ [データ] タブ→ [ソルバー] をクリック

❷ [ソルバーのパラメーター] ダイアログの [目的セルの設定] をクリックし、目標値となる計算式のセルを指定(ここではセルH7)
❸ [目標値] で [最大値] を選択
❹ [変数セルの変更] をクリックし、逆算で求めるセル範囲(ここではセルD3～D6)を指定
❺ 制約条件を追加するため [追加] をクリック

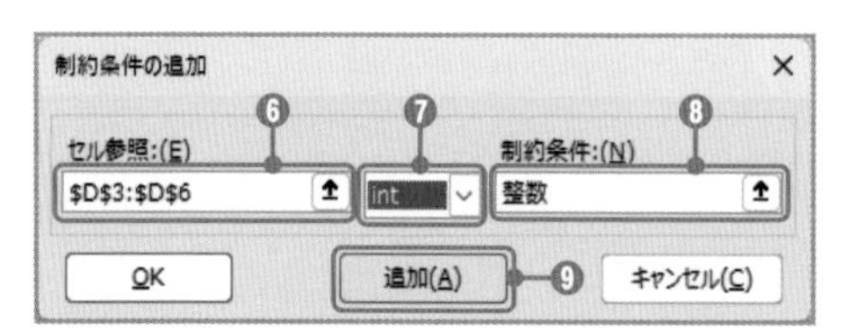

❻ [制約条件の追加] ダイアログで [セル参照] をクリックし、個数のセル(ここではセルD3～D6)を指定
❼ 次のボックスで [int] を選択
❽ [整数] と表示されたことを確認
❾ 続けて制約条件を設定するため、[追加] をクリック

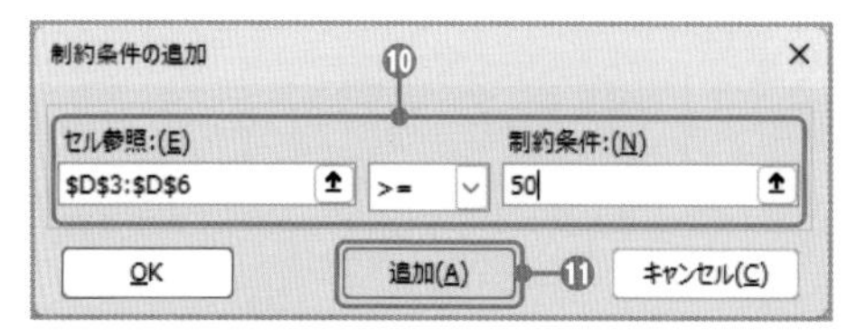

❿ 各商品の個数は50以上とするので、順に [セル参照] は「D3～D6」、次のボックスは「>=」、[制約条件] は「50」を指定
⓫ [追加] をクリック

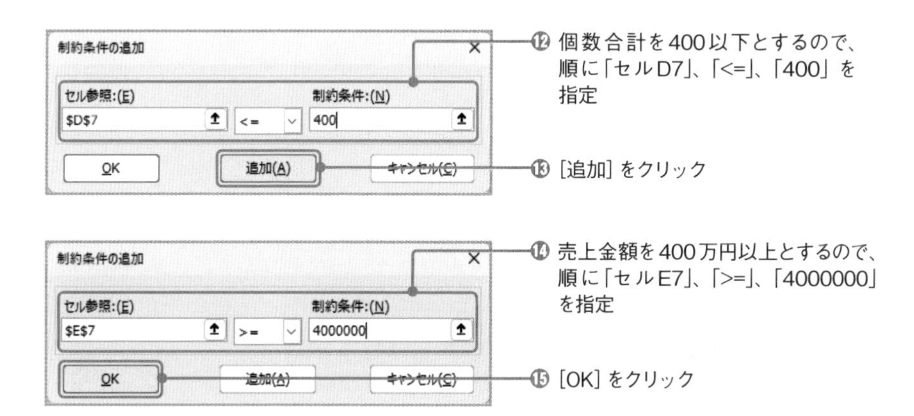

⑯ 制約条件が設定されたことを確認

⑰ [解決] をクリック

Memo

ここでは、[制約条件] に「50」「400」「4000000」と直接数値を指定していますが、それぞれ「セルC9」「セルC10」「セルC11」をクリックしてセル参照を指定することもできます。

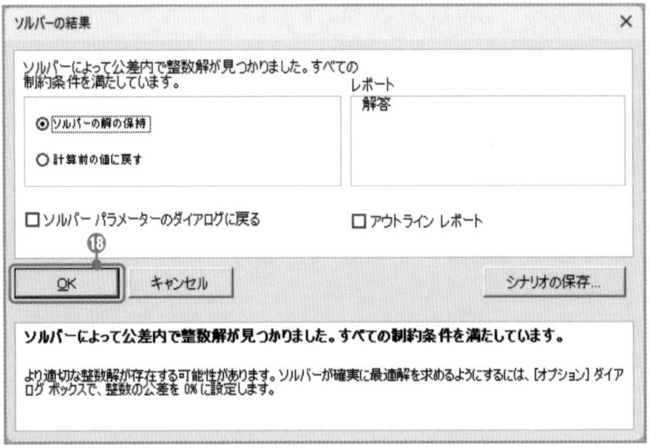

ソルバーの結果

ソルバーによって公差内で整数解が見つかりました。すべての制約条件を満たしています。

レポート
解答

◉ソルバーの解の保持
○計算前の値に戻す

□ソルバー パラメーターのダイアログに戻る
□アウトライン レポート

OK　キャンセル　シナリオの保存...

ソルバーによって公差内で整数解が見つかりました。すべての制約条件を満たしています。

より適切な整数解が存在する可能性があります。ソルバーが確実に最適解を求めるようにするには、[オプション] ダイアログ ボックスで、整数の公差を 0% に設定します。

⑱ [ソルバーの結果] ダイアログが表示されたら、[OK] をクリック

Memo

結果が得られない場合もあります。その場合は、制約条件を設定し直す、目標値を変更するなどの調整が必要です。

	A	B	C	D	E	F	G	H	I
1									
2		定価	原価	個数	売上金額	原価金額	粗利	粗利率	
3	商品A	12,000	8,000	159	1,908,000	1,272,000	636,000	33.3%	
4	商品B	10,000	6,500	50	500,000	325,000	175,000	35.0%	
5	商品C	9,000	5,500	141	1,269,000	775,500	493,500	38.9%	
6	商品D	6,500	4,000	50	325,000	200,000	125,000	38.5%	
7	合計			400	4,002,000	2,572,500	1,429,500	35.7%	
8	●制約条件					※粗　利：売上金額－原価金額			
9	各商品個数最低		50	以上		※粗利率：粗利÷売上金額			
10	個数合計最大		400	以下					
11	目標売上高		4,000,000	以上					
12									

セル H7 の [粗利率] が最大値になるように、セル D3 ～ D6 の各商品の [個数] が逆算された

Memo

ソルバーが終了したら、p.306 の手順で [アドイン]ダイアログを表示し、[ソルバーアドイン]のチェックを外して、無効にしておきましょう。

Appendix

Power Pivotで複数のファイルを関連付ける

Excel 内で複数のテーブルを関連付けるには、Power Pivot が使えます。Power Pivot では、散らばったファイルを個別に参照したり、1つのブックにまとめたり、といった手間をかけることなく、それぞれのデータを関連付けて参照できます。

Power Pivotで複数のファイルを関連付ける

売上表、商品マスター、店舗マスターのようにテーマごとにデータを別ファイルで分類して管理していることも多いと思います。別々のファイルに分散して管理しているデータを組み合わせてピボットテーブルで集計したい場合は、Power Pivotを使います。**Power Pivotを使えば、1つのブックにデータをまとめたり、関数を使って参照したり、といった面倒な作業をせずに簡単に別ファイルのデータを関連付けて、データを参照することができます。**

Power Pivotは、アドインとして提供されていますが、分析ツール（p.185）のように追加の設定をしなくても、使用しようとしたときにメッセージとともに自動で追加されます。Power Pivotでは、主に以下の2つの画面を使って操作します。Power Pivotには豊富な機能が用意されていますが、ここでは複数ファイルを関連付けるリレーションシップの設定方法を中心に説明します。

● Power Pivotの画面

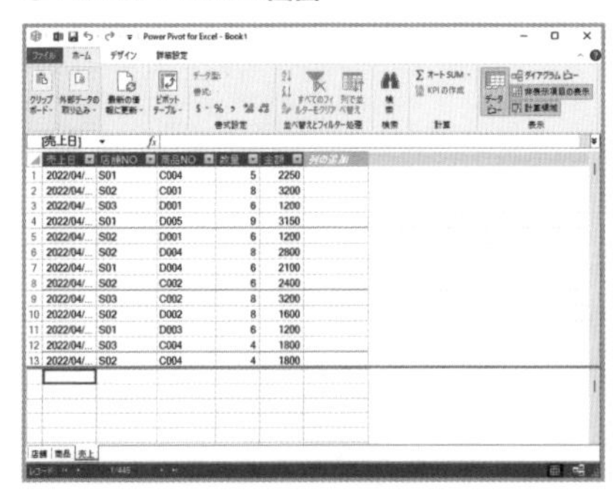

・データビュー
データモデル内にあるテーブルのデータが表示される

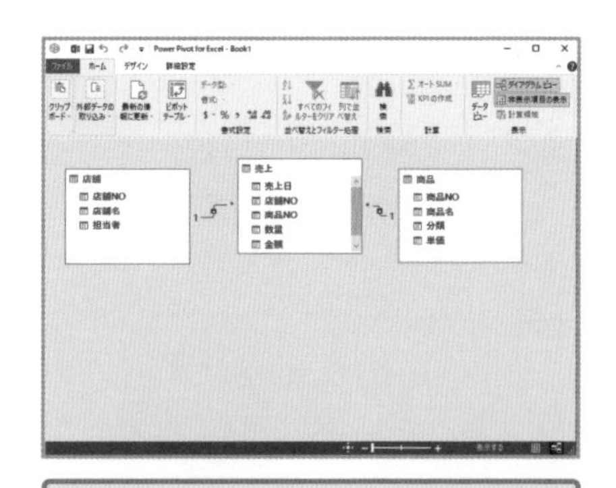

・ダイアグラムビュー
データモデル内にあるテーブルのフィールドリストが表示され、テーブルを関連付ける

複数ファイルに分かれた表からピボットテーブル作成までの流れ

複数ファイルに分かれた表からピボットテーブルを作成するまでの処理の流れは次のようになります。

● 処理の流れ

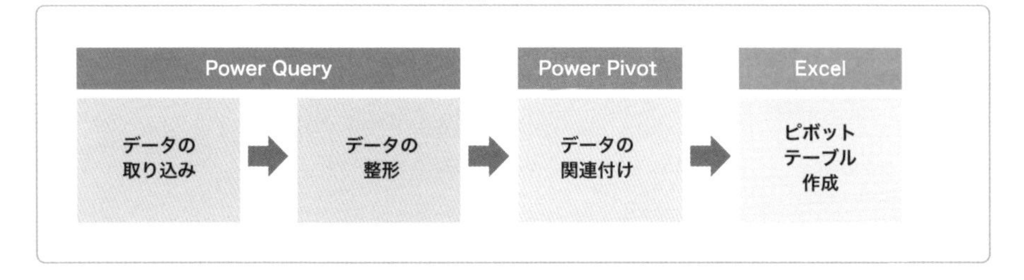

Power Query を使ったデータの取り込みとデータの整形は、3章、4章で説明しましたが、多くの種類のデータを取り込むことができ、整形の機能も非常に豊富です。データを取り込むときのポイントは、データを**データモデル**に追加することです。データモデルでは、**Excel 内のデータ格納領域で、大量データの格納やテーブル間の関連付け（リレーションシップ）を設定することができます。**

> **Memo**
> Power Pivot では、別ファイルに分かれたテーブル同士だけでなく、ブック内に作成されているテーブル同士を関連付けることもできます。

データの取り込みと整形

データの取り込みと整形では、3章、4章で行ったように Power Query を使います。ここでは、以下の「店舗 .csv」「売上 .csv」「商品 .csv」の3つのファイルのデータを取り込み、整形し、データモデルに追加するところまでの操作方法を確認しましょう。ここでは､カンマ区切りのテキストファイル（CSV ファイル）に分割して保存されているデータを使います。
（Sample ➡店舗.csv、売上.csv、商品.csv）

● ここで取り込むデータ

```
店舗NO,店舗名,担当者
S01,渋谷,鈴木
S02,原宿,田中
S03,新宿,山本
```

```
売上日,店舗NO,商品NO,数量,金額
2022/04/01,S01,C004,5,"2,250"
2022/04/01,S02,C001,8,"3,200"
2022/04/01,S03,D001,6,"1,200"
2022/04/02,S01,D005,9,"3,150"
2022/04/02,S02,D001,6,"1,200"
2022/04/02,S02,D004,8,"2,800"
2022/04/02,S01,D004,6,"2,100"
2022/04/02,S02,C002,6,"2,400"
2022/04/03,S03,C002,8,"3,200"
2022/04/03,S02,D002,8,"1,600"
2022/04/03,S01,D003,6,"1,200"
```

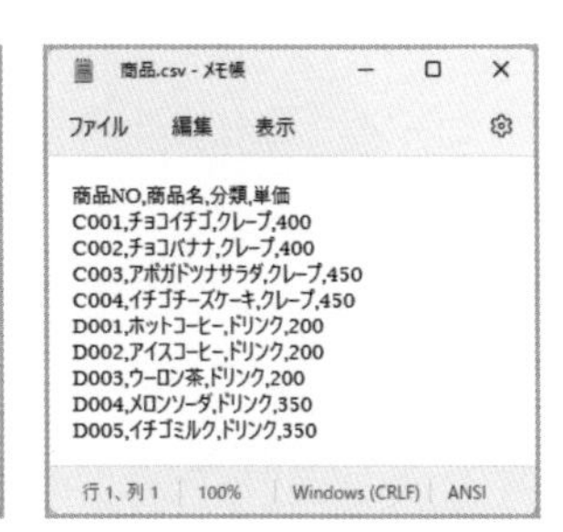


```
商品NO,商品名,分類,単価
C001,チョコイチゴ,クレープ,400
C002,チョコバナナ,クレープ,400
C003,アボガドツナサラダ,クレープ,450
C004,イチゴチーズケーキ,クレープ,450
D001,ホットコーヒー,ドリンク,200
D002,アイスコーヒー,ドリンク,200
D003,ウーロン茶,ドリンク,200
D004,メロンソーダ,ドリンク,350
D005,イチゴミルク,ドリンク,350
```

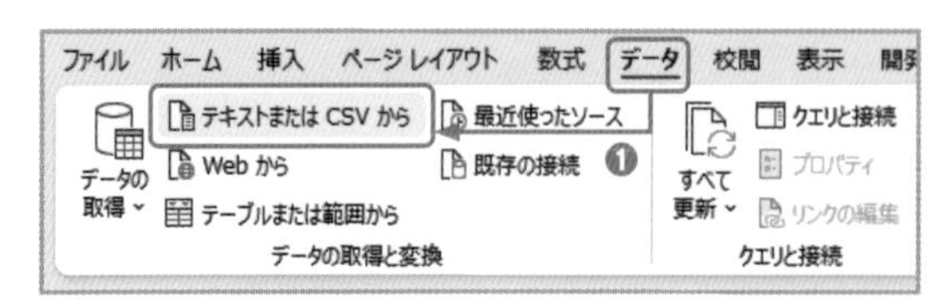

❶ 新規ブックを開き、[データ] タブ→ [テキストまたはCSV から] をクリック

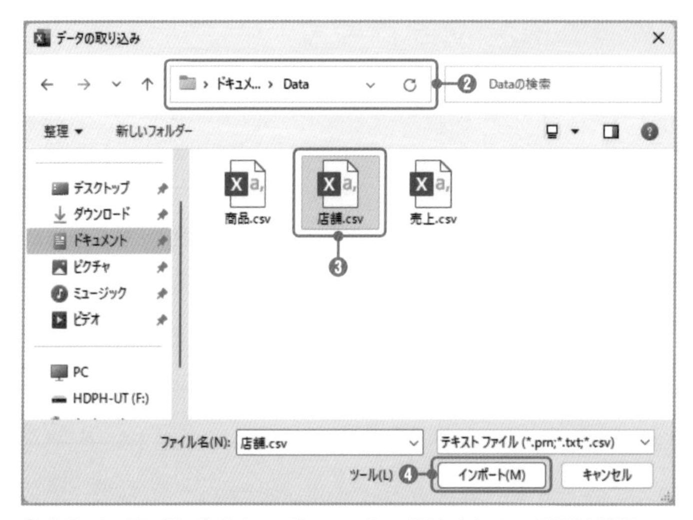

❷ [データの取り込み] ダイアログでファイルが保存されている場所を選択
❸ 取り込むファイル（ここでは「店舗.csv」）を選択
❹ [インポート] をクリック

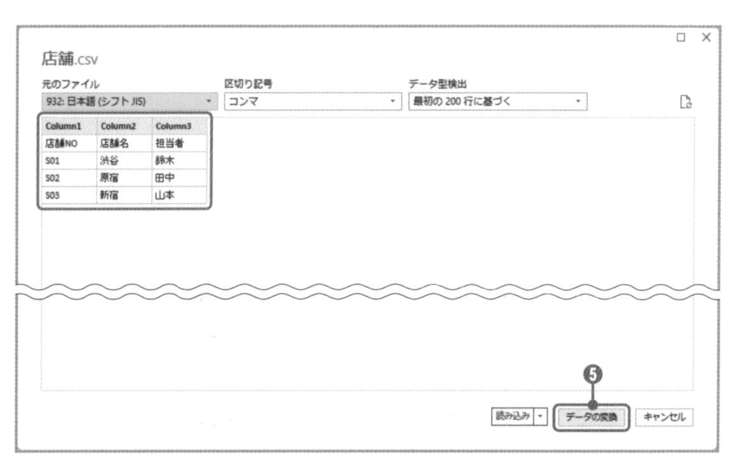

❺ データの内容を確認すると、1レコード目が項目名になっており、整形が必要であることが確認できる。[データの変換] をクリックしてPower Query を開く

Memo

プレビューでデータに問題がないように見えても、[データの変換] をクリックしてPower Queryでデータを確認するようにしてください。

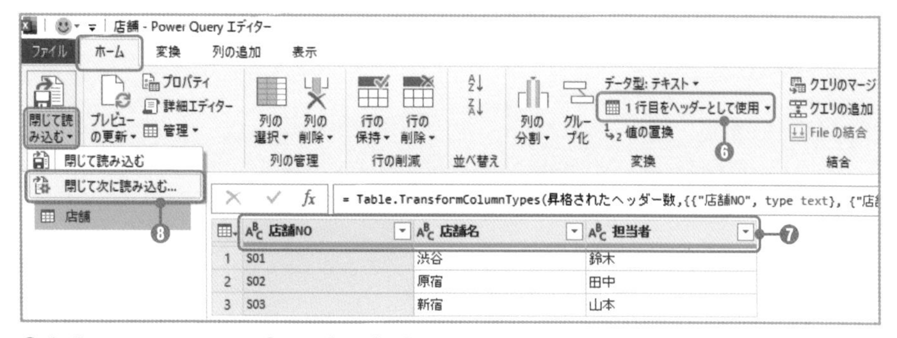

❻ 起動したPower Queryで [ホーム] タブ→ [1行目をヘッダーとして使用] をクリック
❼ 先頭行が項目名に変更されたのを確認
❽ [ホーム] タブ→ [閉じて読み込む] の [▼] → [閉じて次に読み込む] をクリック

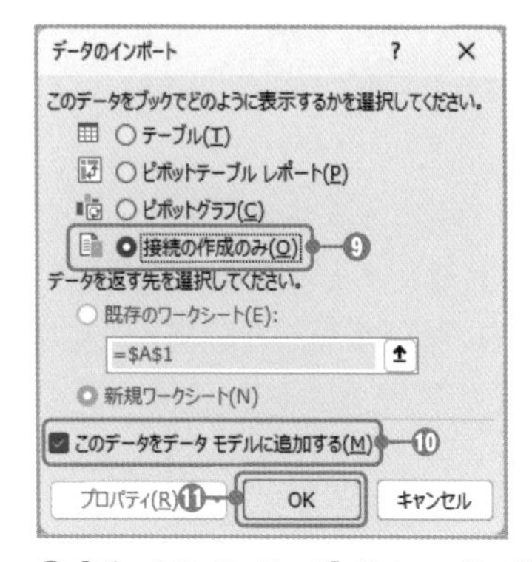

❾ [データのインポート] ダイアログで [接続の作成のみ] をクリック
❿ [このデータをデータモデルに追加する] にチェックを付ける
⓫ [OK] をクリック

Memo

データモデルにデータを追加することで、Power Pivotでテーブルを操作できるようになります。

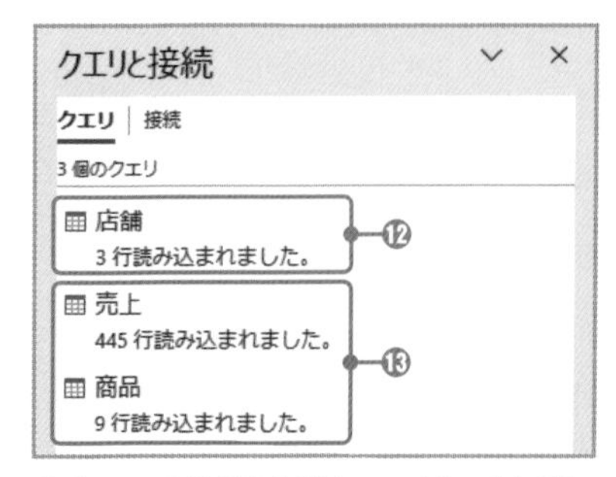

⓬ [クエリと接続] 作業ウィンドウに [店舗] クエリが表示されたことを確認
⓭ 他のファイルも同様にして、インポートしクエリを作成しておく

> Memo
> ファイル名がクエリ名、テーブル名として設定されます。

Power Pivot を起動し、リレーションシップを設定する

使用したいテーブルをデータモデルに追加したら、Power Pivot を起動して、**ダイアグラムビュー**を表示し、テーブル同士を関連付けます。テーブル同士の関連付けのことを**リレーションシップ**といいます。

リレーションシップを設定するには、2 つのテーブルにある共通フィールドをキーにしてつなげます。通常は、一方のテーブルの共通フィールドには、商品を管理する [商品] テーブルの [商品 NO] のように固有の値 (重複しない値) が入力されており、もう一方の共通フィールドには、売上を管理する [売上] テーブルの [商品 NO] のように、同じ値が繰り返し入力されています。

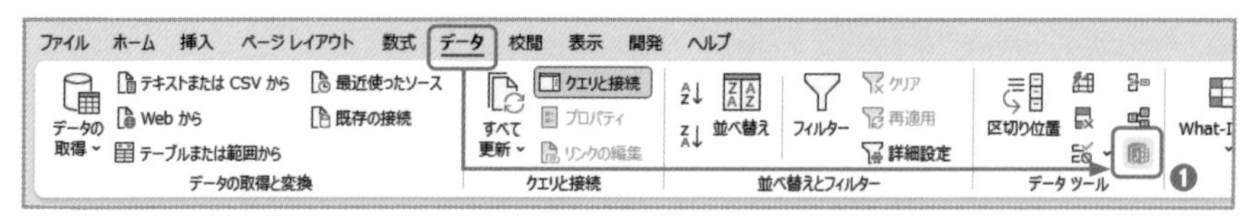

❶ [データ] タブ→ [データモデルの管理] ([Power Pivot ウィンドウに移動]) をクリック

❷ Power Pivot を初めて使う場合、メッセージが表示されたら [有効化] をクリック

Memo

Power Pivot を手動で追加する場合は、p.185 の手順❸の［管理］で［COM アドイン］を選択し、［設定］をクリックして［COM アドイン］ダイアログを表示したら［Microsoft Power Pivot for Excel］にチェックを付けて追加します。

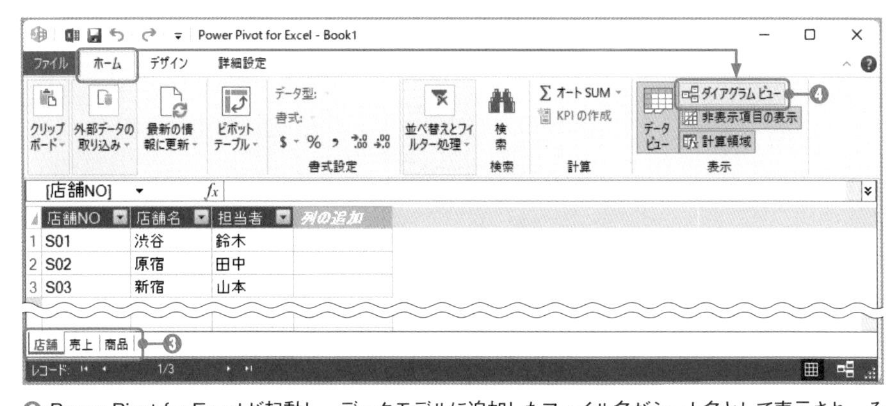

❸ Power Pivot for Excelが起動し、データモデルに追加したファイル名がシート名として表示され、そのシートにテーブルが表示されていることを確認

❹ ［ホーム］タブ→［ダイアグラムビュー］をクリック

Memo

Power Query for Excel を起動すると、ファイル名と同じシート名が表示され、そのシートにテーブルが表示されています。この画面を「データビュー」といいます。

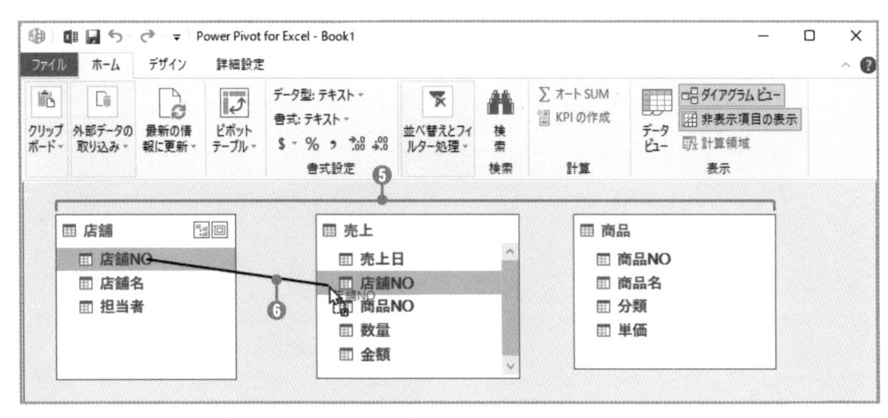

❺ ダイアグラムビューが表示され、取り込んだ各テーブルのフィールドリストが表示されたことを確認

❻ リレーションシップを設定する2つのテーブルにある共通フィールド間をドラッグ（ここでは［店舗］テーブルの［店舗NO］と［売上］テーブルの［店舗NO］）

Memo

フィールドリストを任意の位置に移動して配置を整えるには、タイトルバーをドラッグします。

[店舗] テーブルと [売上] テーブル間にリレーションシップを示す結合線が表示された

7 同様にして、もう一方のテーブル間でリレーションシップを設定する（[商品] テーブルの [商品NO] と [売上] テーブルの [商品NO] をドラッグ）

Memo

リレーションシップを解除するには、結合線を選択し Delete キーを押して結合線を削除します。設定内容を確認・変更するには、結合線をダブルクリックして [リレーションシップの編集] ダイアログを表示します。

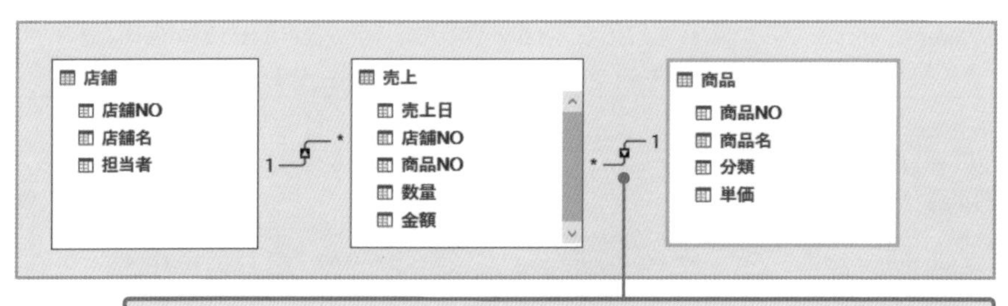

もう一方のテーブル間でリレーションシップが設定された。これで、3つのテーブル内のフィールドを組み合わせてピボットテーブルを作成する準備ができた

Memo

結合線の一方には「1」、もう一方には「*」が表示されます。「1」と表示されたテーブルの [商品NO] は固有のデータを持ち、「*」と表示されたテーブルの [商品NO] には同じデータが繰り返し入力されているテーブルです。「1」と表示されるテーブルを「一側テーブル」、「*」と表示されるテーブルを「多側テーブル」といいます。

複数テーブルのフィールドを組み合わせてピボットテーブルを作成する

Power Pivotでリレーションシップを設定できたら、この3つのテーブルにあるフィールドを組み合わせてピボットテーブルを作成していきましょう。Power Pivotからピボットテーブルを作成するには、[ホーム]タブ→[ピボットテーブル]をクリックします。

ここでは、[商品]テーブルの[商品名]を行エリア、[店舗]テーブルの[店舗名]を列エリア、[売上]テーブルの[金額]を値エリアに追加して、店舗別、商品別の売上金額の集計表を作成します。

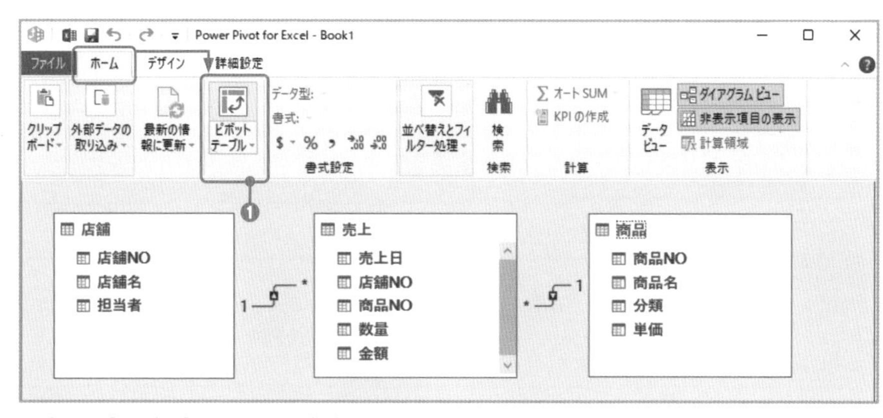

❶ [ホーム] タブ→ [ピボットテーブル] をクリック

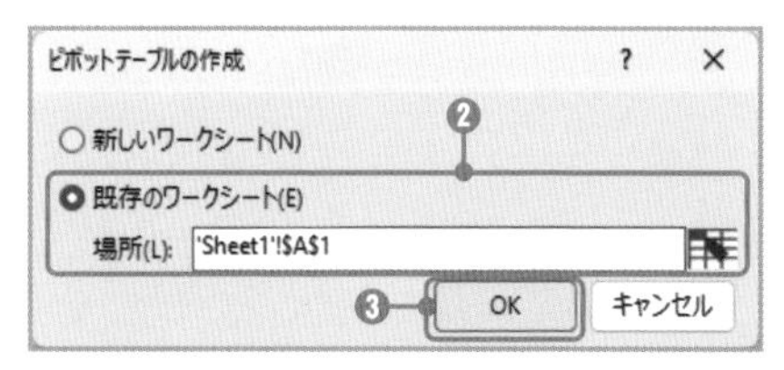

❷ [ピボットテーブルの作成] ダイアログでピボットテーブルの作成先を指定(ここでは [既存のワークシート] を選択し、場所に [Sheet1] シートのセルA1を指定)

❸ [OK] をクリック

Memo

[ピボットテーブルのフィールド]作業ウィンドウが表示されないときは、右側のバーにある[ピボットテーブルフィールド]( )をクリックします。また、データモデル内のテーブルは、[ ]のようにオレンジ色のマークが表示されます。

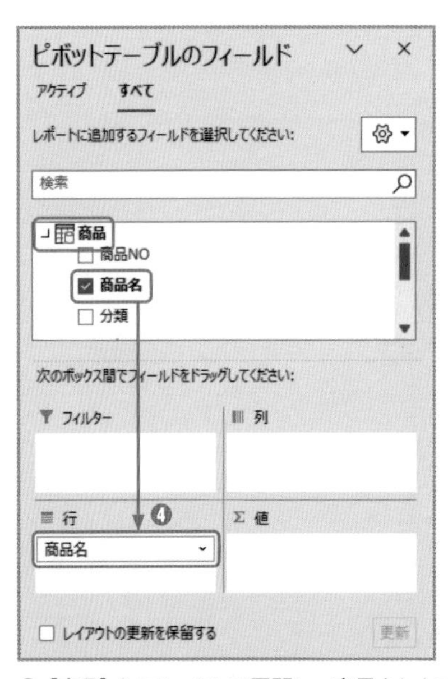

❹ [商品] をクリックして展開し、表示されたフィールド一覧から [商品名] を [行] エリアまでドラッグ

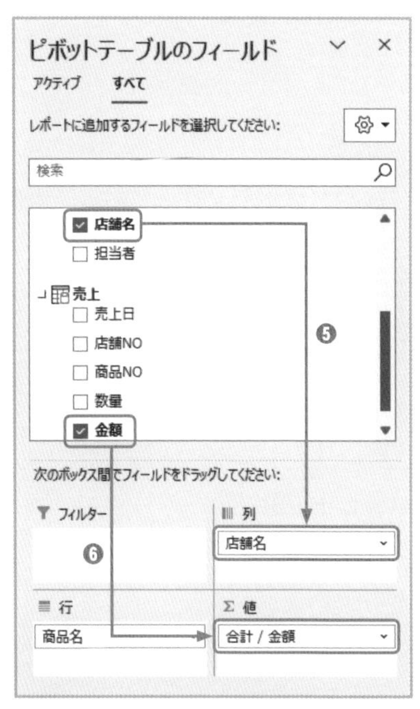

❺ 同様にして［店舗］の［店舗名］を［列］エリアにドラッグ
❻ ［売上］の［金額］を［値］エリアにドラッグ

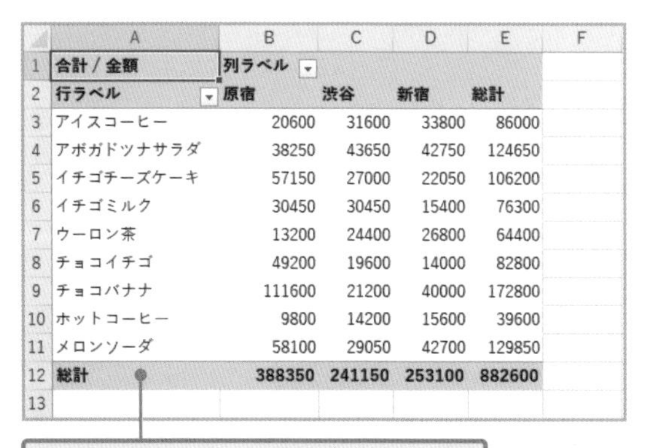

	A	B	C	D	E	F
1	合計 / 金額	列ラベル				
2	行ラベル	原宿	渋谷	新宿	総計	
3	アイスコーヒー	20600	31600	33800	86000	
4	アボガドツナサラダ	38250	43650	42750	124650	
5	イチゴチーズケーキ	57150	27000	22050	106200	
6	イチゴミルク	30450	30450	15400	76300	
7	ウーロン茶	13200	24400	26800	64400	
8	チョコイチゴ	49200	19600	14000	82800	
9	チョコバナナ	111600	21200	40000	172800	
10	ホットコーヒー	9800	14200	15600	39600	
11	メロンソーダ	58100	29050	42700	129850	
12	総計	388350	241150	253100	882600	
13						

3つのテーブルのフィールドを組み合わせて
ピボットテーブルが作成された

Index 索引

▶ A

▶ C

▶ D

▶ F

▶ G

▶ H

▶ I

▶ J

▶ K

▶ L

▶ M

▶あ

▶い

▶え

▶お

▶か

▶き

▶く

▶こ

▶さ

▶ は

▶ ひ

▶ ふ

▶ へ

▶ ほ

▶ ま

▶ も

▶ ゆ

▶ り

▶れ

●著者プロフィール

国本 温子（くにもと あつこ）

テクニカルライター。企業内でワープロ、パソコンなどのOA教育担当後、Office、VB、VBAなどのインストラクターや実務経験を経て、現在はフリーのITライターとして書籍の執筆を中心に活動中。主な著作に、『手順通りに操作するだけ！ Excel基本&時短ワザ［完全版］第2版』（SBクリエイティブ）『Excelマクロ&VBA［実践ビジネス入門講座］【完全版】第2版』（SBクリエイティブ）、『いちばん詳しいExcel関数大事典』（SBクリエイティブ）などがある。

カバーデザイン……………西垂水 敦（krran）
本文デザイン・組版………クニメディア株式会社
編集………………………國友 野原

●本書サポートページ
https://isbn2.sbcr.jp/12757/

Excel データ集計・分析
［実践ビジネス入門講座］【完全版】

2023年3月31日　初版第1刷発行

著者………………………国本 温子
発行者……………………小川 淳
発行所……………………SBクリエイティブ株式会社
〒106-0032　東京都港区六本木2-4-5
TEL 03-5549-1201（営業）
https://www.sbcr.jp
印刷・製本………………株式会社シナノ

Printed in Japan ISBN 978-4-8156-1275-7